UFFE HANSEN

Conrad Ferdinand Meyer:
«Angela Borgia»

Zwischen Salpêtrière und Berggasse

Übersetzt von
MONIKA WESEMANN

FRANCKE VERLAG BERN

Denne afhandling er af det Humanistiske Fakultet ved Københavns Universitet antaget til
offentligt at forsvares for den filosofiske doktorgrad.
København den 5. 11. 1984 Michael Chesnutt, dekan.

CIP-Kurztitelaufnahme der Deutschen Bibliothek

Hansen, Uffe: Conrad Ferdinand Meyer: «Angela
Borgia»: zwischen Salpêtrière u. Berggasse/ Uffe
Hansen. Uebers. von Monika Wesemann. – Bern:
Francke, 1986.
   ISBN 3-317-01631-0
Aus. d. Ms. übers.

©
A. Francke AG Verlag Bern 1986
Gesamtherstellung: Friedrich Pustet, Regensburg

Inhalt

Vorwort

> «Um über alle geheime Sympathie oder gar magische
> Wirkung vorweg zu lächeln, muß man die Welt gar
> sehr, ja ganz und gar begreiflich finden. Das kann
> man aber nur, wenn man mit überaus flachem Blick in
> sie hineinschaut ...»
>
> Schopenhauer, «Über den Willen in der Natur»

Mein Buch über die «Angela Borgia» ist nicht nur als Versuch aufzufassen, den von Conrad Ferdinand Meyer mehr oder weniger bewußt intendierten, aber paradoxerweise gut versteckten Sinn seiner letzten Novelle herauszuarbeiten. Es ist zugleich ein Baustein einer noch zu schreibenden Literaturgeschichte, die der relativen Eigenständigkeit der psychohistorischen Abläufe, den langsamen Verschiebungen in der historisch bedingten Struktur der menschlichen Persönlichkeit Rechnung trägt, Veränderungen im Selbst, die im Verhältnis zu sowohl den zeitgenössischen literarischen Konventionen als den anderen gesellschaftlichen Gegebenheiten auffallend ungleichzeitig sein können. Ungleichzeitig, nicht im Sinne des Archaischen oder Überholten, sondern eben nach eigenen chronologischen Gesetzen verlaufend.

Das Manuskript wurde im großen und ganzen Anfang 1983 abgeschlossen und im Dezember desselben Jahres der Philosophischen Fakultät der Universität Kopenhagen als Habilitationsschrift vorgelegt. Abgesehen von wenigen kleineren Zusätzen und Verbesserungen konnte deshalb nach diesem Zeitpunkt erschienene bzw. von mir erst nachträglich bemerkte Literatur zu C. F. Meyer nicht berücksichtigt werden, wie z. B. Karl Fehrs anregendes Buch «Conrad Ferdinand Meyer. Auf- und Niedergang seiner dichterischen Produktivität im Spannungsfeld von Erbanlagen und Umwelt», Bern und München 1983.

Die Übersetzung ins Deutsche sowie die Drucklegung wurden durch die großzügige finanzielle Unterstützung des Dänischen Forschungsrats für Geisteswissenschaften ermöglicht, wofür ich meinen Dank ausspreche. Ferner möchte ich danken: meiner Kollegin Monika Wesemann für ihre Übersetzung, Dr. J. P. Bodmer und Dr. Bruno Weber von der Zentralbibliothek Zürich für ihre Hilfsbereitschaft während dreier kurzer Forschungsaufenthalte in der Schweiz, und meinen Kollegen am Institut für Germanische Philologie, deren Entgegenkommen ich die notwendige Zeit für die Fertigstellung der Abhandlung verdanke.

7

In den Jahren, als ich mich mit dem widerspenstigen Stoff herumschlug, hatte ich während der Arbeit einen imaginären idealen Leser vor Augen. Dieser Leser hieß Günther Jungbluth, 1958–1966 Professor für Germanische Philologie an der Universität Kopenhagen. Dem allzu früh Verstorbenen sei dieses Buch gewidmet. Es ist ein Gespräch mit einem Abwesenden.

«Angela Borgia» – «Ein müdes Werk»

Conrad Ferdinand Meyers letzte Novelle «Angela Borgia» gehört nicht zu den Lieblingen der Literaturhistoriker. Fast ausnahmslos bestätigen sie das bereits von Meyers erstem Biographen, Adolf Frey, gefällte Urteil:

> So sorgfältig er es auch verbarg und in guten Stunden sich selber ausredete, seine Kraft war unbestritten erschüttert. Das mühevolle Umbilden und Formen ermattete ihn stärker als früher, zumal er auf Ausprägung und Vertiefung der Charaktere, namentlich der Lucretia, die denkbarste Anstrengung verwandte, wie er mir denn bemerkte, er habe die Figuren gedrillt, bis er nicht mehr gekonnt habe. Auch steckten in dem Stoffe unüberwindliche Schwierigkeiten, die er vielleicht nicht völlig sah, weil sein eminenter künstlerischer Blick sich unter dem Druck der gestörten Gesundheit schon etwas getrübt hatte. (F 10,349).

Die Kritik konzentriert sich – mit einer gewissen Monotonie – auf zwei Sachverhalte. Erstens wird die Novelle als Meyers endgültige und eindeutige Abrechnung mit der amoralischen Schönheits- und Größenanbetung der Renaissance betrachtet, als ein Bekenntnis zu dem in Christus wiedergeborenen, durch Leiden und Entsagen geläuterten Menschen, als eine «Regeneration der christlichen Gläubigkeit, die im Verlauf der schweren Erkrankung erfolgt sein muß», wie sich Karl Fehr im Hinblick auf Angela und Don Giulio, die beiden Hauptfiguren des Werkes, ausdrückt (F 2,102). Oft kleidet sich diese Charakteristik der Gedankenwelt der Novelle in die Form einer scharfen Distanzierung:

> «Jene merkwürdige Ambivalenz des Dichters in der Wertung der in seinen Werken miteinander ringenden zwei Prinzipien hat hier der unleugbaren Absage an das eine, und dem vorbehaltlosen Bekenntnis zum andern Platz gemacht. Keine skeptische Ironie spielt mehr über den Vorgängen. Soviel Bekehrung, Insichgehen und Skrupel, so deutliche Scheidung von Laster und Tugend geben dieser Novelle fast einen moralistischen Beigeschmack. Darüber ging allerdings jene letzte, mystische, ja religiöse Tiefe verloren, die im «Heiligen» bis in die Geheimnisse von Askese und Heiligkeit dringt, im «Pescara» dem Leben die Macht des Todes entgegenstellt, in der «Richterin» die Selbstvernichtung des schuldigen Lebens verherrlicht. (F 1,186)

Selbst Alfred Zäch, der sich in seinen Analysen der Meyerschen Werke durchgängig recht differenziert verhält, betont schließlich die kompakt eindeutige Haltung gerade in dieser Novelle:

> Ironie ist in «Angela Borgia» nicht mehr als Grundhaltung wie im «Heiligen»

oder im «Pescara» zu treffen. Das überlegene Lächeln ist nicht die Gebärde des Frommen. Büßende, zum Himmel sich Kehrende lächeln nicht. (Z 1,227)

Der allgemeine Konsensus läßt sich so zusammenfassen: Meyer (biographisch gesehen) oder der implizite Autor + Erzähler der Novelle (textanalytisch betrachtet) schildert mit einer Mischung aus Ekel, Angst und Faszination das politische Machtspiel in der Welt der Borgias und Estes und beschwört angesichts dieser trostlosen Wirklichkeit mit wachsender Intensität sein positives Gegenbild, die christliche Verwirklichung von Barmherzigkeit, Sühne und Liebe. Ich will an diesem Punkt die Richtigkeit einer solchen Betrachtungsweise nicht anfechten, sondern nur auf eine Schwierigkeit hinweisen: Aus Meyers eigenen brieflichen Äußerungen nach Beendigung der Novelle geht hervor, daß er in ihrer Aussage nichts Erbauliches sah. An seinen Verleger, Hermann Haessel, schrieb er Anfang 1892 über seine neuen Pläne: «Der Roman, an dem ich herumdenke, ist nicht der Dynast – denn dieser wäre *noch grausamer* als Angela /.../» (**Br. II,**212). Zu dem abschließenden Kapitel, von dem Martini schreibt, Meyer habe darin eine Zuflucht «in der subjektiven Innerlichkeit des Ethischen wie in einer sentimentalen Idylle des Leidens und der beglückenden Sühne» gesucht (**M 2,**844), hatte er bereits am 7. 10. 1891 folgenden Kommentar: «Ihrer Befürchtg des zu Düstern der Angela, die ich theilte, habe ich vorgebeugt durch ein Mittel welches aber, wie andere Arzneimittel, das eine Übel entfernt u. ein anderes verursacht. Der Schluß nämlich ist durchaus versöhnend, aber fast idyllisch.» (Frey, 7. 10. 91). Abgesehen von einer vagen Bemerkung an den frommen Felix Bovet in Neuchâtel: «Cette nouvelle est – à proprement dire – l'histoire de la conscience» (Bovet, 6. 9. 91), eine seltsame Formulierung, da gerade der Gewissensbegriff in der Novelle relativiert wird («zu wenig und zu viel Gewissen» (Milan 30. 8. 91)), führen alle anderen Äußerungen von Meyers Seite von der verkündenden Haltung weg.

Der zweite Haupteinwand gegen die «Angela Borgia» bezieht sich auf die Komposition und die Erzählsituation. Im Gegensatz zu der charakteristischen dichten Motivstruktur der früheren Novellen zeigt dieses Werk auf den ersten Blick eine seltsam episodische und lose verflochtene Komposition. Bereits Th. Wyzewa machte in seiner Rezension in der *Revue des Deux Mondes* auf diese Schwäche aufmerksam: «Angela Borgia n'est pas seulement formeé de deux histoires juxtaposées: chacune de ces histoires est elle-même formée de petites scènes sans aucun lien entre elles.» (**W 3,**533). Auch in diesem Punkt ist man sich in der Meyerforschung äußerst einig: «Was im übrigen das Werk als unvollkommen erscheinen läßt, das ist der Mangel an Einheit der Handlung.» (**Z** 1,224). /.../ «elle n'a pas une, mais au moins deux actions, parfois liées, parfois parallèles et presque indépendantes. Certes, l'auteur s'est efforcé de les emboîter l'une dans l'autre; il n'a cependant toujours réussi à les cheviller solidement et ‹Angela Borgia› ne donne pas l'impression d'une œuvre fortement charpentée.» (B 11,344). «Die Kontrastierung der beiden Frauen, von denen die eine zu wenig, die andere zu viel Gewissen besitzt, ist meisterhaft. Aber sie sind bloß, durch ihren Wesenskontrast, in Gegensatz gestellt, nicht aber in ein Gegenspiel. Es hat jede ihre Handlung für sich. Es ist nicht *eine* Novelle, es sind zwei.» (F 10,350).

Wie aber läßt sich dann diese kompositorische Eigentümlichkeit erklären oder verstehen? Genetisch, als Folge der Tatsache, daß «die gestalterische Kraft des müde gewordenen Dichters nicht mehr ausreiche, völlig Herr über den Stoff zu werden, und daß daher ‹Angela Borgia› hinter den bisherigen Novellen an Rundung und Klarheit zurücksteht» (Zäch. Z 1,225)? Oder als bewußte Verfasserabsicht, wie W. D. Williams vorschlägt?: «He is no longer content to operate with one central figure, one central problem, an enigma which teases our understanding – rather he is determined now to reveal a whole complex society which is diseased, where a fundamental flaw makes itself apparent not only in a given character but in the fate of a whole galaxy of characters, where the flaw is apparent and yet can be redeemed by the pure exercise of charity.» (W 2,172). Das würde bedeuten, daß Meyer mit diesem Werk einige der wichtigsten Begriffe der formenstrengen Novellengattung auflöst und sich auf das für den Roman typische Bestehen auf der Verankerung des Menschen in einer gegebenen Gesellschaft sowie eventuell auf den Konflikt zwischen diesen beiden Größen zubewegt, doch diesen Schluß zieht Williams nicht; er dürfte auch kaum möglich sein. Meyer besteht im übrigen darauf, sein Werk als Novelle zu bezeichnen.

Zu den Schwächen der «Angela Borgia» zählt man schließlich auch den Stil, oder genauer gesagt die Erzählsituation, die mit dem bis dahin vorherrschenden Streben nach «Objektivität» zu brechen scheint. «Le récit empiète parfois de façon abusive sur l'action», schreibt Brunet (B 11,344), und Alfred Zäch hat zu diesem Zug folgende Bemerkungen: «In einer Hinsicht ist der Erzählstil anders als früher. Das von Meyer bisher verfolgte Prinzip, als Erzähler sich nicht berichtend vorzudrängen, sondern den Leser das Nötige aus Reden und Gebärden der handelnden Personen erschließen zu lassen, ist in der ‹Angela› auf längere Strecken aufgegeben. Vielleicht ist das nicht als Zeichen schwächerer Formkraft zu werten, sondern als bewußtes Vorgehen. Eine Bemerkung zu Lingg (März 1890) könnte zum mindesten so ausgelegt werden: «ich habe einen schönen Stoff, möchte ihn aber in neuer Form behandeln.» Es ist möglich, daß sich Meyer der modernen naturalistischen Richtung mit ihrer psychologisch-analysierenden Technik angleichen wollte. Verwirklicht hat er die Absicht, wenn sie tatsächlich vorhanden gewesen sein sollte, nur in geringem Maße.» (Z 1,228). Es stimmt, diese Novelle enthält erzähltechnisch eine höhere Frequenz von Resumé, Kommentar, Gedankenreferat und direkter Figurencharakteristik als die früheren, Meyer führt hier kurz ausgedrückt zum ersten und einzigen Male eine so auktorial-allwissende Erzählsituation durch. Doch ausgerechnet der Hinweis auf die Ideen des Naturalismus scheint in dem Zusammenhang wenig glücklich gewählt, auch wenn es sich bei dem Naturalismus, an den Zäch dachte, um die psychologische neuere Variante mit ihrem Bewußtseinsstrom als wichtigstem technischen Fortschritt handelt – Hermann Conradis «Adam Mensch» (1889), um ein deutsches Beispiel zu nennen. Gerade das breite erzähltechnische Segmentspektrum läßt sich nicht mit der Forderung des Naturalismus nach einem Zurücktreten des expliziten Erzählers vereinen, eine Forderung, die auch der in einer anderen literaturgeschichtlichen Strömung wurzelnde Fr. Spielhagen ein paar Jahre später erhob, indem er von einem «dichterischen Roman» verlangte, «daß er zuerst – und ich möchte sagen: und zuletzt – wie das homerische Epos, nur handelnde Personen kennt, hinter denen der Dichter völlig und ausnahmslos verschwindet, so, daß er auch nicht die geringste Meinung für sich selbst äußern darf: weder über den Weltlauf, noch darüber, wie er sein Werk im Ganzen, oder eine specielle Situation aufgefaßt wünscht; am wenigsten über seine Personen, die ihren Charakter, ihr Wollen, Wähnen, Wünschen ohne seine Nach- und Beihilfe durch ihr Thun und Lassen, ihr Sagen und Schweigen exponiren müssen»[1]. In seiner erzähltechnischen Neuorientierung stimmt Meyer dagegen mit einer *Gegenbewegung* zu dem im Realismus und Naturalismus deutlichen Streben nach strenger Objektivität des Erzählers überein. Genau auf diese Strömung verweist der Wiener Kritiker Hermann Bahr in seinem Aufsatz «Die Krisis des französischen Naturalismus», der am 6. 9. 1890 in der Zeitschrift *Das Magazin für die Litteratur des In- und Auslandes* erschien, d. h. während Meyer an der «Angela Borgia» arbeitete (über Meyers Beziehung zu dieser Zeitschrift siehe unten, S. 92). Bahr macht hier auf das Paradoxon der Romane von Paul Bourget aufmerksam, nämlich darauf, daß sie Träger von «allen letzten Errungenschaften der jüngsten Psychologie» seien, dieser neue Inhalt aber in der Form einer vornaturalistischen Tradition ausgedrückt sei. «Alle seine Romane sind ‹alt›, nach dem traditionellen Modell des psychologischen Romanes, /.../. Alle haben dieses unserem gesteigerten, verwöhnten, leicht argwöhnischen Wirklichkeitssinn geradezu Unerträgliche, daß nichts gezeigt, sondern jedes bloß erzählt und zwischen uns und die Wahrheit immer der vermittelnde, ergänzende und kommentierende Autor eingeschoben wird, welcher, gerade indem er es

verdeutlichen will, alles erst recht verdeckt.» (B 1,562–63). Was Bahr mit
seiner seismographischen Sensibilität zwar zu registrieren, aus guten Gründen jedoch nicht zu überschauen vermochte, ist die Tatsache, daß die
ausgehenden 80er Jahre auf breiter Front eine faszinierte Beschäftigung mit
der subjektiven Spiegelung der Wirklichkeit zeigen, und zwar nicht nur in
den epischen Gattungen, sondern auch, wie z. B. Peter Szondi nachgewiesen
hat, im Drama, in erster Linie bei Strindberg (S 3,40ff.). Genau dieses
subjektiv artistische Element ist Maupassants Hauptanliegen in seiner Vorrede «Le Roman» zu «Pierre et Jean» (1887): «Quel enfantillage, d'ailleurs,
de croire à la réalité puisque nous portons chaucun la nôtre dans notre pensée
et dans nos organes. Nos yeux, nos oreilles, notre odorat, notre goût
différents créent autant de vérités qu'il y a d'hommes sur la terre. Et nos
esprits qui reçoivent les instructions de ces organes, diversement impression-
nés, comprennent, analysent et jugent comme si chacun de nous appartenait à
une autre race.» (M 3,835). Diese sich vom wissenschaftlichen Objektivi-
tätsideal des Naturalismus entfernende Bewegung wurde noch verstärkt, als
im Laufe der 80er Jahre Dostojewski und Tolstoi ins Deutsche und Französische übersetzt wurden und damit eine reale Alternative zu Zola und seiner
Schule eröffneten. Wie stark die beiden Russen auf das literarische Klima
einwirkten, geht u. a. aus «Le Roman russe» (1886) des Vicomte de Vogüé
hervor[2]. Meyers Bibliothek enthält die ersten französischen Tolstoiüberset-
zungen («La guerre et le paix». 1884. «Anna Karenina». 1885. «Ma religion».
1885. «Les cosaques». 1886), und eine Reihe von brieflichen Äußerungen vor
und während der Arbeit an der «Angela Borgia» zeigen seine Bewunderung
für den Russen: «Von den lit. Neuern ist wohl L. Tolstoi der Bedeutendste
(soweit er dazu gehört, denn sein Impuls ist der religiöse seines rationalisti-
schen Mysticismus), aber ‹Macht der Finsternis› hat Größe.» (Rodenberg,
12. 2. 90)[3]. Vor diesem Hintergrund sollte man sich wohl noch einmal
überlegen, ob die «Angela Borgia» auch in dieser Beziehung wirklich «ein
müdes Werk» ist (F 1,177).

Die Interpretationen der Novelle wirken unnötig mager, was zweifellos
mit der ästhetischen Bewertung zusammenhängt, die, unabhängig davon, ob
sich die Interpreten dessen bewußt sind oder nicht, sowohl Interpretations-
methode wie Intensität der Beschäftigung mit dem Werk steuern. Wir sind,
wie Walter Müller-Seidel sagt, «auf ein ‹Wertgefühl› angewiesen, das wir
haben müssen, ehe wir über ein literarisches Werk irgend etwas sagen – es sei
dies ein Werk der großen oder der minderwertigen Kunst» («Probleme der
literarischen Wertung». Stuttgart 1965). Eine solche Vorausentscheidung
läßt sich im Fall der «Angela Borgia» beobachten, da in die Interpretationen
anscheinend eine Reihe von ahistorischen, normativen Wertkriterien einflie-

ßen: Dem Werk fehlt Ambiguität und Ironie, eine kohärente Komposition, die für Meyer sonst so charakteristische «objektive» Erzählsituation (oder die Verankerung in einem Ich-Erzähler), die Einheit des Stils und eine ausreichende psychologische Motivation der Handlungen der Fiktionsfiguren. Ich habe nicht die Absicht, diese Züge zu leugnen. Gemessen an anderen Meyerschen Werken ist die «Angela Borgia» nach den genannten Kriterien ganz zweifellos mißlungen, mißlungen jedoch in einer außerordentlich interessanten Weise, die eng mit dem historischen Stellenwert des Textes zusammenhängt. Was unter einem Aspekt als Defekte aufgefaßt wird, läßt sich nämlich unter einem anderen als beabsichtigte Normenbrüche oder Normenmodifikationen verstehen.

Die vielleicht augenfälligste Eigentümlichkeit der Novelle ist ihre mehrsträngige Komposition. Bereits am 21. 6. 1890 schrieb Meyer an seinen Verleger Hermann Haessel (der den Titel mißverstanden hatte): «Es handelt sich nicht um einen Angelo sondern eine Angela Borgia a), als Gegensatz zu Lucrezia b) behandelt, zu viel a) u. zu wenig b) Gewissen.» Auch als Meyer am 30. 5. 1890 Anna v. Doß seinen Entwurf zum 1. Kapitel vorlas, wurde ein klarer Aufbau um dieses Gegensatzpaar formuliert (XIV,144), und die Formel wird in einigen brieflichen Äußerungen während und nach der Ausarbeitung wiederholt[4]. Die bewußte kompositorische *Absicht*, die natürlich nicht mit der realisierten Struktur des Textes übereinzustimmen braucht, ist demnach die Gegenüberstellung zweier Charaktere, die eventuell zwei Seiten des Problems des Gewissens repräsentieren. Da es nach der Fabel der Novelle zu keinem Zeitpunkt darum gehen kann, Angela und Lucrezia als Antagonisten auftreten oder auf andere Weise in den Handlungsablauf des anderen eingreifen zu lassen (abgesehen von dem initiatorischen Element, daß Lucrezia Angela aus dem Kloster holt), der Text in dieser Hinsicht also über reinen Kontrast- oder Parallelverläufen aufgebaut ist, trifft die Kritik der «lockeren» Komposition insofern daneben, als man genau genommen nicht wissen kann, ob hier eine fehlende *Fähigkeit* zur Integration der beiden Handlungsverläufe vorliegt. Kritisieren kann man dagegen, daß Meyer sich für einen solchen Aufbau entschied, der ja jedenfalls mit der anerkannten Bestimmung der Novellengattung im 19. Jahrhundert bricht. Die Meyerforschung war offensichtlich so durch das biographische dictum gebunden, nämlich daß er 1890–91 ein geschwächter Mann und deutlich auf dem Weg zu dem Zusammenbruch gewesen sei, der dann im Juli 1892 tatsächlich kam, daß man von vornherein die Möglichkeit ausschloß, die «Angela Borgia» als Experiment zu betrachten. Das ist um so seltsamer, als Heinrich Henel ihn ja bereits in seinem bahnbrechenden Werk von 1954 als den großen Experimentator auf dem Gebiet der Lyrik charakerisiert:

Meyer was the first of German symbolists; it was this fact which made his task so hard. Not since Hölderlin had a German poet felt so acutely the gap between actual experience and inner experience; not since then had the outer world seemed so insufficient a medium to render the poetic. Hence Meyer's groping uncertainty (H 3,56).

Hinzu kommt, daß Meyers starkes Interesse an den neuesten Strömungen innerhalb der zeitgenössischen Literatur gerade für diese Zeit gut belegt ist. So berichtet Wilhelm Langewiesche, der ihn im Oktober 1890 besuchte: «Bald lenkte sich das Gespräch auf die zeitgenössische Literatur. ‹Die Russen führen gegenwärtig›, äußerte Meyer und gedachte der Schöpfungen von Turgenjew, Dostojewski, Tolstoi, dessen neuere Schriften, wie die Kreutzer-Sonate, durchaus nicht seinen Beifall fanden. Auch die Nordländer: Alexander Kielland, Jonas Lie, Henrik Ibsen, Arne Garborg, die Franzosen: Emile Zola, Guy de Maupassant, die Goncourt alle diese Modernen und Modernsten waren dem Dichter völlig vertraut» (L 1,180–81).

Läßt man nun einmal das kausalgenetische Erklärungsmodell beiseite und versucht, das Werk als eine Meinungsäußerung zu verstehen, dann erhebt sich die nächste Frage: Ist die Novelle nur als zweisträngiger Verlauf komponiert, oder geht die Fragmentierung der Handlung oder, wenn man so will, ihre kontrapunktische Konstruktion noch weiter? In der «Angela Borgia» liegt nämlich neben der statischen Opposition Angela – Lucrezia (und parallel dazu: Giulio – Strozzi) auf jeden Fall *ein* dynamischer Prozeß vor, nämlich Don Giulios Verlust der Augen und seine schmerzliche Wiedergeburt im Geiste des Christentums. Dieser Handlungsstrang ist ebenso wichtig wie der Aufbau um die beiden Frauengestalten, was schon allein daraus hervorgeht, daß er das epische Skelett des Werkes bildet, das mit Don Giulios Befreiung aus dem Gefängnis beginnt und mit seiner wiederholten Begnadigung und Vereinigung mit der treuen Angela endet. Der novellistische Kern, die unerhörte Begebenheit, d. h. seine grauenhafte Blendung, steht genau in der Mitte der Novelle[5]. Der Don Giulio-Verlauf folgt in den Hauptzügen Meyers historischer Vorlage, Ferdinand Gregorovius' «Lucrezia Borgia» (1875[3]), soweit es die äußeren Ereignisse bis einschließlich zu der Begnadigung der beiden aufrührerischen Brüder auf dem Schafott betrifft (vgl. XIV,172–79), wogegen die innere Handlung, nämlich Don Giulios Verwandlung von leichtsinnigem Lebensgenuß[6] zu seiner Annahme von Leiden und Entsagung als Voraussetzung geistiger Wiedergeburt, auf Meyers freie dichterische Phantasie zurückgeht. Das gleiche gilt natürlich für Angelas Liebe zu dem Gefangenen. Die Fragmentierung der Komposition ist jedoch so weit getrieben, daß diese beiden hinzugedichteten Verläufe isoliert von einander erscheinen: Don Giulios innere Wandlung hat sich vollzogen, bevor das Liebesmotiv entfaltet wird. Als er auf dem Schafott begnadigt wird, ist seine innere Entwicklung so abgeschlossen, daß er sagen kann: «Ich bin von den Reichen zu den Armen gegangen: Ich bin gestürzt und an der andern Seite der Kluft emporgeklommen, welche die Genießenden und Satten der Erde von den Hungrigen und Durstenden trennt. Die Freude und ihre Genossen habe ich verlassen – ich gehe zu den Leidensbrüdern. Ja, redlich leiden und dulden will ich, und darum dank' ich für das neue Leben.» (XIV,85). In diesem Prozeß spielt Angela keine Rolle. Verfolgt man nun die Tendenz zur Fragmentierung weiter, so entdeckt man, daß sie sich auch in Don Giulios Entwicklung selbst geltend macht, wenn man denn überhaupt sinnvoll von einer Entwicklung sprechen kann. Denn am Ende des VII. Kapitels (XIV,68) ist der Unglückliche vom Bewußtsein seines unwiderruflichen Verlusts erfüllt und voller Rachegefühle gegenüber den ungerechten Brüdern, um sofort darauf, nach der Verhaftung zu Beginn von Kapitel VIII (XIV,70–71), als ein vom Leiden Geläuterter, völlig auf das Jenseits Ausgerichteter zu erscheinen, und das ohne eigentliche Motivation, nur als vollendete Tatsache[7]! ‹Giulio I› scheint also gegen ‹Guilio II› *ausgetauscht* zu sein, der sich dann darauf im XII. Kapitel in ‹Guilio III›, den Geliebten Angelas, verwandelt und anscheinend ohne jegliche Erinnerung an seine Bekehrung zur Entsagung als petrarkistischer Poet singt: «Ein einzger Stern darf meinen Himmel zieren …/ Und, wehe, meinen Stern muß ich verlieren,/ Dich, treues Weib, die Liebende, die Meine!/Mein Leben kehrt zurück in stummes Grauen!//». Es ist ganz klar, legt man an einen solchen Verlauf den psychologischen Maßstab der realistischen Novelle oder des realistischen Romans an, dann ergibt sich als einziger sinnvoller Schluß nur Zächs Feststellung: «In den psychologischen Vorgängen bleibt auch manches dunkel oder ungenügend motiviert.» (Z 1,225). Was aber hat Meyer an der Einführung solcher Motivierungen gehindert?

Don Giulios Verwandlung scheint also, wenn man von der allerletzten Phase mit der idyllischen Liebesgeschichte absieht, ein so selbständiger Vorgang zu sein, daß Angela, die indirekte Ursache der Blendung, auf das hätte reduziert werden können, was sie laut einer der historischen Quellen war, nämlich «una damigella elegantissima» (XIV,179). Meyer formt jedoch über ihre Funktion in der statischen Angela-Lucrezia Opposition hinaus in ihrer Person einen selbständigen dynamischen Handlungsverlauf. Wie ihre Namensvetterin in «Engelberg» tritt diese Inkarnation der Barmherzigkeit, Tapferkeit und Gerechtigkeit (XIV,11) in die menschlichen Bedingungen ein, geht durch Schuld und Leiden zu Sühne und Wiederaufrichtung der Harmonie, ganz wie in «Engelberg»: «Es ging ein Himmelskind verloren/

Und blieb dem Himmel doch getreu,/» (IX,85). In der Welt der fieberhaften Unbeständigkeit der Novelle steht sie in bezug auf ihren persönlichen moralischen Habitus nahezu mit der gleichen Unerschütterlichkeit wie die Märtyrergestalten des barocken Dramas. Um so seltsamer ist deshalb, daß sie daneben eine Diskontinuität zeigt, die mit der in der Don Guilio-Gestalt zu findenden verwandt ist. Sie entwickelt sich während ihrer Jugend im Kloster zu einer kompromißlosen Vorkämpferin der christlichen Tugenden («Dafür entwickelte sich in Angela gegen die herrschende Nichtswürdigkeit ein Bedürfnis verzweifelter Gegenwehr und, mit einem zarten Flaum auf den Wangen und dem Feuer ihrer Augen, eine gewisse ritterliche Tapferkeit, nicht nach dem duldenden Vorbilde ihrer weiblichen Heiligen, sondern mehr nach dem kühnen Beispiel der geharnischten Jungfrauen,» ... (XIV,11). Als aber die berüchtigte Lucrezia unerwartet im Kloster auftaucht und ihr mitteilt, «daß sie Angela als ihre Verwandte und ihr Hoffräulein nach Ferrara mitnehmen werde» (XIV,12), scheint ihr ehemaliger Abscheu vor der Papsttochter mit einem Schlag verschwunden zu sein, worauf sie «hinter der Berückenden» (XIV,8) lebt, ohne anscheinend an die Berichte über Lucrezias Verbrechen zu glauben (XIV,10), in einer seltsam kühl distanzierten Nachsichtigkeit gegenüber dieser ihr so fremden Existenz («Wie bin ich eine andre!» (XIV,110)). Nur bei einer Gelegenheit zeigt Angela einen Anflug von Abstandnahme, doch selbst hier, es handelt sich um Lucrezias Gleichgültigkeit gegenüber Strozzis Schicksal, ist die Reaktion dadurch begründet, daß sie zwischen dieser Beziehung und ihrem eigenen Anteil an Schuld an Don Giulios Unglück eine Identität erlebt (XIV,101). Alfred Zäch schreibt ganz richtig: «Mit ihrem Gegenüber, Lucrezia, kommt sie nie in Konflikt. Sie ist befreundet mit ihr und wundert sich höchstens ab und zu über ihre Verschiedenheit.» (Z 1,221). Das bedeutet jedoch zugleich, daß von dem «widerstandsfähigen und selbstbewußten Mädchen» (XIV,11) bis zu Lucrezias mild nachsichtiger Freundin ein unverkennbarer Sprung besteht. Obgleich Meyer in seiner Novelle nicht mit psychologischen Analysen seiner Fiktionsfiguren geizt, schweigt sein Erzähler hier, genau wie im Falle von Don Giulio. Will man sich der generellen Linie der Meyerforschung anschließen, so ist man zu dem Schluß gezwungen, Meyer sei 1890–91 psychisch so am Ende gewesen, daß er nicht *imstande* war, auf den 130 Seiten einer Novelle eine Charakterzeichnung festzuhalten. Dieser Sachverhalt scheint mir deshalb äußerst liebenswürdig ausgedrückt, wenn David A. Jackson sagt: «Der normative Ethiker verdrängt den probenden Psychologen.» (J 1,117).

Nun wäre denkbar, daß Meyer das ganze Gewicht auf die thematische Struktur gelegt hat, den Kontrast zwischen «les deux principes incarnés par

Lucrezia et Angela» (B 11,349). Wie jedoch aus dem Angeführten deutlich wurde, wird diese Linie, «das Gegenüber zweier Frauen» (Haessel Dez. 1891), dadurch durchkreuzt, daß «das gemeinsame Elend» (XIV,96) hervorgehoben wird. Als vermittelnde Formel zwischen diesen beiden Linien könnte man vielleicht W. D. Williams Auffassung betrachten, wonach Angelas Beobachtungen der Bosheit und Brutalität in ihrer Umgebung «reveal herself to herself so that in the final instance she takes upon herself something of the sins of them all, and becomes a symbolic suffering figure akin to Pescara. The cross on her forehead at the end is the equivalent to the wound in Pescara's side» (W 2,198). In dem Fall landet man dennoch bei dem Schluß, diese Verlagerung der Figur «into an allegorical direction» (W 2,198) habe nur auf Kosten der psychologischen Motivation ihrer Handlungen und Haltungen stattfinden können, d. h. letzten Endes also, weil der Autor die Fähigkeit zur Synthese nicht aufbrachte. Daß Angela die Sünden anderer auf sich nimmt, wie Williams behauptet, läßt sich vom Text her schwer belegen und wird denn auch nicht überzeugend genug nachgewiesen. Einzig und allein die Schuld an Don Giulios Blendung nimmt sie tatsächlich auf sich; dadurch aber erhebt sich wiederum ein neues Problem, da Meyer ihre Haltung ja ausdrücklich «zu viel Gewissen» nennt, eine Interpretation, die in den Novellentext integriert ist: «Es war ein ungerechter Vorwurf, den sie sich machte» (XIV,101), obendrein sogar als explizite Erzählerbewertung. Zu allem Überfluß wird diese Distanzierung von Angelas Schuldgefühl in dem Don Giulios Überlegungen zu diesem Punkt enthaltenden Gedankenreferat variiert: «Der Kardinal hatte das Lob Angelas an ihm gerächt! Aber wo war die Schuld, die das Mädchen erdrückte? Mit teuflischer Bosheit hatte er ihr das verderbliche Wort aus dem Munde gezwungen, und hätte sie feige geschwiegen und ihn beschimpfen lassen, der Arge hätte bald eine andre Gelegenheit gefunden, die spröde Kälte des Mädchens an ihm, dem völlig Unbeteiligten, den der Zurückgewiesene bevorzugt glaubte, satanisch zu rächen.» (XIV,67). Deshalb ist begreiflich, wenn Alfred Zäch Meyers Worte über Angelas Gewissen nicht versteht: «Von ‹zu viel› könnte ja nur die Rede sein, wenn ihr zu peinliches, überempfindliches Gewissen ein Unglück verursachte. Aber es ist umgekehrt, sie rettet ja Giulio und führt ihn zum Heil, auch zum ewigen Heil.» (Z 1,221). Soll man erneut feststellen, daß Meyers Urteilskraft außer Kraft gesetzt war? Oder soll man das Wort «Gewissen» ebenso weit auslegen wie Brunet: «Deux fois en effet, Angela, croyant bien faire, s'est rendue coupable: la première fois en se permettant de parler au nom de la justice divine, la seconde en essayant de prendre la défense de celui qu'elle avait condamné. La faute, chez Angela, naît de la conscience même. La conscience est chez elle une force qu'elle ne domine point, mais

dont elle assume pourtant les fautes.» (**B** 11,349). Danach sollte Meyer mit
«Gewissen» also die beiden spontanen Ausbrüche moralischer Stellungnahme oder des Gerechtigkeitssinns gemeint haben, die Angela gegenüber
Don Giulio zeigt? Erstens würde eine solche Auslegung eine gründliche
Untersuchung der Funktion des fatalen Wortes in Meyers semantischem
Universum erforderlich machen, was nach meiner Auffassung zeigen würde,
daß eine solche Lesart keinen Rückhalt im Text hat, zweitens aber: Was soll
der Leser dann mit «zu wenig Gewissen» bei Lucrezia anfangen? Feststellen
läßt sich dagegen, daß man es wiederum mit einem Beispiel der Diskontinui-
tät zu tun hat, die die gesamte Novelle prägt: Zwischen Don Giulios
Verteidigung durch Angela und der darauffolgenden Blendung besteht kein
Band im Sinne von ‹Absicht – Folge›, und folglich auch keine moralische
Zurechnungsfähigkeit. Es handelt sich, wie es in der «Hochzeit des Mönchs»
von Ezzelin heißt, allein um den «unschuldigen Urheber des Verderbens»
(XII,14). Im Frau Laura-Fragment von 1889, d. h. unmittelbar vor der
«Angela Borgia», taucht folgender, Angelas Problem recht genau ausdrük-
kender Satz auf: «Immerhin schien der ewig menschliche und von den
meisten leicht ertragene Zwiespalt von Gesinnung und That in diesem
begabten Redner auf ungewöhnliche Weise scharf und schmerzlich geworden zu sein.» (UP,259–60). Einerseits ist das Gewissen für Angela eine
psychische Realität, während die Gewissens- und Schuldfrage andererseits
ad absurdum geführt wird, indem jede Handlung, unabhängig von der
Absicht des Handelnden, notwendigerweise in ein Kausalitätsnetz eintritt,
so daß der Handelnde im Sinne einer mitwirkenden Ursache potentiell für
alles verantwortlich wird. Hat sich bei Meyer die sowieso schon äußerst
scharfe Trennung der moralischen von der materiellen Wirklichkeit noch
weiter verschärft, eine Trennung, die man bei Grillparzer finden kann: «Sei
ganz wie Gott, o König! Straf den Willen,/ Und nicht die Tat, den launischen
Erfolg.»? («Ein treuer Diener seines Herrn», V. 2007–08)[8]. Oder liegt hier
der Prädestinationsgedanke des Calvinismus zugrunde, wie im folgenden
Abschnitt des Manuskripts M – freilich ein Abschnitt, der nicht in den
fertigen Text aufgenommen wurde: Lucrezia sagt zu Angela:

> Der Perser erzählte ein Märchen und dies Märchen gab dir das unschuldigste und
> gleichgültigste Wort an die Hand. Das heißt der Zufall waltete, und der Zufall, so
> entsetzliche Folgen er diesmal hatte –
> ist ein großer Unschuldiger spottete der herüberschauende Cardinal und fuhr
> fort Schwerverständliches redend, wie ein Prophet: Nein liebe Frauen der Zufall
> ist Gott; wo das furchtbar feste Gewebe von Ursache und Wirkung sich lockert
> oder zu lockern scheint, da nur kann jene heilige oder gespenstische Hand
> eingreifen die wir Gott nennen. Er schwieg plötzlich. (XIV,252–53).

Dann ist schwer verständlich, weshalb ausgerechnet das Gewissensproblem «der schöpferische Gedanke der Novelle» sein sollte, wie Meyer es ausdrückte. Kurz: Die Fiktionsfigur, die eigentlich die am deutlichsten gezeichnete der gesamten Personengalerie sein sollte und von der Meyerforschung im allgemeinen auch als solche betrachtet wird, diese Figur wird immer unverständlicher, je mehr man ihre Funktion und die Elemente, aus denen sie sich zusammensetzt, zu analysieren versucht. Selbst die Tatsache, daß Angela die Titelfigur der Novelle ist, ist alles andere als selbstverständlich. Meyers Novellentitel bezeichnen entweder den novellistischen Kern, die unerhörte Begebenheit oder das zentrale Dingsymbol («Der Schuß von der Kanzel», «Plautus im Nonnenkloster», «Das Amulett»), die Hauptperson («Jürg Jenatsch», «Der Heilige», «Gustav Adolfs Page», «Die Hochzeit des Mönchs», «Das Leiden eines Knaben», «Die Richterin», «Die Versuchung des Pescara») oder die Kombination dieser Faktoren, mit der «Angela Borgia» aber führt der Titel eine Figur an der Peripherie der Novellenhandlung an. Sie ist teils Zuschauer der Ereignisse, teils Katalysator (so wie Grace im «Heiligen» und Antiope in der «Hochzeit des Mönchs») und beansprucht quantitativ im Werk nur wenig Platz. Da ich in diesem Kapitel nur einige ungelöste Interpretationsprobleme vorlegen möchte, sei nur darauf hingewiesen, daß man es hier mit dem Problemkomplex zu tun hat, der die Tatsache umfaßt, daß Meyer ab 1883 – in den «Leiden eines Knaben» und der «Hochzeit des Mönchs» – in seine Personenkonstellationen ein oder zwei Kontrastfiguren zu den vom hektischen Wirbel der Handlungen ergriffenen Personen einführt, nämlich die Unbeweglichen, Unberührbaren, Fernen (Ludwig XIV., Ezzelin, Karl den Großen, Karl V. und Pescara, den Herzog von Ferrara und Angela). Auf diesen Punkt komme ich später zurück.

Anmerkungen

[1] «Die epische Poesie und Goethe». In: Goethe-Jahrbuch, Bd. 16. Frankfurt a. M. 1895. S. 5*. Schon in «Beiträge zur Theorie und Technik des Romans» (Lpz. 1883) findet sich diese Forderung nach «technischer Objektivität» (z. B. S. 172), wobei sich Spielhagen auf Otto Brahm beruft.

[2] Vgl. Ch. Beuchat, «Histoire du naturalisme français». 1949. II, 229. W. Hammer, The German Tolstoy Translations. In: G. R. 12. 1937. S. 49–61.

[3] Vgl. François, 22. 2. 85 («Von den russischen Romanciers gefällt mir Tolstoi (Graf) noch besser als Turgenjeff, obgleich er weniger stimmungsvoll, mehr realistisch arbeitet.»). François, 15. 10. 88; Wille, 16. 1. und 23. 1. 91.

[4] Auguste Bender, 18. 12. 90: ... «habe eine neue Novelle, aber langsam arbeitend, auf dem Webstuhl, Renaissance, 2 Frauen, eine mit zu wenig, die andre mit zu viel Gewissen» (zit.

XIV,148). Rodenberg, 12. 7. 91: ... «die Lucretia Borgia – das Pendant meiner Hauptfigur –
»... Wille, 15. 7. 91: ... «die Lucrezia u. die Angela, ihr Gegenstück» ... (zit. XIV,153).
Entsprechend an Haessel, 5. 8. 91, Fr. v. Wyß, 22. 8. 91 und Bovet, 6. 9. 91. Schließlich die
bekannte Bemerkung in Haessel, Dez. 91: «Der schöpferische Gedanke der Nov. ist das
Gegenüber zweier Frauen nach Art der Italiener (z. B. Titian Himmlische u. Irdische Liebe.)
Hier: *Zu wenig und zu viel Gewissen.* Genau also müßte die Nov. heißen: Lucrezia *und*
Angela Borgia.»

5 Texthistorisch scheint es sich dabei um die älteste Schicht des Werkes zu handeln. Die beiden
   frühesten Manuskripte (H^{11} und H^{12}) tragen den Titel «Verlorene Augen» bzw. «Geraubte
   Augen» (XIV,206–07).

6 An mehreren Stellen in Manuskript M, dem vermutlich letzten Manuskript vor der end-
   gültigen Niederschrift der Novelle, schreibt Meyer «Don Juan» statt «Don Giulio» (oder
   schreibt fälschlich «Don J» und korrigiert danach): XIV,217^1, 217^{31}, 216^{20}, 216^{26}, 226^{23},
   232^6. In dem Dramenentwurf H^9 enthält eine Replik von Julius (= Giulio) folgenden
   Abschnitt: ... «ich mit der schönen Zerbinette im Arm» ... (XIV,203). Vgl. Da Ponte/
   Mozarts «Zerlina».

7 Lily Hohenstein, für die Don Giulios «Geburt des Gewissens» im Mittelpunkt der Novelle
   steht, hat deshalb durchaus Anlaß zu der Frage: «Warum hat der Dichter diese Wandlung
   nicht dargestellt, nicht in ihren einzelnen Entwicklungsstadien vor dem inneren Auge des
   Lesers erstehen lassen?» (H4,321).

8 Vielleicht ist Meyer in dem Punkt stärker von Grillparzer beeinflußt, als man bisher bemerkt
   hat. Jedenfalls besteht zwischen den Worten des Kardinals und einem Wortwechsel in «Ein
   treuer Diener seines Herrn» eine unverkennbare Ähnlichkeit:

   Bancbanus: Sei mild, o Herr!
   König: Den Mördern meines Weibs?
   Bancbanus: Sie warens nicht.
                 Der Zufall tats, des höchsten Gottes Bote (Vers 2000ff.)

Obgleich ein unersättlicher Leser, drückte sich Meyer in seinen Briefen in bezug auf die
Früchte seiner Lektüre so wortkarg aus, daß ein Literaturhistoriker in dem Punkt unweigerlich in hoffnungsloser Resignation endet. Über Grillparzer ist beispielsweise nur eine
Äußerung überliefert (Haessel, 10. 6. 89); dafür ist sie jedoch interessant, und zwar nicht nur
aufgrund ihrer zeitlichen Nähe zur Entstehung der Borgianovelle, sondern vor allem auch,
weil sie ein paar von Meyers charakteristischen «Kodewörtern» enthält. Haessel hatte ihm
einige Werke von Otto Ludwig und Hebbel zugeschickt und erhält ein Dankesschreiben, das
u. a. folgenden Abschnitt enthält: «Dieselbe Abneigg, welche Sie gegen die zwei Sonderlinge
hegen, habe ich – seltsamerweise – gegen Grillparzer, aus dem entgegengesetzten Grunde,
jene zwei sind zu reflectirt, der Wiener zu sinnlich.» «Seltsam»/«seltsamerweise» trägt neben
seiner normalen lexikalischen Bedeutung in Meyers semantischem System noch eine besondere; es wird damit nämlich eine Form okkulter Übereinstimmung, ja, zuweilen eine
magische Identität zwischen zwei Personen, bezeichnet (z. B. X,91. XI,184, 201, 202.
XIV,29. Widmann 26. 11. 83. Eliza Wille 12. 11. 87). Am häufigsten taucht die Bezeichnung
daher im Zusammehang mit «Gustavs Adolfs Page», der Doppelgängernovelle, auf. So
negativ gefärbte Wörter wie «Abneigung» kommen in Meyers Briefen selten vor, wo sie aber
erscheinen, da handelt es sich bei dem Objekt der Beurteilung so gut wie immer um Meyer
selbst (z. B. Frey, 16. 6. 83. François, 8. 4. 82. Rodenberg, 21. 4. 80) oder um seine Werke,
zuweilen in der Weise, daß seine Äußerungen einen starken Überdruß gerade an der
historischen Epoche erkennen lassen, die eine seiner Novellen behandelt hat (z. B. nach dem
«Heiligen»: «Hochmittelalter /.../ das ich eigentlich nicht leiden kann, ja hasse.» (Lingg,

11. 4. 79). Nach der «Angela Borgia»: «die Renaissance ist mir, für einmal, bis zum Haß verleidet» (Fr. v. Wyß, 6. 1. 92)). Nach diesem internen Kode gelesen – diese Seite von Meyers Sprachgebrauch ist leider viel zu wenig untersucht, obgleich Heinrich Henels Buch die Grundlage für eine fruchtbare Weiterarbeit hätte abgeben können müssen –, drückt die angeführte Briefstelle wahrscheinlich aus, daß er in Grillparzer Elemente seiner selbst wiederfand.

Lucrezia Borgia

Während der endgültigen Niederschrift der «Angela Borgia» (beendet am 12. 8. 1891) schrieb Meyer an Rodenberg (12. 7. 91): «Für die Angela passioniere ich mich derart, daß ich Alles darüber vergesse. Es ist eine gewisse Tiefe im Stoffe selbst. /.../ Bes. die Lucretia Borgia – das Pendant meiner Hauptfigur – hoffe ich den Professoren für immer aus den Händen zu nehmen.» Wer «die Professoren» waren, das geht aus einem Brief vom 24. 7. 91 an Emil Milan hervor: «ich bin mit dem Abschluß meiner Novelle für die D. Rundschau beschäftigt, die mir unglaublich zu thun gibt. In ihrer Mitte steht die berüchtigte Lucrezia Borgia, die ich glaube – wenn ich so reden darf – den Professoren (Gregorovius etc) aus den Händen genommen zu haben.» Nach Beendigung der Arbeit schrieb Meyer am 22. 8. 91 an Fr. v. Wyß: ... «2 große Frauen, die eine mit zu viel, die *zweite* mit zu wenig Gewissen, diese keine Geringere – noch Bessere – als Lucretia Borgia, die es mich brannte, den Professoren (Gregorovius) aus den Händen zu nehmen und in alle ihre authentischen Frevel wieder einzusetzen.» Schließlich taucht die Formulierung auch in einem Brief vom 6. 9. 91 an Felix Bovet auf: ... «une grande nouvelle dans laquelle ni une moindre ni une meilleure que Lucrezia Borgia a sinon le premier au moins un grand rôle. Je l'ai arrachée d'entre les mains du professeur – tels que Gregorovius – qui étaient en train d'en faire presque une honnête femme et je lui ai rendu ses crimes.»

In der Meyerforschung wird dieser wiederholte Passus über die «Professoren» entweder übersehen oder stößt auf Unverständnis, obgleich er auf eine für Meyer wichtige Sache verweisen muß, da er wörtlich an verschiedene Adressaten wiederholt wird. Zäch kommentiert die Stelle folgendermaßen: «Man hat Mühe, Meyers Bemerkung, er wolle Lucrezia ‹den Professoren für immer aus den Händen› nehmen und sie ‹in alle ihre authentischen Frevel› wieder einsetzen, zu verstehen, ist doch von diesen Freveln in der Erzählung wenig zu erkennen. Lucrezia wurde, so muß man sich den Widerspruch erklären, dem Dichter unter der Arbeit sichtlich immer edler und schöner.» (Z 1,223). Eine solche Erklärung, die einen Gegensatz zwischen der ursprünglichen Intention und der vorliegenden Verwirklichung vermutet, ist in diesem Falle nicht haltbar, wenngleich sich das Phänomen im Zusammenhang mit seinen anderen Novellen oft beobachten läßt. Die Bemerkungen über Lucrezia fallen ja gerade in die Beendigung der Novelle, in die und nach der eigentlichen Realisationsphase, wogegen Meyers mündliche Äußerungen gegenüber Anna v. Doß mehr als ein Jahr zuvor gerade diese Verliebtheit in seine Fiktionsfigur zeigen (XIV, 144–45). George Brunet, der in seiner Analyse der Lucrezia zu Recht ihre Fähigkeit, im Augenblick zu leben, ihre daraus entspringende Identitätslosigkeit, ihre klare Intelligenz und ihre Gefühlskälte hervorhebt, schließt aus diesen Zügen, daß Meyer «ne réussit pas à faire de cet enfant chéri de la nature une force aveugle vivant selon une loi qu'elle ignore.» (B 11,346). Sowohl Zäch wie Brunet widerlegen also die ältere Forschung, die unter starkem Einfluß von Franz Ferdinand Baumgartens kritischer Untersuchung des Meyerschen Verhältnisses zur Renaissance (B 3) in Lucrezia «animalische Unbefangenheit», «fast tierhaften Leichtsinn» und «animalische Triebsicherheit» meinte finden zu können (F 1,178, 179). Von einer solchen Wedekindschen Lulu steckt wahrhaftig nicht viel in Lucrezia. Für Williams, der auf das Problem nicht weiter eingeht, weil er sein Schwergewicht hauptsächlich auf die abstrakte moralische Thematik, «zu viel und zu wenig Gewissen», der Novelle legt, besteht Lucrezias einziges authentisches Verbrechen in der Abhängigkeit von ihrem Bruder Cesare (W 2,170). Hier aber meldet sich Zäch mit einer ganz verständlichen Skepsis: «Kann man sie wegen ihrer Hörigkeit, die sie zu bekämpfen gewillt ist, als gewissenlos anklagen? Ist das nicht eine schicksalhafte Gebundenheit?» (Z 1,222). Williams These, wonach Meyer «requires his Lucrezia to be the traditional figure of villainy who has determined to put her villainy behind her on her marriage to Alfonso d'Este» (W 2,170), erfährt also nicht sehr viel Unterstützung.

Die Bemerkung über den Gegensatz zu Gregorovius' «Lucrezia Borgia» (1875³, Meyer besaß das Buch in dieser Auflage) verlangt jedoch nach einer klaren Stellungnahme. Gregorovius legt in seiner Darstellung entscheidendes Gewicht auf den Milieufaktor und distanziert sich damit einmal von der Schwarzfärberei der Lucrezia, zum anderen von der Hypothese ihrer plötzlichen Reue über ihre Untaten und der daraus folgenden Wandlung während ihrer Ferraresischen Zeit. Lucrezia ist weder besser noch schlimmer als ihre Zeitgenossen, sie ist ein Produkt der besonderen Verhältnisse in Rom unter Alexander VI. Als sie durch ihre Ehe mit dem Herzog von Ferrara dieses Milieu verläßt, folgt sie, die laut Gregorovius keine markanten Charaktereigentümlichkeiten aufweist, deshalb ganz natürlich den Normen ihres neuen Milieus (G 1,100, 152, 159, 452). Entsinnt man sich daran, daß Meyer sich gerade von dieser Hypothese distanzierte, so erscheint es seltsam, daß Karl Fehr meinen kann: «Frevelmut und unnatürliche Grausamkeit werden, wie dies das spätere 19. Jh. sehen lernte, als Folgen des Zeitstils und Zeitgeistes, als Milieuschädigungen entschuldigt. Damit wird das Verwegene und Außergewöhnliche auf das Maß natürlicher Ursachen und Wirkungen zurückgeführt.» (F 2,103)[1].

Daß Meyers Opposition zu Gregorovius nicht näher untersucht worden ist, ist um so erstaunlicher, als er, der große Ironiker, in der Einleitung der Novelle nicht weniger als vier Professoren sich an einer Lösung des psychologischen Rätsels der Lucrezia versuchen läßt. Einer von ihnen, «ein Mathematiker und Astrolog, hielt die Fürstin für ein natürliches Weib, das nur, durch maßlose Verhältnisse und den Einfluß seltsamer Konstellationen aus der Bahn getrieben, unter veränderten Sternen und in neuer Umgebung den Lauf gewöhnlicher Weiblichkeit einhalten werde.» (XIV,5). Das ist der Standpunkt von Gregorovius. Von den übrigen Professoren gibt der Professor der Naturgeschichte auf und begnügt sich damit, die Farbe ihrer Augen «unbestimmbar» zu finden, während der Professor der Moralwissenschaften geneigt ist, sie als «ein unbekannten Gesetzen gehorchendes dämonisches Zwitterding» zu betrachten. Der vierte der baldachintragenden Professoren ist der Jurist Strozzi, den «dieser strahlende rechtlose Triumph über Gesetz und Sitte nach so schmählichen Taten und Leiden» «zu bewunderndem Erstaunen» hinreißt (XIV,6). Meyer sprach nicht nur von Gregorovius, sondern von *den* Professoren. In Strozzis Haltung äußert sich vermutlich Jacob Burckhardts Zwiespalt zwischen Hegelscher Geschichtsauffassung, moralischer Abstandnahme und ästhetischer Faszination, der in «Die Kultur der Renaissance in Italien» (1860) zum Ausdruck kommt.

Also weder Gregorovius noch Burckhardt, doch was dann? Von Georges Brunet stammt der Lösungsvorschlag, Lucrezia repräsentiere den geschichtslosen und deshalb letztlich identitätslosen Menschen: «Affranchie de l'histoire, affranchie de son propre moi, elle n' ‹est› pas, elle vit. Nous atteignons là apparemment le point ultime de l'affranchissement de l'individu, celui où le moi se dissout dans l'instant, où l'individu en tant que conscience de soi se nie lui-même. Lucrezia n'a plus qu'une existence objective, pour le spectateur qui la voit de l'extérieur, car même son nom ne recouvre plus qu'une suite de moments sans lien entre eux.» (B 11,346). Leider läßt Brunet es bei diesem interessanten Interpretationsansatz bewenden; denn danach stellt er sie als den Prototyp des italienischen Renaissancemenschen dar (B 11,347) und bringt Meyer damit in völlige Übereinstimmung mit Gregorovius (z. B. G 1,93, 124). Ein Bestehen auf dem Impressionistischen, Kaleidoskopischen der Persönlichkeit Lucrezias hätte das Augenmerk auf die perspektivreiche Tatsache lenken *können*, daß sich Meyer in dieser Hinsicht in Übereinstimmung mit Ernst Machs Elementpsychologie, seinem reinen Funktionalismus, befunden hätte, wonach das menschliche Ich ausschließlich «eine ideelle denkökonomische, keine reelle Einheit» ist, eine These, die in «Beiträge zur Analyse der Empfindungen» (1886. M 1,18) vorgelegt wurde. Tatsächlich bietet der Text einen Teil Belege für eine solche

Persönlichkeitspsychologie, z. B. als auktoriale Analysen der Figur, die ihre «Verjüngungsgabe» (XIV,6) und ihren «Leichtsinn» (XIV,20) hervorheben. Es stimmt jedoch nicht, daß Lucrezia die Last der Vergangenheit völlig fehlt, wie Brunet meint. Bereits während ihres Einzugs in Ferrara erhält der Leser folgenden Einblick in ihre Gedanken: «Doch auch sie hing unter ihrer lieblichen Maske ernsten Betrachtungen nach, denn sie erwog die Entscheidung dieser sie nach Ferrara führenden Stunde, welche die Brücke zwischen ihr und ihrer gräßlichen Vergangenheit zerstörte. Diese würde noch hinter ihr drohen und die Furienhaare schütteln, aber durfte nicht nach ihr greifen, wenn sie selbst sich nicht schaudernd umwandte und zurücksah, und solche Kraft traute sie sich zu.» (XIV,6). Lucrezia ist als Lots Weib dargestellt, die weiß, daß sie sich von der Vernichtung entfernt und daß es ihr Leben kosten wird, wenn diese Vergangenheit sie einholt. Es ist eine Leugnungsgeste, die Flucht vor einem Wissen, und nicht fehlendes Bewußtsein der eigenen Geschichte. Ganz im Gegenteil, Meyers Borgia-Gestalt ist mit einer nahezu übermenschlichen Einsicht in ihre eigenen Existenzbedingungen begabt, die es ihr erlauben, über ihren eigenen Milieuvoraussetzungen zu stehen: «ihr Verstand allein überführte sie nach und nach von der nicht empfundenen Verdammnis ihres Daseins, aber allmälig so gründlich und unwidersprechlich, daß sie mit Sehnsucht, und jeden Tag sehnlicher, ein neues zu beginnen und Rom wie einen bösen Traum hinter sich zu lassen verlangte.» (XIV,7). Der Abstand zwischen diesem reinen Verstand, der sich in einem von seinem Kulturhintergrund unbeeinflußten Vakuum zu entfalten scheint, und dem von Gregorovius gezeichneten Kind seiner Zeit ist nicht zu übersehen.

Nirgendwo im Text erscheint Meyers Lucrezia als der ungebrochene, natürlich amoralische Mensch, wodurch der Abstand zu einem dritten Professor neben Gregorovius und Burckhardt gewahrt bleibt, nämlich zu Nietzsche, mit dem er u. a. durch die Vermittlung von Helene v. Druskowitz (J 1,120) vertraut war. «Jenseits von Gut und Böse» hatte er im Dezember 1888 gelesen (Wille, 12. 12. 88), und «Götzendämmerung», das im Januar 1889 erschien, war ihm vermutlich bekannt. Nietzsches in diesen beiden Schriften mehrmals zum Ausdruck kommende Bewunderung für Cesare Borgia könnte deshalb als möglicher Einfallswinkel zum Verständnis der Lucrezia in Betracht kommen, die ja, wie Gregorovius sagt, traditionellerweise aufgefaßt wurde als «eine Mänade, welche in der einen Hand die Giftphiole, in der andern den Dolch trage» (G 1,X). Da es u. a. Meyers erklärte Absicht war, sie in ihre «authentischen Verbrechen» wieder einzusetzen, hätte nichts näher gelegen, als sich Nietzsches Analyse des «Tschandala-Gefühls» anzuschließen: «Der Verbrecher-Typus, das ist der Typus des starken Menschen unter ungünstigen Bedingungen, ein krankgemachter starker Mensch. Ihm fehlt die Wildnis, eine gewisse freiere und gefährlichere Natur und Daseinsform, in der alles, was Waffe und Wehr im Instinkt des starken Menschen ist, *zu Recht besteht.*» (**N** 1, Bd. II, 1020–22). Die Lucrezia der Novelle zeigt jedoch keinerlei solche Persönlichkeitszüge. Sie besitzt zwar eine erhebliche Vitalität, doch diese besteht in erster Linie in ihrer verblüffenden Regenerationsfähigkeit («Verjüngungsgabe» XIV,6; vgl. 100). Selbst während ihrer römischen Periode wird sie als «eine *zarte* Pflanze, aufwachsend in einem Treibhaus der Sünde, eine *feine* Gestalt in den schamlosen Sälen des Vaticans» (XIV,6. meine Hervorhebung) geschildert, die keineswegs unabhängig ist vom moralischen Urteil ihrer Umgebung.

Anmerkung

[1] Fehr stützt sich hier offensichtlich auf Meyers Entwurf für eine «Verlagsanzeige» der Novelle (XIV,158): ... «eine ungeheure Zeit wird hier glaublich gemacht, und ungewöhnliche Gestalten und Gesinnungen auf das menschliche Maß zurückgeführt.» Nun sind Meyers selbstkomponierte Anzeigentexte ein heikler Punkt, was ein genaueres Studium ähnlicher Entwürfe im Zusammenhang mit dem «Heiligen» und der «Versuchung des Pescara» deutlich beweist. Ganz offensichtlich schrieb er sie im Hinblick auf die Erwartungen eines Durchschnittspublikums, der Quellenwert ist also gering. Genau gesehen spricht Meyer im übrigen *nicht* von Milieueinflüssen, was der literarische Geschmack des Jahres 1891 sicher durchaus hätte goutieren können, sondern ausschließlich von dem vagen Begriff «das menschliche Maß». In den Fiktionstext aufgenommen liegt jedoch sowohl das scheinheilige «menschlich natürliche Bild einer Dulderin» des Höflings Bembo vor (XIV,41) wie auch ihre an den widerwillig faszinierten Strozzi gerichtete Charakteristik durch Don Giulio: «Ein ganz gewöhnliches Weib! Glaube mir, ein menschliches Weib!» (XIV,29). Doch gerade dieser Abschnitt, dessen Schlußworte hier wiedergegeben sind, stimmt bis in alle Einzelheiten mit Gregorovius überein (XIV,410). Da Giulio unmittelbar darauf in seinem Gespräch mit Strozzi keine sonderlich beeindruckende Urteilskraft (XIV,30 Z. 14) und einen ernsthaften Mangel an psychologischer Einsicht (XIV,30 unten) an den Tag legt, kann die Bemerkung, bei der es sich ja um eine Figurenreplik mit allen sich daraus ergebenden Einschränkungen des Wahrheitswertes handelt, nicht ohne weiteres die These untermauern, Meyer sei in dem realisierten Text in Wirklichkeit der Erklärung von Gregorovius gefolgt.

Lucrezia und Cesare

Der Schlüssel des in der Novelle gestellten psychologischen Problems ist in dem Verhältnis der beiden Geschwister zu finden. Lucrezias Verbrechen, und zwar sowohl vor wie nach ihrem Einzug in Ferrara, werden im Text als ausschließlich an eine Voraussetzung gebunden dargestellt: «die Schmach ihrer Abhängigkeit /.../, kraft deren sie mit Vater und Bruder zu einer höllischen Figur verbunden war» (XIV,7). Die Meyerforschung hat sich augenscheinlich nicht sonderlich für eine Präzisierung der Art dieses Bandes zwischen Bruder und Schwester interessiert, sondern begnügt sich mit so unverbindlichen Begriffen wie «Hörigkeit», «Inzest-Motiv», «eine geheimnisvolle psychologische Erscheinung» (Z 1,222–23), «l'effet de l'envoûtement» (B 11,359) und «the call of her own blood» (W 2,180). Meines Wissens geht nur Erwin Kalischer, und das bereits 1907, auf das für Meyer Charakteristische dieser Personenrelation ein: «Er läßt sie sündigen wie einst seine Antiope, ohne Willen, es kommt über sie. Das ganze Verhältnis Lucrezias zu dem Bruder ist derart, daß man an die Psychologie des Heiligen denken muß. Wenn Thomas Becket sagt: ‹Gib mich nie aus deiner Hand in die Hand eines Herrn, der mächtiger wäre als du! – Denn in der Schmach meiner Sanftmut müßte ich ihm allerwege Gehorsam leisten und seine Befehle ausführen auch gegen dich, o König von Engelland ...›, so ist die Angst, die Lucrezia bei dem Gedanken an den Bruder empfindet, unmittelbar damit zu vergleichen. Zu Grunde liegt dieselbe dämonische, wie ein Verhängnis gefürchtete und vorempfundene Abhängigkeit von einer Macht, die das Selbstbewußtsein auslöscht, eine spezifische Psychologie Meyers.» (K 1,127). Kalischer trifft zweifellos einen wichtigen Punkt in dem psychologischen Aufbau der Meyerschen Fiktionsfiguren, auf den ich später ausführlich eingehen werde, berücksichtigt jedoch nicht, daß zwischen den drei genannten Figuren ein entscheidender Unterschied besteht. Zwar tut Antiope in der «Hochzeit des Mönchs» ihren entscheidenden Schritt «fast in Unschuld, denn sie hatte weder Gewissen mehr noch auch nur Selbstbewußtsein» (XII,72), eine Wortwahl, die der von Lucrezia gebrauchten Bezeichnung «schuldvoll und schuldlos» (XIV,92) nahekommt, doch Antiopes Persönlichkeit besteht *ausschließlich* aus derartigen unreflektierten, rein emotionalen Haltungen, während Lucrezias dominierende Eigenschaft Reflexion und Gefühlsbeherrschung sind. Antiopes Handlungen entspringen also den Charakterzügen, die der Text aufbaut, während Lucrezia der psychologischen Doktrin des Realismus Gewalt antut, wonach sich die Handlungen einer Person notwendigerweise aus ihrem Charakter ergeben. In bezug auf Thomas Becket setzt allein der Umstand, daß er sich tatsächlich gegen den Willen des Königs auflehnt, *seiner* «Abhängigkeit von einer Macht, die das Selbstbewußtsein auslöscht», eine entscheidende Grenze. Lucrezias sklavischer Gehorsam gegenüber Cesares Befehlen dagegen ist unbedingt und findet erst bei seinem physischen Tod ein Ende.

Diese Tatsache zeichnet sich deutlich ab, wenn man Meyers Verhältnis zu den historischen Quellen seiner Borgia-Novelle untersucht, von denen Gregorovius bei weitem die wichtigste darstellt. Sieht man von der Angela-Giulio-Handlung nach der Blendung ab, so konzentrieren sich die wichtigsten Abweichungen von den Quellen auf Cesares Macht über Lucrezia. In einem Kommentar zu XIV,7^{30ff} zeigt Zäch beispielsweise: «Die Abhängigkeit Lucrezias von ihrem Vater und ihrem Bruder ist allerdings historisch, doch ist davon nach ihrer Vermählung mit Alfonso d'Este kaum mehr etwas wahrzunehmen. Die dämonische Kraft, mit der in Angela Borgia Cesare über seine Schwester herrscht, ist in den Quellen nicht zu belegen und völlig Meyers Erfindung.» (XIV,412). Das gleiche gilt deshalb für den zweiten dramatischen Wendepunkt der Novelle (neben dem Attentat auf Don Giulio), nämlich die Szene, in der Lucrezia den Brief von Cesare erhält, mit allen sich daraus ergebenden tiefgreifenden Wirkungen auf die Personen am Hofe zu Ferrara. Der Brief des historischen Cesare, zu dem der Brief der Novelle mehrere wörtliche Übereinstimmungen zeigt, war nicht an die Schwester, sondern an den Herzog von Mantua gerichtet, und erwähnt Lucrezia mit keinem Wort (XIV,426–27). Die Quellen erwähnen auch nicht, daß sie nach Cesares Flucht aus dem spanischen Gefängnis «mit allen Kräften ihres Geistes für ihn zu wirken» (XIV,90) begonnen haben sollte. Auch für die enge Beziehung zwischen Ercole Strozzi und den beiden Borgia-Geschwistern gibt es in den Quellen nur äußerst schwache Anhaltspunkte: «Von einer Zusammenarbeit Strozzis mit Cesare und von einer politischen Mission Strozzis in der Romagna verlautet in den Quellen nichts» (XIV,429). Selbst die von Lucrezia ausgehende erotische Faszination auf Strozzi ist nur schwach und hypothetisch belegt (XIV,184–86), während Lucrezia in der Novelle durch die Ausnutzung dieser Leidenschaft dem Bruder einen wertvollen Bundesgenossen zuführt. Die Tatsache, daß der oberste Richter dieses Herzogtums ein so blutiges Ende findet, ergibt sich in der Novelle direkt daraus, daß er sich widerstandslos in die gefährlichen Intrigen der beiden Geschwister hineinziehen läßt, während keine historische Quelle auf die Möglichkeit eines solchen Zusammenhangs hindeutet. Schließlich und endlich steht Lucrezias anscheinend schockartige Reaktion auf die Nachricht von Cesares Tod in direktem Gegensatz zu Gregorovius («Die Herzogin zeige mehr Fassung, als man erwartet hatte, ...» (XIV,430)) und ist in ihrem spezifischen Reaktionsmuster ziemlich anders als das konventionelle Bild der Trauer, das eine andere Quelle (Gilbert, XIV,430) vermittelt.

Meyers energischste Abstandnahme von Gregorovius und damit auch von der historischen Tradition vor dessen Monographie ist unlösbar mit der Rolle verbunden, die er Cesare in Lucrecias Leben spielen läßt: Der definitive Wendepunkt ihres Lebenslaufes ist nicht der Einzug in Ferrara, ihr radikaler Wechsel zwischen zwei sozialen Rollen, sondern Cesares Tod mehrere Jahre nach ihrer Eheschließung mit Herzog Alfonso. Im Gegensatz zu der Darstellung bei Gregorovius («Lucrezia Borgia entsagte als Herzogin von Ferrara den Schwelgereien ihres früheren Lebens; sie ergab sich wie ihre Mutter Vanozza christlicher Buße und Andacht und Werken der Frömmigkeit» (XIV,182)) bedeutet der Schritt von Rom nach Ferrara für die Lucrezia der Novelle keine Gesinnungsänderung. Die Motive ihrer Gattenwahl werden in den Analysen des auktorialen Erzählers als indiskutable Tatsachen dargelegt: Ohne Gespür für «die einfachsten sittlichen Begriffe» (XIV,6), allein kraft ihres Verstandes («und der war groß» (XIV,6)) erkennt sie, nicht ihre Sündhaftigkeit, sondern begreift allein durch die Reaktionen ihrer Umwelt die «Verdammnis ihres Daseins» (XIV,7) und beschließt, sich eine geachtete und gesicherte Position zu schaffen[1]. Gerade diese Verstandeskälte begleitet sie von Anfang bis Ende, selbst in den Situationen, wo die späteren Phasen ihres Lebens in wachsendem Maße von dem Versuch geprägt sind, «sich den Himmel zu versöhnen» (XIV,120). Es ist bezeichnend, daß die juristischen Winkelzüge in bezug auf die «flavianischen Güter», ihr «Wittum» (XIV,10), die Novelle sozusagen einrahmen, womit ihr Vorschlag zur Teilung dieses Streitobjekts ihr letztes Wort an den Leser darstellt. Was wäre für Meyer leichter und naheliegender gewesen, als seiner wichtigsten historischen Quelle, Gregorovius, in dem Punkt zu folgen, daß in Lucrezias äußerem Leben zwischen den römischen Ausschweifungen und dem respektablen und frommen Leben in Ferrara ein absoluter Gegensatz bestehe? Vor allem, da solche abrupten Wandlungen in seinen früheren Novellen einen immer wiederkehrenden Zug darstellen. Er hätte ihre Persönlichkeit nur nach der bereits im «Heiligen» vorgegebenen Formel auszuarbeiten brauchen: «Ich weiß nicht, Herr», fuhr der Kanzler mit ernsthaftem Spotte fort, «ob du je von jenen plötzlichen Wandlungen gehört hast, die mit einem Menschen vorgehen können, der sein Kleid wechselt und geistliches Gewand anzieht.» (XIII,85). Die Lucrezia der Novelle aber zeigt während ihrer ersten Jahre in Ferrara fast keine Spur einer Änderung ihrer religiösen Verhaltensweisen – so wenig, daß die Höflinge mit Verwunderung oder Spott reagieren, als sie bei Ben Emins Bericht von Jesus und dem Hundekadaver (XIV,50–51) ihre Ergriffenheit zeigt. Ihre Frömmigkeitsübungen und die regelmäßigen Aufenthalte bei den Clarissen beginnen dagegen genau nach der Nachricht von Cesares Tod. Noch während sie vor dem Herzog, der ihr die Botschaft überbracht hat, auf den Knien liegt, kommt diese neue Haltung in ihren Worten zum Ausdruck: «Gestattet mir, /.../, daß ich von nun an den Bußgürtel trage!» (XIV,100)[2].

Wie zu erwarten war, ergibt sich die gleiche Feststellung, wenn man die Schlüsselwörter im Zusammenhang mit Lucrezia näher untersucht. Die Wörter «Leichtsinn», «leichtsinnig», «leicht» begleiten im Text ihre Person konstant, wohlgemerkt bis zu Cesares Tod. Nach dieser Scheidelinie wird nur einmal die Formulierung «ihr leichtes Haupt» (XIV,126) gebraucht. Während sie, im Zusammenhang mit dem Ausläufer ihrer Bindung an den Bruder, d. h. dem Mord an Strozzi am Ende des 11. Kapitels, zum letztenmal durch Worte geschildert wird, die sich semantisch um «Leichtsinn» gruppieren («sanft», «ruhig», «Kinderlächeln», «verjüngend» (XIV,110)), ist sie mit dem Tod Cesares und seines Bundesgenossen definitiv in eine Phase der Generalabrechnung mit ihrer Vergangenheit eingetreten (XIV,120–21). «Leichtsinn» ist eines der für Meyer so typischen «Kodewörter», die in seinem semantischen System einen von der normalsprachlichen Bedeutung abweichenden Inhalt erhalten. Lucrezia ist «leichtsinnig», doch das bedeutet ja nicht, daß sie impulsiv und unverantwortlich und ohne moralische Skrupel unüberlegte schlechte oder gute Taten begeht – Meyers Lucrezia ist als agierende Figur eine auffallend noble und durchreflektierte Gestalt, und der Erzähler verhält sich, selbst in der Beschreibung der römischen Periode ihres Lebens, äußerst diskret; mit «Leichtsinn» wird einzig und allein ihre Fähigkeit zu jedenfalls partieller Amnesie gegenüber ihrer Vergangenheit, eine fehlende Persönlichkeitskontinuität bezeichnet[3]. Ihre Lebensform ist «dieses kühle Gleiten /.../ über Todestiefen» («Nicola Pesce», I,186. Vgl. XIV,29), doch diese Überlebensweise ist durch einen Umstand bedroht, nämlich Cesares physische Existenz. Erst als er tot ist, kann der Herzog sagen: «erst heute wirst du ganz und völlig die Meinige. Siehe, bis dahin besaß dich der Geist deines Hauses, /.../ nun bist du frei geworden. Die Deinigen alle sind verstummt und bewohnen die Unterwelt, woher keine Stimme mehr verwirrend zu den Lebenden dringt.» (XIV, 99). Lucrezias Charakter ist demnach kein erblich bedingter Faktor («das Blut der Borgia» (XIV,99)), wie Williams anzunehmen scheint (W 2,180), auch nicht «physiologisch und soziologisch nach Tainescher Art» (J 1,92) determiniert und auch nicht so unveränderlich vitalistisch im Augenblick verankert, wie Brunet dies schildert (B 11,346–53), sondern eine ungeheuer plastische Größe, da er von einer persönlichen Interaktionsbeziehung abhängt und deshalb imstande ist, sich zu verändern, wenn sich das Interaktionsmuster ändert. Diese Tatsache liegt denn auch der präzisen Prognose zugrunde, die der Herzog ihr und Strozzi stellt (XIV,42): Ihre Möglichkeit eines Verbrechens ist ausschließlich an eine Voraussetzung gebunden: Cesare[4].

«Zu viel und zu wenig Gewissen»? Wie immer kommt man nicht weiter, wenn man einen solchen Meyerschen Begriff für normalsprachliche bare Münze nimmt. Es scheint sich nicht so sehr um eine moralische Kategorie, sondern eher um ein persönlichkeitspsychologisches Problem zu handeln. Die speziellen Prämissen dieses Problems will ich im Folgenden aufzudecken suchen.

Anmerkungen

[1] An dieser Stelle tritt jedoch ein, was man nach der üblichen Tendenz der Meyerforschung wohl als fehlende Fähigkeit zur Durchführung einer Charakterzeichnung bezeichnen müßte. Während der Erzähler ihre rationalen Motive betont, flicht er nämlich gleichzeitig Worte ein, die von dieser Analyse wegführen: Ihre postulierte rein intellektuelle Einsicht in die Situation bewirkt, «daß sie mit Sehnsucht, und jeden Tag sehnlicher, ein neues (Leben) zu beginnen und Rom wie einen bösen Traum hinter sich zu lassen verlangte. Ihr Begehren, dessen Heftigkeit sie verbarg, erfüllte ihr dritter Gemahl, /.../» (XIV,7). Wie ich später nachzuweisen versuche, dringt in derartigen inkonsistenten Formulierungen Meyers besondere Persönlichkeitspsychologie durch die Oberfläche. «Sehnsucht», «wie ein böser Traum» und «Heftigkeit» sind im Kontext absolute Fremdkörper.

[2] Der Erzähler gibt an, daß Lucrezia seinerzeit beim Vater im Vatikan «sich mitunter nach der Sitte zu mechanischer Buße zurückzog» (XIV,6), wogegen dies nach dem Wortlaut des Textes in Ferrara aufhört – bis der Bruder stirbt. Meyers Lucrezia ist demnach offensichtlich in diesem Abschnitt ihres Lebens weltlicher, in offenkundiger Opposition zu der Lucrezia von Gregorovius.

[3] Das zunehmende und allmählich alles beherrschende Gewicht der Vergangenheit und ihrer Handlungen ist ein wichtiges Thema bei Meyer. Deshalb enthält die Novelle eine herausragende Nebenfigur, deren Funktion nicht auf der syntagmatischen Ebene des Handlungsablaufs, sondern fast ausschließlich auf der paradigmatischen liegt, und zwar Don Ferrante, den Bruder des Herzogs, eine Figur, die wie Lucrezia scheinbar primär durch ihr Verhältnis zu ihrer eigenen problematischen Vergangenheit definiert ist, sich jedoch einer anderen Strategie bedient, um ein Zusammenbrechen unter dieser Vergangenheit zu vermeiden. «Seine Jugend war unter dem Drucke beständiger Furcht verkrüppelt. Als Kind schon Zeuge unzähliger Intrigen und Komplotte in Ferrara selbst und ängstlicher Zuhörer, so oft noch grausamere Dinge von den anderen italienischen Höfen seiner Zeit berichtet wurden, fühlte er sich von jeher von Schrecknissen umgeben, denen seine unehrliche und machtlose Natur keinen andern Widerstand entgegensetzen konnte als den der wechselnden Maske und der seltsamsten Erfindungen» (XIV,60). Aufgewachsen in einem Milieu, das dem Lucrezias ähnelt, doch ohne das Gnadengeschenk ihrer substanzlosen Fähigkeit zu vergessen, erkennt er vor seinem Tod, «nirgends eine reinliche Stapfe, wo Erinnerung den Fuß hinsetzen könnte, ohne ihn zu beschmutzen» (XIV,85). Der innere Antrieb des misanthropischen Narren ist die Sehnsucht

danach, «meines Ichs und seiner Angst ledig zu sein» (XIV,85). Er wird also in die gleiche psychologische Thematik gestellt wie Lucrezia, ist aber darüber hinaus zugleich ihre Antifigur, da ihr Leben in einer erfolgreich durchgeführten Befreiung von der Vergangenheit besteht.

[4] Mit diesem Erklärungsmodell rückt Meyer vom Positivismus des 19. Jahrhunderts ab, der ja auch der Darstellung von Gregorovius zugrunde lag. «Le vice et la vertu sont des produits comme le vitriol et le sucre», wie eine von Taines bekannten Thesen lautet («Histoire de la littérature anglaise», 1863, S. XV. Das Werk steht in Meyers Bibliothek); unter «produits» versteht er die Produkte der drei «forces primordiales»: «la race, le milieu et le moment» (op. cit. S. XXII). Diese Kräfte fehlen bei Meyer keineswegs, sind jedoch in der Hierarchie nach unten gerückt.

Textgeschichte

Textgeschichtlich gesehen ist die «Angela Borgia» in mehrerer Beziehung problematisch. Trotz der für Meyer relativ kurzen Entstehungszeit (die Arbeit wird zum erstenmal in einem Brief vom 21. 10. 1889 von Betsy Meyer an Haessel erwähnt, die Reinschrift ist am 12. 8. 1891 abgeschlossen), liegen hier mehr Bruchstücke von Entwürfen vor als bei irgendeinem anderen Prosawerk von seiner Hand (XIV, 187). Dem ersten, fast vollständigen und zusammenhängenden, in der historisch-kritischen Ausgabe als «M» bezeichneten Manuskript der ersten Hälfte des Jahres 1891 gehen mindestens 20 kleinere, dramatische (H^1–H^{10}) und epische (H^{11}–H^{16}) Entwürfe voraus. Nur eines dieser Bruchstücke, H^{13}, mit der Überschrift «Angela Borgia. Novelle», trägt Meyers eigenhändige Datierung, 17. 12. 1889 (XIV, 208), und läßt die Novelle mit der Szene beginnen, die in dem fertigen Werk Kapitel 3 einleitet. Leider ist dieses Bruchstück so kurz, daß es bei der Datierung der übrigen Fragmente nicht sehr viel weiter hilft. Diese «lassen sich nicht sicher chronologisch ordnen» (Alfred Zäch XIV, 187), so daß der Festlegung einer Reihenfolge rein inhaltliche Überlegungen zugrunde gelegt werden müssen.

Als erstes läßt sich feststellen, daß der Handlungsverlauf trotz des kurzen Ausarbeitungszeitraums nicht festlag. Bereits Adolf Frey macht auf die Schwerpunktverlagerung aufmerksam, die angeblich im Laufe des Jahres 1890 stattfand, von der Angela-Giulio-Handlung auf die Lucrezia-Cesare-Handlung: ... «so geschah es, daß der Umfang des Werkes über die eigentliche Dehnbarkeit des Motivs (Frey meint hier offenbar Angelas Liebe zu dem Geblendeten) hinauswuchs und die Nebenpersonen, vor allem die männerrückende Lucretia, mehr Bedeutung und Raum gewannen, als der strenge Architekt sonst erteilte und erteilt wissen wollte. /.../ Für die erfolgreiche Beharrlichkeit, womit er den Stoff schmeidigte, zeugen einige Blätter des ersten oder doch vermutlich ersten Entwurfs. Sie berichten, was Gregorovius erzählt, der Herzog Alfons habe der Frau des Oberrichters Strozzi nachgestellt und ihn aus diesem Grunde gemeuchelt: die weitreichende Erfindung der Leidenschaft Strozzis für Lucretia und der daraus erfolgenden Teilnahme an Cesare Borgias Unternehmung in Spanien lag also nicht im ursprünglichen Plan, woraus sich wohl auch ergibt, daß Lucretia erst nachträglich sich der Phantasie des Dichters in so starkem Maß bemächtigte, sowie auch, daß die ursprüngliche Fabel einfacher, mehr auf die Ausbeutung des eigentlichen Motivs beschränkt war. Dies Motiv ist das Entstehen der Liebe Angelas zum geblendeten Giulio.» (F 10, 349–50).

Der einzige einigermaßen sichere Anhaltspunkt für die Datierung der einzelnen Manuskripte ist demnach Strozzis Funktion. In dem aller Wahrscheinlichkeit nach um den 1. Juli 1891 fertiggestellten Manuskript M finden sich alle die Ingredienzien, die in der fertigen Novelle in die Beziehung Cesare – Lucrezia – Strozzi einfließen: Die Leidenschaft des Richters für Lucrezia (XIV, 219), Cesares Brief, der sie dazu verleitet, dieser Leidenschaft entgegenzukommen (XIV, 259), beider bedingungsloses Eintreten für Cesare (XIV, 262–69), Lucrezias Befreiung von ihrer Besessenheit bei der Mitteilung von Cesares Tod (XIV, 270–72), Strozzis weitere Willenslähmung in bezug auf seinen Affekt und sein daraus resultierender Tod (XIV, 272–80). Als einziger der 20 kurzen Entwürfe vor dem Manuskript M führt das Dramenmanuskript H^2 (XIV, 194–95) diese Verführungskette Cesare – Lucrezia – Strozzi an. Strozzi wird zwar nicht namentlich erwähnt, kann aber Teil der Bezeichnung «Eure Boten» (Z. 165) sein. Der Grad von Lucrezias Willensunfreiheit ist der gleiche wie in der fertigen Novelle und wird durch die Wendung «Wie eine Nachtwandlerin» (Z. 157–58, vgl. unten S. 139) bezeichnet. Die Tatsache, daß es sich hier um ein *Dramen*fragment handelt, hilft bei der genaueren Datierung. Zwar vermutet Alfred Zäch, wobei er als Beleg einzig eine briefliche Mitteilung von Betsy Meyer an Haessel vom 21. 10. 1889 anzuführen hat, daß «die erhaltenen dramatischen Fragmente bereits in jene Zeit, d. h. in den Herbst 1889 und den Winter 1889/90 gehören» (XIV, 142)[1]. Das ist jedoch bei weitem nicht sicher, meiner Einschätzung nach sogar unwahrscheinlich. Nach Meyers eigenen Äußerungen zu urteilen war der Dramenplan nur im September – Oktober 1890 aktuell. Es handelt sich um folgende briefliche Äußerungen: «Die Borgiageschichte behandle ich gegenwärtig als Novelle (freilich das Drama immer parallel im *Geiste*) ...» (Bulthaupt, 7. 9. 90, zit. XIV, 188). «Cependant il y a un diable qui me tourmente /.../ c'est le démon du drame.» (Bovet, 18. 10. 90). «Meine längst angekündigte ‹Angela Borgia› wird auf sich warten lassen, ich werde sie wohl zugleich als Drama schreiben. Der Teufel läßt mir keine Ruhe.» (François, 24. 10. 90); – «eine gleichzeitige dramatische Gestaltung für meine Mappe» ... (Rodenberg, 31. 10. 90). Nach diesem Datum spricht Meyer nicht mehr von Dramenplänen. H^2, und damit die besonderen Relationen zwischen den drei genannten Personen, gehen also aller Wahrscheinlichkeit nach auf diese Herbstmonate 1890 zurück. Aus dem Bericht von Anna von Doß über ihren Besuch bei Meyer am 30. Mai 1890 geht außerdem hervor, daß es sich um eine verhältnismäßig neue Personenkonstellation handelt. Zu diesem Zeitpunkt war «wohl das erste Drittel der heurigen Novelle: *Angela Borgia*» (Haessel, 8. 6. 90) fertigdiktiert, so daß er ihr das erste Kapitel (Lucrezias Einzug in Ferrara und Giulios Verurteilung durch Angela) vorlesen und ihr außerdem eine kurze Zusammenfassung der Handlung des Werkes geben konnte. Das ausführliche Referat von Frau v. Doß an ihre Tochter macht deutlich, daß 1° während Lucrezias und Angelas Aufenthalt in Rom *nicht* Cesare, sondern «ein Oheim Kardinal» (womit Giulios Bruder Ippolito gemeint ist, was aus einer späteren Stelle des Referats hervorgeht) von vornherein Angelas Aufmerksamkeit auf den ausschweifenden Giulio gelenkt hat (**D** 2,31. XIV,145) und daß 2° Strozzi nicht vorkommt, woraus Alfred Zäch sicher zu Recht schließt, «daß das Motiv der Liebe Strozzis zu Lucrezia noch nicht erfunden war» (XIV,145–46). Das Verhältnis dieser beiden Figuren zueinander setzt Cesares Eingreifen voraus, weshalb verständlich ist, daß er in dem Bericht von Frau v. Doß nur eine periphere Rolle spielt: «Doch bleibt auch Lucrezia nicht verschont. Die Wiederbefreiung des geliebten, im spanischen Kerker schmachtenden Cesare, des Bruders, wird zu ihrem Konflikt, der sich aber mit Angelas Geschichte aufs engste verknüpft» (**D** 2,32. XIV,145). Worin diese Verknüpfung bestanden haben mag, kann man vielleicht aus dem Novellenfragment CFM 194.5 VI (Signatur der CFM-Handschriftensammlung in der Zentralbibliothek Zürich) entnehmen, das in H[16] eingeht: Strozzis Tod wird als Folge des vergeblichen Versuchs dargestellt, dem blinden Gefangenen zu helfen (XIV,213), und Lucrezia hat «nicht viel aber doch dazu geholfen, Strozzi, auf den Befehl des Herzogs, zurückhaltend, bis der Mörder bereit wäre» (XIV,214). Diese Beihilfe zeitigt tiefe Nachwirkungen auf ihren Gemütszustand: «Lucrezia dagegen ließ die Flügel völlig sinken. Seit Jahren bemüht, die beängstigenden Vorstellungen der alten Frevel, die sie gelinde gesagt mit angeschaut hatte, durch freundlichere Bilder zu verdrängen und zu entkräften /.../ belebten sie sich jetzt wieder mit ihren Mordgeberden u. Jammertönen vor ihren Augen /.../, denn sie war, genau wie früher, die Mitschuldige eines Mordes geworden u. hatte, ganz wie ehedem, nicht viel ...» usw. (XIV,213–14). «Ganz wie ehedem», was hier gemeint ist, macht ein Abschnitt in «Angela Borgia» deutlich: Einen anderen (d. h. Gatten) von ihrer Brust weg in das Schwert des furchtbaren und geliebteren Bruders treibend» ... (XIV,6). Die verdrängte oder vergessene Vergangenheit ersteht so erneut auf: «die Lucrezia von Rom trat vor die Lucrezia von Ferrara, umarmte sie u. verschmolz mit ihr» (XIV,214). Genau dieses Phänomen aber muß die Voraussetzung dafür gewesen sein, daß Cesares Flucht aus dem Gefängnis, wie Anna v. Doß schreibt, «zu ihrem Konflikt» wird (XIV,145), d. h. zu einem momentanen Rückfall führt. H[16] scheint sich deshalb in der chronologischen Nähe des Entwurfs zu befinden, den Frau v. Doß gekannt hat[2]. Es erscheint mir undenkbar, daß Frau v. Doß die Cesare-Lucrezia-Konstellation einfach vergessen haben sollte, vor allem da ihr

Referat, wenn man es mit dem ersten Kapitel der «Angela Borgia» vergleicht, auf ein beeindruckend gutes Gedächtnis hindeutet.

Auf der Grundlage dieser texthistorischen Tatsachen läßt sich mit recht hoher Wahrscheinlichkeit feststellen, daß der Komplex Cesare – Lucrezia – Strozzi, der in der «Angela Borgia» eine so wichtige Rolle spielt und nahezu ein Viertel der Novelle beansprucht, in der zweiten Hälfte von 1890 oder genauer: zwischen dem 30. 5. (Besuch von Anna v. Doß) und dem 31. 10. (der Rodenberg-Brief, in dem der Dramenplan zum letztenmal erwähnt wird) hinzukam.

Bevor ich dieses scheinbar so bedeutungslose Datierungspuzzlespiel in den größeren Zusammenhang des folgenden Kapitels einordne, möchte ich noch kurz auf ein zweites texthistorisches Detail eingehen, das, wie sich noch zeigen wird, für die Aufdeckung des besonderen persönlichkeitspsychologischen Modells, mit dem Meyer in der «Angela Borgia» arbeitet, von einiger Wichtigkeit ist. Bereits in dem Referat von Anna v. Doß wird Lucrezias «Leichtsinnigkeit» (vgl. oben S. 31) geschildert: «Die Vergangenheit drückt sie nicht. Sie gehört zu den seltsamen Naturen, die ohne Gewissen geboren scheinen. Sie erhebt sich täglich vom Lager wie aus einem Bade: was furchtbar in ihrem Leben und Wandel, *scheint von selbst von ihr abzufallen*» (XIV, 144. Meine Hervorhebung). Eine ganz ähnliche Formulierung findet sich in der «Angela Borgia»: «Mit der von ihrem unglaublichen Vater ererbten Verjüngungsgabe erhob sie sich jeden Morgen als eine Neue vom Lager, wie nach einem Bade völligen Vergessens» (XIV, 6). Dieses Regenerationsmotiv muß für Meyer äußerst wichtig gewesen sein, da es sich bei den Dramenfragmenten H^{2-6} in erster Linie um ständige Reformulierungen dieses psychologischen Problems handelt. Doch zwischen der von Frau v. Doß beschriebenen Version und derjenigen, die deutlicher als in den übrigen erwähnten Fragmenten in H^3 und H^6 zu finden ist, besteht ein entscheidender Unterschied. «Ja, Ariost, ich bin ein Kind der Stunde. Was für ein leichtsinniges Weib ich bin. Der Schlummer einer Nacht vernichtet mein Gestern u. ich bin eine Neue und die gestern litt oder fürchtete oder fehl ging, war eine andere, die mich nichts angeht» (H^3, XIV, 200). Lucrezias Selbstcharakteristik enthält zwei Elemente: Erstens ist hier nicht (mehr) die Rede von einer unreflektierten Hingabe an den Augenblick und eine ungewöhnliche Fähigkeit des Vergessens, sondern um eine recht weit getriebene Selbstbeobachtung. Zweitens ist dieses hohe Reflexionsniveau völlig losgelöst von einem unmittelbaren Erlebnis regulärer Persönlichkeitswechsel. Vergleichen wir diese Züge mit einer textgeschichtlichen Eigentümlichkeit von H^6: Aus Alfred Zächs Anmerkungen zu dem Fragment geht hervor, daß es mehr «wörtliche Anklänge an ‹Angela›» (XIV, 200) enthält als die übrigen Bruchstücke. In Anbetracht der Tatsache, daß das Manuskript M, dessen Niederschrift nur wenige Monate vor der endgültigen Redaktion erfolgte, von dieser sehr stark abweicht (Alfred Zäch: «Im sprachlichen Ausdruck deckt sich kaum ein Satz völlig mit ‹Angela›» (XIV, 303)), scheinen die auffälligen Übereinstimmungen zwischen dem Dramenfragment und der fertigen Novelle ein Indiz für einen erheblich späteren Entstehungszeitpunkt zu sein, als der Herausgeber annimmt. Vergleicht man von textkritischen Überlegungen her die ausgeprägte psychologische Profilierung der Lucrezia in H[6] mit der Wahrscheinlichkeit einer späten Datierung, so erhält man erste Andeutungen der Ingredienzien, die gegen Ende des Jahres 1890 in Meyers zunehmende Faszination durch die Lucreziagestalt einflossen.

Anmerkungen

[1] Das trifft zweifellos auf das dramatische Fragment H[1] zu, da Angelas Gesprächspartnerin hier Sanzia heißt, diese Sanzia aber den Charakter und Konfliktstoff der späteren Angela in sich birgt. Von den Dramenfragmenten 3 bis 10 gilt entweder, daß ihre zeitliche Festlegung vom Strozzi-Cesare-Element aus nicht möglich ist, oder daß sie, wie H[7-9], eindeutig in die Phase gehören, in der Strozzi in erster Linie Giulios Freund ist und sich so stark dafür einsetzt, daß diesem nach dem Attentat auf ihn Gerechtigkeit zuteil wird, daß er dadurch mit Alfonso und Lucrezia in Konflikt gerät.

Alfred Zächs Datierung der *gesamten* Gruppe von Dramenfragmenten («vor Mai 1890, wie aus der Inhaltsangabe von Frau Doß zu schließen ist» (XIV, 189)) nimmt sich nicht zuletzt vor dem Hintergrund seines Wissens darüber, «daß dann eine Zeit lang dramatische und novellistische Entwürfe nebeneinander hergingen, schließlich aber – Ende Oktober 1890 – Meyer endgültig auf die dramatische Form verzichtete» (XIV, 188), äußerst seltsam aus.

[2] Alfred Zäch datiert H[16] ohne Begründung auf «etwa Ende 1890 – Anfang 1891» (XIV, 187). Für die Bestätigung einer solchen Annahme sehe ich keinerlei Anhaltspunkte. Ganz im Gegenteil scheint H[16] mit den Blättern «des ersten oder doch vermutlich ersten Entwurfs» identisch zu sein, den Frey erwähnt (F 10, 349). Vgl. oben S. 34. Dagegen gehören die Novellenfragmente H[11-15] zweifellos in eine sehr frühe Arbeitsphase. H[11] mit der Überschrift «Verlorene Augen» und H[12] mit der Überschrift «Geraubte Augen» stammen vermutlich aus dem Jahr 1889, da bereits das 17. 12. 1889 datierte H[13] den endgültigen Titel der Novelle, «Angela Borgia», trägt. H[14-15] sind leicht redigierte Versionen von H[13].

«Angela Borgia» im September – Oktober 1890

Am 1. 10. 1890 hatte Fritz Kögel Meyer besucht (**K 4**). In einem Brief vom 30. 9. 1902 an Betsy Meyer berichtete er vom damaligen Zustand der Borgiageschichte: «Er nannte sie damals noch ‹Lucrezia›» (XIV, 147)[1]. Zäch verhält sich skeptisch zu dieser Mitteilung: «Das letzt Erwähnte ist, wie vieles, was als mündliche Äußerung Meyers überliefert wird, unzutreffend. Meyer nennt nirgends einen anderen Titel als ‹Angela Borgia›» (XIV, 147). Das stimmt jedoch nicht ganz. Die Bezeichnung «Borgianovelle» taucht in den Briefen mehrmals auf (Frey, 8. 6. 90, 2. 7. 90; Rodenberg, 23. 8. 90; Haessel, 9. 9. 90 sowie im Sommer 1891 mehrere Male), und in dem Brief an Bulthaupt vom 7. 9. 90, wo der Dramenplan erwähnt wird, wird von der augenblicklichen Arbeit als «die Borgiageschichte» gesprochen[2]. Auf dieser Grundlage besteht also kein Anlaß dazu, an der Richtigkeit von Kögels Mitteilung zu zweifeln. Zwar wird Lucrezia nirgendwo als die Titelfigur der Novelle erwähnt, dafür aber geht aus mehreren brieflichen Äußerungen vom Sommer und Herbst 1891, als das Werk fertig redigiert wurde, hervor, daß Meyer geneigt ist, sie als die Hauptperson zu betrachten. An François schreibt er am 25. 10. 91 beispielsweise: «Meine Lucrezia Borgia (denn von *dieser* wenigstens ebenso sehr als von *Angela* Borgia handelt meine Novelle), erwartet ihr Urteil.» An Bovet schreibt er die Bemerkung (6. 9. 91), daß Lucrezia in der Novelle «a si non le premier, au moins un grand rôle.» Noch deutlicher drückt er sich in dem Brief vom 24. 7. 91 an Hardmeyer-Jenny aus: «ich Unschuldiger wußte nicht, ein wie schweres Thema ich ergriff, da ich Lucrezia Borgia in die Mitte meiner Dichtg stellte.» Behält man das im Auge, dann wird verständlich, daß sein eigener Eindruck des fertigen Werkes in Worten wie «düster», «grausam», «Renaissanceorgie» zum Ausdruck kommt. Was aber machte Lucrezia zu einem besonders «schweren Thema»? Zehn Jahre zuvor hat er die Relativierung des Gewissensproblems ja anscheinend ganz klar ausgedrückt, nämlich in Poggios Worten in «Plautus im Nonnenkloster»: «was ist das Gewissen? Ist es ein allgemeines? Keineswegs. Wir alle haben Gewissenlose gekannt und, daß ich nur einen nenne, unser heiliger Vater Johannes XXIII., den wir in Constanz entthronten, hatte kein Gewissen, aber dafür ein so glückliches Blut und eine so heitere, ich hätte fast gesagt kindliche Gemütsart, daß er, mitten in seinen Untaten, deren Gespenster seinen Schlummer nicht beunruhigten, jeden Morgen aufgeräumter erwachte, als er sich gestern niedergelegt hatte» (XI, 155). Die Schilderung der Lucrezia greift, stellenweise sogar nahezu wörtlich, diese psychologische

Typencharakteristik wieder auf (XIV, 5, 18, 29, 110 etc.). Es muß also noch etwas anderes hinzu gekommen sein, und zwar muß dies nach der Version liegen, die Anna von Doß gehört hatte.

Im Juni 1890 hat Meyer bereits «das erste Drittel» der Novelle diktiert (Haessel, 8. 6. 90) und kann am 6. 8. 90 den Verleger damit beruhigen, daß er hoffe, sie «bis und mit November zu beendigen.» In der gleichen zuversichtlichen Stimmung verspricht er Rodenberg, dem Redakteur der *Deutschen Rundschau*, «meine Novelle Januarheft, Einsendungstermin Novemberende mit Ankündigung im Oktoberheft» (Rodenberg, 19. 7. 90). Am 23. 8. 90 bestätigt er gegenüber Rodenberg: «Die Borgia-Novelle hoffe ich jetzt zu vollenden»; ebenso optimistisch äußert er sich am 31. 8. 90 zu Lingg. Doch vom 6. 9. 90 an (Haessel), nach seiner Heimkehr aus der Sommerfrische auf dem Rigischeidegg, berichten seine Briefe allmählich von Schwierigkeiten mit dem Stoff, darunter auch von den oben erwähnten Dramenplänen. In den folgenden Wochen äußert Meyer wachsende Zweifel an der Möglichkeit, die Novelle noch im laufenden Jahr vollenden zu können, was am deutlichsten in dem Brief vom 31. 10. 90 an Rodenberg zum Ausdruck kommt: «Nun aber – da hilft nichts – muß ich es Ihnen berichten, daß ich für meine Angela-Novelle noch einige Monate bedarf.» Die folgenden Monate bieten kaum Hinweise auf die «Angela Borgia». Erst am 28. 12. 90 kann Meyer seinem Verleger und dem Redakteur mitteilen, daß sich die Arbeit an der Novelle nun in einer günstigeren Phase befinde, ja, gegenüber Haessel nennt er sogar einen in naher Zukunft liegenden Termin: «Rundschau (unberufen) Mai 1891.» Die plötzlich aufgetauchten Schwierigkeiten vom September–Oktober scheinen nun überwunden zu sein, und das so sehr, daß Betsy Meyer am 8. 1. 1891 an Haessel schreiben kann: «Er hatte mich eingeladen um Mitte dieses Monats hinüberzukommen um die andere Hälfte der Angela Borgia niederzuschreiben, zu der das Material bereit lag und ‹mir prächtige, neue, wunderbare Gedanken kommen›, sagte im December der liebe Bruder.»

Die Bemerkungen der Schwester scheinen nicht gerade anzudeuten, daß man es hier mit einem geschwächten und von seiner Eingebung im Stich gelassenen Mann zu tun hat. Um so seltsamer mutet es an, daß die Meyerforschung ausnahmslos stillschweigend oder ausdrücklich Freys Erklärung akzeptiert: «Der Dichter hatte wiederholt über das zögernde und stockende Vorrücken der Angela geklagt, beunruhigt über die in solchem Maße schon langeher nicht mehr verspürten Hemmnisse. So sorgfältig er es auch verbarg und in guten Stunden sich selber ausredete, seine Kraft war unbestritten erschüttert.» (F 10,349).

Nun ist an der Unterbrechung oder Denkpause in der Arbeit an sich nichts

Sonderbares, sowohl «Der Heilige» wie «Die Richterin» zeigen einen Entstehungsprozeß mit ständigen und zuweilen langen Unterbrechungen. Wie üblich ist Meyer im Hinblick auf seine dichterischen Probleme nicht sonderlich gesprächig. Abgesehen von der vagen Bemerkung über die Widerspenstigkeit des Stoffes, erwähnt er gegenüber Rodenberg (31. 10. 90) nur «etwas ganz Anderes – eine stimmungraubende, unmusenhafte Privatangelegenheit, die nun aber glücklicherweise ihre Erledigung gefunden hat.»

Natürlich kann es sich dabei um alles Mögliche handeln, vielleicht ist es auch nur eine konventionelle Entschuldigungsformel[3]. Aufschlußreicher ist Freys kurze Schilderung von Meyers psychischem Zustand, der sich nach der Beendigung der «Angela Borgia» verschlimmert hatte, und speziell des auffälligen Mißtrauens gegenüber seiner Umgebung, das sich bereits im Winter 1891/92 bemerkbar machte. Ausgehend von dem späteren Zutagetreten dieses seltsamen Verhaltens, versucht Frey dann eine kleine Episode zu verstehen, die anderthalb Jahre zuvor liegt, «ein kleines Vorkommnis, dem ich aber, als es passierte, wenig Bedeutung beimaß. Er sagte im Herbst 1890, nachdem wir uns nach einem Spaziergang in seinem Garten auf eine Bank niedergelassen hatten: «Ich bin jetzt mit meiner Angela im reinen; nur ein einziger Punkt ist noch kontrovers.» In dieser Mitteilung eine Aufforderung zur Frage erblickend, erwiderte ich: «Und dieser Punkt ist welcher?» Er sah einen Moment sinnend vor sich hin, und seine Züge nahmen einen geradezu schmerzlichen Ausdruck an, als er entgegnete: «Ich will ihn doch lieber für mich behalten.» So empfindlich war er geworden, daß er, während er früher die Ansicht der Freunde über seine Pläne gerne herausforderte, jeder Meinungsäußerung auswich, die seine Zirkel stören oder auch nur sachte berühren konnte» (F 10,355). Ebenso verschlossen verhielt sich Meyer gegenüber Haessel: ... «ich habe die beste Hoffnung für Angela u. wenn ich dieselbe nicht überstürzen will, habe ich meine Gründe» (Haessel, 12. 1. 91). Welche? Und auf welches Material, auf welche neuen Ideen wird in Betsy Meyers Brief verwiesen?

Während er gegenüber seinen engsten Vertrauten schwieg, und zu denen gehörte auch Frey, sein designierter Biograph, gibt eine wenig beachtete und jedenfalls völlig ungenutzte Quelle ganz überraschenden Aufschluß über die Gedankenwelt, in der er sich gerade in dieser Phase bewegte, in der seine halb vollendete Novelle augenscheinlich einer tiefgreifenden Revision unterzogen wurde. Im Frühjahr 1890 hatte der Schriftsteller Wilhelm Langewiesche (1866–1934) Haessel gebeten, ihm eine Einladung des Dichters zu verschaffen, worauf Meyer seinem Verleger antwortet: «Langewiesche will ich, Ihnen zu Gefallen recht freundlich empfangen» (18. 5. 90). Der Besuch kam jedoch erst im Oktober zustande, und in seinem Aufsatz «Ein Besuch bei Conrad Ferdinand Meyer» (*Die Gegenwart* 42, 17. 9. 1892. S. 180–82) berichtet Langewiesche u. a.:

> Wir begaben uns in ein zur ebenen Erde gelegenes Familien-Zimmer, ein geräumiges, überaus behaglich eingerichtetes Gemach, wo uns die liebenswürdige Gattin des Dichters erwartete, eine Tochter des eidgenössischen Generals Ziegler, der im Sonderbundskriege von 1847 eine führende Rolle gespielt und den Entscheidungskampf bei Gislikon geleitet hatte. Während wir den braunen Trank schlürften, drehte sich das Gespräch um die mannigfachsten Dinge. Insbesondere aber war von Hypnotismus und Suggestion die Rede. Kurz zuvor hatte nämlich der bekannte Züricher Irrenarzt Forel in kleinem Kreise, zu dem auch Meyer geladen gewesen, hypnotische Versuche angestellt, von deren zum Theil höchst überraschenden Resultaten der Dichter erzählte. Interessant war mir besonders, wie sich Meyer zu diesen, seiner heiteren, klaren Natur jedenfalls recht fremden Fragen stellen würde. Daß er nicht, nach Art bequemer und oberflächlicher Menschen, das thatsächlich Geschehene und Bewiesene einfach für Schwindel erklären würde, durfte ich erwarten. Ebenso wenig aber erging er sich in Vermuthungen und Deutungen, sondern er begnügte sich mit den Resultaten der wissenschaftlichen Forschung, die er wie alle Aeußerungen des modernen Lebens aufmerksam verfolgt. Ein Beispiel aus seinem eigenen Leben erzählte er uns: «Ich habe einen Herrn in Chur gekannt, einen Kaufmann, der besaß eine solche übersinnliche Gewalt über seinen Buchhalter, daß er ihn jederzeit, ohne ihm irgend ein Zeichen zu geben, zu sich kommen lassen konnte. Ich zeigte mich dieser Behauptung gegenüber anfangs ebenso ungläubig, wie Sie jetzt. Aber ich ward bekehrt. Jener Herr hat mir in ganz unanfechtbarer Weise den Beweis der Wahrheit erbracht. Warum übrigens,» fügte er lächelnd hinzu, «daran zweifeln? Es gibt eben wirklich Kräfte, deren Wesen und Wirken wir noch nicht begreifen können!» (L 1,181)[4].

Langewiesches Bericht über Meyers Interesse für Forel und dessen hypnotische Versuche besitzen einen hohen Quellenwert. Im Gegensatz z. B. zu Fritz Kögels Bericht, wurde er relativ kurze Zeit nach dem Gespräch veröffentlicht, Meyers Frau und Tochter wohnten dem Gespräch bei und hatten deshalb die Möglichkeit, gegen das Referat Einwände vorzubringen, und schließlich handelte es sich um ein so spezielles Gesprächsthema, daß ein Vorliegen von Verwechslungen oder Gedächtnisfehlern auszuschließen ist, vor allem da Langewiesche über ein solches Interesse seines Gastgebers offensichtlich überrascht war. Nichtsdestoweniger taucht Forels Name in der Meyerliteratur nicht auf, obgleich Langewiesche zu allem Überfluß auch noch hinzufügt, daß Meyer mit «den Resultaten der wissenschaftlichen Forschung» auf diesem Gebiet vertraut gewesen sei. Der Besucher selbst war offenbar nicht sonderlich bewandert, was erklären mag, daß er ohne Übergang von der «wissenschaftlichen Forschung» zu einem Bericht eher okkulter Art übergeht.

Ein paar Bemerkungen in Freys Biographie, die wohlgemerkt erst 1918 in die 3. Auflage eingefügt wurden (d. h. nach Betsy Meyers und Luise Meyer-Zieglers Tod), erhalten von dem Langewiesche-Gespräch her gesehen besonderes Gewicht, obgleich die von ihm erwähnten Phänomene nur als Vorboten des späteren akuten psychotischen Zustands verstanden werden: «Ich sah ihn zum letztenmal während seiner gesunden Zeit am Tag nach seinem Geburtstag, am 12. Oktober 1891. Er war in allen Dingen wie sonst, nur erzählte er einige wunderliche, unerklärliche Vorfälle, die er im Verlauf der verflossenen Monate selbst erlebt habe, daß z. B. ein Paar Handschuhe, die mitten auf seinem Bett gelegen, vor seinen Augen plötzlich herunterfielen, daß das wohlbefestigte Gewicht an der Kette einer Wanduhr sich unversehens löste usw. Da das Unerforschliche und Geheimnisvolle von je eine besondere Anziehungskraft auf ihn geübt und er namentlich seit der Krankheit offenbar noch mehr als früher die verhüllten und dunklen Dinge zu bedenken und dem Mysteriösen nachzuhängen liebte, so schob ich das Gehörte lediglich einer mystischen Anwandlung zu, wie sie alte Leute gerne heimsucht» (F 10,355–56). Ein paar Dinge in diesem Abschnitt lassen einen zweifellos stutzen. Wenn die Anziehungskraft des Unerforschlichen und Geheimnisvollen, wie Frey es nennt, «von je» zu Meyers geistiger Physiognomie gehörte, weshalb findet sich dann in seiner Biographie früher keine Spur dieser Seite seiner Persönlichkeit? Und wenn die Zeit nach der Krankheit (d. h. nach 1887/88) wirklich von einem starken Interesse für «die verhüllten und dunklen Dinge» geprägt war, weshalb hat der Biograph dann kein einziges Beispiel für diese Dinge geliefert, die Meyer angeblich so sehr beschäftigten? Offenbar soll man seine Erlebnisse mit den Handschuhen usw. als Beispiele der Psychokinese verstehen, ist aber die Beschäftigung mit derartigen Problemen wirklich die Absonderlichkeit eines alten Mannes oder vielmehr ein an sich beunruhigendes Zeichen, einer der «dunklen Vorboten» vor dem Zusammenbruch (so heißt das Kapitel bei Frey)? Es scheint, als stemple Frey a posteriori, vom Ausbruch der Krankheit im Sommer 1892 her, einen Zug Meyers als pathologisch, doch ohne dem Leser zu erzählen, ob gerade die hier berichtete Episode sich wesentlich von ähnlichen, früheren Erlebnissen unterschied. Der Abschnitt sagt, kurz ausgedrückt, sehr wenig über den Dichter, wohl aber eine Menge über den Horizont des Biographen aus.

Im Gegensatz zu Langewiesche ist Frey, wie man sieht, in seinen Auskünften recht vage, was aber nicht notwendigerweise bedeutet, daß er völlig unwissend war. Bis zu einem gewissen Grad wußte er es nämlich durchaus besser und war sich darüber im klaren, daß «die mystische Anwandlung» Ausdruck eines genauen und wohldefinierten Interesses war, was indirekt aus seinen Bemerkungen zum «Pseudoisidor», dem Novellenplan, der im Sommer 1891 die kurz zuvor beendete «Angela Borgia» ablöste, hervorgeht: «Grauenvoll und sinnverwirrend nannte Betsy das Motiv. Immerhin ist es ein echter Fund des Tiefbohrers Conrad Ferdinand Meyer, erschütternd durch die allmählich wachsende Schuld und Strafe, durch die genaue Verkettung der beiden und durch die völlig innerliche Art der Nemesis. Aber es fordert allzusehr nur den Psychologen heraus, den halbwissenschaftlichen Dichter, den Statistiker der Seelenvorgänge, wie die Moderne manchen aufweist. Der Epiker dagegen findet wenig zu tun» (UP I, 261–62). Aus diesem Abschnitt lassen sich zwei Dinge herauslesen: Erstens, Frey schätzte zwar Meyers psychologische «Tiefenbohrung», doch nur so weit der Epiker ihr in Handlungen und Milieuschilderungen sichtbaren Ausdruck verlieh. Zweitens, Meyer entschied sich hier *tatsächlich* für dieses Motiv des reinen Psychologen, des halbwissenschaftlichen Dichters, des psychologischen Statistikers. Auf diese Weise verrät der in ästhetischen Belangen äußerst konservative Frey[5] eine Seite von Meyers literarischem Geschmack, die sich in eklatantem Widerspruch zu dem Bild befindet, das Frey in seiner Biographie, und mit ihm die Meyerforschung ganz allgemein, von einem Mann zeichnet, der mit seinem tiefen Verwurzeltsein in der klassischen europäischen Literatur den in den letzten Jahrzehnten des Jahrhunderts auftauchenden literarischen und wissenschaftlichen Problemstellungen fremd und abweisend gegenüberstand.

Eine Spur der gleichen Mißbilligung, die Meyers Interessenrichtung bei Frey hervorgerufen hatte, findet sich im übrigen auch bei der sonst so diskreten Schwester, hier jedoch richtet sie sich gegen die «Angela Borgia». Als sie im Juli 1891 herbeigeholt wurde, um bei der Ausarbeitung des druckreifen Manuskripts mitzuhelfen, berichtet sie davon, wie Meyer aus seinem neuen Werk vorgelesen und welche Wirkung das Gehörte auf sie gehabt habe: «Ich war gespannt auf seine ‹Angela Borgia›, denn er hatte mir in früherer Zeit, da er sie noch dramatisch zu gliedern gedachte, viel davon erzählt, und ich hatte unlängst die zwei ersten Kapitel dieser Novelle für ihn niedergeschrieben. Dennoch war es mehr die Person des Vorlesers als der Gang der Erzählung, die an jenem schwülen Sommernachmittage meine bange Teilnahme unwillkürlich immer wieder fesselte. /.../ Was war denn anders geworden, seit er mir vor etwas mehr als Jahresfrist in Schaffensfreude den vielverheißenden Anfang der Novelle diktiert hatte? War ich denn selber zu matt, von der Gewitterluft zu stark beeinflußt, um die Linien der Komposition zu verfolgen und mich steigend für die durch ihren Originalwert, ihre scharfe Charakteristik mich sonst jederzeit überraschenden Gestalten meines Bruders zu interessieren? ‹Du bist nicht dabei – bist du schläfrig?› unterbrach er fast empört meine zweifelnden Gedankengänge» (B. Erinn., 200). Das hier wiedergegebene Bruchstück der Darstellung durch die Schwester prägen einander widerstrebende Haltungen: Teils Besorgnis über den Zustand des Bruders, teils Protest über die Verwandlung, die die Novelle seit ihrem «verheißenden» Beginn vom Jahr zuvor erfahren hatte. Anfang ist hier im übrigen nicht der richtige Ausdruck, da man aus dem Bericht von Frau v. Doß weiß, daß Meyer den Plan des Werkes fertig im Kopf hatte, obgleich nur das erste Drittel fertig geschrieben war. Betsys Ratlosigkeit ist verständlich. Zu dem alten Plan war unleugbar etwas Neues hinzugekommen.

Anmerkungen

[1] Kögel muß also den Eindruck erhalten haben, die Novelle mit Lucrezia als Hauptperson sei der ursprüngliche Plan («noch») gewesen und Angela habe erst später die Hauptrolle übernommen. Entweder kannte er Freys 1900 erschienene Biographie nicht, in der die Angela-Giulio-Handlung eindeutig als der ursprüngliche Kern der Novelle erscheint, oder er hält gegen Frey daran fest, daß Meyer zum Zeitpunkt des Besuches den Eindruck erweckte, die Lucrezia sei die Keimzelle und das Zentrum des Werkes. Kögels *Irrtum* in bezug auf die Genese der Novelle erhöht meiner Einschätzung nach – als eine textgeschichtliche lectio difficilior – in diesem Punkt seine Glaubwürdigkeit.

[2] Der über Meyers Pläne sehr gut informierte Frey spricht in einem unveröffentlichten Brief vom 1. 7. 1890 von einem «Abschluß der Borgia» (ZZ Nachlaß Frey 68+b), so wie er auch am 2. 9. 1890 schreibt: «Auf Ihre Lucrezia bin ich im höchsten Grade begierig. /.../ Bis wann, wenn ich fragen darf, denken Sie mit der Lukrezia fertig zu sein, sodaß ich Sie, ohne zu stören, wieder einmal besuchen dürfte?» (ibid.).

[3] ... «es ist nicht ausgeschlossen, daß er dabei an die Reibereien zwischen den beiden Frauen (d. h. der Schwester und der Gattin) dachte.» Wenn Alfred Zäch (**Z** 1,220) recht hat – er folgt in diesem Punkt Lily Hohenstein, die in ihrer Biographie großes Gewicht auf die Unstimmigkeiten zwischen den beiden Damen legt –, so wäre das in Meyers Briefen der einzige Hinweis auf derartige Familienstreitigkeiten, abgesehen natürlich von der Zeit nach 1892. In einem Brief vom 23. 11. 87 (ZZ.CFM 306) kommt eine ähnliche Wendung vor: «Dann muß ich um Nachsicht bitten, daß sich meine Sendg. für ‹Dichtg› verspätet: einer fertigen Ballade möchte ich etwas zweites beigeben, muß aber jetzt zuerst ganz andere u. höchst musenlose Geschäfte besorgen.» In diesem Fall wurden die Musen wahrscheinlich durch einen Grundstückskauf verscheucht, der in einem Brief an Haessel vom 28. 11. 87 als glücklich vollendet bezeichnet wird.

[4] Von einem eventuellen Briefwechsel zwischen Meyer und Langewiesche ist nichts erhalten. In Anbetracht der Sorgfalt, mit der in anderen Fällen – auch völlig gleichgültige – Visitenkarten mit einem kurzen Dank für einen Besuch aufbewahrt wurden, ist nicht auszuschließen, daß Material entweder von Meyer selbst oder von seiner Familie vernichtet worden ist. Daß

Langewiesche auf eine Aufrechterhaltung der Verbindung großen Wert legte, geht daraus hervor, daß seine Gedichtsammlung «Im Morgenlicht» (Leipzig 1896²) in Meyers Bibliothek steht. Vermutlich handelt es sich um ein Geschenk des Autors.

⁵ Freys Schweigen dürfte kaum ausschließlich in seinem eigenen Widerwillen gegen die Tendenzen der modernen Dichtung begründet sein. Die Rücksicht auf Meyers engste Hinterbliebenen, die pietistisch konservative Frau und die Schwester in «der Zellerschen Gebetsheilanstalt in Männedorf», deren Bild des Bruders sich dem Hagiographischen im Stil von Elisabeth Förster nähert, wog ganz zweifellos schwer. Die 1. Auflage der Biographie erschien 1900, erst in der 3. Auflage von 1918 (Betsy Meyer war 1912, Luise Meyer-Ziegler 1915 gestorben) fügt er schonend «mehrere Tatsachen und Bemerkungen» ein, «die ich früher auf Betsy Meyers Wunsch unterdrückte» (F 10,428). In gleicher Weise kommen denn auch die angeführten aufschlußreichen Äußerungen über den «Pseudoisidor» erst in dem 1916 erschienenen «Conrad Ferdinand Meyers unvollendete Prosadichtungen» vor. Natürlich konnte Frey an seinem Dichterporträt nur verhältnismäßig wenig ändern, wenn er nicht als unglaubwürdiger Biograph dastehen wollte. Seine Aufgabe war nicht leicht. Hinzu kommt, daß das ihm zur Verfügung stehende Briefmaterial von Betsy Meyer bereits weitgehend zensiert worden war (F 10,VI). Die Situation für die späteren Biographen ist womöglich noch trostloser, da auf die testamentarische Verfügung der Tochter Camilla Meyer hin 1936 eine Menge Material verbrannt wurde (II,50–53). Vgl. unten S. 87ff.

August Forel

Hypnose, Telepathie, Psychokinese: Stichwörter der wissenschaftlichen Forschung, deren Resultate Meyer laut Langewiesche, und indirekt auch laut Frey, aufmerksam verfolgte, jedenfalls im Herbst 1890. Also nicht Darwin, Comte, Haeckel, Spencer, Taine, die Namen, die einem von selbst einfallen, wenn es um die wissenschaftlichen Interessen der damaligen Belletristik geht. Hat man es also dennoch mit einem Zeichen geistiger Schwächung, dem skurrilen Interesse eines alten Mannes für Parapsychologie, einer Kapitulation vor der Irrationalität zu tun? Keineswegs: Meyer orientierte sich nach einer zwischen 1880 und 1890 stattfindenden epochemachenden Revolution innerhalb der Psychologie und Psychiatrie, und damit einer wichtigen Strömung innerhalb der europäischen Kultur am Ende des 19. Jahrhunderts, ein Faktor, der in literaturgeschichtlichen Darstellungen dieses Jahrzehnts und insbesondere der Umbruchszeit um 1890 viel zu stiefmütterlich behandelt wird. Als er sich 1889–90 dem Borgia-Stoff zuwendet, kulminiert gleichzeitig die Erforschung des Aufbaus der menschlichen Persönlichkeit, und speziell ihrer unbewußten Elemente, durch die moderne experimentelle Psychologie. Eine prominente Gestalt während dieser Phase der Entwicklung der dynamischen Psychologie war genau «der bekannte Züricher Irrenarzt Forel», dessen hypnotischen Demonstrationen Meyer kurz vor Langewiesches Besuch beigewohnt hatte. Bevor ich kurz die Situation der Psychiatrie der 80er Jahre des 19. Jahrhunderts umreiße, jedenfalls soweit sie von hypnotischen Experimenten ausgeht oder diese einbezieht, möchte ich den Mann vorstellen, durch den Meyer in Kontakt mit einem der spektakulärsten wissenschaftlichen Bereiche seiner Zeit gelangt war.

August Forel (1848–1931) war von 1878–98 gleichzeitig Ordinarius für Psychiatrie und Direktor des psychiatrischen Spitals Burghölzli in Zürich, dessen Ruf als Mekka der Psychiatrie er begründete, einen Ruf, der unter seinem Schüler und Nachfolger Eugen Bleuler noch weiter wuchs. In diese Position brachte die Institution vor allem folgendes: «Zusammen mit der vorher allein dastehenden und von allen Seiten bekämpften Schule von Bernheim und Liébeault in Nancy wurde das Burghölzli zu einer der ersten Kliniken, die von 1887 an die Hypnose psychologisch-naturwissenschaftlich erklärten und studierten und die damit die Psychotherapie wieder anerkannten, ...»[1]. Sigmund Freud, der sich bereits gegen Ende 1887 mit der Hypnose zu beschäftigen begann[2], wobei er von Hippolyte Bernheims Suggestionsstudien ausging, die er Ende 1888 übersetzte, war schon frühzeitig auf Forels Qualifikationen aufmerksam geworden: «Zu diesem Zeitpunkt (d. h. Anfang 1889) war Freud bereits mit Auguste Forel, dem bekannten Schweizer Psychiater in Verbindung getreten, dessen Buch über den Hypnotismus er in zwei Fortsetzungen im Juli und November 1889 rezensierte; zwischen dem Erscheinen der beiden Teile der Besprechung stattete Freud Bernheim und Liébeault in Nancy einen mehrwöchigen Besuch ab; Forel hatte ihn da eingeführt»[3].

Forels Ruhm beschränkte sich nicht auf den Kreis seiner Fachkollegen. Ein lebendiges Bild seines Einflusses auf eine breitere Öffentlichkeit liefert beispielsweise Gerhart Hauptmann in «Das Abenteuer meiner Jugend»[4], wo er seinen Aufenthalt im Jahre 1888 bei dem Bruder Carl Hauptmann in Zürich schildert.

August Forel war Direktor des Burghölzli, der großen Züricher Irrenanstalt. Er ist es, dessen Erschließungen von überwiegendem Einfluß auf mich gewesen sind. Er hat mir ein unverlierbares Kapital von Wissen um die menschliche Psyche vermittelt (S. 1057).

Nie dagewesene Erkenntnis auch über den Menschen trat aus der Dunkelheit. So wurde das Gebiet der Hypnose durch Forel experimentell erforscht und vom wissenschaftlichen Standpunkt aus studiert. Es waren Wunder auf diesem Gebiet, die er in seinen Kollegs vorführte (S. 1060).

August Forel war zu jener Zeit neben Bernheim in Nancy der größte Vertreter der Hypnose in der Wissenschaft. Wir haben von ihm wahre Wunder gesehen. Die Materie ist bekannt und braucht nicht näher erörtert zu werden.

Die Wärterinnen des Burghölzli, traf er sie in den Gängen, sanken auf seinen Blick in Schlaf. Standen sie dann wie schlafende Säulen, empfingen sie seine Suggestion, um dann, erwacht, die absurdesten Dinge auszuführen.

Ein Jugendlicher wurde uns eines Tages in einem Kolleg über gerichtliche Medizin vorgeführt. Er sank in Schlaf, und Forel suggerierte ihm, er werde, erwacht, nicht fähig sein, sich vom Flecke zu rühren. Es war so, wie Forel befohlen hatte. Wiederum in Schlaf gesenkt, wurde dem Jungen suggeriert, ein in der zweiten Bank als dritter sitzender junger Arzt habe ihm ein Tuch gestohlen. Im Erwachen rührte der Junge sich nicht vom Fleck, faßte jedoch sogleich den vermeintlichen Dieb ins Auge. Er wurde gefragt: «Warum blickst du den Herrn so an?» – «Er hat mir mein Taschentuch gestohlen!» – Nun wurde ihm der Unsinn seiner Behauptung diesem ehrenwerten Herrn gegenüber klargemacht – er ließ nicht von seiner Beschuldigung. «Wo war es», fragte Forel, «wo stahl dir der Herr dein Taschentuch?» Der Junge schilderte nun Ort und Zeit aufs genaueste, wo und wann der Diebstahl geschehen sei, und das war es, worauf der Psychiater hinauswollte. Die völlig überzeugende Sprache des angeblich Bestohlenen würde jeden Richter überzeugt haben und der junge schuldlose Arzt verurteilt worden sein.

Wiederum wurde der Junge in Schlaf versenkt, die Diebstahlgeschichte ihm ausgeredet. Du hast behauptet, wurde ihm nach dem Erwachen gesagt, es sei dir ein Tuch gestohlen worden und dort dieser junge Herr sei der Dieb.

Ich saß in der ersten Bank und konnte die Mienen des Jungen genau beobachten. Er brach über dieser Behauptung in Gelächter aus. Es war klar, daß man sich einen Spaß mit ihm machen wollte.

Forel warf seine Sachen zusammen, winkte ab, das Kolleg war aus.

Nun zum Schlusse kam das Seltsame: im allgemeinen Aufbruch wurde klar, der Junge konnte sich nicht vom Platze rühren. Es war, als wäre er eingewurzelt. Versuche, sich loszumachen, schlugen fehl. Das Zauberwort, das ihn löste, hatte Forel zu sprechen vergessen. Es bedurfte dazu einer neuen Hypnose, einer neuen Suggestion.

So drang einen Winter lang Neues und immer wieder Neues auf mich ein (S. 1066–67).

Sowohl aus Hauptmanns schriftlicher wie aus Meyers mündlicher Darstellung geht hervor, daß Forel die Praxis befolgte, die bereits Charcot zu Beginn der 80er Jahre benutzt hatte: Gleichzeitig mit Vorlesungen und klinischen Demonstrationen vor einem medizinischen Fachkreis wurden die aufsehenerregenden wissenschaftlichen Ergebnisse einer breiteren Öffentlichkeit vermittelt[5]. Seine eigene Überzeugung von der Reichweite der Hypnose- und Suggestionstheorien, und damit seine ausgeprägt missionarische Haltung[6], durchdringen die Schlußbetrachtungen in seiner ersten größeren Gesamtdarstellung des Themas, «Der Hypnotismus. Seine Bedeutung und seine Handhabung» (Stuttgart 1889): «Die Entdeckung der psychologischen Bedeutung der Suggestion durch *Braid* (nur noch mangelhaft) und *Liébeault* ist nach meiner Ansicht so großartig, daß sie mit den größten Entdeckungen, resp. Erkenntnissen des menschlichen Geistes verglichen werden kann. Mit den meisten derselben hat sie das Gemeinschaftliche, daß die Thatsachen nicht neu, sondern nur bisher mißverstanden, in ihrer wesentlichen Bedeutung verkannt, daher auch nicht richtig ausgebeutet worden waren. Ich nenne vergleichsweise die Evolutionstheorie von *Darwin*, sowie die Entdeckungen der Antiseptik, der Verwerthung der Electricität» (80–81)[7].

So also sahen die Persönlichkeit und die Gedankenwelt aus, von denen Meyer offenbar stark beeinflußt war, als er im September 1890 seine Arbeit an der Borgianovelle unterbrach, die ihm wenige Monate zuvor in einer klaren und überschaubaren Komposition vorgeschwebt hatte. Ordnet man die Suggestionstheorie der Nancyer Schule in seinen Wissenshorizont ein, so versteht man allmählich, was sich hinter Freys Unbehagen an dem «halbwissenschaftlichen Dichter», dem Psychologen, der die Konflikte sich auf rein intrapsychischer Ebene abspielen läßt («die völlig innerliche Art der Nemesis» (**UP** 262)), verbirgt. Und die Seltsamkeiten der «Angela Borgia» werden vielleicht nicht ganz so selbstverständlich zu einem Ausdruck der Ohnmacht.

Was die Dauer und die Intensität der Berührung mit der neuen Psychiatrie angeht, muß man im übrigen in Betracht ziehen, daß Meyer reichlich Gelegenheit gehabt haben mag, Auskünfte aus erster Hand einzuholen, da sein väterlicher Freund, der Historiker Georg von Wyß (1816–93)[8] ein enger Freund von Forel[9] war und demnach einen persönlichen Kontakt vermittelt haben kann. Die Bemerkungen gegenüber Langewiesche deuten zumindest darauf hin. Natürlich kann man nicht mehr mit Sicherheit feststellen, ob es sich hier um die einzige Begegnung mit Forel handelte oder ob man es nur mit dem einzigen *Zeugnis* eines eventuell länger andauernden Interesses für das durch Forel repräsentierte Gebiet zu tun hat[10]. Meyers Briefe schweigen zu diesem Punkt, was jedoch zu erwarten war, da er sich im allgemeinen nahezu hermetisch von seiner Umgebung abriegelt, wenn seine tieferen Interessen berührt sein könnten. Recht typisch ist, daß er, wie seine Schwester in ihren Erinnerungen berichtet, eine besondere Vorliebe für den Märchenreim: «Ach, wie gut ist, daß niemand weiß,/ daß ich Rumpelstilzchen heiß!» hegte (Erinn. *Deutsche Rundschau* S. 205). David A. Jackson gibt gute Beispiele dafür, daß er gute Gründe hatte, seine persönlicheren Ansichten vor seiner ungewöhnlich verständnislosen Umgebung zu verbergen (**J** 1,82–92). Es ist kein Zufall, daß die Äußerung über Forel im Gespräch mit einem Wildfremden fällt. Vermutlich war es diese Abneigung gegen die Möglichkeit, andere einen Einblick in seine Gedankenwelt tun zu lassen, die Meyer dazu brachte, im Januar 1892 eine Menge unidentifiziertes Material zu verbrennen (vgl. II,51). Dabei *kann* es sich u. a. um Auszüge aus psychiatrischer Literatur gehandelt haben, auf die er bei Forel Hinweise bekommen haben könnte[11].

Geht man hypothetisch davon aus, daß Forel und die durch ihn vertretene Richtung ein wichtiges Element der Vorstellungswelt ausmachen, der die «Angela Borgia» entspringt, so muß man sich klarmachen, daß diese spezifische Gedankenwelt nur für diese Novelle Relevanz besitzt, nicht aber für die früheren. Forel machte sich die Ideen der Nancyer Schule im März 1887 zu eigen (**F** 5,133); «Die Versuchung des Pescara», das letzte Prosawerk vor der «Angela Borgia», wurde am 2. 7. 1887 fertig (XIII,373). Analysiert man die Novelle von meiner Hypothese her, muß man also nicht nur nachweisen, daß sich damit eine größere Menge der Textelemente verstehen läßt als mit bisherigen Einfallswinkeln, sondern man muß auch belegen können, daß die Menschenschilderung und die interpersonalen Beziehungen Züge enthalten, die die «Angela Borgia» in wichtigen Punkten von den früheren Werken unterscheiden. Vor der Detailuntersuchung der Suggestionstheorien als produktiver Faktor des Fiktionswerkes soll jedoch die Einzelperson Forel in einen größeren Zusammenhang eingeordnet werden.

Anmerkungen

[1] «Zürcher Spitalgeschichte». Hrsg. vom Regierungsrat des Kantons Zürich. Zürich 1951. Bd. II, 440. Vgl. S. 404–05: «Die Demonstrationen über Hypnose – die zeitweise zu einem Hypnosekurs für die Studierenden wurden – waren bahnbrechend für die Zuwendung des Interesses der Universitäten zur Psychotherapie.»

[2] Brief vom 28. 12. 87 an Wilhelm Fließ: «Ich selbst habe mich in den letzten Wochen auf die Hypnose geworfen und allerlei kleine, aber merkwürdige Erfolge erzielt. Ich gedenke auch das Buch von Bernheim über die Suggestion zu übersetzen» (F 9,52).

[3] Angela Richards: «Editorische Einleitung zu Freuds ‹Schriften über Hypnotismus und Suggestion› (1888–1892)». In: *Psyche*, 1981, S. 458–59. Vgl. Freuds «Selbstdarstellung» (G.W. XI, 100 ff.) und Ernest Jones: «Sigmund Freud. Life and Work» (1956, Bd. I, 259). Freuds Rezension von Forels Buch erschien in *Wiener medizinische Wochenschrift* XXXIV, 1889, und ist in der Standard Edition, Bd. I, abgedruckt.

[4] Zitiert nach: Gerhart Hauptmann, Sämtliche Werke, Bd. VII. Propyläen Ausgabe. 1962.

[5] August Forel, «Rückblick auf mein Leben». Zürich 1935 (= F 5): «Ich kündigte für das Wintersemester 1887/88 ein Kolleg über den Hypnotismus mit Demonstrationen an, und das zog so stark, daß es im größten Auditorium für die mehr als hundert Zuhörer kaum Platz gab» (138). Forel hatte sich Bernheims Suggestionstheorie und -therapie zu eigen gemacht, als er diesen im März 1887 in Nancy besuchte (ibid. 133). Vgl. Annemarie Wettley, «August Forel. Ein Arztleben im Zwiespalt seiner Zeit». Salzburg 1953 (= W 1). Henri F. Ellenberger, «The Discovery of the Unconscious. The History and Evolution of Dynamic Psychiatry». New York 1970 (= E 1), S. 88, 285–86 et passim.

[6] «Forel war ein Feuergeist: er war ein fanatischer Kämpfer für seine ärztlichen und sozialen Ideen, ...» («Zürcher Spitalgeschichte» II, 415).

[7] Forel bezeichnet Braid und Liébeault als seine Lehrmeister, und damit kennzeichnet er auch gleichzeitig seine eigene Stellung innerhalb der Geschichte der Psychiatrie. Während man seinen Vorgänger Wilhelm Griesinger (1817–69), den ersten Direktor des Burghölzli, als den Psychiater betrachtet, der «won the victory of the ‹Somatiker› over the ‹Psychiker›» (E 1,241), und sein Nachfolger Eugen Bleuler eine Synthese der organischen und dynamischen Psychiatrie zu schaffen suchte, manifestiert sich in Forel der *Wechsel* von der Neurologie zur dynamischen Psychiatrie, wodurch er repräsentativ wird für die wichtigste Tendenz der in den 80er Jahren des 19. Jahrhunderts stattfindenden Weiterentwicklung dieser Disziplin (vgl. E 1,480).

[8] Vgl. Freys Biographie, wo die Beziehung zu Georg v. Wyß behandelt wird (natürlich ohne daß Forel erwähnt wird). Meyers Briefwechsel mit ihm findet sich in Br. I.,27 ff. Georgs Bruder Friedrich war mit einer Kusine von Meyer verheiratet (F 10,50).

[9] F 5, S. 48, 102, 119. Vgl. August Forel, «Briefe. Correspondance 1864–1927». Hrsg. von Hans H. Walser. Bern 1968.

[10] Aus dem Gespräch mit Langewiesche scheint hervorzugehen, daß es sich im Oktober um einen ganz frischen Eindruck handelt. Doch läßt sich nicht ganz ausschließen, daß Meyer bereits in anderem Zusammenhang einige Zeit zuvor Verbindung zu Forel gehabt haben kann. Im Winter 1887/88 erkrankte er schwer («ein heftiges rheumatisches Fieber» (François, 30. 12. 87)) und wurde danach ständig von Halsentzündung, Nasenkatarrh und Atembeschwerden gequält. Die Behandlung dieser Leiden scheint nur geringe Wirkung gezeitigt zu haben. Meyer hat schnell den Verdacht, sie könnten nervöser Art sein: «Was davon auf Rechnung meiner Nerven kommt, kann ich freilich nicht beurteilen» (François, 31. 8. 88. Vgl. Haessel, 16. 2. 88 «nervös-rheumatische Leiden»). Noch am 15. 2. 89 bemerkt er zu François, daß «irgend ein organischer Schaden» nicht habe festgestellt werden können. Zu dem Zeitpunkt scheinen die Symptome verschwunden gewesen zu sein. Das ist an sich äußerst banal. Seine vermuteten psychosomatischen Leiden fallen jedoch auf den Zeitpunkt, an dem Forel anfängt, die Hypnose zur Behandlung mehrerer somatischer Leiden einzusetzen: «Schmerzen aller Art», «nervöse Sehstörungen», «Rheumatismus und Asthma», «funktionelle Lähmungen, Krämpfe und Neuralgien», usw. (F 3,64; F 6,47–48). In dem *Correspondenzblatt für Schweizer Ärzte*, 1890, S. 79–81, berichtet E. Ritzmann («Beiträge zur hypnotischen Suggestivtherapie bei Augenleiden»), wie Forel im November 1889 mit Hilfe der Suggestionstherapie verschiedene Augenleiden geheilt habe. Zürich war keine große Stadt, und die hypnotischen Versuche fanden, wie aus Hauptmanns Erinnerungen hervorgeht, in relativer Öffentlichkeit statt. Ob Meyer von Forel behandelt wurde, ist selbstverständlich völlig ungewiß. Die Möglichkeit wird hier nur der Vollständigkeit halber erwähnt, um mögliche Berührungsflächen zu zeigen.

[11] Die Kantonsbibliothek (bzw. die Medizinische Bibliothek) von Zürich (später ein Teil der Zentralbibliothek Zürich) schaffte in jenen Jahren laufend eine größere Sammlung von Fachliteratur über Hypnose- und Suggestionsforschung sowie angrenzende Gebiete an. Aus der neueren Phase dieses Forschungszweiges, bis zum Erscheinungsjahr 1890, besitzt die Bibliothek etwa 70 Monographien über das Thema. Forels Hand ist in der Auswahl deutlich spürbar: Als Bernheimschüler suchte er ganz überwiegend Arbeiten aus, die sich der Nancyer Schule anschließen.

Das hypnotische Jahrzehnt

1879 schrieb La Société médico-psychologique de Paris eine Preisaufgabe aus, in der man eine wissenschaftliche Behandlung des Phänomens Somnambulismus verlangte. Damit wurde ein bemerkenswerter Umschwung in der Wissenschaftsgeschichte des 19. Jahrhunderts deutlich. Zwar waren die Eigentümlichkeiten des somnambulen Zustands sowie verschiedene Techniken, die ihn hervorbringen konnten, zum größten Teil von den Pionieren des animalischen Magnetismus, Mesmer und Puységur Ende des 18. und de Faria in den 20er Jahren des 19. Jahrhunderts beschrieben worden, doch das Studium des Somnambulismus war im Laufe der 30er Jahre durch die Vermischung mit verschiedenen okkulten Strömungen so sehr in Verruf geraten, daß sich die Académie royale de Médecine ab 1840 weigerte, sich mit zu diesem Thema eingereichten Abhandlungen zu beschäftigen[1]. Für den deutschen «Mesmerismus» gilt, daß er bereits bei seinen frühen bedeutenden Vertretern (Gmelin, Kluge) eine enge Verbindung mit der Naturphilosophie der Romantik eingegangen war und daß er sich im Laufe der 20er Jahre immer stärker an parapsychologische Problemstellungen band, wie an Justinus Kerner zu sehen ist. Damit verschwand der artifizielle Somnambulismus als wissenschaftliches Studienobjekt, da um 1850 der Positivismus die deutschen Universitäten eroberte. Die Schrift, die nun, im Jahre 1879, den Preis gewann, war Prosper Despines «Étude scientifique sur le somnambulisme», die im Jahr darauf als Buch erschien, eine Arbeit, zu deren vielen genauen Beobachtungen die französische Psychiatrie des folgenden Jahrzehnts immer wieder zurückkehrt, gleichgültig, ob man seine theoretischen Anschauungen teilte oder nicht (Despine war klassischer Mesmerist, d. h. er begriff den Somnambulismus als Wirkung eines noch nicht identifizierten «Fluidums»). Die Beurteilung, die Despine in extenso abdruckte, ist recht typisch für die Situation um 1880: Während der erste Teil der Abhandlung, der neurophysiologisch die verschiedenen Seiten des spontanen Somnambulismus (den man als eine akute Lähmung bestimmter cortikaler Zentren auffaßte) beschrieb und analysierte, sehr viel lobende Anerkennung fand, sprach man dem sich mit dem provozierten Somnambulismus beschäftigenden zweiten Teil jegliche wissenschaftliche Qualität ab, wobei man dem Autor «une trop grande crédulité» gegenüber den Behauptungen des «Mesmerismus» vorwarf (D 1,XII). Befremden löste bei der Kommission nicht so sehr der Nachweis der gleichgelagerten Symptomatologie aus, gleichgültig ob es sich um spontanen oder artifiziellen Somnambulismus handelte (D 1,151), sondern vielmehr augenscheinlich seine Behauptung der Möglichkeit der «transmission de la pensée»: «toute idée sur laquelle l'opérateur concentre sa pensée produit une idée de même nature dans l'esprit du magnétisé» (D 1,220). Diese «action à distance sur les phénomènes psychiques des somnambules» (D 1,222) besitzt laut Despine eine solche Stärke, «que ces derniers, ainsi influencés, ne peuvent plus vouloir ce qu'ils désirent, mais seulement ce que leur imposent, par un entraînement fatal, irrésistible, les commandements formulés, même mentalement, de la personne qui les fascine et les magnétise, ...» (D 1,227). Der Widerstand der Kommission war jedoch vergeblich, Despine hatte hier einen Forschungsbereich beschrieben, der in der wissenschaftlichen und öffentlichen Diskussion der 80er Jahre des 19. Jahrhunderts einen wichtigen Platz einnehmen sollte, was eine nahezu unüberschaubare Flut von Veröffentlichungen zu den verschiedenen Aspekten des Themas zur Folge hatte. Mit der Hypnose – das sollte bald die übliche Bezeichnung werden – hatte die Psychologie ein Mittel in die Hand bekommen, mit dem sie eine Experimentalsituation herstellen konnte, die denen der exakten Wissenschaften vergleichbar war, aber die menschliche Psyche zum Gegenstand hatte. Der Physiologe Ch. Richet, dessen erster Aufsatz über den provozierten Somnambulismus bereits 1875 erschien, behauptet denn auch in seiner zusammenfassenden Darstellung «L'homme et l'intelligence» (Paris 1884) diese Übereinstimmung mit den Naturwissenschaften: «L'hypnotisme est un admirable appareil de vivisection psychologique. Grâce aux travaux des médecins et des physiologistes qui ont étudié l'hypnotisme, nous connaissons l'inconscient, nous savons que cet inconscient accomplit silencieusement des opérations intellectuelles merveilleuses» (R 1,157)[2].

Mit dieser «Legitimation» konnten die Psychologie und die Psychiatrie um 1880 die Erforschung der unbewußten psychischen Prozesse wieder aufnehmen, die während der ersten Jahrzehnte des Jahrhunderts ein wichtiges Element der westeuropäischen Kultur gewesen war. In dieser Forschung aber kam der Hypnose eine Schlüsselstellung zu: «Hypnotism was adopted as the main approach, the *via regia* to the unconscious,» wie sich Henri F. Ellenberger in seinem Standardwerk über die Geschichte der dynamischen Psychiatrie, «The Discovery of the Unconscious» (New York, 1970) (E 1,111) ausdrückt. Auf der Grundlage der Experimente mit Hypnose, die mit der Analyse von verwandten klinischen Bildern wie spontanem Somnambulismus und multipler Persönlichkeit sowie Hysterie kombiniert wurden, entstand eine neue Auffassung von der menschlichen Persönlichkeit: Die Aufteilung des Seelen- und Bewußtseinslebens in bewußte und unbewußte mentale Prozesse wurde bei mehreren Forschern mit einer solchen Radikalität durchgeführt, daß die Persönlichkeit nun das Bild eines instabilen Konglomerats aus distinkten (Sub)persönlichkeiten bot, eine Auffassung, die den offenen Bruch mit den organismischen Persönlichkeitstheorien bedeutete, die im 19. Jahrhundert in unterschiedlicher Gestalt die Auffassung des Begriffs Individualität bestimmt hatten. Besonders provozierend auf die zeitgenössische wissenschaftliche Welt sollte jedoch eine andere Schlußfolgerung aus den Hypnosestudien wirken, die Annahme einer selbständigen mentalen Energie. Während die positivistische Psychologie seit Comte jede psychologische Forschung als selbständiges Gebiet, d. h. losgelöst von ihrer soziologischen und physiologischen Grundlage zurückgewiesen hatte und Webers und Fechners Psychophysik es zwar vermieden hatte, das Verhältnis von psychisch und physisch als kausal zu bestimmen, in den Axiomen von der psychophysischen Parallelität aber von einer genauen Korrelation zwischen den beiden «Erscheinungsformen des gleichen Prozesses» (H 2,155) ausging, behaupteten Liébeault und Bernheim in Nancy und ihre Anhänger, daß sich die hypnotischen Phänomene nicht von den bekannten physischen und chemischen Grundprozessen her erklären ließen, man es also mit rein psychischen Kräften zu tun habe. Denn alle ausschließlich durch Verbalsuggestion bewirkten Veränderungen des Hypnotisierten, die abnorm erhöhte Sensibilität, die Hypermnesie (bei der das Individuum über einen Erinnerungsvorrat verfügte, der seinesgleichen im bewußten Normalzustand vermißte), die unglaubliche muskulare Beherrschung, die Fähigkeit, physiologische Organveränderungen hervorzurufen, die normalerweise außerhalb der Reichweite des Willens lagen, die Fähigkeit zur vollständigen Anästhesie, der seltsame scheinbar extrasensorische «Rapport» zwischen Hypnotiseur und Hypnotisiertem und schließlich die posthypnotische Amnesie, all das setzte eine «Energie» voraus, die entweder am materialistischen Monismus rütteln mußte oder neben den bekannten Grundprozessen die Annahme einer noch nicht erkennbaren Größe notwendig machte[3].

Wie stark auch immer sich die Auffassung der Nancyer Schule gegen Ende der 8oer Jahre in der wissenschaftlichen Diskussion behauptete, sie bewirkte in keiner Weise einen Paradigmenwechsel im Sinne von Thomas Kuhn. Dafür war die naturwissenschaftliche Dominanz des Positivismus viel zu stark[4]. Dagegen bildet das Studium der Hypnose eine wissenschaftliche Enklave, die deshalb bemerkenswert ist, weil sie während des gleichen Zeitraums entsteht, in dem durch Wilhelm Wundts Gründung des Instituts für experimentelle Psychologie in Leipzig im Jahre 1879 die moderne naturwissenschaftliche Experimentalpsychologie institutionalisiert wird (vgl. H 2,175). In Meyers wichtigstem Publikationsorgan, Julius Rodenbergs *Deutsche Rundschau*, spiegelt sich diese wissenschafts- und kulturhistorische Situation wider. Bis 1891 ließ die Redaktion in den Aufsätzen der

Zeitschrift, die sich mit psychologischen Themen beschäftigten, nur Vertreter der positivistischen Physiologie und Psychologie zu Wort kommen: W. Wundt[5], Ernst Haeckel[6], Du Bois-Reymond[7] und – am häufigsten – W. Preyer (doch nur, wenn er sich in dem betreffenden Aufsatz auf dem Boden des Positivismus bewegte)[8].

Die bereits frühzeitig etablierte Alleinherrschaft des Positivismus verdeutlicht sich auch in dem Schicksal, das dem Pionier der neueren experimentellen Hypnoseforschung zuteil wurde. 1843, im gleichen Jahr, als John Stuart Mills «System of Logic, Ratiocinative and Inductive» erschien, veröffentlichte der englische Arzt James Braid, von dem die Bezeichnung Hypnose stammt, seine Studien über die Eigentümlichkeiten des Zustands, der bei seinen Versuchspersonen eintrat, wenn sie einige Minuten lang einen glänzenden Gegenstand fixiert hatten («Neurypnology or the Rationale of Nervous Sleep», London/Edinburgh 1843). Doch sowohl diese wie die drauf folgende Schrift, «The Power of the Mind over the Body» (1846) verblieben während der nächsten 35 Jahre so unbeachtet[9], daß nicht einmal die anderen drei großen Pioniere der folgenden Jahrzehnte etwas von ihrer Existenz wußten. Dabei handelt es sich um Auguste Ambroise Liébeault (1823–1904), der 1866 «Du sommeil et des états analogues considérés surtout au point de vue de l'action du moral sur le Physique» veröffentlichte; er war Hippolyte Bernheims Lehrer und der eigentliche Begründer des Studiums der Suggestionsphänomene. Der zweite war Charles Richet («Du somnambulisme provoqué», 1875) und schließlich Charcot, der 1878 den provozierten Somnambulismus von der Annahme aus zu studieren begann, man habe es dabei mit einer eng mit der Hysterie verwandten Neuropathie zu tun. Erst im Sog der aufsehenerregenden Experimente von Charcot (vgl. oben S. 49) wurden Braids Berichte wieder entdeckt. In der *Deutschen Rundschau* konnte der erwähnte Thierry William Preyer nun eine recht eingehende Darstellung der Braidschen Untersuchungen bringen («Die Entdeckung des Hypnotismus. Eine Studie.» XXVI, 1881, S. 229–59/ 355–65), wobei er vor allem dessen Interesse an den physiologischen Ursachen und Symptomen des hypnotischen Zustands betonte und jeden Gedanken an eine Willensbeeinflussung durch den Hypnotiseur zurückweist (op. cit. S. 361–62). Preyer schätzte diese Forschungsergebnisse sehr: Braids Abhandlungen «gehören jedenfalls zu den interessantesten Abhandlungen, welche jemals über den Menschen geschrieben worden sind» (232). Gleichzeitig aber verweist er auf einen wichtigen sozialen Faktor, der sich einer allgemeinen Anerkennung des «Braidismus» in den Weg gestellt habe: «Der wissenschaftliche praktische Arzt hypnotisiert nicht, weil er während seines vier- oder fünfjährigen akademischen Studiums nichts über den Hypnotismus gelernt hat und fürchtet, für einen Quacksalber gehalten zu werden, wenn er so wie der Wunderdoctor verfährt, sei es auch nur in einem Falle. Das ist der wahre Grund des Mißerfolgs Braid's gewesen und ist noch der durchschlagende Grund dafür, daß man lieber die Kranken mit Morphin und Chloral behandelt, als sie hypnotisiert, um ihre Schmerzen zu lindern» (355–56). Er ist sich also des Umstands bewußt, daß dieser neue Bereich, der in den 80er Jahren des 19. Jahrhunderts in Europa eine nahezu epidemische Verbreitung erleben sollte[10], von Anfang an mit dem Odium der Scharlatanerie und des Okkultismus belastet ist[11].

Dieser triviale Faktor, die Angst davor, sich zu kompromittieren, wenn man sich auf ein Gebiet vorwagte, das zwielichtigen Gestalten und Taschenspielern offenstand, ist ganz sicher nicht zu unterschätzen. Forels Erinnerungen enthalten eine amüsante Schilderung über den Lausanner Professor Charles Secretan, der sich in aller Heimlichkeit an ihn gewandt hatte, um etwas Näheres über die Hypnose zu erfahren, und sein Interesse vor anderen ängstlich verbarg (F 5,150–51). Überhaupt mußte Forel erkennen, daß die allgemeine Haltung von vornherein ablehnend war: «Ich hatte aber die Naivität, mir einzubilden, daß die nun gewonnene klare Erkenntnis sich sehr bald in der wissenschaftlichen Welt Bahn brechen würde. Sancta Simplicitas! Ich wurde in der Folge gründlich über das Gegenteil belehrt. Noch im Jahre 1900 war die Ignoranz meiner verehrten Kollegen der Universitäten über die Psychologie und den Hypnotismus noch fast ebenso groß wie damals» (d. h. 1887; F 5,134). Von dem objektiven, reinen Wissenschaftsideal des Positivismus bis zu den Umständen, die eine Wiederentdeckung der Hypnose bewirkten, war es unleugbar auch ein weiter Schritt. So berichtet Preyer in seinem Aufsatz über Braid: «In Deutschland machten Charcots Beobachtungen enormes Aufsehen, doch wurden erst, als ein Abenteurer, ein Däne ohne wissenschaftliche Bildung öffentlich /.../ hypnotische Vorstellungen gab, Naturforscher veranlaßt, Experimente am Menschen anzustellen» (op. cit. 360). Die erwähnten Naturforscher waren die Breslauer Physiologen Berger, Grützner und Heidenhain, deren Beobachtungen im Laufe des Jahres 1880 in verschiedenen medizinischen Fachzeitschriften veröffentlicht wurden (Bernheim B 8,110), und der Däne, dem Preyer hier so übel mitspielte, läßt sich identifizieren als «Carl Hansen (1833–1897), ein dänischer Mesmer-Anhänger, dessen populäre Vorstellungen, die er nicht nur in Dänemark, sondern auch in vielen anderen europäischen Ländern gab, viel dazu beitrugen, das Interesse an der Hypnose wiederzubeleben»[12]. Carl Hansen besaß auf seinem Gebiet offenbar eine hervorragende Begabung. Zu den Wissenschaftlern, die durch seine Demonstrationen entscheidende Anregungen erhielten, gehörte beispielsweise nicht nur Bernheim, der ihn in Straßburg und in Nancy hatte arbeiten sehen, sondern auch Freud, der in seiner «Selbstdarstellung» (F 8,XIV, S. 40) berichtet, daß er bereits als Student (d. h. vor 1881) durch eine der Vorstellungen des «Magnetiseurs» Hansen von der Echtheit der hypnotischen Phänomene überzeugt worden sei.

Die soziale Rolle der Hypnose zu Beginn der 8oer Jahre bietet sich überhaupt dar als ein buntes Bild aus öffentlicher Neugier, sporadischer und zögernder wissenschaftlicher Anerkennung und energischer Ablehnung. Während die Breslauer Physiologen ihre auf der Grundlage von Carl Hansens Versuchen vorgenommenen Untersuchungen veröffentlichten, bekam dieser auf andere Weise das offizielle Mißfallen zu spüren: «Mißbilligung von Seiten offizieller Ärztekreise führte 1880 in Stockholm und Wien zum polizeilichen Verbot öffentlicher Auftritte. Indessen veranstaltete Hansen weiterhin mit unvermindertem Erfolg private Séancen» (Angela Richards, op. cit., S. 458). Ähnliche, sich gegen andere prominente Hypnotiseure richtende Verbote sind u. a. aus Zürich, Turin und aus dem Kanton Neuenburg bekannt[13]. Die Angst davor, sich durch die Ausübung des hypnotischen Handwerks kompromittieren zu können, läßt sich paradoxerweise sogar bei Forschern beobachten, die sich gerade dieser Experimentalsituation fleißig bedienten. Barrucand macht beispielsweise darauf aufmerksam, daß Charcot persönlich nie jemanden hypnotisiert habe. Das überließ er den Assistenten und Chefärzten der Salpêtrière, die ihrerseits wiederum regelmäßig «le marquis de Puyfontaine, magnétiseur connu» (B 2,55), d. h. einen Laien, zu Rate zogen.

Versucht man als Literaturhistoriker, die Aussage eines Textes als eine Modifikation eines gegebenen Kulturhintergrunds zu begreifen (im Sinne von Wolfgang Iser und E. H. Gombrich), und nimmt man an, daß eine breite Zone dieses Kulturhintergrunds während der 8oer Jahre durch die psychologischen Interessen und Theorien des Jahrzehnts gebildet wird, bei denen die Hypnose eine indiskutable Rolle spielte, so muß man sich gleichzeitig klar machen, daß man mit rein medizin- oder psychologiegeschichtlichen, aus der Gesamtmenge der Kulturäußerungen und sozialen Bewertungen zu dem gegebenen Zeitpunkt losgelöste Betrachtungen nicht sehr weit kommt. Aus der wissenschaftshistorischen Perspektive der Nachwelt betrachtet, ist Hippolyte Bernheim zweifellos die größte psychologische Begabung des Jahrzehnts, wie Dominique Barrucand meint (B 2,204); ebenso unzweifelhaft war in der zeitgenössischen medizinischen Einschätzung Charcot «le prince de la science» (E 1,94). Doch die Rezeption der neuen Theorien durch die Öffentlichkeit, vor allem durch die literarische, bestimmt sich durch ein weitaus breiteres Spektrum von Informationen. Die Hypnose war, wie oben erwähnt, nicht allein von vornherein durch den niedrigen Sozialstatus gebrandmarkt, der sich daraus ergab, daß sich während des Jahrhunderts eine erhebliche Anzahl von Leuten durch öffentliche «magnetische» Seancen ihr Brot verdient hatte, sondern die eigentliche Wiederaufnahme des Studiums dieses Phänomens ist auch unlösbar mit der kulturellen Unterströmung von Okkultismus verbunden, die Europa (und die USA) seit dem Verfall der Romantik und dem Aufkommen des Positivismus in den 40er Jahren des 19. Jahrhunderts prägt.

Die exakten Wissenschaften erobern die akademischen Institutionen, gleichzeitig aber erfährt die ältere dynamische Psychologie, meist im Zusammenhang mit verschiedenen parapsychologischen Strömungen, eine bis dahin unerhörte Breitenwirkung, was u. a. durch das Erscheinen einer Reihe von okkulten Zeitschriften deutlich wird, wie A. Gauthiers *Revue magnétique* (1844–46), Dupotets *Journal du Magnétisme* (1845–55), Justinus Kerners *Blätter von Prevorst* (1831–39) und die Fortsetzung in *Magikon* (1840–53). Während demnach die Menge der Beobachtungen im Zusammenhang mit dem animalischen Magnetismus und verwandten Gebieten während dieses Zeitraums beträchtlich zunimmt, entzieht sich dieser Bereich völlig einer seriösen wissenschaftlichen Kontrolle – Braid bildet hier die einzige wirkliche Ausnahme –, nicht zuletzt aufgrund der a priori Ablehnung durch den Positivismus, wodurch allen möglichen Kombinationen mit parapsychologischen Ideen der Weg geebnet war. Hier sei nur auf den Spiritismus verwiesen, der als eigentliche Bewegung gegen Ende der 40er Jahre in den USA entstand und England und Deutschland 1852 erreichte[14]. Eine solche Verschmelzung von mesmeristischer Fluidumtheorie mit dem Spiritismus läßt sich bei dem späten Mesmeristen Karl Reichenbach (1788–1869) beobachten[15]. Genau solche Verschmelzungen müssen entscheidend zu «le mépris puéril que l'on affectait pour le magnétisme animal» (J 2,247) beigetragen haben, was während der Zeit von 1840 bis 1880 und im Grunde noch weit über diesen Zeitraum hinaus die vorherrschende akademische Haltung darstellte.

Selbst die teilweise Legitimation, die die Autorität der Salpêtrière den Hypnosestudien verschaffte, vermochte nichts Entscheidendes an der Tatsache zu ändern, daß man dazu neigte, sie als einen Zweig der Parapsychologie zu betrachten, nicht zuletzt deshalb, weil dies gesamte Gebiet allmählich zum Gegenstand einer Erforschung mit wissenschaftlichen Ansprüchen wurde. Von England her, wo Frederic Myers, Henry Sidgwick und William Barrett 1882 hinter der Gründung von «The Society for Psychical Research» standen (E 1,313 ff), sprang das Interesse auf den Kontinent über, wo 1885 in München die «Gesellschaft für psychische Forschung» gegründet wurde, deren Publikationsorgan die Zeitschrift *Sphinx* (1886ff) war. Auch für die methodische Untersuchung parapsychologischer Phänomene gilt, daß ihr Ausgangspunkt oft in der Hypnoseforschung im engeren Sinne zu suchen ist. Beispielsweise veröffentlichte der hervorragende Physiologe und Nobelpreisträger Charles Richet, dessen Abhandlung «Du Somnambulisme provoqué» (1875) eine der wenigen bahnbrechenden Arbeiten bei der in den 70er Jahren zögernd anlaufenden Wiederentdeckung der Hypnose darstellte, 1884 in der *Revue Philosophique* seine Analyse von Gedankenleseexperimenten[16]. Als dann 1886 Guerney, Myers und Podmore in «Phantasms of the Living» ihre riesige Materialsammlung über Telepathie herausgaben, schrieben sie: «it is perhaps from the present position of hypnotism that the strongest argument may be drawn for the need of such researches as ours, /.../» (XLII).

Der die modernen, (postuliert) wertfreien Wissenschaftsdisziplinen umgebende Nimbus, an dem sich der literarische Naturalismus seinen Anteil zu sichern suchte, galt also nicht für die Psychologie, die das Studium des rein physiologischen Fundaments durch die Beobachtungen der hypnotischen Phänomene ersetzte. Der Psychiater, der es auf diese Weise wagte, seinen Referenzrahmen zu wechseln, mußte der Tatsache ins Auge blicken, daß er damit für die Mehrheit seiner Fachgenossen den Schritt zur Scharlatanerie gemacht hatte, ganz zu schweigen von dem sich notwendig ergebenden inneren Konflikt mit dem Wissenschaftsethos, das ihm seine Ausbildung beigebracht hatte. Was ein solcher Schritt kostete, zeigt sich vielleicht am deutlichsten bei dem hervorragendsten Bernheimschüler, Sigmund Freud, der ihn Anfang der 90er Jahre machte. «Das Buch von Freud ‹Zur Auffassung von Aphasien› (1891) und der Entwurf einer ‹Psychologie für Neurologen› gehören zu den nutzlosen Anstrengungen jener Epoche, eine Verbindung zwischen der Neurologie und der Psychologie herzustellen. Zwar sollte Freud in einer Art von materialistischem Glaubensakt nicht die Hoffnung aufgeben, daß eines Tages die beiden Disziplinen wieder zueinander finden werden, aber nach 1895 versuchte er nie wieder, sie in Einklang zu bringen»[17].

Für die Belletristik der letzten Hälfte der 80er Jahre machte sich etwas Ähnliches geltend. Bei ihrem vorherrschenden Wissenschaftskult, womit ausschließlich Wissenschaft auf naturwissenschaftlich-materialistisch-positivistischer Grundlage gemeint ist, mußte eine rein psychologische Problemstellung, ohne die Vererbungslehre, Physiologie und Soziologie, nicht nur eine offene Frontposition gegen die Implikationen der dominierenden Geistesrichtung darstellen, sondern zugleich ein verdächtiges Mitschleppen veralteter idealistischer, ja obskurantischer Gedankengänge bedeuten. Wie unten noch zu zeigen sein wird, fand eine gewisse begrenzte Rezeption der neuen psychologischen Erkenntnisse statt; vereinzelt, z. B. bei Strindberg, ließ sich eine Aneignung der Suggestionstheorien der Nancyer Schule sogar dazu benutzen, eine Abstandnahme von dem älteren Realismus, aber auch dem zeitgenössischen Naturalismus zu bezeichnen, insgesamt gilt jedoch, daß die Belletristik gegenüber der neuen dynamischen Psychologie und dem sich zwangsläufig daraus ableitenden Bild der menschlichen Persönlichkeit immun war oder zumindest vorgab, immun zu sein.

Der prekäre wissenschaftliche und soziale Status der Hypnose stellte sich ihrer breiteren Aufnahme in die zeitgenössische Kultur als reales Hindernis in den Weg. Man sollte jedoch nicht übersehen, daß sie durch die häufige öffentliche Beschäftigung mit dem Thema trotz allem zum geistigen Hintergrund des Jahrzehnts gehört, gleichgültig wie spärlich eigentliche Bekenntnisse zu ihren Schlußfolgerungen zu finden sind. Hinzu kommt ein nicht fachpsychologischer Umstand. Zwar war die Erforschung des animalischen Magnetismus während des Zeitraums 1840–80 aus den wissenschaftlichen Institutionen verbannt, an einer Stelle aber hatte sie sich den vollen Glanz vom Anfang des Jahrhunderts erhalten. 1851 veröffentlichte Schopenhauer – auch in dieser Hinsicht «unzeitgemäß» – seinen «Versuch über das Geistersehen und was damit zusammenhängt» (in «Parerga und Paralipomena»), 1854 dann die überarbeitete und aktualisierte Ausgabe von «Über den Willen in der Natur» (1836[1]), u. a. mit dem Kapitel «Animalischer Magnetismus und Magie». Als 1818 «Die Welt als Wille und Vorstellung» erschien, hatte, wie er in «Animalischer Magnetismus und Magie» anführt, «der animalische Magnetismus erst kürzlich seine Existenz erkämpft»[18] und, wie er mit Bedauern anmerkt, nahezu ausschließlich zu erklären versucht, «was mit dem Patienten dabei vorgeht» (423), ohne die Rolle des Magnetiseurs zu analysieren. Diese bestimmt er nun gemäß seinem philosophischen System als «ein unmittelbares Wirken des Willens auf andere und in die Ferne» (IV, 319), was die Schlüsselstellung erklärt, die er ihr in der Wissenschaftstheorie des 19. Jahrhunderts zuerkennt:

Überdies nun aber und davon ganz abgesehen, geben die besagten Phänomene jedenfalls eine faktische und vollkommen sichere Widerlegung nicht nur des Materialismus, sondern auch des Naturalismus, wie ich diesen Kap. 17 des zweiten Bandes meines Hauptwerkes als die auf den Thron der Metaphysik gesetzte Physik geschildert habe; indem sie die Ordnung der *Natur*, welche die genannten beiden Ansichten als die absolute und einzige geltend machen wollen, nachweisen als eine rein phänomenale und demnach bloß oberflächliche, welcher das von ihren Gesetzen unabhängige Wesen der Dinge an sich selbst zum Grunde liegt. Die in Rede stehenden Phänomene aber sind wenigstens vom philosophischen Standpunkt aus unter allen Tatsachen, welche die gesamte Erfahrung uns darbietet, ohne allen Vergleich die wichtigsten; daher sich mit ihnen gründlich bekanntzumachen die Pflicht jedes Gelehrten ist. (IV,321–22).

Der animalische Magnetismus ist freilich nicht vom ökonomischen und technologischen, aber wohl vom philosophischen Standpunkt aus betrachtet die inhaltsschwerste aller jemals gemachten Entdeckungen; wenn er auch einstweilen mehr Rätsel aufgibt als löst. Er ist wirklich die praktische Metaphysik, wie schon Baco von Verulam die Magie definiert – er ist gewissermaßen eine Experimentalmetaphysik: denn die ersten und allgemeinsten Gesetze der Natur werden von ihm beseitigt; daher er das sogar a priori für unmöglich Erachtete möglich macht (IV,323).

Ganz sicher war Schopenhauers positive Einschätzung nicht unwichtig für die Haltungsänderung, die sich in den 70er Jahren abzeichnete und bewirkte, daß man den bis dahin vernachlässigten empirischen Daten, der «hundertfältigen Erfahrung», wie er es nannte (IV,321), erneute Aufmerksamkeit widmete. Denn seine beginnende Breitenwirkung fällt genau nach 1870. Nur ein Beispiel für den Zusammenhang zwischen der Schopenhauer-Renaissance und der Rehabilitierung der Hypnoseforschung in Frankreich sei hier kurz erwähnt. Wichtig für die Beschäftigung mit diesem Thema während der 80er Jahre war das Publikationsorgan *Revue philosophique de la France et de l'étranger* (1876 ff). Théodule Ribot, der Redakteur der Zeitschrift, tat sich bereits verhältnismäßig früh als produktiver und viel gelesener Verkünder der Ideen der Hypnoseforschung hervor, mit Werken wie «Les maladies de la volonté» (1883) und «Les maladies de la personnalité» (1884), wichtige Quellen für Strindberg wie für Hofmannsthal[19], und hatte zuvor Schopenhauer in Frankreich eingeführt («La philosophie de Schopenhauer», Paris 1874, 1885²)[20].

Wichtiger als die Tatsache, daß Schopenhauer die «magnetischen» Phänomene akzeptierte, ist jedoch, daß er begriff, daß sie sich nicht von den Gesetzen der Physik her erklären ließen. Er benutzt die Bezeichnung praktische Metaphysik, ebenso gut könnte man auch von reiner Psychologie im Gegensatz zu der seit der Mitte des Jahrhunderts dominierenden (Fechner, Helmholtz, Wundt) mechanistischen Psychologie, der Psychophysik, sprechen. Mit seiner kritischen Stellungnahme zu den existierenden Auffassungen des animalischen Magnetismus drückt Schopenhauer das Problem aus, das die Hypnoseforschung in den 80er Jahren in zwei einander heftig bekriegende Lager teilen sollte. Von Anfang an, war das Studium des provozierten Somnambulismus in seiner theoretischen Grundlage gespalten, wenn man denn in diesem Zeitraum überhaupt von einer eigentlichen Theoriebildung sprechen kann. Mesmer ging davon aus, daß der Somnambulismus durch ein Fluidum hervorgerufen würde, durch einen magnetischen, elektrischen, galvanischen oder ähnlichen Strom, der entweder vom Magnetiseur direkt ausging oder von besonders konstruierten Apparaten (baquets) oder Gegenständen, die «magnetisiert» worden waren. Die Übertragung dieser Vitalkraft löste bei dem Kranken eine heilende Krise aus, worauf die gestörte Harmonie wieder errichtet wurde. In diesem Krisenzustand, der somnambulen Phase, «le sommeil critique», meint Mesmer bei seinen Patienten eine Fähigkeit feststellen zu können, die es ihnen ermöglichte, in die Zukunft zu sehen, sich längst vergangener und vergessener Dinge zu erinnern, mit den Sinnen räumliche Abstände zu überwinden, Krankheiten bei sich selbst und anderen zu diagnostizieren, Heilungsmethoden vorzuschlagen, und Krankheitsverläufe vorherzusagen. Sieht man einmal von den parapsychologischen Vorstellungen ab, so ist der typischste Zug des Mesmerismus dessen deutliche Verankerung in der Begriffswelt der Naturwissenschaften, in diesem Fall in den neuen Entdeckungen im Bereich der Elektrizität[21]. De Faria, Durand de Gros (**B 2,**69 ff) und Schopenhauer sind praktisch die einzigen einigermaßen gewichtigen Ausnahmen, sonst ist Mesmer mit seiner pseudo-naturwissenschaftlichen Richtung in der Hypnoseforschung Alleinherrscher, bis die Nancyer Schule mit Liébeault und Bernheim eine rein psychologische Auffassung formuliert. Während des «goldenen Zeitalters» der Hypnoseforschung in den 80er Jahren wurde dieser Streit zum wichtigsten Diskussionsthema zwischen Physiologen und Psychologen.

Nach dem zögernden Ansatz gegen Ende der 70er Jahre (Eugène Azam, Charles Richet, Charcot), bedeutete das Jahr 1882 den entscheidenden Durchbruch und damit die wissenschaftliche Anerkennung des «Hypnotismus». In diesem Jahr erschien Charcots «Sur les divers états nerveux déterminés par l'hypnotisation chez les hystériques» (**E** 1,90), und im gleichen Jahr überzeugte sich der Professor der Medizin in Nancy, Hippolyte Bernheim, durch einen Besuch bei dem Arzt Liébeault von der Echtheit der hypnotischen Phänomene und der Richtigkeit der Liébeaultschen Suggestionstheorie (**E** 1,86–87). Danach verbreitet sich das Interesse ungehemmt, in erster Linie in Frankreich, sowohl in der Fachliteratur wie in der öffentlichen Diskussion (vgl. unten Anm. 10). Nach den Worten von William James («The Principles of Psychology». 1890) wurde 1886 zu einem denkwürdigen Jahr in der Geschichte der neueren Psychologie. Es erschienen Pierre Janets erste Arbeit, «Les actes inconscients et le dédoublement de la personnalité pendant le somnambulisme provoqué» (*Revue Philosophique* XXII, 1886), Bernheims «De la suggestion et de ses applications à la thérapeutique» und Gurney, Myers und Podmores «Phantasms of the Living». Gleichzeitig nahm die *Revue de l'hypnotisme expérimental et thérapeutique* ihr Erscheinen auf. Doch bereits 1884, als Bernheims erstes Buch erschien[22], zeichneten sich deutlich die beiden grundlegend unterschiedlichen Auffassungen der Hypnose ab. Während die Physiologen, vor allem in dem Kreis um Charcot an der Salpêtrière, die Hypnotisierbarkeit als einen spezifisch neurologischen Defekt auffaßten[23], eine echte Neurose, wie Charcot es ausdrückte, entwickelten die Forscher in Nancy (Liébeault, Bernheim, Beaunis, Liégeois und später Forel in Zürich) die Auffassung, daß die Hypnose im engeren Sinne nur ein Element innerhalb des breiteren Gebiets der Suggestion darstelle und Suggestibilität bei weitem kein pathologischer Zug sei: «Contrairement à l'opinion générale, il a été démontré que le sommeil hypnotique se produit aussi bien chez les sujets normaux que chez les hystériques, chez les hommes que chez les femmes, et que la proportion des sujets aptes à entrer en somnambulisme est beaucoup plus grande qu'on ne l'admet d'ordinaire»[24]. Damit machte die Nancyer Schule den entscheidenden Schritt und benutzte die Suggestion, eventuell auch die eigentliche Hypnose, als eine generell brauchbare Psychotherapie, die sich sogar mit Erfolg bei vielen organischen Leiden von psychosomatischem Charakter einsetzen ließ. Hinzu kam, daß die Suggestibilität und die Fähigkeit des Suggerierens jetzt weit direkter als in früheren Hypnosestudien in das Bild der normalen menschlichen Persönlichkeit einfloß, und damit letztlich auch in die Vorstellung, daß sich eine Reihe von Kulturphänomenen und sozialen Beziehungen von der Macht der Suggestion her erklären ließen.

1889 fand in Paris unter großer Aufmerksamkeit seitens der Massenmedien «Le premier Congrès international de l'Hypnotisme expérimental et thérapeutique» statt. Man interessierte sich nicht zuletzt für den Kongreß, weil er zum Rahmen der deutlichen Auseinandersetzung der beiden Schulen wurde. Im Endergebnis setzten sich Bernheims Ansichten auf der ganzen Linie durch (B 2,172–73. E 1,759–61). Bereits im Jahr zuvor hatte sich der bis dahin so skeptische W. Preyer überzeugen lassen. So erklärte er in seinen Berliner «Vorlesungen über den Hypnotismus»: «Unter allen Thatsachen, zu welchen bisher die Untersuchung des Hypnotismus geführt hat, ist keine von so großer Tragweite, wie die der Suggestion, und zwar ist sie deshalb so wichtig, weil sie auch außerhalb des Gebietes der Lehre vom Hypnotismus eine hervorragende Rolle in der menschlichen Gesellschaft gespielt hat und noch spielt. In medizinischen Kreisen wird sie in Zukunft eine Bedeutung erlangen, von der wir jetzt kaum eine Ahnung haben»[25]. In einer Hinsicht sollten der enthusiastische Preyer und mit ihm die übrigen ebenso erwartungsvollen Forscher wie Forel und Richard v. Krafft-Ebing (... «das Gebiet der Hypnose [wird für die Wissenschaft] als unschätzbares Mittel der Experimentalpsychologie auf Decennien hinaus ein unabsehbares Feld der Forschung sein» ... (F 6,96)) recht behalten. Die großen Namen der neueren

dynamischen Psychologie und Psychiatrie, Janet, Freud und Bleuler, empfingen alle starke Impulse aus der Hypnoseforschung. Freud beispielsweise
erwähnt in seinen «Vorlesungen zur Einführung in die Psychoanalyse» «die
ungemein eindrucksvollen Demonstrationen von Liébeault und Bernheim in
Nancy» (F 7,I, 118–119. 431–32), denen er 1889 beiwohnte, und betrachtet
die Experimente mit posthypnotischer Suggestion als Beweis für seine
Grundannahme, «daß es ein Wissen gibt, von dem der Mensch doch nichts
weiß» (op. cit. S. 118). In seiner letzten größeren Arbeit, dem «Abriß der
Psychoanalyse», kehrt der 8ojährige noch einmal zu dem Erlebnis der
Evidenz zurück, das den Anblick eines Patienten begleitete, der, ohne die
Ursache seiner Handlungsweise zu kennen, eine posthypnotische Sugge-
stionshandlung ausführte (F 8,XVII, 145 ff.). Ein halbes Jahrhundert zuvor
hatte er Bernheims Lehrbuch übersetzt und damit auch den folgenden Satz:
«Wer könnte sich einer tiefen Erregung erwehren, wenn er eine Person sieht,
die freiwillig oder durch fremden Zugriff in das somnambule Leben eingetreten ist, und nun als gefügiges, willenloses Werkzeug in der Hand eines
Anderen alle Beeinflussungen annimmt, alle Befehle ausführt!» (B 8,145).

Dieser Bernheimsche Satz birgt auch die Andeutung eines Problems, das
die öffentliche Diskussion in ungewöhnlichem Maße prägen und aufgrund
seines sensationellen Charakters die Spalten der Boulevardpresse füllen
sollte, nämlich die Frage der strafrechtlichen Konsequenzen. Der Charcot-
schüler Gilles de la Tourette berichtet davon («L'hypnotisme et les états
analogues au point de vue médico-légal». 1887), welches Aufsehen es erregte,
als man zu Beginn der 8oer Jahre an der Salpêtrière demonstrierte, wie man
mit Hilfe der Hypnose ansonsten harmlose Menschen dazu bringen konnte,
schwere Verbrechen zu begehen. «De plus, le mot de suggestion était dans
toutes les bouches comme il l'est encore aujourd'hui; on ne parlait que de
crime par suggestion» (XII). Tourette selbst flößte einer «Hysterikerin» die
posthypnotische Suggestion ein, sie solle nach der Hypnose und ohne sich
daran zu erinnern, daß, geschweige denn, mit welchem Inhalt sie hypnotisiert worden war, einen anwesenden Arzt töten, indem sie ihm ein tödliches
Gift verabreichte, das in einer Flasche im selben Raum aufbewahrt wurde.
Die Patientin führte daraufhin die Tat sehr behende durch, ohne zu wissen,
daß es sich bei dem «Gift» um eine unschädliche Flüssigkeit handelte.
Ähnliche unterhaltsame Versuche wurden auch von anderen Psychiatern in
großer Zahl angestellt, ohne daß man sich um den nachträglichen psychischen Zustand der armen Patienten bekümmerte. Besonders Liégeois in
Nancy war erfinderisch (B 2,130ff.) und zog aus seinen Beobachtungen
weitgehende Konsequenzen: «Toute conscience a disparu chez l'hypnotisé
qu'on a poussé à l'acte criminel; il est, par suite, irresponsable et devrait être

acquitté. Seul celui qui a donné la suggestion est coupable; seul il doit être poursuivi et puni, le somnambule a été pour lui un pur et simple instrument, comme le pistolet qui contient la balle ou le vase qui enferme le poison» (L 3,129). Während der 80er Jahre scheint trotz der die Salpêtrière und Nancy trennenden Meinungsverschiedenheiten die nahezu einmütige Auffassung bestanden zu haben, daß Personen mit einer stark entwickelten Suggestibilität keine Möglichkeit hätten, sich der Ausführung einer während der Hypnose befohlenen Handlung zu widersetzen, auch wenn diese ihren tiefsten Überzeugungen zuwiderlief [26]. Selbst der vorsichtige Bernheim, der noch 1884 (*Revue médicale de l'Est*, S. 556) gemeint hatte, niemand könne gegen seinen Willen hypnotisiert werden, ließ diesen Vorbehalt im Zuge der Entwicklung der Suggestionstheorie zwei Jahre später fallen (B 8,74, 149), jedenfalls was die 15–20% aller Menschen betraf, die als im höchsten Maße suggestionsempfänglich bezeichnet werden mußten. «Der Hypnotisierte, der in Folge der Suggestion stiehlt, der Wahnsinnige, der einen Mord verübt, *wissen*, daß sie dies tun. Wenn sie beide für ihre Handlungen nicht verantwortlich zu machen sind, so ist dies nur darum, weil ihr moralisches Bewußtsein durch unwiderstehliche Antriebe unterdrückt wird, weil der Wahn – im anderen Falle die Suggestion – ihr Wesen beherrscht. Sie wissen zwar, daß sie morden, aber sie können sich nicht enthalten, es zu tun» (B 8, 144). Karl von Lilienthal in Zürich, Juraprofessor wie Liégeois, ließ keinen Zweifel an den Konsequenzen dessen, was für ihn ein bewiesenes Faktum darstellt: «Im Grunde ist der Automatismus ein absoluter und die Versuchsperson behält nur so viel Selbständigkeit und Willen, als ihr der Hypnotiseur zu belassen für gut findet» (L 4,327). Das gleiche gilt für Forel, dessen erster Aufsatz über Hypnose sich bezeichnenderweise mit dem forensischen Aspekt beschäftigt[27] und zu dessen Demonstrationen, wie oben (S. 48) gezeigt wurde, auch ein posthypnotisch induziertes Verbrechen gehörte: «Sicher bleibt dabei die Thatsache, daß ein Somnambüle im hypnotischen Schlaf durch Suggestion schwere Verbrechen begehen und unter Umständen nachher nichts mehr davon wissen kann» (F 3,73). Die Tatsache, daß Forel gleichzeitig annimmt, zwischen 20 und 50% gehörten zur Gruppe der «besseren Somnambülen» (F 3,70), macht die Sache nicht besser. Die Forscher von der Salpêtrière hatten sich zumindest mit der Überzeugung trösten können, die Hypnotisierbarkeit an sich sei eine pathologische Eigentümlichkeit, «qui a toujours été étudié chez les individus hystériques»[28]. Nach dieser Auffassung war der hypnotisierbare Hysteriker genauso unzurechnungsfähig wie «le criminel né» bei Lombroso («L'homme criminel». Französische Übersetzung 1884. Original 1883), d. h. determiniert durch physiologische Defekte und angeborene Anlagen, der Verbrecher als «le dégénéré», meist gekennzeichnet durch bestimmte atavistische physische Charakteristika. Die Problematik der strafrechtlichen Zurechnungsfähigkeit komplizierte sich noch mehr durch die bereits frühzeitig von Bernheim gemachte Entdeckung, daß für die Eingabe von Suggestionen kein eigentlich hypnotischer Zustand notwendig sei: «Ich habe gefunden, daß viele Personen, wenn sie mehrmals hypnotisiert worden sind, auch im wachen Zustand die Eignung zeigen, die Phänomene der Suggestion an sich hervorrufen zu lassen, ohne daß man sie von Neuem hypnotisiert» (B 8,73). Später sollte er in seiner Zurückweisung der Hypnose als unabdingbarer Voraussetzung sogar noch weiter gehen, ein Gedankengang, dem auch Forel folgt: «Bei sehr suggestiblen Menschen kann man, ohne den hypnotischen Schlaf einzuleiten, im vollen Wachen erfolgreich die Suggestion anwenden und dabei alle Erscheinungen der Hypnose oder der posthypnotischen Suggestion hervorrufen» (F 3,37). Damit schienen der kriminellen Ausnutzung suggestibler Personen keine Grenzen gesetzt. Wie verbreitet diese Anschauung war, zeigen nicht zuletzt zahlreiche aufsehenerregende Strafprozesse in Frankreich und der Schweiz. Einen dieser Prozesse hatte Meyer, wie ich später noch darlegen werde, Gelegenheit, aus nächster Nähe mitzuerleben.

Der strafrechtliche Aspekt ist zwar außerordentlich zeittypisch, ist und bleibt jedoch ein Kuriosum. Dagegen eröffnete ein anderer Problemkreis, der durch die Hypnoseforschung zu erneuter Aktualität gelangte, weitaus breitere Perspektiven: die multiple Persönlichkeit. Dieser Begriff (den ich oben S. 54 kurz gestreift habe) deckt das klinische Bild, wonach innerhalb ein und derselben physischen Individualität zwei oder mehr einander ablösende ganze Persönlichkeiten auftreten können, und zwar mit oder ohne Bewußtsein ihrer gegenseitigen Existenz. Henri F. Ellenberger, der das Thema instruktiv und kurz abhandelt (E 1,126–47), betont, wie buchstäblich dies zu verstehen sei: «It should be recalled that one cannot speak of multiple personalities where there are simply two focusses of attention or two streams of consciousness concurrently /.../; or when a person is enacting a role on a stage. In a true multiple personality, each personality has the feeling of its own individuality at the exclusion of the other or others» (E 1,132). Da ich in meiner Analyse der «Angela Borgia» eine ausführlichere konkrete Beschreibung eines solchen Falls geben möchte, begnüge ich mich hier damit, einige allgemeine Aspekte des Phänomens zu berühren. Bereits während der ersten Periode der dynamischen Psychiatrie um 1800 war man auf spontan entstehende Doppelpersönlichkeiten aufmerksam geworden[29], und während des gesamten 19. Jahrhunderts erscheinen eine Reihe von Beschreibungen solcher Spaltungen. Doch erst die Etablierung der hypnotischen Experimentaltechnik ermöglicht eine systematischere Beschreibung und damit eine Theoriebildung. Man entdeckte nämlich schnell, daß man während der Hypnose bei bestimmten Patienten solche sekundären Persönlichkeiten künstlich hervorrufen konnte. Ein Ergebnis des Studiums dieser organisierten psychischen Ganzheiten war die Aufstellung eines Persönlichkeitsmodells, des Dipsychismus[30], der auf der Beobachtung aufbaute, daß die bewußte Normalpersönlichkeit von der anderen, während des spontanen oder provozierten Somnambulismus auftretenden Persönlichkeit nichts wußte. Daraus leiteten einige Forscher den Schluß ab, daß Sinneseindrücke, Emotionen und Phantasien, die aus der Erinnerung des Individuums verschwunden oder als extramarginale Prozesse außerhalb des Fokus der Aufmerksamkeit abgelaufen waren, die Eigenschaft besäßen, sich bei der Bildung einer scheinbar autonomen Subpersönlichkeit, die nur unter den besonderen Bedingungen des Somnambulismus aktualisiert wurde, zu vereinigen. Diese Ansicht wurde u. a. von Pierre Janet und Max Dessoir («Das Doppel-Ich», 1890) vertreten und von Freud in dessen erstem topischen Modell mit der Unterscheidung zwischen dem System bw und dem System ubw aufgegriffen (vgl. **F 7**, Bd. III, 103–173). Neben dieser Theorie existierte auch ein weitergehender Polypsychismus, der die Persönlichkeit als eine mehr oder weniger geordnete Hierarchie verschiedener Persönlichkeiten begriff, die spontan (wie in Eugène Azams berühmter Schilderung des Falls Félida X (**A 1**)) oder artifiziell hervortreten konnten. Azam, auf dessen Beobachtungen die Psychiater der 8oer Jahre immer wieder zurückkommen, war sich über die Schlußfolgerungen nicht im Zweifel: «Ainsi se trouve posé le problème redoutable de l'unité du moi et peut-être ébranlée la croyance à la personnalité, à l'individualité, croyance qui est la base de l'étude de l'homme intellectuel et de sa responsabilité morale» (**A** 1,169).

Ein solcher Zweifel an der Einheit der Persönlichkeit kommt nicht nur bei den Forschern zum Ausdruck, die die hypnotischen Phänomene und die spontan auftretenden Persönlichkeitsspaltungen studieren, sondern ergibt sich stellenweise auch aus dem konsequenten Festhalten des materialistischen Monismus an der Psyche als einer reinen Funktion der physiologischen Basis. Auf dieser Grundlage richtete beispielsweise Hippolyte Taine in «De l'intelligence» (1869, =**T** 1) seinen Angriff gegen die traditionelle Vorstellung, wonach «ce *je* ou *moi*, unique, persistant, toujours le même, est autre chose que mes sensations, souvenirs, images, idées, perceptions, conceptions, qui sont diverses et passagères» (1870^2,I,372). «Il ne reste de nous que nos événements, sensations, images, souvenirs, idées, résolutions: ce sont eux qui constituent notre être» (I,378).

Er verwirft also die Idee eines Ichs, «composé de forces et de pouvoirs», d. h. aus stabilen substantiellen Eigenschaften, als «un fantôme métaphysique» (I, 378), hält aber dennoch daran fest, daß «le moi demeure un et continu; on ne peut pas dire qu'il soit la série de ses événements ajoutés bout a bout, puisqu'il n'est divisé en événements que pour l'observation; et cependant il équivaut à la série de ses événements; eux ôtés, il ne serait plus rien; ils le constituent» (I, 380). Die Einheit des Ichs besteht deshalb ausschließlich in der Fähigkeit zur assoziativen Verbindung gegenwärtiger und früherer Erlebnisse: «Ainsi notre idée de notre personne est un groupe d'éléments coordonnés dont les associations mutuelles, sans cesse attaquées, sans cesse triomphantes, se maintiennent pendant la veille et la raison, comme la composition d'un organe se maintient pendant la santé et la vie» (II, 206–07). Wenn Taine deshalb die hypnotischen Phänomene (unter Hinweis auf Braid und Hack Tuke, I, 180 ff; II, 201 ff) und den spontanen Somnambulismus (unter Hinweis auf Robert Macnish, «The Philosophy of Sleep» (1836)) behandelt, dann sieht er darin zwar die Tendenz zur Dissoziation bestimmter Teile der Vorstellungsmasse, ja, die scheinbare Existenz von «deux personnes morales dans le même individu» (I, 184) demonstriert, fügt jedoch hinzu, er lasse den Begriff «moralische Persönlichkeit» nur «en langage littéraire et judiciaire» gelten (I, 184). Es handele sich nicht um eigentliche Persönlichkeiten, sondern einzig und allein um dissoziierte Vorstellungs- und Handlungsganzheiten, wobei diese *abnormen* Fälle, so wie die Traumvorstellungen des Normalen, allein auf einen besonderen physiologischen Zustand zurückzuführen seien (I, 184).

Das Interessante an Taine ist hier, daß seine Psychologie in zwei Richtungen weist: Da die menschliche Psyche so unlösbar mit dem komplexen und veränderlichen physischen Organismus verbunden ist, betonen seine Formulierungen einerseits das Mosaikhafte und Instabile des Begriffs der Persönlichkeit. Doch als Historiker, dessen Interesse sich auf die Genese der Persönlichkeit richtet, bezieht er sich in seiner Schilderung des einzelnen Individuums (einer Epoche, eines Volkes, einer Rasse) gerade auf die stabilen Charakterzüge («l'historien étudie la psychologie appliquée, et le psychologue étudie l'histoire générale» (I, 8)). In seinen eigenen historisch-psychologischen Porträts sowie in den Werken, die er lobend hervorhebt (Carlyles über Cromwell, Sainte-Beuves über Port-Royal, Renans über die Semiten), versucht er die Konstanten des Individuums, «la trame continue de ses événements successifs» (I, 381), aufzuspüren.

Ist Taine demnach eine Übergangsgestalt, so findet man die reine Skepsis gegenüber dem Persönlichkeitsbegriff bei Ernst Haeckel, der in seinem Aufsatz «Zellseelen und Seelenzellen» (*Deutsche Rundschau* XIV, 1878, S. 40 ff) meint, «die scheinbare Einheit der Seele» sei nur «die Summe der einzelnen Zellseelen, die gesonderten Seelenthätigkeiten der zahllosen Zellen, aus denen sich der ganze vielzellige Organismus zusammensetzt» (56). Eine solche, überwiegend physiologisch begründete Ablehnung der Persönlichkeit als stabiler Einheit gewinnt im Laufe der 8oer Jahre ganz offensichtlich an Boden, vielleicht unter dem Eindruck verwandter Ideen in der neuen dynamischen Psychiatrie, obgleich diese ja gerade die psycho-physische Einheit in Frage stellte. «La personnalité vient d'en bas», sagt Th. Ribot, durch dessen Schriften diese Gedanken weite Verbreitung fanden[31]; diese These bedeutet, «que l'individu psychique n'est que l'expression de l'organisme: infime, simple, incohérente ou complexe et unifiée comme lui» («Les maladies de la personnalité». 1884, S. 133/158, 2–3). Die Einheit eines Individuums beruht allein auf «le sentiment vague de notre corps» (170–71) und ist demnach nur eine rein praktische Konstruktion von seiten des Bewußtseins: «le moi est une coordination. Il oscille entre ces deux points extrêmes où il cesse d'être: l'unité pure, l'incoordination absolue. Tous les degrés intermédiaires se rencontrent en fait, sans démarcation entre le sain et le morbide; l'un empiète sur l'autre» (171). Die persönlichkeitspsychologische Konsequenz ist für Ribot dann die gleiche wie für seinen Zeitgenossen Ernst Mach in Wien: «Das Ich ist unrettbar»[32].

In ihrer Tendenz zur Auflösung der Idee von der Persönlichkeit als einer kohärenten Einheit treffen sich «Psychiker» und «Somatiker», und dieser Zerfallsprozeß trifft einen Nerv im Selbstverständnis der westeuropäischen Kultur. Nicht nur innerhalb des deutschen Idealismus mit dessen Vorstellungen von dem intelligiblen Charakter oder der Entelechie des Individuums, sondern bis weit ins 19. Jahrhundert hinein bildete die Einheit der Persönlichkeit eine Grundannahme. Selbst Schopenhauer, der die Konsequenzen des animalischen Magnetismus für das Wirklichkeitsbild so deutlich sah, zweifelt nicht daran, «daß jeder seinen moralischen Charakter schon fertig mit auf die Welt bringt und ihm bis ans Ende unwandelbar treubleibt»[33]. Die Anthropologen der Romantik hatten zwar entscheidenden Wert auf die unbewußten Seiten des Seelenlebens gelegt, gleichzeitig aber die Kontinuität zum Bewußtsein betont. Für Carl Gustav Carus, den letzten Systembauer dieser Strömung, sind beispielsweise «Leibliches», aus dem das Unbewußte entspringt, und «Geistiges» keineswegs Gegensätze, sondern ganz im Gegenteil «verschiedene Strahlen desselben Göttlichen und Einen»[34]. Die Zusammensetzung des lebendigen Organismus aus Einzelzellen, von denen jede ihr «bewußtloses Wirken jener göttlichen Idee, welche als Seele sich darleben soll» (26), besitzt, ist Teil eines synthetisierenden Prozesses, der seinen Endpunkt in der «Persönlichkeit» (68) hat.

Nietzsche war einer von denen, die registrierten, daß sich in den 8oer Jahren eine radikale Änderung vollzog. 1885, in «Jenseits von Gut und

Böse», d. h. also genau während des großen Aufbruchs in der Psychologie, findet man beispielsweise folgende Betrachtung: «Aber der Weg zu neuen Fassungen und Verfeinerungen der Seelen-Hypothese steht offen: und Begriffe wie ‹sterbliche Seele› und ‹Seele als Subjekts-Vielheit› und ‹Seele als Gesellschaftsbau der Triebe und Affekte› wollen fürderhin in der Wissenschaft Bürgerrecht haben. Indem der *neue* Psycholog dem Aberglauben ein Ende bereitet, der bisher um die Seelen-Vorstellung mit einer fast tropischen Üppigkeit wucherte, hat er sich freilich selbst gleichsam in eine neue Öde und ein neues Mißtrauen hinausgestoßen – es mag sein, daß die älteren Psychologen es bequemer und lustiger hatten –: zuletzt aber weiß er sich eben damit auch zum *Erfinden* verurteilt – und, wer weiß? vielleicht zum *Finden* –»[35].

Anmerkungen

[1] Hippolyte Bernheim, «De la suggestion et de ses applications à la thérapeutique». Paris 1886. Hier zitiert nach: «Die Suggestion und ihre Heilwirkung», übers. von S. Freud. Lpz./Wien 1888, S. 104f. Vgl. A. Cullerre, «Magnétisme et Hypnotisme. Exposé des phénomènes observés pendant le somnambulisme provoqué». Paris 1887², S. 64.

[2] Bereits 1860 hatte Durand de Gros (unter dem Pseudonym A. J. P. Philips) im Zusammenhang mit James Braids Studien über die Hypnose ähnliche Gedanken geäußert: «Le braidisme nous fournit la base d'une orthopédie intellectuelle et morale qui certainement sera inaugurée un jour dans les maisons d'éducation et dans les établissements pénitenciaires, et il crée de toutes pièces une science nouvelle, la psychologie expérimentale» («Cours théorique et pratique de braidisme ou hypnotisme nerveux ...», S. 112. Zitiert nach Dominique Barrucand, «Histoire de l'hypnose en France». Paris 1967, S. 88).

[3] Die noch immer aktuelle Bedeutung einer systematischen Beobachtung und experimentellen Erforschung der Hypnose zur Widerlegung des materialistischen Monismus betont der Persönlichkeitspsychologe Albert Wellek: «Nun sind schon allein die empirisch fundierten Lehren vom ‹Unbewußten› oder (genauer) vom unbewußten Seelenleben und die hieraus entwickelte neuestens so genannte Psychosomatik mit ihrer erdrückenden Masse an empirischen Tatsachenbeständen seit mindestens einem halben Jahrhundert so unzweifelhaft gesichert, daß man sich fragen muß, wie ein angeblich naturwissenschaftlich begründetes Vorurteil gegen die Wirklichkeit, d. h. Eigenständigkeit der Seele sich länger halten konnte. Wenn wir allein die Tatsachen des Hypnotismus herausgreifen – von denen bekanntlich die Freudsche Psychoanalyse ihren Ausgang genommen hat –, so ist zu fragen, wie irgend jemand eine Seele, die durch bloße *verbale* Beeinflussung den Leib eines anderen wie auch den eigenen bis zur Mißhandlung angreifen und verändern kann, als eine Neben- und Folgeerscheinung eben dieses Leibes oder auch als in irgend einem Sinne mit diesem ‹identisch› ansehen kann. Denn in welchem verstehbaren Verstande soll der Angegriffene mit dem Angreifer identisch sein oder auch nur den Angriff erwirkt haben?» («Die Polarität im Aufbau des Charakters». Bern/München 1966³ (1950), S. 42).

[4] Dominique Barrucand legt in seiner instruktiven «Histoire de l'hypnose en France» dar, wie «malgré son succès généralement reconnu (à cause de lui d'ailleurs), l'école de Nancy, à partir

de la fin du siècle, se trouve isolée dans le mouvement médical français qui, des lors, semble tourner le dos à l'hypnose. En effet, la science officielle n'avait accepté l'hypnose que parce qu'elle était chaperonnée par Charcot qui en affirmait les bases somatiques et scientifiques» (B 2,134). Danach kommt es zu «un délaissement à peu près complet de ce sujet (en France) entre 1914 et 1950» (B 2,1), wobei Pierre Janet eine herausragende Ausnahme bildet. Erst die psychosomatische Medizin der Nachkriegszeit änderte diese Lage. Doch bereits in ihren Anfängen mußte sich die Nancyer Schule mit «une méthodologie scientifique éliminant à priori toute intervention psychologique» (B 2,134), auseinandersetzen.

[5] «Über den Ausdruck der Gemütsbewegungen», XI, 1877, «Gehirn und Seele» XXV, 1880.

[6] «Zellseelen und Seelenzellen» XIV, 1878. Haeckel befindet sich hier in voller Übereinstimmung mit Taines «De l'Intelligence» (Paris 1870²): ... «de même que l'appareil nerveux est un système d'organes à divers états de complication, de même l'individu psychologique serait un système d'âmes à divers degrés de developpement» (op. cit. I,390).

[7] «Die sieben Welträthsel» XXVIII, 1880/81.

[8] Verschiedene Aufsätze in VI, 1876, XIII, 1877, XVII, 1878, XXIII, 1880, XXIV, 1880, XXX, 1882, XLV, 1885, XLVI, 1886, LVII, 1888, LXVII, 1891.

[9] Abgesehen von Durand de Gros, «Cours théorique et pratique de braidisme ou hypnotisme nerveux» (1860) und Eugène Azams Aufsatz in Archives générales de médecine, 1860 (Zit. bei Bernheim, op. cit. S. 104ff). Taine erwähnt in «De l'Intelligence» (I,180) nur Braids Namen in einer Fußnote, die ein Zitat aus Hack Tukes «De la Folie artificielle» enthält. Das Zitat beschäftigt sich mit Amnesie im Wachzustand gegenüber dem in der Hypnose Erlebten sowie mit Hypermnesie während der Hypnose. (Die wissenschaftsgeschichtliche Rolle des englischen Psychiaters Daniel Hack Tuke (1827–95) wäre eine nähere Untersuchung wert. Der sonst so gründliche Ellenberger erwähnt ihn nur einmal («The term ‹Psychotherapeutics›, introduced by Hack Tuke»; E 1,765). Tukes Hauptwerk, «Illustrations of the influence of the mind on the body in health and disease», erschien 1872 in London). Barrucand schreibt Braid im Gegensatz zu den sonst üblichen Darstellungen keine wesentlichen neuen Einsichten zu. De Faria sei 25 Jahre früher sehr viel weiter gekommen, und Braids Resultate würden durch die Vermischung mit phrenologischen Ideen entstellt (B 2,50–51).

[10] Max Dessoirs «Bibliographie des modernen Hypnotismus» (Berlin 1888) und sein «Erster Nachtrag zur Bibliographie des modernen Hypnotismus» (Berlin 1890) zeigen, wie die Publikationsmenge nach sehr zögernden Anfängen nach 1885 nahezu explosiv anwächst. Das Forschungsgebiet wird nach seiner Statistik völlig von Frankreich dominiert (616 Titel), danach folgen deutschsprachige (172 Titel), englischsprachige (148 Titel) und italienische (120 Titel) Arbeiten. Die gleiche Tendenz läßt sich aus der Behandlung des Themas durch die Massenmedien herauslesen. Le Temps, deren Abonnent Meyer war, enthielt in den Jahrgängen 1881 und 1882 zusammen nur 5 Artikel zu diesem Thema, während es im Jahrgang 1884 bereits 15 waren, worauf das Interesse 1889 gipfelt.

[11] Preyer selbst liefert ein ausgezeichnetes Beispiel dafür, wie plötzlich um 1880 der Umschwung eintrat. Noch 1878 hatte er in seinem Aufsatz «Der thierische Magnetismus und der Mediumismus einst und jetzt» in der Deutschen Rundschau XVII, 1878, S. 75–94, sowohl «den Lebensmagnetismus in seiner ursprünglichen Gestalt und seine beiden Hauptausläufer in der Gegenwart, den Odismus und Spiritismus» (76) sowie Puységurs artifiziellen Somnambulismus (d. h. das erste nicht-fluidistische und damit rein psychologische Erklärungsmodell) als «Humbug» (83) abgetan. Die Theorien einer «Magnetisierung» durch reine Willensbeeinflussung können nach Preyers damaliger Überzeugung «in dem Gebiete der exacten Wissenschaften keinen Platz finden» (84).

¹² Angela Richards, «Editorische Einleitung zu Freuds ‹Schriften über Hypnotismus und Suggestion (1888–1892)›». In: *Psyche* 1981, S. 458. Die Wortwahl («Mesmer-Anhänger» und «populäre Vorstellungen») vermittelt ein schiefes Bild von Hansens Tätigkeit. Hans Lindström («Hjärnornas kamp. Psykologiska idéer och motiv i Strindbergs åttiotalsdiktning». Uppsala 1952) hat nachgewiesen, daß Hansen bereits 1864 in Stockholm auftrat und wohlgemerkt «als der erste moderne Magnetiseur die Braidsche Hypnotisierungsmethode gebrauchte» (**L** 5,212). Die Tatsache, daß er bereits so frühzeitig den Mesmerismus gegen den damals nahezu unbekannten Braid (vgl. oben S. 56) eingetauscht haben soll, rückt ihn in eine völlig andere Kategorie als die vielen umherziehenden Bühnenhypnotiseure, was auch aus dem Umstand hervorgeht, daß er bei dieser Gelegenheit die Hypnose auch vor der «Läkaresällskapet», der Ärztegesellschaft, in Stockholm und Uppsala demonstrierte (**L** 5,213). Nach Bernheims Auskünften (**B** 8,110 ff.) stellte sich Hansen interessierten Wissenschaftlern bereitwillig zur Verfügung. Außer Breslau wird auch Berlin erwähnt. Die Entdeckung, die 1878 Charcot in der Psychiatrie internationalen Ruhm eintrug, nämlich die Ähnlichkeit zwischen den Phänomenen des hypnotischen Zustands und den hysterischen Symptomen, läßt sich im übrigen bereits in dem Prinzipgutachten der schwedischen Ärztegesellschaft nachlesen, das eine direkte Folge der Versuche war, die der dänische Hypnotiseur in den ersten Monaten des Jahres 1864 durchgeführt hatte (**L** 5,213).

¹³ Karl v. Lilienthal, «Der Hypnotismus und das Strafrecht». In: *Zs. für die gesamte Strafrechtswissenschaft* VII, 1887, S. 281–82. Lilienthal, der Forel nahestehende Juraprofessor der Züricher Universität, meint wie so viele andere Zeitgenossen, Carl Hansen komme in der Haltungsänderung, die sich gegenüber der Hypnose in den 80er Jahren unter deutschen Psychiatern vollzog, eine entscheidende Rolle zu.

¹⁴ Vgl. **E** 1,44 ff. Laut Pierre Janet («L'automatisme psychologique». 1930¹⁰ (1889; =**J** 2, S. 144) gab es 1876 allein in Westeuropa 46 spiritistische Zeitschriften. «Bereits in den 70er Jahren des 19. Jahrhunderts schätzte man die Zahl der Anhänger des spiritistischen Glaubens auf acht bis elf Millionen, und der Kongreßbericht des internationalen Spiritistenkongresses von 1889 in Paris gibt ihre Zahl mit etwa fünfzehn Millionen an. (Kiesewetter 1891).» (Harald Schjelderup, «Det skjulte Menneske». Kopenhagen 1962, S. 136).

¹⁵ «Der sensitive Mensch und sein Verhältnis zum Ode» (1854/55). Während nach Eduard v. Hartmanns Auffassung («Philosophie des Unbewußten». Berlin 1871³, S. 156–58) Reichenbachs «Odismus»-Theorie die Wahrscheinlichkeit auf ihrer Seite hatte, richtete der oben erwähnte W. Preyer in *Deutsche Rundschau* (XVII, 1878, S. 75–94) scharfe Kritik gegen diese Lehre: «Eine Betrachtung des Lebensmagnetismus in seiner ursprünglichen Gestalt und seinen beiden Hauptausläufern in der Gegenwart, des Odismus und Spiritismus, wird vielmehr dartun, daß die Naturwissenschaften vollkommen Recht hat, dem magnetischen und mediumistischen Wunder keinen Einlaß zu gestatten» (76). Daß Hartmann Meyer bekannt war, geht u. a. aus dem Brief vom 22. 2. 85 an François hervor: «Der Hegelianer, Professor der Dogmatik, Alois Biedermann, Freund Hartmanns (des Unbewußten), den wir neulich begruben, war mir seiner Redlichkeit wegen lieb und hat mich zuweilen besucht.» Vielleicht ist es kein Zufall, daß Hartmanns Name ausgerechnet zu diesem Zeitpunkt fällt – sein «Der Spiritismus» erschien 1885.
Eine Bemerkung von Meyer in einem Brief vom 26. 12. 85 an Spitteler klingt unmittelbar wie ein Echo von Hartmanns Gedanken in der «Philosophie des Unbewußten»: «Bildet die Natur im Großen nicht auch instinctiv-teleologisch? Elle songe – à tout. Doch das sieht wie Philosophie, das mag ich nicht, das stört, das schwächt.» Vgl. Hartmanns konsequente teleologische Betrachtungsweise, z. B. in der folgenden Bemerkung: «der

Zweck des Instinctes wird in jedem einzelnen Falle vom Individuum unbewußt gewollt und vorgestellt,» /.../ (op. cit. S. 100).

[16] W. Th. Preyer zweifelte in «Erklärung des Gedankenlesens» (1886) Richets Schlußfolgerungen an. Vgl. den Aufsatz in *Deutsche Rundschau* (XLVI, 1886), «Telepathie und Geisterseherei in England». Richet führte bei der Beurteilung der Telepathieversuche die mathematische Wahrscheinlichkeitsrechnung ein (vgl. Schjelderup, op. cit. S. 214–15).

[17] Octave Mannoni, «Sigmund Freud». 1971, S. 18. Freuds tiefe Zerrissenheit kam deutlich in dem Nekrolog für Charcot zum Ausdruck, den er 1893 in der *Wiener medizinischen Wochenschrift* veröffentlichte. Er hegt eine vorbehaltlose Bewunderung für den Lehrmeister als große Persönlichkeit und hervorragender Neurologe, ebenso deutlich aber lehnt er Charcots psychologische Schlußfolgerungen ab. «Charcots Beschäftigung mit den hypnotischen Phänomenen bei Hysterischen gereichte diesem bedeutungsvollen Gebiet von bisher vernachlässigten und verachteten Tatsachen zur größten Förderung, indem das Gewicht seines Namens dem Zweifel an der Realität der hypnotischen Erscheinungen ein für allemal ein Ende machte. Allein der rein psychologische Gegenstand vertrug die ausschließlich nosographische Behandlung nicht, die er bei der Schule der Salpêtrière fand» (F 8 I,54).

[18] Zitiert nach: Arthur Schopenhauer, Sämtliche Werke. Darmstadt 1968. «Über den Willen in der Natur» steht in Bd. III dieser Ausgabe, das Zitat auf S. 423.

[19] Gotthart Wunberg, «Depersonalisation und Bewußtsein im Wien des frühen Hofmannsthal». In: W. Kudszus (Hrsg.), «Literatur und Schizophrenie». 1977, S. 69–103. Vgl. Hans Steffen, «Schopenhauer, Nietzsche und die Dichtung Hofmannsthals». In: H. Steffen (Hrsg.), «Nietzsche. Werk und Wirkungen». 1974, S. 65–90.

[20] Meyers eventuelles Verhältnis zu Schopenhauer möchte ich außer acht lassen und nur darauf hinweisen, daß sein enger Freund François Wille zum Züricher Kreis von Schopenhaueranhängern gehörte. Die oben im Zusammenhang mit der «Angela Borgia» erwähnte Anna v. Doß, die mit Schopenhauers «Apostel Johannes», Adam v. Doß, verheiratet war, hielt sich nach dem frühen Tod ihres Mannes mehrmals bei der Familie Wille in Zürich auf und lernte dort Meyer kennen: «Auch meines Mannes Freundschaft zu Schopenhauer, von der Wille ihm erzählte, interessierte ihn lebhaft» (D 2,7). Aus dem Brief vom 13. 11. 71 an Haessel geht im übrigen hervor, daß Meyer Adam v. Doß persönlich kannte. Seine Kilchberger Bibliothek enthält Schopenhauers Werke in der Ausgabe von Frauenstädt (1878–79). In den Briefen tauchen Hinweise auf den Philosophen, soweit ersichtlich, nur ein einziges Mal auf (am 19. 12. 1890 an Hermann Escher, zitiert in Bruno Hirzel, «CFM und die Zürcher Stadtbibliothek», S. 53).

[21] Vgl. Ernst Benz, «Franz Anton Mesmer (1734–1815) und seine Ausstrahlung in Europa und Amerika». 1976. Maria M. Tatar («Spellbound. Studies on Mesmerism and Literature». 1978) liefert eine sehr instruktive Darstellung der Entstehung der fluidistischen Theorien aus den zeitgenössischen Naturwissenschaften (S. 45–81), in anderen Punkten überzeugt ihre Arbeit jedoch weniger, da sie teils nicht zwischen spontanem und provoziertem Somnambulismus unterscheidet, teils wenig Gewicht auf die beiden von Mesmer und Puységur ausgehenden Entwicklungsrichtungen, die fluidistische und die nonfluidistische, legt.

[22] «De la suggestion dans l'état hypnotique et dans l'état de veille». Auf der gleichen Linie wie Bernheim liegt auch Charles Richets «L'homme et l'intelligence» (1884), wobei jedoch hinzuzufügen ist, daß sich Richet später der Charcotschen Richtung anschloß (B 2,64 ff, 167).

[23] So Eugène Azam, «Hypnotisme, double conscience et altérations de la personnalité» (1887). Das Buch enthält eine Sammlung von Azams Aufsätzen aus den Jahren 1860–83.

[24] H. Beaunis, «Le somnambulisme provoqué. Études physiologiques et psychologiques». 1887² (1886). Vgl. Bernheim (B 8,80–85) und Forel (F 3,23). Dagegen bleibt Pierre Janet in

«L'automatisme psychologique» (1889), einem der Hauptwerke des Jahrzehnts auf diesem Gebiet, bei der Auffassung, Hypnotisierbarkeit und Suggestibilität seien Zeichen einer schwach organisierten Persönlichkeit, «une faiblesse de la synthèse psychologique» (J 2,453), eine Auffassung, die er später erheblich modifizieren sollte (B 2,187ff). Die Hypnoseforschung des 20. Jahrhunderts scheint im übrigen Bernheims Standpunkt bestätigt zu haben. Vgl. Clark Hull, «Hypnosis and Suggestibility». 1933, S. 92–93. M. M. Gill/M. Brenman, «Hypnosis and related states: Psychoanalytic studies in regression». 1959, passim. J. R. Hilgard, «Personality and Hypnosis». 1970: «Hypnosis is a highly verbal interpersonal relationship. It is related both to ease of communication and to a general comfort with people. Examining these characteristics helps to account for the general relationship between being normal and outgoing and being hypnotizable» (184).

[25] «Die Suggestion und die Dichtung. Gutachten über Suggestion und Hypnose». Hrsg. von K. E. Franzos. 1892, S. 129 (=F 6).

[26] Beaunis: ... «on pourrait toujours arriver à faire exécuter à un somnambule l'acte qui répugne le plus à son caractère» (B 5,192). Die gleiche Ansicht findet sich bei den Salpêtrière-Anhängern Binet/Féré («Le magnétisme animal». 1887, S. 62) und Ochorowicz («De la suggestion mentale». 1887, S. 359). Janet dagegen verhält sich abweisend (J 2,176).

[27] «Der Hypnotismus und seine strafrechtliche Bedeutung». In: Zs. f. d. ges. Strafrechtswissenschaft IX, 1888.

[28] P. Richer/G. de la Tourette, Hypnotisme. In: «Dict. Encycl. Sc. Méd.». 1889, S. 72.

[29] Z. B. J. C. Reil, «Rhapsodien über die Anwendung der psychischen Curmethode auf Geisteszerrüttungen». 1803.

[30] E 1,145–47. Vgl. über multiple Persönlichkeiten: Gardner Murphy, «Personality». 1966 (1947^1), S. 433–51.

[31] «Les maladies de la mémoire» (1881), «Les maladies de la volonté» (1883), «Les maladies de la personnalité» (1884).

[32] «Analyse der Empfindungen» (1886. Hier zitiert nach der 5. Auflage von 1906, S. 19).

[33] «Parerga und Paralipomena», in: Sämtliche Werke. Hrsg. von W. v. Löhneisen. 1968. Bd. IV,155.

[34] «Psyche. Zur Entwicklungsgeschichte der Seele». 1846, 1860$^{2-3}$. Hier zitiert nach Nachdruck, Darmstadt 1975.

[35] Werke in drei Bänden. Hrsg. von Karl Schlechta. Bd. II,577. In einem anderen Abschnitt in «Jenseits» benutzt Nietzsche direkt aus dem Polypsychismus entnommene Begriffe: «Unter-Seelen», «unser Leib ist ja nur ein Gesellschaftsbau vieler Seelen» (II,583), natürlich jedoch ohne anzudeuten, daß derartige Ideen anderen Gehirnen als seinem eigenen genialen Geist entsprungen sein könnten. Widerwillen gegen die Anerkennung von Inspirationsquellen scheint ein für Nietzsche allgemein typisches Phänomen gewesen zu sein, vgl. sein Verhältnis zu Max Stirner (Karl Löwith, «Von Hegel zu Nietzsche». Stuttgart 1950/1964, S. 205ff).

Hypnose und Belletristik

Schaut man sich die Zahl der wissenschaftlichen Veröffentlichungen über Hypnose und Suggestion an und rechnet dann noch die Menge der populärwissenschaftlichen und journalistischen Behandlungen des Themas hinzu, dann versteht man, daß Ellenberger diesen Zug des geistigen Klimas in den 8oer Jahren des 19. Jahrhunderts betont: «We can hardly realize today to what extent hypnotism and suggestion were invoked in the 1880's to explain countless historical, anthropological, and social facts such as the genesis of religions, miracles, and wars» (E 1,164–65). Unabhängig davon, ob die Beobachtungen und Hypothesen, von denen man ausging, ihre Gültigkeit beweisen können, muß man akzeptieren, daß sie einen wichtigen Teil der empirischen Wirklichkeit bilden, zu der sich die Belletristik dieser Periode verhält, gleichgültig, ob es sich dabei um eine direkte oder indirekte Rezeption handelte und diese zustimmenden, modifizierenden oder ablehnenden Charakter trug.

Die Ideen der neuen Hypnoseforschung gelangten schnell über medizinische und philosophische Fachkreise hinaus, in erster Linie dank Charcot, der seine Experimente und Resultate brilliant und eindrucksvoll präsentierte[1]. André Brouillets berühmtes Bild einer klinischen Demonstration an der Salpêtrière, das Charcot und dessen Lieblingspatientin Blanche Wittmann, «la reine des hystériques», zum Mittelpunkt hat, zeigt ihn auf der Höhe seines Ruhms. «Nach manchen Vorlesungen gehe ich fort wie aus Notre-Dame, mit neuen Empfindungen vom Vollkommenen. /.../ Mein Gehirn ist gesättigt wie nach einem Theaterabend», schrieb Freud am 24. 11. 1885 an Martha Bernays[2]. Charcots Demonstrationen und Vorlesungen wurden, wie Jules Claretie es in «La vie à Paris» (1882) beschrieb, zu einem beliebten Zugstück der literarischen Welt. Besucht wurden sie u. a. von Alphonse Daudet, dessen Roman «L'évangéliste» (1883) Charcot gewidmet ist[3], von Maupassant, der seine Experimente in der Erzählung «Magnétisme» (1882) schildert, und – das nur als Kuriosum – von Björnson, der sich in «Over Ævne» (1883) auf Charcots Autorität beruft[4]. Bei dem Norweger zeigt sich jedoch deutlich, was die Rezeption des psychiatrischen Themas zu jenem Zeitpunkt bedeutete. Martin Lamm («Det moderna dramat». Stockholm 1964[2] (1948)) betont mit Recht seine Offenheit gegenüber den literarischen Zeitströmungen, Zolas Vererbungsideen, Taines Milieutheorie usw. und fährt fort: «Mit seinem feinen Gespür für die Strömungen seiner Zeit zeigte Björnson bereits hier im Jahr 1883 das Interesse an Hypnotismus und Suggestion, das überall den Übergang zum Symbolismus einläutet» (87). Das klingt unmittelbar sehr verläßlich, gilt so aber nur mit einer deutlichen Korrektur. Björnson benutzte die Hypnose nämlich als eine provozierende Erklärungshypothese für das angeblich echte religiöse Wunder: «Das Buch ist geschrieben, um den tragischen Ausgang zu zeigen, welcher sehr leicht folgen kann, wenn man eine magnetische Kraft für eine höhere nimmt (die Mirakelkraft)» (Björnson am 13. 8. 83 an Carl Bleibtreu). Lamm übersah, daß die psychiatrische Richtung, aus der Björnson sein Wissen holte, den Somnambulismus und darunter auch die Halluzinationen des Somnambulen als Phänomene betrachtete, die sich mit Hilfe der Physiologie erschöpfend erklären ließen. Es stimmt also, wenn Walter Baumgartner[5] schreibt: «Björnsons Interesse für Hypnotismus war 1883 naturwissenschaftlich-aufklärerisch motiviert und hatte noch nichts mit dem Interesse des Symbolismus und der Neuromantik für Psychologie als Säkularmystik zu tun» (259), wobei andererseits sowohl gegen Baumgartner als auch gegen Lamm eingewendet werden muß, daß der Erforschung der Suggestionsphänomene an sich nichts «Mystisches» oder «Symbolistisches» anhaftet.

Die Schriftsteller, die die Experimente Charcots und seiner Schüler registrieren, führen zwar in den Themenkreis des Naturalismus neuen Stoff ein, ziehen aber damit seine Grundlage nicht in Zweifel, «l'étude de l'homme naturel, soumis aux lois physico-chimiques et déterminé par les influences du milieu»[6]. Dagegen ist die Faszination des Somnambulismus ein ausgezeichnetes Beispiel der Neigung zum Exotischen, dem Morbiden, das Erich Auerbach bereits bei den Gebrüdern Goncourt findet[7]. Die Macht des Hypnotiseurs über die besonders disponierten Individuen fügt nur ein weiteres Steinchen zu dem Bild des erblich, physiologisch und milieumäßig determinierten Menschen hinzu[8]. Auch wenn der Naturalismus das Individuum als Produkt einer Kausalkette darstellte, die sich durch die Methode des Positivismus aufdecken ließ, und wenn man diesem auf diese Weise dem Boden der Physiologie und des Milieus entwachsenden Individuum auch kaum die Wahlmöglichkeiten eines freien Willens und damit moralische Verantwortlichkeit zuerkennen konnte, so besaß dieses Individuum trotz aller fehlenden Authentizität im Endeffekt eine Identität. Edmond und Jules Goncourts «Germinie Lacerteux» ist zwar, wie es in der Vorrede heißt, «la clinique de l'amour», eine Pathographie, bewahrt aber doch den festen Umriß eines *Charakters*. Zolas Thérèse Raquin durchläuft zwar einen Zerfallsprozeß, als ein dem vorgegebenen Milieu entsprungenes Individuum jedoch bewahrt sie, selbst im Zerfall, eine klare Kontinuität. Die Handlungen dieser Individuen, wie pathologisch sie auch immer sein mögen, entspringen einem festen Persönlichkeitskern, wodurch gerade die Abweichungen von der Normalität letzten Endes dazu dienen, das allgemein Anthropologische zu beleuchten: «Ainsi s'avance l'esprit à travers le pêle-mêle des délires monstrueux et des folies hurlantes, presque toujours impunément, pour s'asseoir dans la conscience véridique et dans le souvenir normal» (Taine, T 1,II,207).

Verglichen mit dem Beitrag der Schule der Salpêtrière zu einer rein quantitativen Erweiterung des Literaturrepertoires, implizierten die Suggestionsexperimente der Nancyer Schule eine so radikale Umwertung des Persönlichkeitsbegriffs, daß die zeitgenössische Rezeption in der Literatur verständlicherweise nur sporadisch und fragmentarisch erfolgen konnte. Die Forscher von Nancy verlangten ja von ihren Lesern eine völlige Umstellung, worauf sie immer wieder hinweisen: «Die Lehre von der Suggestion, welche wir im Vorstehenden auf den Thatsachen der Beobachtung aufgebaut haben, regt eine Reihe der brennendsten Fragen auf allen Gebieten an. Für die Psychologie bedeutet sie geradezu eine Revolution» (B 8,145). Vor diesem Hintergrund wird unmittelbar verständlich, daß in die Belletristik dieses Jahrzehnts vor allem die auffälligen, ja zuweilen theatralischen Züge der Hypnose Eingang finden, also rein äußerliche Phänomene, deren psychologische und philosophische Implikationen man überhaupt nicht oder nur dunkel durchschaute.

Es gab zwei solcher «interessanten» Fälle. Der erste ist der bereits erwähnte kriminalistische, die Möglichkeit eines Menschen, eine andere Person in Hypnose oder unter dem Einfluß einer posthypnotischen Suggestion ein Verbrechen begehen zu lassen. Hier tummelte sich die Trivialliteratur völlig ungehemmt (vgl. E 1,166) mit Werken wie Jules Clareties «Jean Mornas» (1885. 36 Auflagen im Laufe der Jahre 1885–86! Deutsche Übersetzung 1889) und dem in Deutschland fast ebenso beliebten «Unter fremdem Willen» von Gregor Samarow (Pseudonym für J. F. M. O. Meding). Otto Binswanger (F 6,7) liefert 1890 ein recht bezeichnendes Bild dieser Verhältnisse: «Die Schauerromane früherer Zeiten feiern heute ihre Auferstehung in der Schilderung krimineller Suggestionen. Welch herrlicher Vorwurf für einen neuen Hypnotismusroman bieten die 1890 stattgehabten Gerichtsverhandlungen vor den Pariser Assisen, die Verbrechergeschichte der Gabrièle Bompard dar, jener hypnotisablen Kokotte, welche den suggestiven Einwirkungen ihres Liebhabers Eyraud folgend den liebestrunkenen Gouffé morden hilft. Die Geschichte des Jean Mornas in neuer und verbesserter Auflage!»[9] Auch auf künstlerisch höherem Niveau hinterließ das Thema Spuren, man denke nur an Maupassants kleines Meisterwerk «Le Horla» (1886), G. A. Thierrys «Marfa. Le palimpseste» (1887), Hector Malots «Conscience» (1888) und Paul Bourgets «Le disciple» (1889).

In bezug auf das zweite Thema, die spontane oder provozierte Persönlichkeitsspaltung, die multiple Persönlichkeit, bot sich die Situation so dar, daß bereits die Fachliteratur als belletristische psychologische Porträts gelesen werden konnte. Das galt für Robert Macnishs Schilderung des Falls Mary Reynolds, Azams Beschreibung der Félida X, Charcots Darstellung der Blanche Wittmann und Janets Fall Léonie (vgl. E 1,126 ff). Der Physiologe Charles Richet, wie bereits erwähnt eine der führenden Gestalten bei der in den 70er Jahren langsam einsetzenden Erforschung des Unbewußten, wagte den Schritt ganz und stürzte sich unter dem Pseudonym Charles Epheyre in eine literarische Studie: «Sœur Marthe» (*Revue des deux Mondes*, xciii, 1889, S. 384–431)[10], eine bizarre Mischung aus klinischer Psychologie und Melodrama, die man im übrigen auch in dem Werk des prominenten Parapsychologen Carl du Prel, «Das Kreuz am Ferner. Ein hypnotisch-spiritistischer Roman» (1891), wiederfinden kann. Die Zahl der literarischen Bearbeitungen des Problems ist erheblich. Von den ehrgeizigeren Werken seien nur folgende erwähnt: Paul Bourget, «L'irréparable» (1883), Alphonse Daudet, «Sapho» (1884), Maupassants «wahnsinnige» Novellen «Lui?» und «Un fou?» (1883–84), Villiers de L'Isle Adam, «L'Eve Future» (1886). Eine Rolle spielte es zweifellos, daß die Romantik den Begriff der multiplen Persönlichkeit vorweggenommen hatte, so daß die literarische Darstellungsform an diese ältere Tradition anknüpfen konnte. Oberflächlich betrachtet ist der Sprung von Hoffmanns «Elixieren des Teufels» bis zu Stevensons «The Strange Case of Dr. Jekyll and Mr. Hyde» (1886) nicht so groß, obgleich in dem älteren Roman das Thema des Geschlechterfluchs und der Besessenheit den wichtigsten Platz einnimmt. Während sich Stevenson die Mühe machte, seine fiktive Doppelpersönlichkeit einigermaßen mit den zugänglichen psychologischen Beschreibungen des Phänomens in Einklang zu bringen[11], zeigt sich Maupassant heftig von der in der Romantik typischen Dämonisierung des Themas fasziniert, obgleich seine Texte immer wieder die psychiatrischen Autoritäten (Charcot, Bernheim) anführen. Das wird beispielsweise deutlich in «Un fou?», wo der Ich-Erzähler, der gequälte Jaques Parent, besessen ist von der Furcht vor «un autre être enfermé en moi, qui veut sans cesse s'échapper, agir malgré moi, qui s'agite, me ronge, me puise» (**M 3**, Contes et Nouvelles II, 973)[12].

Weit wichtiger aber als die direkte Einverleibung des Beobachtungsmaterials und der Theorien der neuen Psychiatrie in die Belletristik ist die allgemein sich vollziehende und nur selten deutlich formulierte Änderung des Menschenbildes, zu der die Wiederentdeckung und Weiterentwicklung der Hypnose beiträgt und in der sie letzten Endes selbst ihren Ursprung hat. Die Hypnoseforschung und ihre Popularisierung ist, und das sollte dieses

Kapitel zeigen, ein wichtiger Bestandteil des Ganzheitsfeldes (im Sinne des Gestaltpsychologen Kurt Lewin[13]), zu dem eine Person der damaligen Zeit gehörte; ob dieser «Vektor», dieses Element, dann direkten oder indirekten Einfluß ausübte, bewußt oder unbewußt aufgenommen wurde, das ist zweitrangig, wobei natürlich jedoch der Vorbehalt angebracht ist, daß sich eine direkte und bewußte Rezeption in der Struktur des einzelnen Fiktionswerkes deutlicher durchsetzt. Die literarische Vorliebe des Jahrzehnts für den sensitiven, nervösen Menschentypus, die bei Hermann Bahr so deutlich ausgedrückt wird, läßt sich nicht losgelöst davon betrachten. Das gleiche gilt für das von Gotthart Wunberg geschilderte «Depersonalisationssyndrom» der Wiener Dichter in den 90er Jahren des 19. Jahrhunderts. Man sollte jedoch mit einer erheblich breiteren Basis als den von Wunberg als besonders einflußreich bezeichneten Philosophen (Mach, Brentano, Jodl, Avenarius und Ribot) rechnen, nicht zuletzt weil das Interesse an der Psychiatrie bei einem so wichtigen Dichter wie Hofmannsthal belegt ist[14].

Bevor ich dieses Übersichtskapitel abschließe und zu den speziellen Voraussetzungen C. F. Meyers zurückkehre, möchte ich jedoch noch auf ein – etwas verspätetes – Beispiel für die Stellung der Hypnose im Selbstverständnis der damaligen Zeit hinweisen. Ricarda Huchs «Die Romantik» (1899/1902) zeigt nicht nur allgemein die Spiegelung des impressionistischen Lebensgefühls in der dahingeschwundenen Epoche[15], sondern führt auch direkt zu ihren Wurzeln in der Psychologie der 80er Jahre: «Wir haben in dem willensstarken Magnetiseur und der reizbaren Somnambule die beiden Grundtypen der romantischen Psychologie; sie entsprechen dem positiven und negativen, dem solarischen und tellurischen, dem männlichen und weiblichen, dem Tagesmenschen und dem Nachtmenschen» (II, 110). Und später: «Die Entwickelungslehre und der animalische Magnetismus, die beiden Hauptprinzipien der wissenschaftlichen Romantik, führten beide auf Sammeln der durch Zeit und Raum getrennten Geschöpfe in der Einheit» (II, 164). Eine solche Formulierung wäre ohne die Rehabilitierung der Hypnose in Frankreich kaum möglich gewesen[16].

Anmerkungen

[1] G. Guillain, «J. M. Charcot, 1825–1893. Sa vie, son œuvre». 1955: «Les présentations de sujets en état de léthargie, de catalepsie, de somnambulisme, de sujets présentant des crises violentes, ressemblaient trop à une véritable mise en scène théâtrale» (175).

[2] Zitiert nach: «Sigmund Freud. Sein Leben in Bildern und Texten». Herausgegeben von Ernst Freud, Lucie Freud und Else Grubrich-Simitis. 1977², S. 11.

[3] Louise von François spricht in einem Brief an Meyer vom 18. 12. 1888 von dem «Schauer-

stück der ‹Evangelistin›». Er hatte am 25. 6. 1886 an sie geschrieben: «Wenn Sie Daudet noch nicht kennen, möchte ich Ihnen denselben belieben. Besonders seine Schilderung der Südfranzosen ist ergötzlich.» Gemeint ist «Tartarin sur les alpes». François' Verwunderung darüber, daß zwei so unterschiedliche Werke ein und demselben Kopf entsprungen sein könnten, übergeht Meyer in seinem Antwortbrief vom 26. 12. 88 natürlich stillschweigend.

4 Deutsche Übersetzung: «Über die Kraft», 1886 (Übersetzer: Louis Passarge), Reclam.

5 «Triumph des Irrationalismus. Rezeption skandinavischer Literatur im ästhetischen Kontext Deutschlands 1860–1910.» 1979. (= **B** 4).

6 Zola, «Le roman expérimental». In: Oeuvres complètes. Sér. Oeuvres critiques. 1906. Bd. I, S. 118.

7 «Mimesis. Dargestellte Wirklichkeit in der abendländischen Literatur». 1946, S. 443 ff.

8 Charakteristischerweise setzt der Philosoph Paul Janet («De la suggestion hypnotique». In: *Revue politique et littéraire*, Juli–Aug. 1884) die Relevanz der neuen Psychiatrie für die Belletristik voraus, doch nur insoweit sie die Grenzen des materialistischen Monismus nicht überschreitet. Deshalb weist er u. a. die Realität posthypnotischer Suggestionen zurück, da dies «nous ferait entrer dans le domaine des facultés mystérieuses et inconnues, semblable à celles du magnétisme animal: double vue, pressentiment, vision immédiate de la pensée sans aucun signe matériel» (88).

9 Vgl. den Charcot-Schüler Gilles de la Tourette, der im Vorwort zu «L'hypnotisme et les états analogues au point de vue médico-légal» (1887) bedauernd feststellt: «Les littérateurs, conviés à de pareils spectacles ont accepté pour vrai ce que leur disait ou montrait un médecin de bonne foi en qui ils devaient avoir confiance, et ils ont versé dans leurs écrits, en les embellissant par leur imagination, toutes les singularités dont ils avaient été les témoins. /.../ Ils ont introduit dans la littérature moderne une varieté de données médicales qui sont à la science ce, que le roman historique d'il y a trente ans était à l'histoire» (VI).

10 Der diktatorische Redakteur der Zeitschrift, Ferdinand Brunetière, verhielt sich zum Naturalismus und – später – zum Symbolismus so abweisend, daß man es eigentlich nur als eine momentane Kapitulation auffassen kann, daß er die Novelle überhaupt hier veröffentlichte. Das allein mag andeuten, mit welcher Kraft sich die neue Psychologie im zeitgenössischen Bewußtsein Geltung verschaffte.

11 Die Beschäftigung mit multiplen Persönlichkeiten zeigt während der 8oer Jahre (z. B. bei Azam) Ansätze eines Verständnisses des bei den Persönlichkeitswechseln eine Rolle spielenden Motivationsfaktors «that in all such cases of one-way amnesia there is a constricted personality and a relaxed personality. The constricted self is in reality narrow and constricted in its perceptions and memories and cannot allow itself to remember the more casual attitudes. The relaxed self is ready to make contact with anything and has no trouble in recognizing the activities of the narrow self» (Gardner Murphy, «Personality». 1966 (1947), S. 441).

12 Denkt man an das Interesse der 8oer Jahre für diesen pathologischen Zug, so erscheint das Maria-Mariquita-Motiv in Hofmannsthals Andreasfragment (unter direkter Bezugnahme auf Morton Prince, «The Dissociation of a Personality» (1906)) als kein so isolierter Einzelfall, wie die Lektüre von Richard Alewyns klassischer Arbeit («Andreas und die ‹wunderbare Freundin›». In: *Euphorion* 49. 1955) glauben machen könnte.

13 «Vorsatz, Wille und Bedürfnis». 1926. «Dynamic Theory of Personality». 1933.

14 Hans Steffen (op. cit., S. 87–88) erwähnt diesen wenig erforschten Bereich in einer Fußnote: «H's Verhältnis zur Psychologie scheint mir daher von der Forschung nur ungenau erfaßt worden zu sein. /.../ In direktem Zusammenhang mit dem Hypnotismus steht schließlich die Absicht des jungen H., über Hugh Conway, einen englischen Schriftsteller, der sich mit

Telepathie befaßte, etwas zu schreiben, so wie er dann 1891 über L. Oliphant berichtete, der den hypnotischen Künsten eines Th. L. Harris erlegen war. Und H. spricht dort von der Schule in Nancy, von hysterischen Frauen und Männern, von Neurologen und Psychologen (Forch, Bernheim, Richet)». ‹Forch› steht vermutlich irrtümlich für ‹Forel›.

[15] Vgl. R. Hamann/J. Hermand, «Impressionismus». 1966, S. 44.

[16] In dem Zusammenhang ist es vielleicht nicht ganz unwichtig, daß Ricarda Huch 1888–91 ihre akademischen Studien gerade in Zürich beendet hatte. Von 1891 bis 1894 war sie an der Stadtbibliothek angestellt.

Karl Emil Franzos:
«Die Suggestion und die Dichtung»

Meyers Kontakt zu Forel läßt sich zeitlich genau auf (mindestens) September–Oktober 1890 festlegen. Schon deshalb kommt dieser Berührung mit Forel in der Entstehung der «Angela Borgia» eine spezifische und festumrissene Bedeutung zu. Mitten in diese Periode der Unterbrechung, des Zweifels, der Verarbeitung neuer Ideen und der Umarbeitung, d. h. in die Zeit zwischen Sommer 1890 und April–Mai 1891, fällt nun eine zweite Quelle, die von der Tendenz her Forels Eindruck verstärkt und zeigt, in welchem Kraftfeld sich Meyer bewegte.

Seit ihrer Entstehung im Jahre 1886 war die Zeitschrift *Deutsche Dichtung*, deren Redakteur K. E. Franzos war, «Meyers bevorzugtes Publikationsorgan für seine neuentstandenen Gedichte»[1]. Das Oktoberheft 1890 brachte außerdem seine «Erinnerungen an Gottfried Keller» (IX. Band, S. 23–25) und das Januarheft 1891 «Mein Erstling ‹Huttens letzte Tage›» (IX. Band, S. 172–74). Gerade die Oktobernummer 1890 zeigt, daß die Redaktion einen neuen Kurs einschlug; gleichzeitig nämlich war die Zeitschrift zu einem anderen Verlag (A. Haack, Berlin) übergegangen. Bis dahin hatte sie «der vornehmen künstlerisch wertvollen Produktion in Prosa und Vers» eine Heimstatt geboten, wie es im Prospekt heißt[2], nun verlagert sie ihr Schwergewicht stärker auf eher essayistische und diskutierende Beiträge. Eine Möglichkeit, die aktuellen Problemen Aufnahme in die Spalten der Zeitschrift sichern konnte, war die Umfrage, die der Redakteur zum Thema: «Die Suggestion und die Dichtung» an einige bekannte Physiologen und Psychiater (sowie einen Physiker!) richtete. Franzos' Anfrage begann mit den Worten: «Ich bitte Sie, sich in der ‹Deutschen Dichtung› über eine Frage aussprechen zu wollen, welche in ihr Gebiet schlägt und zugleich den Dichter, wie seine Leser, also alle Gebildeten, lebhaft interessieren muß» (Bd. IX,71). Die Reaktion erfolgte prompt. Zusammen mit dem Abdruck seiner Anfrage im Novemberheft konnte Franzos bereits die Antworten von Emil du Bois-Reymond (der Physiologe war und über dieses Gebiet offensichtlich nichts wußte) und von den sachkundigen Albert Eulenburg und William Thierry Preyer veröffentlichen. Die folgenden Hefte (Dezember 1890 – April 1891) bringen Antworten von weiteren 13 Wissenschaftlern. Welches Aufsehen diese Enquete erregte, zeigt sich an der Tatsache, daß sie bereits am 17. 12. 1890 im *Magazin für Literatur* rezensiert wird (59. Jahrgang. S. 799–801. Rezensent: Arthur Sperling), d. h. zu einem Zeitpunkt, an dem sich außer den drei Genannten nur noch Siegmund Exner, August Forel und Helmholtz öffentlich geäußert hatten[3]. Als Franzos seine Untersuchung in Buchform herausgab («Die Suggestion und die Dichtung. Gutachten über Hypnose und Suggestion». Berlin 1892), konnte er denn auch schließen: «Die Aufmerksamkeit, welche die Gutachten bei ihrem Erscheinen in der ‹Deutschen Dichtung› auf sich zogen, war eine ganz ungewöhnliche; es giebt kaum ein größeres Blatt in deutscher Sprache, das ihrer nicht Erwähnung gethan hätte; aus dem Publikum liefen mehrere hundert Briefe mit Anfragen, Wünschen, Vorschlägen, vor Allem aber mit Beiträgen ein, die angeblich beobachtet und gewiß in gutem Glauben niedergeschriebene Einzelfälle enthielten» (S. XXIX).

Die Antworten der 16 Professoren teilen sich erwartungsgemäß in drei Gruppen. Im Umkreis von Helmholtz und Du Bois-Reymond, den beiden großen alten Männern aus dem heroischen Zeitalter des Positivismus, findet man Exner (Wien), Fuchs (Berlin) und Nothnagel (Wien). Helmholtz besaß die menschliche Größe, offen einzugestehen, daß er nicht im Besitz der nötigen Sachkenntnis sei, um sich wirklich zum Thema äußern zu können, ließ andererseits jedoch keinen Zweifel daran, daß seine Haltung von vornherein durch das negative Erlebnis des «tierischen Magnetismus», das er in seiner Jugend gehabt habe (d. h. des Mesmerismus um die Jahrhundertmitte) und durch seine allgemeine Ablehnung einer jeglichen «Wundersucht» bestimmt sei. Eine rückhaltlose, arrogante und die ganze Angelegenheit ins Lächerliche ziehende Ablehnung kam in den äußerst kurzen Beiträgen von Du Bois-Reymond, Fuchs und Nothnagel zum Ausdruck, wobei sie über das Gebiet, über das sie sich so sicher äußerten, eigentlich nichts zu wissen schienen. Exner dagegen erkennt in einem etwas längeren Beitrag im Gegensatz zu den drei genannten Professoren die Existenz der hypnotischen Phänomene an, jedoch nur in der vagen Bedeutung der Überredung eines anderen Menschen. Es handelt sich also um eine Gruppe mit der Haltung «ignoramus et ignoremus».

Die zweite, aus Meynert und Kahler (Wien), Mendel und Jolly (Berlin) und Grützner (Tübingen) bestehende Gruppe, die sich etwas ausführlicher äußert, sieht in dem Problem «krankhafte geistige Erscheinungen» bei den Patienten (Mendel, 98) und drückt ihre Haltung in ähnlichen Wendungen aus wie Charcot: «Das Verständnis der Hypnose erfließt aus dem Gehirnbau und seinen Ernährungsbedingungen, welche sich zu einer durchschaubaren Mechanik vereinigen» (Meynert, 112). Zu dieser Gruppe ist vermutlich auch Otto Binswanger (Jena) zu zählen, dessen Beitrag jedoch voller Unklarheiten steckt.

Die letzte Gruppe teilt die sehr weitgehende Theorie der Nancyer Schule über das Wesen und die Verbreitung der Suggestion und zeichnet sich im übrigen durchgängig durch erhebliche praktische Erfahrung auf dem Gebiet aus. Außer Forel, von dem der ausführlichste Beitrag kam, gehören hierher auch Krafft-Ebing (Wien), Preyer und Eulenburg (Berlin) und Hirt (Breslau). Franzos hatte um eine Stellungnahme zu der Möglichkeit eines durch Suggestion herbeigeführten Verbrechens und zu den sich daraus für das Menschenbild der Belletristik ergebenden eventuellen Folgen gebeten: «Halten Sie Fälle, wie die oben berichteten, oder ähnliche für möglich, d. h., ist es denkbar, daß normale Individuen Suggestionen in solchem Ausmaß, ohne es selbst irgendwie zu merken, ausgesetzt sind, und wenn ja, handelt es sich dabei um ganz besondere Ausnahmsfälle oder um Erscheinungen, denen wir sehr oft begegnen werden, sobald sich nur unser Blick für ihre Beobachtung geschärft haben wird?!» (XXIV). Die Beiträge der 5 Forscher, die mehr als die Hälfte des Buches ausmachen, bestätigen, daß es sich bei der Suggestibilität um ein normales und weit verbreitetes Phänomen handelt, das in vielen Fällen zur völligen Willenlosigkeit des Suggerierten führen kann, daß Suggestion, auch auf psychosomatischem Gebiet, eine wirkungsvolle Therapie sei, daß sowohl Wachsuggestion wie posthypnotische Suggestion üblich seien, daß sich der Patient in gewissen Fällen nicht notwendigerweise an den Suggestionsakt erinnere und schließlich, daß die genannten Verbrechen wahrscheinlich häufiger vorkämen, als man unmittelbar annähme. Zu letzterem Punkt verhält sich Hirt jedoch skeptisch.

Die Untersuchung mußte demnach den Eindruck vermitteln, was die ein Jahr darauf erfolgende Buchveröffentlichung denn auch bestätigt, daß die Forscher mit dem umfangreichsten Wissen und der größten Erfahrung auf diesem Gebiet aus ihren Experimenten sehr weitreichende Konsequenzen zogen. Wenn Meyer, wie Langewiesche behauptet, von vornherein an der Sache interessiert war, dann kann ihn die Veröffentlichung der von «seinem» Zeitschriftenredakteur veranstalteten Rundfrage nur in der Überzeugung von der Wichtigkeit des neuen psychologischen Gebiets bestätigt haben. Die bereits erwähnten Bemerkungen der Schwester (oben S. 40) über «Material» und «prächtige, neue, wunderbare Gedanken» im Dezember 1890 können sich deshalb möglicherweise auf Lesefrüchte der psychiatrischen Literatur beziehen.

Der offene Brief von Franzos besitzt außerdem eine gewisse Verbindung zu Meyer persönlich. Er ging nämlich von drei konkreten Strafprozessen aus, wobei es im ersten – natürlich ohne Namensnennung – um die uneingeschränkte hypnotische Macht ging, die ein junger Maler angeblich über die Frau eines steinreichen Mäzens besitzen sollte (S. X–XIV). Die Sache läßt sich als eine bekannte Skandalgeschichte identifizieren, die sich in Meyers

unmittelbarer Nähe abgespielt hatte. In *Das Magazin für Litteratur* vom
11. 10. 1890 werden unter der harmlosen Überschrift «Die Gottfried-Keller-
Stiftung» die implizierten Personen an den Pranger gestellt. Es handelte sich
um den Porträtmaler Karl Stauffer und Frau Lydia Welti-Escher, die Tochter
des Politikers und Finanzmagnaten Alfred Escher (1819–82)[4]. Meyer kannte
beide Seiten persönlich. Stauffer hatte 1887 eine ausgezeichnete Radierung
von ihm angefertigt (die u. a. auf dem Umschlag von David A. Jacksons Buch
zu sehen ist) und ihn außerdem für ein Bild Modell sitzen lassen, das nicht
fertig wurde[5]. Am 11. 4. 91 schrieb Meyer an Rodenberg: «Die Stauffergeschichte wird umso jammervoller, je mehr Einzelheiten daraus bekannt
werden. Vor Jahren hat er mir einmal die Mitschuldige gebracht, hieher (mit
ihrem Manne, versteht sich) nach Kilchberg – eine Puppe, sage ich Ihnen.»
Und am 23. 2. 91 an Haessel: «Die Stauffergeschichte ist schlimm (genau
werden sie wenige kennen) und es ist Fleiner gar nicht zu verargen, daß er sie
verschleiert. Was ist das mit dem Tagebuch? Steht es im Magasin? In diesem
Falle bitte ich um ein Ex., zahlend oder zurücksendend. Das Magasin hat
sich für einen Staufferart. auch an mich gewendet. Natürlich abgelehnt ...».
Das Interesse an der Stauffergeschichte geht deutlich aus einem unveröffentlichten Brief an Brahm vom 3. 5. 91 (ZZ CFM 316c.34) hervor, in dem es
u. a. heißt: «Ich habe mich, nach nicht leichten Zeiten, Gottlob wieder
hergestellt u. darf hoffen, noch eine Weile mitzutun, was ich um so mehr
schätze, als die Welt anfängt, recht interessant zu werden. Wenn etwa von
dem, was Sie über Keller u. Stauffer geschrieben haben, etwas zur Hand ist,
wäre für Übersendung dankbar Ihr C F Meyer»[6]. Der sonst so diskrete und
dezente Meyer offenbart plötzlich eine andere Seite seiner selbst. In der
erwähnten Nummer von *Das Magazin für Litteratur* werden die Akten der
Angelegenheit bezeichnet als «ein menschliches Dokument /.../ von erschüt-
ternder Tragik, das voll ist von psychologischen Rätseln, die zu durchdringen nur dem Dichterauge gegeben sein dürfte» (638). Über Stauffers Tagebuch heißt es: «Es fand sich aber auch eine Notiz, aus welcher sich schließen
ließ, er habe Frau Lydia Welti in eine Art geistig-sinnlicher Trunkenheit zu
versetzen und solcher Gestalt seine Zwecke durch ein Mittel zu erreichen
gewußt, das man wol Suggestion nennen darf: sie war seinem Einfluß
willenlos unterworfen. Hieraus erklärt es sich, daß Frau Lydia Welti, als sie
dann später diesen Einwirkungen Stauffers entzogen war, alsobald wieder in
Liebe oder wenigstens in Verehrung ihres Gatten gedachte, und mit einer
Harmlosigkeit, als ob ihre Verirrung nur ein Traum gewesen wäre, die
Wiedervereinigung mit dem Gatten begehrte, hierbei aber anfänglich auch
ganz naiv wünschte, es möchte auch Stauffer mit ihnen zusammen leben»
(639).

Obgleich Meyer, was für ihn typisch ist, eine Stellungnahme zum Kern der Geschichte völlig unterläßt, nämlich zu der Frage der juristischen Verantwortlichkeit eines Menschen, der im Tataugenblick durch Suggestion angeblich der Herrschaft über sich selbst beraubt war, und damit zur Mitschuld des Hypnotiseurs, so hatte er jedenfalls Franzos' Auffassung von der Reichweite der Resultate der Hypnoseforschung vor Augen. Gegen Ende seines offenen Briefes hatte Franzos u. a. geschrieben: «Die Zahl dieser Fälle ließe sich unschwer vermehren. Sie alle werden ernst genommen, von vielen ernsthaften Leuten geglaubt. Und da ist nur Zweierlei möglich: entweder sind diese Fälle nicht genau beobachtet und durch andere Beobachtungen, welche die Unmöglichkeit einer Suggestion in solchem Ausmaß erweisen, widerlegt oder wir stehen vor der größten Umwälzung, der bisher im Lauf der Zeiten das Verhältnis des Menschen zum Nebenmenschen, die gesamte Lebensanschauung jedes Einzelnen und der Gesamtheit, die Rechtspflege, die Moral und damit auch das konzentrierte Spiegelbild alles Lebens, die Dichtung unterworfen war. – Ich brauche dies Alles nicht erst auszuführen, ja nicht einmal anzudeuten. Wenn jeder von uns sich mit dem Gedanken vertraut machen muß, möglicher Weise, ohne es selbst zu ahnen, zur Maschine eines andern herabzusinken, die seine Befehle unbewußt, und seien sie noch so verderblich, ausführen muß, wenn der alte Satz: «homo homini lupus» nun auch noch *diese* grauenvolle Bedeutung gewinnt, wie sollen wir dann dem Nächsten begegnen, wie das Leben tragen?!» (XXI–XXII).

Für den mit Meyerst äußerst spezieller Form der Kommunikation mit der Umwelt nicht Vertrauten müßte es wohl eine Selbstverständlichkeit sein, daß dieser leidenschaftliche Aufruf von Franzos während der Veröffentlichung der Enquete in ihrem Briefwechsel erwähnt wurde[7]. Doch nirgends in den bewahrten Briefen der beiden wird irgend etwas angedeutet, was auch nur im Entferntesten mit dem Problem zu tun haben könnte. Dagegen wird ein anderer Prozeß eingehend diskutiert, nämlich die Anfechtung von Gottfried Kellers Testament[8]; Keller war am 15. 7. 1890 gestorben. Über die Stauffergeschichte schweigt sich Meyer wohlweislich aus.

Natürlich ist nicht völlig auszuschließen, daß sich mit der Suggestionsenquete beschäftigende Briefe existiert haben, obgleich ich das für unwahrscheinlich halte, und daß diese Briefe von Camilla Meyer vernichtet wurden, weil sie eine eingehende Beschäftigung mit der Person ihres Vaters zu verhindern wünschte (vgl. HKA II,50 und oben S. 46), oder daß Meyer sie selbst vernichtet hat (vgl. HKA II,51–52 und oben S. 50).

An dieser Stelle sind unbedingt ein paar Worte über die mühselige Situation zu sagen, in der jeder, der sich mit Meyer beschäftigt, ganz unweigerlich landet. Versucht man bei der Interpretation eines seiner Werke Thesen durch Zitate aus seinen Briefen (oder durch schriftlich festgehaltene Gespräche, Erinnerungen an ihn usw.) zu untermauern oder auch nur zu illustrieren, dann sollte man ehrlicherweise eines von zwei Dingen tun: Entweder akzeptiert man seine nichtfiktionalen Aussagen als deckenden Ausdruck wesentlicher Seiten seiner Persönlichkeit. Dann sehe ich nur eine angemessene Schlußfolgerung: Meyer war ein höflicher und konventioneller Mann von mäßiger Begabung und mit einem geistigen Horizont, der nicht über das für eine gebildete und konfliktfreie Konversation Notwendige hinausreichte. Oder man weigert sich, irgendeine seiner Aussagen wörtlich zu nehmen, so daß man kein Zitat betrachtet, ohne sein Verhältnis zu dem Empfänger des Briefes (oder zu seinem Gesprächspartner) in Betracht zu ziehen und als Korrektur eine Gesamtauffassung seines Verhältnisses zu sich selbst und seiner Umgebung in die Überlegungen einzubeziehen. Das führt notwendigerweise dazu, daß man eher mit Indizien als mit direkten Belegen arbeitet. Danach ist dann sein eventuelles Schweigen über eine Angelegenheit *an sich* noch kein Beweis dafür, daß sie in seiner Welt keine große Rolle spielte.

Um Mißverständnissen vorzubeugen, möchte ich betonen, daß ich hier nicht von dem Verhältnis zwischen Biographie und Kunstwerk spreche, sondern es mir bis auf weiteres ausschließlich um Faktoren im biographischen Bereich, um seine empirische Realität, geht. Nicht also um den «Maskenkomplex», den die Meyerforschung seit Franz Ferdinand Baumgarten («Das Werk C. F. Meyers. Renaissance-Empfinden und Stilkunst». 1917) zuschanden geritten hat und den der sonst so hervorragende Heinrich Henel mit der These von Meyer als Symbolist meinte abfertigen zu können: «If his poetry is elusive, this is due to the elusiveness of its substance. The riddle is in him, not artificially created by him» («The Poetry of Conrad Ferdinand Meyer». 1954, S. 51). Henel tut an dieser Stelle nur eines, er tauscht ein Problem, das Verhältnis zwischen empirischer Realität und Fiktion, gegen ein anderes, nämlich das Verhältnis von Kreativität und Sprache, aus.

Anliegen meiner Untersuchung im vorliegenden Stadium ist die Identifizierung eines produktiven Elements des Gesamtfeldes der Person Meyer, eines Elements, das nur aufgrund der hermeneutischen Schwierigkeiten herangezogen wird, denen sich die Interpreten der «Angela Borgia» gegenüber gesehen haben. Diese Identifikation aber ist nur unter Berücksichtigung der Eigentümlichkeiten des Quellenmaterials möglich, in diesem Fall also primär der Briefe.

Wie erwähnt, drückt sich Meyer in seinen Briefen nicht nur knapp, formell und konventionell aus[9]. Will man ihren Quellenwert beurteilen, muß man mindestens ebenso sehr berücksichtigen, daß er seine Äußerungen ganz extrem auf die (vermuteten) Ansichten des Empfängers abstimmt. Hier seien nur einige Beispiele angeführt: Gegenüber François Wille ist er der energische, gerade deutsche Nationalliberale, während er seine Briefe an Fr. v. Wyß, den strengen christlichen Moralisten, mit ständigen Entschuldigungen und Umdeutungen für die nach der (vermuteten oder geäußerten) Meinung des Vetters zweifelhaften ethischen Ansichten in den Novellen füllt. Vergleicht man ferner Meyers unterschiedliche Auffassungen von Bismarck, dann erhält man den Eindruck eines wirklich ungewöhnlich haltungslosen Menschen, wenn man von der ständigen Rücksichtnahme auf den Empfänger des Briefes absieht. Frey, der Bescheid wußte, aber durch die Rücksicht auf Meyers Hinterbliebene gebunden war, wendet diesen Zug ganz gelungen ins Positive. Im Vorwort seiner Ausgabe der Meyerschen Briefe (Br. I, S. V) trifft man auf folgende Formulierung: «Und dann sieht man, wie er, was ein besonders seltener Zauber ist und Wahrheit und Feinheit seines Wesens dokumentiert, Jahrzehnte hindurch gegenüber seinen Hauptkorrespondenten den gleichen Ton hält.» Geschah es ausnahmsweise einmal, daß er seinen eigenen Standpunkt äußerte und der Empfänger darauf negativ reagierte, so antwortete er darauf ausnahmslos entweder durch Schweigen oder, was noch häufiger der Fall war, indem er seine Ansicht zurücknahm. Ein solcher Fehltritt passierte ihm beispielsweise, als er am 16. 1. 91 an Fr. Wille schrieb: «Was die unseres Freundes Dahn betrifft, so weiß Gott allein – er selber gewiß nicht – was daran wahr sein mag – desto wahrer ist die neueste Dichtung Ibsens, Hedda Gabler, u. von den merkwürdigsten Wirkungen!»[10] Willes Antwort darauf war, was Meyer hätte voraussehen können, eine cholerische Verdammung («Scheußliches Ding»), und Meyers erneute Antwort: Keine Erklärung seiner Vorliebe für Ibsens Werk, er weicht nur aus. «Ohne Scherz, Sie haben recht, der Character von Hedda ist inconsistent, aber daß Ihnen nicht wenigstens das Seelen- und Arbeits-Bündniß zwischen Tesman u. Frau Elvsted ein Lächeln abnötigte?» (Wille, 23. 1. 91). Im übrigen muß Meyer seine Gründe gehabt haben, daß er gerade dieses für das deutsche Bild von Ibsen so untypische Werk hervorhob, doch darüber später.

Wie wenig man überhaupt durch das Briefmaterial erfährt, das stimmt selbst den höflichen Frey bedenklich: «Alle seine Vorsicht trat ins Licht, sobald er sich schriftlich äußerte. Er brachte kaum etwas zu Papier, was er zurückzunehmen wünschen mußte, wie seine Briefe deutlich genug bezeugen, in denen übrigens sehr vieles nur zwischen den Zeilen steht» (F 10,311)[11]. Fügt man dann, was Frey ebenfalls schreibt, hinzu, daß er «ungern schrieb und sich darum, wo es nur ging, kurz faßte» (F 10,314) und sich nur zuweilen in Gesprächen öffnete, dann scheint mir, daß sich die Wissenschaftler, die seine Vorstellungswelt, seinen Interessenhorizont, durch die *tatsächlich* in seinen Briefen gegebenen Auskünfte rekonstruieren wollen, indirekt einer Fälschung schuldig machen. Auf diese Weise findet man nur den gemeinsamen Nenner für Meyer und seine Adressaten, das sozialpsychologische Produkt eines durch das außerordentlich repressive Milieu in dieser Hinsicht unterdrückten Individuums. Dies sind nun einmal die gegebenen Bedingungen für die Beschäftigung mit diesem Schriftsteller. Der mühsame und riskante Weg der Indizien ist der einzig gangbare.

Zu den genannten Mühen kommt dann noch hinzu, daß eine Menge literarische Entwürfe und Briefe (an und von Meyer) verschwunden sind, wahrscheinlich als Folge einer energischen, von den Damen Meyer durchgeführten Ausmistungsaktion (vgl. HKA II,40–53 und oben S. 45, 46, 50 und 87). Da er wie erwähnt in seinen mündlichen Mitteilungen recht offenherzig war, hätte man die schwache Hoffnung hegen können, daß sich die Briefe an ihn auf Themen bezögen, die während des Besuchs des Briefschreibers berührt worden waren. Doch hier hat man letztlich den ganz deutlichen Eindruck, daß insbesondere die Korrespondenz aus der Entstehungzeit der «Angela Borgia» mit harter Hand zensiert worden ist. Von dem engen Freund Georg v. Wyß, der, wie oben (S. 50) dargelegt, eines der Bindeglieder zu Forel hätte sein können, fehlen nach dem 12. 12. 1888 Briefe (ZZ. CFM 341.37), und von Meyer an ihn klafft zwischen dem 8. 7. 1890 und dem 21. 1. 1892 eine Lücke. Von Otto Brahm liegt nach 1888 nichts mehr vor[12], und von Meyer an ihn fehlen Briefe zwischen dem 21. 11. 1886 und dem 3. 5. 1891. Von dem Freund Professor J. R. Rahn fehlen Briefe aus dem Zeitraum 26. 10. 1889 bis 5. 7. 1891 und von Meyer an Rahn aus der Zeit vom 18. 12. 1889[13] bis etwa 19. 7. 1891 (der Briefwechsel mit Rahn hat in der dazwischen liegenden Zeit tatsächlich existiert, was aus einem unveröffentlichten Brief von Rahn vom 26. 1. 1891 (ZZ.CFM 339.1a) hervorgeht, der dem Schicksal der übrigen Briefe vielleicht nur deshalb entgangen ist, weil er (wann?) in andere Hände geraten war[14]. Aus diesem Brief geht hervor, daß Meyer am 22. 1. 1891 geschrieben hatte.). In August Langmessers Briefwechsel zwischen Meyer und Rodenberg fehlen Briefe von Rodenberg aus der Zeit zwischen 26. 8. 1890 und 22. 6. 1891, obgleich sich Meyers Briefe vom 20. 12. 1890 und 11. 4. 1891 auf diese Briefe beziehen. Anton Bettelheim, der Herausgeber des Briefwechsels Meyer–François, dem Camilla Meyer das Material zur Verfügung gestellt hatte (Vorwort S. IV), meint zwar: «Wenn er beim Ordnen seiner Papiere vier Fünftel aller Briefschaften verbrennt, hebt er zuvor sorgfältig das kleinste Blättchen von der Hand der Reckenbürgerin auf» (IV–V). Tatsächlich aber existieren aus der Zeit zwischen 21. 7. 1890 und 19. 11. 1891 (abgesehen von einem unvollständigen Dankschreiben vom 25. 10. 1890) keine Briefe von François, obgleich Meyers Brief vom 25. 10. 1891 auf «Ihre l. Zeilen» verweist. Ihr Brief vom 19. 11. 1891 beginnt mit den Worten: «Ich habe nunmehr Ihre Angela gelesen; um das, was mir nicht ganz augenscheinlich geworden war, mir möglichst einleuchtend werden zu lassen. Vollkommen gelungen ist mir das nun nicht, – wie überhaupt kaum je in einer Novelle von irgend wem und irgend wo.» Diese Formulierung scheint doch vorauszusetzen, daß Meyer ihr bereits zuvor die Probleme der «Angela Borgia» auseinandergesetzt hatte[15].

Der Deutlichkeit halber sei noch einmal zusammengefaßt: Zwischen dem 26. 8. 1890 und dem 22. 6. 1891 sind alle Briefe von Georg v. Wyß, Brahm, Rahn, Rodenberg und François verschwunden. Dieser Zeitraum ist identisch mit der Umredigierungsphase der «Angela Borgia» (vgl. oben S. 40), da sich die ersten Anzeichen der Unzufriedenheit mit dem älteren Novellenplan Anfang September 1890 zeigen und Meyers eigene Niederschrift am 29. 6. 1891 beendet ist.

Die Tatsache, daß die Verbindung zu Forel nur zufällig belegt ist, daß Franzos nirgendwo zu Forels Sachgebiet in Beziehung gesetzt und daß keiner von Forels Kollegen aus Nancy oder anderen Orten, die seine Auffassungen teilten, erwähnt wird, das ist natürlich nicht nur das Ergebnis der monumentalisierenden (lies: trivialisierenden) Bemühungen von seiten der Hinterbliebenen, sondern wurzelt in erster Linie in einigen scharf profilierten Eigentümlichkeiten von Meyers Persönlichkeit[16]. Eine eigentliche Analyse solcher Züge geht jedoch über den Rahmen dieser Arbeit hinaus.

Anmerkungen

[1] Hans Zeller in HKA IV, 627. Dort erschienen 14 Gedichte (Nr. 195, 167, 191, 43, 55, 20, 53, 92, 105, 184, 211, 33, 180, 31).

[2] Vgl. Fritz Schlawe, «Literarische Zeitschriften I. 1885–1910». Stuttgart 1965, S. 43–45.

[3] Der Rezensent kritisierte Du Bois-Reymond scharf, weil er sich auf eine Sachkenntnis berufe, die er nicht besitze: «Glaubt Du Bois-Reymond wirklich noch, daß die Hypnotisier-

barkeit von geistiger Armut abhinge? Dieser Glaube ist schon so oft von den Männern, die den Hypnotismus zum Studium gemacht haben, widerlegt worden, daß es überflüssig ist, hier noch ein Wort mehr hinzuzufügen. Welch eine naive Vorstellung von dem Wesen der Hypnose verbirgt sich in diesen Worten» (801). Dem setzt der Rezensent seine eigene Überzeugung von der «enormen Bedeutung des Hypnotismus für die psychologische Forschung» entgegen (801). Meyer hat diese Rezension vermutlich gekannt, da *Das Magazin für die Litteratur des In- und Auslandes* (wie es bis September 1890 hieß) in seinen Briefen mehrmals erwähnt wird (Haessel, 12. 1. 77; François, 6. 9. 85; Rodenberg, 30. 12. 86; Haessel, 23. 2. 91) und er dort außerdem seinen Essay «Gottfried Kinkel in der Schweiz» (3. 3. 83) sowie die Rezension von Helene v. Druskowitz' «Percy Bysshe Shelley» (9. 2. 1884, S. 85 f.) veröffentlicht hatte. Zudem hatte Hermann Friedrichs, der damalige Redakteur der Zeitschrift und ein persönlicher Bekannter von Meyer, dort 1885 einen Aufsatz über ihn veröffentlicht (später überarbeitet und erschienen in *Deutsche Zeitschrift*, Bd. 14, 1900/ 01).

4 Meyer stand einem anderen Zweig der Familie Escher sehr nahe. (Vgl. seinen Essay «Mathilde Escher». 1883. Br. II, 483 ff.)

5 «Wenige Jahre vorher (d. h. vor 1891) wurde Karl Stauffer, als er eben den Pinsel angesetzt hatte, durch ein Telegramm des Staatsanwalts als Zeuge im Gräfeprozeß unvermutet nach Berlin gerufen» (**F** 10,356).

6 Otto Brahm hatte sich in der besagten Angelegenheit stark für Karl Stauffer eingesetzt. Die ganze Sache endete jedoch tragisch, der Angeklagte nahm sich am 24. 1. 1891 das Leben. Die beiden Männer waren Jugendfreunde (Vgl. «Otto Brahm. Briefe und Erinnerungen mitgeteilt von Georg Hirschfeld.» Berlin 1925, S. 77), und Otto Brahm veröffentlichte nach dem Tod des Freundes das Buch «Karl Stauffer-Bern. Sein Leben. Seine Briefe. Seine Gedichte.» (1892, mit zahlreichen Neuauflagen).

7 Die nicht veröffentlichten Briefe befinden sich in der Zentralbibliothek Zürich unter der Signatur CFM 306 und CFM 331.25.

8 Meyer an Franzos am 24. 8. 90, 28. 9. 90, 23. 11. 90 sowie die Antworten von Franzos.

9 Meyer selbst kommentiert diese Zurückhaltung in einem Brief vom 4. 2. 85 an Carl Spitteler: «Ich habe mir zum Gesetz gemacht, kein Wort zu schreiben, noch selbst zu reden, das nicht alle Welt wissen darf, und kann, außerhalb dieser Sphäre der Loyalität, nicht wohl existiren.»

10 Hedda Gabler ist das einzige Werk von Ibsen in Meyers Bibliothek. Er schaffte sich die im Dezember 1890 erschienene neue Übersetzung an (E. Klingenfeld. Berlin 1891).

11 Gegenüber dem frommen Felix Bovet bringt Meyer sein Interesse an den neuesten Schriftstellern auf folgende charakteristische Weise zum Ausdruck: ... «et comme nous vivons dans une époque assez intéressante même littérairement (Tolstoi, Ibsen etc.)» ... Über diese Ansicht hätte er mit niemandem in Streit geraten können!

12 Aus Meyers Brief an Brahm vom 3. 5. 1891 (ZZ. CFM 316 c. 34) geht hervor, daß er gerade einen Brief von diesem erhalten hat.

13 ZZ CFM 315.

14 «Original im Besitz von Frau G. Bossard-Meyer, Luzern». Der Brief enthält im übrigen für mein Thema nichts von Wichtigkeit.

15 Meyers Bibliothek im Ortsmuseum Kilchberg ist keine sichere Quelle, wenn man etwas über den Umfang seiner Interessen erfahren möchte. Erstens liegt kein Verzeichnis über den Buchbestand bei seinem Tod vor, und zweitens enthält die Sammlung auch von seiner Tochter und seiner Frau angeschaffte Bücher. Alle Zeitschriften sind verschwunden. Die Katalogisierung wurde so spät vorgenommen, daß der Bestand sich in der dazwischen liegenden Zeit erheblich verändert haben kann.

[16] Vgl. Friedrich A. Kittler, «Der Traum und die Rede» (= Gegenwart der Dichtung, N.F. 4), Bern/München 1977, der Meyers Werke von der Rekonstruktion einer Primärsozialisation her zu verstehen sucht, die als Gegensatz zwischen einer moralisch überpersönlich gültigen Wahrheitsnorm und einer negativ bewerteten individuellen Phantasietätigkeit strukturiert ist.

«Wäre nur einer da, von dem Sie sagen könnten *ecce homo novus.*»

Nach meiner These werden die Suggestionstheorien, als deren Exponent August Forel zu betrachten ist, in Meyers Prosawerk verarbeitet und modifiziert. Doch die Transformation von psychologischer Theorie in eine künstlerisch durchgearbeitete Struktur war zweifellos schwierig, nicht zuletzt, weil diese psychologische Theorie selbst einen Bruch mit Normen bedeutete, die als selbstverständlicher Bestandteil in das Bedeutungsuniversum früherer Fiktionstexte eingeflossen waren. Es steht deshalb zu vermuten, daß er sich in der zeitgenössischen Belletristik umsah, um festzustellen, welche Artikulationsmöglichkeiten die Problematik vorläufig gefunden hatte. «Tatsächlich hat sich CFM gerade in jenen Jahren mit der zeitgenössischen Literatur auseinandergesetzt. Ibsens «Hedda Gabler», Strindberg, der junge Gerhart Hauptmann und nicht zuletzt die großen Russen Turgenjew, Dostojewski und schließlich Tolstoi haben ihn stark beeindruckt» ... (F 2,103). Mit dieser Feststellung verweist Karl Fehr auf einen bisher nicht erforschten Bereich: «Jedenfalls müßte das letzte Prosawerk Meyers, das zweifellos am stärksten unter diesen neuen Einflüssen steht, auf diese zeitgenössischen literarischen Einflüsse hin genauer überprüft werden.» (F 2,103–04).

Ja. Aber man ist versucht, wie im alten Österreich zu sagen: «Die Lage ist hoffnungslos, aber nicht ernst». Man muß also versuchen, mit der Tatsache auszukommen, daß es nur wenige konkrete Anhaltspunkte gibt, die Konjekturen dagegen verführerisch und unsicher sind. Dafür zwei Beispiele: Am 14. 10. 1884 forderte Meyer bei seinem Verleger u. a. «Turgenjews Erzählungen» an und bestätigte am 2. 11. 1884 den Erhalt der Büchersendung: «Die beiden Pakete sind angelangt. Dank! Turgenjew ist mir von allen Zeitgenossen der liebste» ...[1]. Erwartet man nun nach dieser Liebeserklärung etwas nähere Bemerkungen über seine Vorliebe für den Russen, so wird man enttäuscht. Abgesehen von dem Wort «stimmungsvoll», erfährt man nichts weiter. Dieser ihm Liebste der Zeitgenossen wird daraufhin, soweit ich es beurteilen kann, mit keinem Wort mehr erwähnt (der Name Turgenjew fällt zwar, jedoch nicht mehr im Gespräch mit Langewiesche). Es bleibt also völlig der Kombinationsfähigkeit des Literaturhistorikers überlassen, auf dieser spärlichen Grundlage Kongruenzen und eventuelle Einflüsse zu bestimmen.

Selbst auf Meyers neutralem Interessengebiet, der Geschichte, ist eine ähnliche Wortkargheit zu beobachten. In Anbetracht der Tatsache, daß sich

4 seiner Novellen und eine größere Anzahl Gedichte mit Themen aus der italienischen Renaissance beschäftigen, und angesichts der Tatsache, daß Burckhardts epochales Werk «Die Kultur der Renaissance in Italien» bereits 1860 vorlag – ganz zu schweigen von Burckhardts übrigen Werken –, ist es wirklich verblüffend, wie wenig Meyers Interesse für Burckhardt *belegt* ist. Seine Prosa und seine Lyrik enthalten zwar relativ viele mögliche Anspielungen auf den Kulturhistoriker, in seinen Briefen aber findet man: einmal eine Erwähnung von Burckhardts Dialektgedichten, einmal eine Einzelheit aus dem Cicerone, einmal eine Aufforderung an Lina Frey, sie möge Adolfs Dialektgedichte an Burckhardt schicken, und schließlich schreibt er noch an Hans Trog: «Wenn Sie eine Gelegenheit mit Ihrem Jakob Burkardt (sic!) zusammenführt, bitte, empfehlen Sie mich ihm, ich bin ihm, ohne persönliche Bekanntschaft großen Dank schuldig» (28. 12. 91). Das ist alles. Und doch kam Burckhardt nach Karl Fehr, sicher zu recht, die Rolle «seines großen Lehrmeisters» (F 2,53) zu. Diese Auffassung teilt er mit den meisten Meyerforschern (vgl. Z 1,125); u. a. wird sie auch durch Betsy Meyers Auskünfte gestützt.

Eingedenk dieser Unsicherheit beschränke ich mich hier auf die kurze Behandlung von zwei Autoren, die zwei notwendige Bedingungen erfüllen: 1. Sie haben in ihren Prosawerken nachweislich Elemente der Psychiatrie der 80er Jahre verarbeitet, und 2. Es besteht eine gewisse Wahrscheinlichkeit, daß Meyer sie gekannt haben mag. Die wichtigsten Namen, die einem dabei einfallen, sind August Strindberg und Guy de Maupassant.

Für Strindberg war die Aneignung der modernen französischen psychologischen Theorien Teil seiner Auseinandersetzung mit dem Naturalismus, die während der zweiten Hälfte der 80er Jahre begann und nach 1890 als Bruch vollzogen war. Mit der Arbeit an «Der Sohn einer Magd», 1886, tritt eine radikale Änderung in der Auffassung der menschlichen Persönlichkeit ein, was in erster Linie die Folge einer Veränderung seiner Auffassung von dem sich in der Gesellschaft abspielenden Machtkampf war. Es ist kein Zufall, daß die Umwertung gerade in dem autobiographischen Roman stattfindet; der Zwang zur Selbstanalyse schärfte seinen Blick für die Tatsache, daß die Entwicklung eines Menschen, so wie Johan sie durchläuft, keine «geprägte Form, die lebend sich entwickelt», darstellt. «Hätte er sich selber sehen können, würde er erkannt haben, daß die meisten Worte, die er sprach, den Büchern und den Kameraden entlehnt waren; seine Gebärden Lehrern und Freunden; seine Mienen Verwandten; seine Natur Mutter und Amme; seine Neigung dem Vater, dem Großvater vielleicht. /.../ Was hatte er denn von sich selber und in sich selber? Nichts!» («Der Sohn einer Magd», S. 234)[2]. In seiner Charakteristik der Persönlichkeit als «eine Menge Reflexe, ein Komplex von Trieben und Begierden, von denen bald die einen unterdrückt, bald die andern losgelassen werden!» (ibid. S. 233), findet man seine theoretische psychologische Grundlage wieder, nämlich Ribot und die anderen Assoziationspsychologen (vgl. oben S. 70), die zeigen wollten, «que la personnalité a ses racines dans l'organisme, varie et se transforme comme lui» (R 2,151)[3].

Typisch an der literarischen Rezeption der in diesen Jahren stattfindenden Entwicklung der Psychologie ist, daß die beiden im Grunde unvereinbaren Hauptströmungen (die man verkürzt als Salpêtrière kontra Nancy kennzeichnen kann) dauernd durcheinander geworfen werden. Ribot liegt mit seinem psycho-physischem Axiom («l'individualité psychique et l'individualité physiologique sont parallèles, /.../ la conscience s'unifie ou se disperse avec l'organisme» (R 2,158)) deutlich auf der Linie des Positivisten Fechner, was jedoch nicht verhindert, daß er nicht nur für Strindberg, sondern auch für eine so wichtige Gestalt wie Hermann Bahr in der Abrechnung mit dem literarischen Naturalismus eine Autorität darstellt. In seinem Essay «Die Krisis des französischen Naturalismus» (*Das Magazin für die Litteratur des In- und Auslandes*, 6. 9. 1890, S. 562–64. Neudruck in Hermann Bahr, «Zur Überwindung des Naturalismus». Hrsg. G. Wunberg, 1968) hatte er gesagt: «Jetzt, da die Abkehr von der litterarischen Physik vollbracht ist, gilt es mehr. Jetzt wird es sich offenbaren, daß, wenn wir freilich im Grunde unserer Natur zu viel Psychologen sind, um uns an dem objektiven Naturalismus auf die Dauer zu genügen, wir doch schon zu lange unter dem Einfluß des Naturalismus gewesen sind, um jemals zur alten Psychologie wieder zurückzukehren. – Das moderne Bedürfnis verlangt Psychologie, gegen die Einseitigkeit des bisherigen Naturalismus; aber es verlangt eine Psychologie, welche der langen Gewohnheit des Naturalismus Rechnung trägt. Es verlangt eine Psychologie, welche durch den Naturalismus hindurch und über ihn hinaus gegangen ist» (562)[4]. Trotz dieser und zahlreicher entsprechender programmatischer Erklärungen fällt in seinen beiden antinaturalistischen Essaysammlungen nur ein Name: Ribot! Hier war Strindberg mit seiner ruhelosen Neugier bedeutend besser orientiert. In «Vivisektioner», 1887, ging er einen Schritt weiter als in «Der Sohn einer Magd». Unter dem Eindruck von Bernheims «De la suggestion …» behält er zwar die Vorstellung vom Menschen als mosaikartiges und veränderliches Konglomerat bei, verlagert das Interesse jedoch auf die Macht eines Menschen, mit der Suggestion die Vorstellungen und den Willen eines anderen Menschen dominieren zu können. Durch die Verschmelzung der Suggestionstheorie mit dem Darwinismus (wozu sich später noch Nietzsches Einfluß gesellt), gelangt er zu der Überzeugung, «daß die Suggestion einzig Kampf und Sieg des stärkeren Gehirns über das schwächere bedeutet und daß diese Procedur im gewöhnlichen Leben unbewußt angewendet wird» («Der Kampf der Gehirne», 1887). Ausgehend von Ibsens «Rosmersholm» bringt die Abhandlung «Själamord» («Seelenmord», 1887) direkt den Gedanken zum Ausdruck, daß der frühere rein physische Überlebenskampf nun durch einen psychischen ersetzt worden ist («Der Kampf um die Macht hat sich aus einem rein körperlichen (Gefängnis, Folter, Tod) allmählich zu einem eher psychischen, deshalb jedoch nicht weniger grausamen entwickelt» («Tryckt och Otryckt» («Gedrucktes und Ungedrucktes»). III, 1891, S. 146)). In «Der Kampf der Gehirne» berichtet der Ich-Erzähler, wie sein Reisebegleiter Schilf zunächst die Persönlichkeit des Ich-Erzählers «magnetisiert» und «ausgesaugt» habe, dann aber in diesem Kampf der Gehirne unterlegen sei: «Denn ich weiß ja, daß es mein großes Gehirn ist, welches alle seine Bewegungsnerven in Tätigkeit versetzt, und ich bin es, der ihn so hypnotisiert hat, daß er der Halluzination verfallen ist, zu glauben, er setze mich in Bewegung».

Diese Psychologie liegt den darauf folgenden Dramen «Fadren» (1887, deutsch «Der Vater», 1888), «Fröken Julie» (1888, deutsch 1890)[5], «Fordringsägare» (1888, deutsch «Gläubiger») und den für das skandinavische Versuchstheater geschriebenen Einaktern «Paria», «Den Starkare» (deutsch, «Die Stärkere») und «Samum» (1889) zugrunde. Wichtig zum Verhältnis zu Meyer ist die Tatsache, daß Strindberg hier deutlich für den sehr weitreichenden Suggestionsbegriff der Nancyer Schule eintritt. In «Der Kampf der Gehirne» wird «Doktor Bernheim» direkt als Autorität zitiert, und in «Paria» liest Herr Y, bevor der psychische Kampf zwischen den Hauptpersonen beginnt, heimlich «Bernheims Abhandlung über Suggestionen». Das Vorwort zu «Fräulein Julie» betont zwar die Mannigfaltigkeit der den Handlungen der Personen zugrunde liegenden Motivationen (physiologische, soziale, psychologische usw.), doch das Hauptanliegen dieses literarischen Manifests ist offenbar die Auseinandersetzung mit dem Begriff «Charakter» in der bisherigen europäischen Dramatik, der dem Automaten gleichgesetzt wird, einem «Individuum, das ein für allemal bei seinem Naturell stehen geblieben ist oder sich einer gewissen Rolle im Leben angepaßt, mit einem Wort zu wachsen aufgehört hat».

Meine Seelen (Charaktere) sind Konglomerate vergangener Kulturgrade und noch währender, Brocken aus Büchern und Zeitungen, Stücke von Menschen, abgerissene Fetzen von Lumpen gewordenen Feiertagskleidern, ganz wie die Seele zusammengeflickt ist. Und ich habe außerdem etwas Entstehungsgeschichte gegeben, da ich die schwächere der stärkeren Worte stehlen, die Seelen «Ideen», Suggestionen, wie sie genannt werden, voneinander holen lasse.

Fräulein Julie ist ein moderner Charakter, nicht als ob es das Halbweib, die

Männerhasserin, nicht zu allen Zeiten gegeben hätte, sondern weil es jetzt entdeckt, hervorgetreten ist und viel Wesens von sich gemacht hat («Elf Einakter», S. 312)[6].

Strindbergs Auffassung von dem Verhältnis zwischen den beiden Hauptpersonen des Stückes geht vielleicht noch deutlicher aus einem Abschnitt des Vorworts hervor, den der Verleger Seligmann eigenmächtig strich (vgl. Gunnar Olléns Kommentar zu «August Strindbergs Samlade Verk», Bd. 27. Stockholm 1984, S. 312 ff). Der Satz «Und ich habe außerdem ...» geht in Strindbergs Manuskript so weiter: ... «holen lasse, aus dem Milieu (das Blut des Zeisigs), dem Attribut (Barbiermesser), und ich habe «Gedankenübertragung» durch totes Medium (die Reitstiefel des Grafen, die Klingel) ausführen lassen; schließlich auch die «Wachssuggestion», eine Variation der Schlafsuggestion, zu Hilfe genommen, die nun so vulgarisiert und erkannt ist, daß sie weder zum Lachen noch zum Mißtrauen reizen kann, wie es zu Mesmers Zeit der Fall gewesen wäre» (ibid. S. 105)[7].

Wie viel davon haben Strindbergs Leser, das heißt in diesem Fall seine deutschsprachigen Leser, davon aufgefaßt? Nicht sehr viel, nach den deutschen Rezensionen und den übrigen, vom Ende der 80er Jahre stammenden Besprechungen seiner Werke zu urteilen[8]. Dafür gibt es mehrere Ursachen, die elementarste ist wohl in dem Umstand zu suchen, daß die neuen psychologischen Ideen eine nahezu rein französische Angelegenheit waren und nur langsam nach Deutschland durchdrangen. Selbst in Wien war die Haltung allgemein abweisend, was beispielsweise Arthur Schnitzler zu spüren bekam, als er Anfang 1889 zu zeigen versuchte, was man mit der Hypnose anfangen kann: «Zu meinen Experimenten fanden sich nicht nur die engeren Abteilungskollegen, sondern gelegentlich auch andere Ärzte der Poliklinik und der übrigen Krankenhäuser ein. Die am häufigsten erschienen, verbreiteten hämisch, daß ich an der Poliklinik ‹Vorstellungen› veranstalte, was mich vorerst einmal veranlaßte, meine Experimente für die größere Öffentlichkeit einzustellen, wenn ich sie auch noch eine Weile im engeren Kreise fortsetzte»[9]. Zwischen der Offenheit und Entdeckerfreude, die Charcots Demonstrationen bereits zu Beginn der 80er Jahre umgaben, und dieser klammen Furcht, man könne als Arzt für einen Jahrmarktshypnotiseur gehalten werden, liegt ein himmelweiter Abstand. Und all das, obwohl Schnitzler vermutlich in erster Linie die Anwendbarkeit der Hypnose als Anästhetikum nachwies[10]. Der psychologische Verständnisrahmen der Literaturkritiker war durch dieses Kulturklima bestimmt und deshalb der Verfasserintention in diesem Punkt nicht adäquat. Natürlich aber liegt die Sache völlig anders, wenn ein Strindberg-leser, wie in Meyers Fall, gleichzeitig mit der Denkweise der Nancyer Schule vertraut war.

Die zweite Ursache lag darin, daß nur wenige Leser in Deutschland verstanden hatten, daß er sich ab 1886/87 vom sozialkritischen Naturalismus fort- und in eine Erforschung individualpsychologischer Bereiche hineinbewegte[11]. Ironischerweise gilt dasselbe für den skandinavischen Dramatiker, der mehr als irgendein anderer beim Lese- und Theaterpublikum eine solche Erwartung aufgebaut hatte, nämlich Ibsen[12]. «Die vorerst überraschend geringe Wirkung Strindbergs in Deutschland um 1890», wie Walter Baumgartner feststellt[13], hängt deshalb sicher mit dieser selektiven Publikumshaltung zusammen, wonach man ganz einfach nur einen Blick für die Probleme hatte, die man bei skandinavischen Schriftstellern zu finden gewöhnt war (Brandes, Kielland, Björnson).

Otto Oberholzer weist darauf hin, daß sich die Strindbergrezeption in Deutschland um 1890 dadurch verkomplizierte, daß sich die Kritiker in drei relativ klar abgegrenzte Gruppen teilten: 1° «eine noch immer dem poetischen Realismus und dem Gründertum verpflichtete Kritikergeneration», 2° «eine jüngere, Forderungen des konsequenten sozialistischen Naturalismus vertretende Kritikergruppe» und 3° «eine vom Naturalismus schon wieder abrückende kritische Avantgarde»[14]. Diese Avantgarde ist ein bunter Haufen aus Symbolisten, Neuromantikern, aristokratischen Radikalisten, Vorexpressionisten usw., die sich jedoch erst um 1892 allmählich Geltung verschaffen. Für den überwiegenden Teil der Kritiker war Strindberg 1890 ein Naturalist reinsten Wassers, und das war ihm selbst auch völlig klar[15].

Eine der wenigen Ausnahmen bildete Hermann Bahr. In dem bereits erwähnten Essay «Die Krisis des französischen Naturalismus» vom September 1890 findet man folgenden Abschnitt: «Die Neugierde der Lesenden und die Neigung der Schreibenden kehren sich von draußen wieder nach innen, vom Bilde des rings um uns zur Beichte des tief in uns, von dem *rendu de choses visibles* nach den *intérieurs d'âmes*,» /.../. Und weiter: «Diejenige Litteratur, welche mit der französischen zusammen heute die Weltkultur leitet, die nordische, hat den nämlichen Prozeß hinter sich. Um Strindberg scharten sich dort zuerst die bereiten Kräfte» (562. Bahr führt als Beispiele Ola Hansson und Arne Garborg an). Etwa einen Monat zuvor hatte er in «Die neue Psychologie» eine kleine Skizze der Gespräche der Pariser Avantgarde geliefert: «Und ebenso jedesmal diese trotzigen, unsteten, neuerungstollen Schweden, verächtlich gegen die landläufigen Rühme: ‹Das ist ja nur alles Schwall und Schwindel für die dumme Bourgeoisie.

Strindberg müssen Sie lesen! Das, ja, das ist der neue Dichter, weil es der Psychologe ist›» (507). Der Aufsatz stand in *Moderne Dichtung* vom 1. 8. 1890[16].

Hat Meyer ihn gesehen? Am 5. Juli 1890 hatte ihn der naturalistische Dichter Hermann Friedrichs (1854–1911), der Redakteur von *Das Magazin für die Litteratur des In- und Auslandes* 1884–86, besucht. Ihn kannte Meyer persönlich und stand 1880–83 mit ihm in Briefwechsel (Br. II, 353). 1883 brach Meyer aus Ärger über einen Verriß seines «Festgedicht zur Eröffnung der schweizerischen Landesausstellung» die Beziehung zu ihm ab, weshalb es als deutliche Versöhnungsgeste zu verstehen war, daß er ihn im Sommer 1890 empfing[17]. Da die Verbindung nun wieder hergestellt war, nutzte Friedrichs die Gelegenheit und versuchte Meyer zu einem Beitrag für Eduard Michael Kafkas *Moderne Dichtung* (ZZ. CFM 332, 7. Brief vom 17. 7. 90) zu gewinnen. Meyer reagierte positiv und antwortete am 6. 8. 90: «Eine gelegentliche Beteiligung an ‹Moderne Dichtg› habe ich durchaus keinen Grund zu verreden,» /.../. Mit seinen tatsächlich gelieferten Beiträgen gelangte Meyer vor allem in die Gesellschaft des «jungen Wien», Bahr, Hofmannsthal, Schnitzler usw.[18]. Man muß also davon ausgehen, daß Friedrichs ihm jedenfalls in dem betreffenden Zeitraum die Zeitschrift zuschickte und Meyer sich das Organ, in dem er seine Sachen veröffentlichen sollte, ansah. Bahr war eine der Hauptkräfte, was schon aus dem Umstand hervorgeht, daß Kafka 1890 das erste Heft der Zeitschrift mit Bahrs Essay «Die Moderne» einleitete. Im selben Jahr lieferte Bahr noch vier weitere Aufsätze[19] sowie belletristische Arbeiten.

Die Bemerkung, Strindberg sei der neue Dichter, *weil* er Psychologe sei, kommt der Tendenz entgegen, die, wie bereits erwähnt, in Meyers Werk deutlich wird: der Verlagerung der Konflikte der Prosawerke von der äußeren auf die innere Ebene (wie im Pseudoisidorfragment). Das muß ein wichtiger Ausgangspunkt für sein Absuchen der zeitgenössischen Literatur gewesen sein. Leider hat die Meyerforschung bisher immer einen vorsichtigen Bogen um sein Verhältnis zu den neuen literarischen Strömungen gemacht und sich mit der Feststellung begnügt, daß einige der wichtigsten Namen in der Literatur der 80er Jahre in seinem Briefwechsel erwähnt werden. Karl Fehr wagte jedoch folgende Zusammenfassung: «Die neuen Problemstellungen, das soziale und das psychologische Engagement in Drama und Erzählprosa der Zeit ließen ihn nicht unberührt, aber ängstigten ihn mehr, als daß sie ihn ermunterten» (F 2,103). Die oben zitierte Beurteilung der «Hedda Gabler» (wozu zu bemerken ist, daß das Wort «wahr» aus Meyers Mund das höchste Lob darstellt) deutet jedoch auf eine andere Haltung hin. Das gleiche gilt, wenn er unmittelbar nach dem Erscheinen der

«Angela Borgia» in der *Deutschen Rundschau* in einem Brief an Otto Brahm vom 6. 12. 1891 folgendes schreibt: «Ich möchte Sie wohl ein Stündchen bei mir haben, damit Sie mir eine Notion von Ihren Bestrebungen gäben. Wäre nur einer da, von dem Sie sagen könnten *ecce homo novus*! Da wäre man bald orientiert! Eine intensere u. wahrere Dichtung wollen wir aber doch wohl alle!» Auffällig an dieser Bemerkung ist ihr literarischer Messianismus, eine recht zeittypische Haltung, die sich im übrigen auch in Hermann Bahrs bereits 1887 geschriebenem Essay «Henrik Ibsen» wiederfindet, der in die Sammlung «Zur Kritik der Moderne» (Zürich 1890) aufgenommen wurde: «So bedeutet Henrik Ibsen durch das, was er will, nicht durch das, was er kann. Seine Kraft hinkt hinter seiner Absicht. Seine Kunst reicht nicht aus für ihre Unternehmungen. Er ist ein litterarischer Johannes, der die Abkehr predigt von der Gegenwart und den Pfad weist, den der Erlöser der Zukunft wandeln wird» (78). Woraus sich also schließen läßt, daß dann Strindberg, jedenfalls eine Zeitlang, der erwartete Messias der Literatur sein könnte[20]. Gerade durch Otto Brahm, den Meyer persönlich kannte und mit dem er korrespondierte[21], könnte sich von dem schwedischen Dramatiker eine Linie erstrecken, wobei man in Betracht ziehen sollte, daß er als Intendant der «Freien Bühne» in Berlin am 12. 10. 1890 die zweite Spielzeit des Theaters mit dem «Vater» eröffnete[22]. In der von Brahm redigierten Zeitschrift *Freie Bühne für modernes Leben* standen im übrigen im Jahrgang 1890 drei Aufsätze über Strindberg: Laura Marholm, «Die Frauen in der skandinavischen Dichtung. Strindbergs Lauratypus» (S. 364–68), Paul Schlenters Rezension «Der Vater» (S. 967–68) und Otto Erichs «Der Vater. Vierter Act» (S. 972–73). Die Aufmerksamkeit, die dem ersten der Strindbergschen Dramen, in dem der Kampf der Gehirne eine wichtige Rolle spielte, zuteil wurde, befand sich also gerade in dem Moment auf dem Höhepunkt, als Meyer Langewiesche von seiner Beschäftigung mit Forel berichtete.

Eine weitere Berührungsfläche bietet *Das Magazin für die Litteratur des In- und Auslandes*, mit dem Meyer (vgl. oben S. 92 Anm. 3) vertraut war. Ola Hansson, neben Brandes der wichtigste Vermittler skandinavischer Literatur in die deutschsprachigen Länder und ein glühender Strindbergverehrer, veröffentlichte hier in der Zeit vom Mai bis zum August 1890 seine Aufsatzreihe «Skandinavische Litteratur», in der er die Entstehung einer neuen psychologischen Dichtung, «die Kehrseite zu dem objektiven Naturalismus sowohl, wie zu der Problemdichtung» (306), verkündet. In dieser Erneuerung ist Strindberg «der natürliche Herold der neuen Richtung» (306), der sich nach Hansson als subjektivistisch und aristokratisch[23] erweisen wird, und diese Huldigung geht in «Ibsen, Strindberg und Deutschland» (*Magazin ...*, Oktober 1890) mit der Gegenüberstellung von Strindbergs «fruchtbarem Chaos» mit Ibsens «simplifiziertem Zusammenhang» weiter. Gleichzeitig mit Hanssons Arbeit erschien Friedrich Fels' Aufsatz «Naturalistische Literatur in Deutschland» (In: *Die Gegenwart* 38, Oktober 1890, S. 244–47)[24], wo es u. a. hieß: «Wenn man bei uns von nordischer Dichtung redet, denkt man in erster Linie an Henrik Ibsen». Fels hält auch weiterhin an diesem Respekt fest, trotz der Tatsache, «daß ihn der Däne Jacobsen als Künstler, der Norweger Kielland als umfassender und genauer Sittenschilderer und der Schwede Strindberg als tiefwühlender Denker weit hinter sich zurücklassen.»[25]

Die Schwierigkeit dieser Strindbergrezeption in der zweiten Hälfte von 1890 beruht darauf, daß sich der Verständnisrahmen der Kritiker nicht auf die besondere psychologische Theorienbildung erstreckte, die ein herausragendes Element seiner Auseinandersetzung mit dem Naturalismus darstellte. Entweder legte man in seinen Werken das Schwergewicht auf seinen «Anti-Frauenkultus» (Ola Hansson, loc. cit. 338), d. h. ein Echo des «großen nordischen Krieges um die Sexualmoral» (wie ihn Elias Bredsdorff in seinem gleichnamigen Buch von 1973 nennt)[26], und stufte ihn damit als Problemdichter im Sinne des Naturalismus ein. Oder man erblickte in ihm einen psychologischen Analytiker in den Fußstapfen Ribots, wie es Ola Hansson nachweist: «der objektive Naturalismus soll ein subjektiver werden, der sich zum Ziel setzt, alle individuellen Regungen und Erscheinungen des Seelenlebens abzuzeichnen und der sich willig von der Hand der Ahnung leiten läßt, wenn die Grenzen zu dem dunklen Schacht überschritten sind, in dem diese Regungen und Erscheinungen ihren *physiologischen Ursprung haben*» (loc. cit. 306. Meine Hervorhebung). Die gleiche Betonung des «Studiums der modernen Psycho-Physiologie» (Hansson, loc. cit. 338) findet sich allem Anschein nach auch bei Bahr: «die neue Psychologie wird die Gefühle in dem sensualen Zustande vor jener Prägung aufsuchen» («Die neue Psychologie» (509)). Danach repräsentiert Strindberg, als derjenige, der diese Forderungen verwirklichte, nur einen verfeinerten Naturalismus. Oder man betrachtet seine Haltung als «Nietzscheanistischen Aristokratismus» (Hansson, loc. cit. 338), so daß er mit Heidenstam über einen Leisten geschlagen wird. Entschied man sich nicht für einen dieser Verständnisrahmen, so gab es offenbar nur noch eine Möglichkeit, nämlich ihn zu der Richtung zu zählen, die Otto Neumann-Hofer in einem Aufsatz im *Magazin* (7. 6. 1890) als «Der litterarische Occultismus» beschreibt, zum Symbolismus, zur Dekadenzliteratur. Was ja auch zutreffen würde, allerdings nur, wenn man damit die Werke nach 1892 meint.

Diese Voreinstellungen blockierten also das Verständnis für sein psychologisches Vorhaben, das er während der Jahre 1887–90 durchzuführen suchte, und das trotz der Tatsache, daß seine eigentlichen Programmschriften über seinen psychologischen Referenzrahmen ursprünglich auf deutsch erschienen waren. In der *Neuen Freien Presse* (Wien) vom 12.–13. Juli 1887 findet man den kleinen novellistischen Essay «Der Kampf der Gehirne» von Julius (!) Strindberg. Er beginnt folgendermaßen: «Dr. Charcot nimmt die Möglichkeit einer Suggestion nur bei hypnotisirten Hysterischen an, während Dr. Bernheim weiter geht und folgert, daß Alle, welche hypnotisirt werden können, für Eingebungen empfänglich sind. /.../ Ohne Fachmann oder Autorität zu sein, glaube ich durch Experimente gefunden zu haben, daß die Suggestion einzig Kampf und Sieg des stärkeren Gehirns über das schwächere bedeutet und daß diese Procedur im gewöhnlichen Leben unbewußt angewendet wird. Es ist das Gehirn des Politikers, des Denkers, des Schriftstellers, welches das der Anderen zwingt, sich automatisch zu bewegen. /.../ Alle politischen, religiösen, literarischen Streitigkeiten scheinen mir nur auf den Kampf des Individuums oder der Partei gerichtet und dazu bestimmt zu sein, Suggestionen zu geben und zu empfangen, was nichts Anderes ist, als der Kampf um die Macht, nunmehr, nachdem der Muskeln Kampf etwas außer Gebrauch gekommen ist, ein Kampf der Gehirne. Dieser ist nicht minder furchtbar, wenn auch nicht so blutig, und ich will hier meinen Kampf mit einem Gehirn schildern,» ... Dem Essay folgte ein kleiner Roman mit ähnlichen Gedanken, mit dem Titel «Schleichwege» (5. 8.–4. 9.); vorausgegangen waren zwei kleinere Beiträge: «Die Kleinen» (24. 4.) und «Die Großen» (6. 5.). Diese Aufsätze erhielten «ihre größte Bedeutung für seine naturalistische Dramatik, deren Neuheit nach Strindbergs eigener Auffassung gerade in dem Umstand zu suchen war, daß sie an bis dahin unerforschte Bereiche des Seelenlebens rührte» (Lamm, op. cit. 170)[27]. Geplant war, daß die Aufsätze Teil eines Buches mit dem Titel «Vivisektioner» (Lamm, op. cit. 169–70) sein sollten[28].

Zusammenfassend läßt sich also sagen: Während der zweiten Hälfte von 1890, als die «Angela Borgia» umgearbeitet wurde, erhebt sich innerhalb der Literaturkritik mit wachsender Stärke die Forderung nach einer Umorientierung, nach einem Bruch mit dem alten Realismus und zugleich auch mit dem aktuellen Naturalismus. Vier wichtige Kritiker, Bahr, Brahm, Fels und Hansson verweisen übereinstimmend auf Strindberg als den Dichter, der mehr als irgend ein anderer in der Psychologie des Kunstwerks ein Umdenken verwirklicht[29].

Verglichen mit der Strindbergrezeption der deutschsprachigen Kritiker, nimmt Meyer eine Sonderstellung ein, da er im Oktober 1890 nachweislich aus nächster Nähe und unter äußerst kundiger Beratung einen Einblick in die neue dynamische Psychologie und die sich damit eröffnenden Perspektiven gewinnen konnte. Von entscheidender Bedeutung war hierbei, daß er sich im Schnittpunkt zwischen dem Französischen und dem Deutschen befand. Ein späteres Kapitel wird sich mit den besonderen Dispositionen beschäftigen, die in seinem Fall eine starke Empfänglichkeit für die psychologischen Problemstellungen, die er bei Forel fand, ermöglichten, weshalb hier eine kurze, doch notwendige Überlegung genügen soll:

Natürlich wäre es zu gewagt, von der bloßen Möglichkeit her zu schließen, es liege ein direkter Einfluß von Strindberg auf Meyer vor. Wahrscheinlicher, und auf jeden Fall relevanter ist dagegen die Annahme, daß man es hier mit zwei verwandten Verarbeitungen desselben Impulses zu tun hat. Doch abgesehen davon, daß die Beschäftigung mit Strindberg illustriert, wie die Suggestionsidee in die Belletristik der 8oer Jahre einfließen und wie schnell darüber hinaus eine Kultur mit herrschenden Paradigmen unvereinbare psychologische Fortschritte neutralisieren und zu einer «impressionistischen» Psychologie, einem subjektivistischen Persönlichkeitskult und einem vagen Okkultismus verwässern konnte, so zeigt Strindbergs Gebrauch des Suggestionsgedankens eine besondere Affinität zu Meyer. Die Annahme einer verbreiteten Suggestibilität könnte bei beiden über die Schilderungen der spontan auftretenden oder provozierten multiplen Persönlichkeiten zu einer Menschenschilderung weiter geführt haben, die ihr Schwergewicht auf die an der Schwelle des Bewußtseins stattfindenden unmerklichen Verschiebungen und Verwandlungen von Affekten und Vorstellungen legte, was sie in die Nähe von Bourget, Garborg, J. P. Jacobsen und Schnitzler gerückt hätte. Bei Strindberg gibt es solche Ansätze, vor allem in «Der Sohn einer Magd» und in der Vorrede zu «Fräulein Julie», entscheidend ist jedoch, daß die Suggestion für ihn zum Kampfthema, zum Kampf der Gehirne, gehört. Hier liegt der Berührungspunkt. Meyers «persönlicher Mythos», so wie er in den Novellen erscheint, ist als eine Konfliktsituation aufgebaut, die sich verkürzt als der «Verrat» bezeichnen ließe, der zwischenmenschliche Antagonismen in offener Entfaltung, Willen, die einander zu beeinflussen suchen, voraussetzt. So sehr er Turgenjew auch gemocht haben mag – in seinen Werken kommen keine Rudins vor, dagegen jedoch eine Reihe von nahen Verwandten der Hedda Gabler.

Anmerkungen

[1] Der Brief an François vom 22. 2. 1885 klingt etwas zurückhaltender: «Von den russischen Romanciers gefällt mir Tolstoi (Graf) noch besser als Turgenjeff, obgleich er weniger stimmungsvoll, mehr realistisch arbeitet.» Meyers Bibliothek enthält: Turgenjew, «Vier Erzählungen». Lpz. 1882–85. Nichts weiter.

[2] Hier und im folgenden zitiert nach «Strindbergs Werke. Unter Mitwirkung von E. Schering als Übersetzer vom Dichter selbst veranstaltet.» 46 Bde. München 1902–30.

[3] Vgl. Martin Lamm, «August Strindberg». 1961 (1948), S. 149 ff. Hans Lindström, «Hjärnornas kamp. Psykologiska Idéer och Motiv i Strindbergs Åttiotalsdiktning». Uppsala 1952, passim.

[4] Der Essay wurde später in die Sammlung «Die Überwindung des Naturalismus», 1891, aufgenommen. Während der Monate, in denen sich Meyer offensichtlich zu einer durchgreifenden Revision der «Angela Borgia» entschloß, entdeckte Bahr «die neue Psychologie» (so heißt der Essay, der am 1. 8. 1890 und 1. 9. 1890 in *Moderne Dichtung* veröffentlicht wurde). Noch in seinem Aufsatz «Von welschen Literaturen. I. ‹La bête humaine›» (*Moderne Dichtung*, 1. 5. 1890, S. 322–25) hatte er ohne Vorbehalt ein Loblied auf den Zolaschen Naturalismus gesungen, den er nun, 3 Monate später, verwirft: «Das immer nur: *états de choses*, die ewigen Sachenstände, hat man satt, und gründlich; nach *états d'âme*, nach Seelenständen, wird wieder verlangt» (506).

[5] Ernst Brausewetters Übersetzungen (Reclam). «Fräulein Julie» war nach L. Magon («Wegbereiter nordischer Dichtung in Deutschland», 1967) bereits 1888 von Erich Holm übersetzt worden. (Erich Holm war das Pseudonym der Österreicherin Mathilde Prager, die bereits 1885 die Novelle «Samvetskval» («Gewissensqualen») für die *Neue Freie Presse* (Wien) übersetzt hatte.) «Fordringsägare», das Stück, «mit dem Strindberg zuerst im Ausland anschlug» (Lamm, 192) und das im Januar 1893 in Deutschland seine Erstaufführung erlebte («Freie Bühne»), erschien in der Übersetzung von Mathilde Prager («Gläubiger») 1892 in *Moderne Rundschau*. Aus einem Brief Strindbergs an Ola Hansson vom 24. 4. 90 («August Strindbergs brev», 8. Utgivna av Torsten Eklund. Stckh. 1964) geht jedoch hervor, daß Brausewetter zu dem Zeitpunkt «Fordringsägare» übersetzt und die Übersetzung an die Zeitschrift *Freie Bühne* geschickt hatte. Über den Redakteur der Zeitschrift, Otto Brahm, und seine Beziehung zu Meyer vgl. unten Anm. 21.

[6] Peter Szondis These («Theorie des modernen Dramas», S. 40 ff), «Der Vater» leite das, «was später den Namen ‹Ich-Dramatik› trägt» ein, enthält zwar ein Körnchen Wahrheit, wenn damit gemeint ist, daß objektive Zeit-, Raum- und Handlungsstrukturen zugunsten innerer psychischer Zusammenhänge zurücktreten. Als ausgesprochen unglückliche Formulierung muß es jedoch bezeichnet werden, wenn er über Strindbergs Bruch mit den klassischen Einheiten sagt: «Hier aber beruht das Werk auf der Einheit nicht der Handlung, sondern des Ich seiner zentralen Gestalt» (43). Eine solche postulierte «Monoperspektivik» setzt ja gerade die Einheit der Persönlichkeit voraus, die Strindberg teils unter Hinweis auf Ribots physiologisch begründete Skepsis, teils – und vor allem – auf der Grundlage des von Bernheim erbrachten Nachweises, daß sich die Grenzen der Persönlichkeit auf dem Wege der Suggestion abbauen lassen, bestreitet. Seit dem «Vater» macht sich in den Werken eine starke Tendenz zur transpersonalen Psychologie bemerkbar, so daß Vorstellungen und Gedanken frei über die Ichgrenzen der Dramenpersonen hin- und herströmen.

[7] «... från miljön (grönsiskans blod), från attributen (rakkniven), och jag har låtit ‹Gedankenübertragung› genom dött medium (grevens ridstövlar, ringklockan) utföras; slutligen tagit

‹vaken suggestion› till hjälp, en variation på den sovande, och vilken nu är så vulgariserad och erkänd att den ej kan väcka löje eller misstro, såsom den skulle ha gjort på Mesmers tid.» (Ibid. S. 105. Die Zeilen fehlen in Scherings Übersetzung).

[8] Vgl. R. Fallenstein/Chr. Hennig, «Rezeption skandinavischer Literatur in Deutschland 1870–1914. Quellenbibliographie». Neumünster 1977. Und W. Friese (Hrsg.), «Strindberg und die deutschsprachigen Länder». Basel/Stuttgart 1979.

[9] «Jugend in Wien». Wien 1968, S. 319.

[10] «Ich hatte begonnen, mich mit Hypnotismus zu beschäftigen, für den damals, vor allem durch die Arbeiten von Charcot und Bernheim, das Interesse rege geworden war; es war mir gelungen, einige Fälle von funktioneller Aphonie, das heißt Stimmlosigkeit ohne nachweisliche organische Veränderung an den stimmbildenden Organen, mittelst Hypnose oder durch Suggestion allein erfolgreich zu behandeln,» … «Vom ärztlichen Standpunkt die erfreulichste Leistung war es gewiß, wenn ich zum Beispiel, ohne mein Medium in Schlaf zu versetzen, einfach durch Aufforderung partielle Anästhesie herbeizuführen vermochte, so daß schmerzlose kleine Operationen in Kehlkopf und Nase, in einem Fall sogar schmerzlose Zahnextraktionen, möglich wurden» (op. cit. 318.319).

[11] Vgl. Anni Carlsson, «Die deutsche Buchkritik», 1969.

[12] Vgl. W. Pasche, op. cit., S. 195. Recht bezeichnend für die Ratlosigkeit ist W. Kirchbachs «Ibsen: Die Frau vom Meere» (*Magazin …*, 58, 1889, S. 8–12): einerseits steht der Rezensent Ellidas psychologischen Reaktionen verständnislos gegenüber, andererseits beklagt er gleichzeitig, dem deutschen Publikum mangle das Organ für «die geheimnisvolle Werkstatt des Unbewußten». «Ganz Deutschland ist innerlich dermaßen verhegelt, daß es Ibsen immer nur halb verstehen wird» (12). Wie man sieht, ist sich Kirchbach jedoch als einer der ersten darüber klar, daß man es nicht mehr mit dem alten Ibsen zu tun hat. Dagegen dürfte es kaum ein Zufall sein, daß Julius Hoffory im Jahr darauf seine Ausgabe skandinavischer Literatur in Übersetzungen («Nordische Bibliothek. Sammlung moderner Erzählungen und Schauspiele aus dem Dänischen, Norwegischen und Schwedischen übersetzt») gerade mit «Die Frau vom Meere» einleitet, «das die ‹Neuromantiker› für sich entdecken werden» (Klaus Bohnen, «Skandinavische ‹Moderne› und österreichische Literatur. Überlegungen zu einem ‹Literaturgespräch› an der Jahrhundertwende.» In: H. Zeman (Hrsg.): «Sammelband zur österreichischen Literatur des 19. Jahrhunderts».

[13] «Verpaßte Eroberung eines Terrains. Charakter und Funktion des ästhetischen Erwartungshorizonts in der deutschen Rezeption von Strindbergs naturalistischen Dramen um 1890.» In: Friese, op. cit., S. 195–224.

[14] «Wandlungen des Strindbergbildes in Deutschland». (In: Friese, op. cit., S. 24).

[15] In einem Brief an Heidenstam vom 9. 10. 1889 («Strindbergs brev», 7, S. 376–77) hatte er die Möglichkeit eines literarischen Durchbruchs im Ausland angesprochen, «da wir nordischen Naturalisten in Deutschland als Renaissanceschriftsteller gefeiert werden», während er sich im Jahr darauf bei Ola Hansson (20. 11. 90) über die Mittelmäßigkeit des deutschen Naturalismus beschwert: «Ist Deutschland nicht eine Art schlechteres Schweden?»

[16] Durch die Identifizierung der neuen Strömung innerhalb der französischen Literatur mit Strindberg verleiht Bahr seinem schwedischen Lieblingsautor indirekt die Autorität des literarischen Mekka. Ironischerweise war Strindbergs literarisches Werk zu jener Zeit in Paris jedoch so gut wie unbekannt. «Père» war zwar am 1. Februar 1888 erschienen (Librairie Nilsson), und Maupassant hatte aus diesem Anlaß einen Glückwunschbrief an den Autor geschrieben, doch weder dieses Werk noch «Les Mariés. Douze caractères conjugaux» (Lausanne 1885) hatten ihm einen literarischen Ruf eingetragen. Ola Hansson hielt sich im Frühjahr und Sommer 1890 in Paris auf und schrieb von dort aus an den Freund in Schweden:

«Ich glaue nicht, daß sich in Frankreich jemals ein Nordländer literarisch durchsetzt. Zwischen Deutschland und Skandinavien schlägt die Rassenverwandtschaft Brücken. Die Franzosen sind außerdem zu sehr Chinesen» («August Strindbergs och Ola Hanssons brevväxling 1888–1892. Stckh. 1938, S. 97. Vgl. Stellan Ahlström, «Strindbergs erövring av Paris. Strindberg och Frankrike 1884–1895.» Stckh. 1956). André Antoine, an dessen Théâtre libre Strindberg bereits 1888 die französischen Übersetzungen von «Fadren», «Fordringsägare» und «Fröken Julie» geschickt hatte, erwähnt ihn zum erstenmal in einer Notiz vom November 1892 in seinen «Souvenirs sur Le Théâtre-Libre», und das als einen bisher Unbekannten (op. cit. 153).

Auch an anderen Stellen in Bahrs Aufsätzen von 1890 (die in dem Band «Die Überwindung des Naturalismus», 1891, zusammengefaßt wurden) ist von Strindberg als einem Erneuerer der Literatur die Rede: In «Akrobaten» zusammen mit Nietzsche, Schopenhauer, Baudelaire, Barrès und Huysmans (20) und in «Jean Richepin» mit einem langen Zitat aus der Vorrede zu «Fräulein Julie» (171).

[17] Vgl. Hermann Friedrichs, «Conrad Ferdinand Meyer». In: *Deutsche Zeitschrift*, 1900/01, S. 654–60, 687–93.

[18] Fritz Schlawe, op. cit., S. 32. Im übrigen enthält gerade die Julinummer von *Moderne Dichtung* den zweiten Akt von Arthur Schnitzlers «Anatol» (ursprünglicher Titel: «Die Frage an das Schicksal»). Der erste Akt, «Anatols Zimmer», in der Zeitschrift am 1. 5. 1890 erschienen, enthielt u. a. Max und Anatols Gespräch über die hypnotischen Experimente des letzteren.

[19] «Die Alten und die Jungen» (1. 5. 90), «Von welschen Litteraturen» (1. 7. 90), «Die neue Psychologie» (1. 8. 90 + 1. 9. 90) und «Vom Stile» (1. 11..90).

[20] Meyers an Brahm gerichtete Formulierung erinnert auffallend an eine entsprechende in *Moderne Rundschau* (die *Moderne Dichtung* weiterführte) vom 1. 11. 1891, wo Friedrich Fels («Die Moderne») geschrieben hatte: «Was wir schaffen, ist nur Vorbereitung auf ein künftiges Großes, das wir nicht kennen, kaum ahnen; es wird ein Tag kommen,» ... Jakob Julius David hatte am 15. 10. 1891 in einer Rezension in der Zeitschrift («Neue Lyrik») bewundernd von Meyers Lyrik gesprochen und sie u. a. im Verhältnis zu Keller hervorgehoben, eine Bewertung, die Meyer kaum übersehen haben dürfte.

[21] Wie bereits erwähnt, existiert der Briefwechsel Meyer – Brahm aus dieser Zeit nicht mehr, was natürlich nicht heißt, daß die Verbindung unterbrochen war. Das geht aus Meyers Brief vom 6. 12. 91 hervor sowie aus der Tatsache, daß er Brahm in Briefen an andere Empfänger erwähnt (z. B. Haessel, 3. 2. 88, Rodenberg, 1. 9. 89). Die aufgrund von Brahms positiver Haltung zu Ibsen im November 1886 abgebrochene Zusammenarbeit zwischen Brahm und der *Deutschen Rundschau* (vgl. Klaus Bohnen, «Brandes und die ‹Deutsche Rundschau›. Unveröffentlicher Briefwechsel zwischen Georg Brandes und Julius Rodenberg». 1980, S. 83) hat also auf Meyers Verhältnis zu ihm keinen Einfluß gehabt. Aus dem Brief vom 9. 1. 87 an Rodenberg geht im Gegenteil hervor, wie stark Brahms Autorität war: «Ich habe gegen Brahm gar nichts, obgleich er mir ein strenger Richter sein wird, aber ich habe immer geglaubt, daß ich dazu praedestinirt bin, durch ihn zu erfahren, wie es eigentlich mit mir stehe.» Rodenberg hatte Brahm darum gebeten, einen Essay über ihn zu schreiben.

[22] Auch die Aufnahme von «Fräulein Julie» in das deutsche Theaterrepertoire (die Erstaufführung fand am 3. 4. 1892 statt) war Brahms Werk. Brahms Aufführungen benutzten Ernst Brausewetters Übersetzungen. Während des Winters 1890/91 wohnte Brausewetter – und im übrigen auch Ola Hansson – in Zürich («August Strindbergs brev». Bd. 8, S. 157, 188, 200. Vgl. Detlev Brennecke, «Strindberg und Ernst Brausewetter», Heidelberg 1979 (= «Skandi-

navistische Arbeiten», Bd. 7), S. 17). Ein weiteres mögliches Bindeglied, eventuell durch die Vermittlung von Brahm?

23 Ola Hansson hatte nach seinem Bruch mit Brandes im Januar 1890 den dänischen Kritiker in der *Freien Bühne für modernes Leben* für literarisch tot erklärt (vgl. Inger Månesköld-Öberg, «Att spegla tiden – eller forma den. Ola Hanssons introduktion av nordisk litteratur i Tyskland 1889–1895» (= «Skrifter utgivna av Litteraturvetenskapliga institutionen vid Göteborgs universitet», 12). Göteborg 1984, S. 37 ff). Das hindert ihn jedoch nicht daran, die gleichen – von Nietzsche stammenden – Begriffe zu benutzen wie Brandes in dessen «Aristokratischer Radikalismus» (*Deutsche Rundschau*, April 1890). In seinem Aufsatz im *Magazin* (17. 5. 1890) bringt Hansson trotzdem seine Zweifel an der Aufrichtigkeit von Brandes' neuer Lebenshaltung und literarischem Programm zum Ausdruck.

24 In *Die Gegenwart* veröffentlichte Meyer während des Zeitraums 1883–86 den größten Teil seiner neuen Gedichte (Vgl. HKA IV, 627).

25 Zitiert nach G. Wunberg (Hrsg.), «Das Junge Wien. Österreichische Literatur- und Kunst-kritik 1887–1902», I–II. Tübingen 1976, S. 124.

26 So Laura Marholm, «Ein Dichter des Weiberhasses» (In: *Die Gegenwart,* 1888) und in dem oben genannten Aufsatz von 1890.

27 Natürlich ist es völlig ungewiß, ob Meyer diese literarischen Behandlungen der Theorien der Nancyer Schule gekannt hat. Völlig sicher ist dagegen, daß er, jedenfalls ab und zu, die *Neue Freie Presse* las. Das geht u. a. aus den Briefen an Haessel vom 8. 10. 76 und 31. 12. 76 hervor. Am auffälligsten ist vielleicht, daß er noch am 5. 11. 95 Rodenberg bittet, entweder in der *Deutschen Rundschau* oder in der *Wiener Presse* (gemeint ist die *Neue Freie Presse*, vgl. HKA II,27) eine Notiz über das Gedicht «Einer Toten» zu veröffentlichen.

28 Liégeois (Bernheims und Liébeaults Mitarbeiter) hatte in seinem «De la suggestion hypnoti-que dans ses rapports avec le droit civil et le droit criminel» (1884) die Suggestionspsychologie «un procédé de vivisection morale et intellectuelle» genannt. Vgl. oben S. 54 sowie Hans Lindström, op. cit., S. 141.

29 Dazu gehört auch M. Oderns Rezension von «Fräulein Julie» in *Die Gesellschaft* (6. 1890. S. 1239). Daß Meyer diese Zeitschrift besaß, zeigt der Brief an Anna v. Doß vom 25. 6. 1890. Damit rundet sich im übrigen ein Bild seines literarischen Horizonts: Im Herbst 1890 orientierte er sich in den vier Zeitschriften, die zu diesem Zeitpunkt die «Fortschrittliche Gruppe» ausmachen, wie Fritz Schlawe sie genannt hat (op. cit., S. 16).

«Es hauchten Geisterwinde und bewegten die Flämmchen der Kerzen»

Wie erwähnt berührten sowohl das Gespräch mit Langewiesche sowie Freys Auskünfte über die Jahre vor dem Zusammenbruch im Jahre 1892 zwei der Bereiche, die Meyer während jener Zeit interessierten, die Suggestionsexperimente der Nancyer Schule und parapsychologische Phänomene. Man kann sich dann fragen, weshalb bisher ausschließlich das erstere behandelt worden ist, da die Faszination des Okkulten bei Meyer ebenso stark belegt ist und außerdem die 80er Jahre ganz allgemein in ebenso hohem Maße prägt. Selbst der offene Brief von Franzos an die deutschen Wissenschaftler begann zwar mit einem verhältnismäßig unkomplizierten Fall von Suggestion (der Welti-Escher-Sache), ging jedoch in den beiden letzten Fällen über das experimentell Gesicherte hinaus, was auch er wissen mußte: «Hier also geben unbedingt achtungswerte, für ihren Stand gebildete Männer eine Darstellung, der zufolge wir anzunehmen haben, daß ein Mann dem anderen ohne Worte ganz bestimmte, sehr verwickelte Handlungen suggeriert habe. Charakteristisch aber ist der Bericht auch insofern, als aus ihm erhellt, in wie weiten Kreisen die Möglichkeit einer solchen Suggestion angenommen wird» (op. cit. XIX)[1].

Auf die eventuelle Rolle der Parapsychologie als Bedeutungshintergrund für die «Angela Borgia» gehe ich hier nicht näher ein, ganz einfach, weil das Gebiet im Verhältnis zu diesem Werk chronologisch und umfangsmäßig zu vage abgegrenzt ist. Während die Ideen der Nancyer Schule, so wie sie bei Forel zum Ausdruck kamen, ein fest definiertes Feld bilden und die Einflußperiode sich auf die Zeit nach 1887, d. h. auf die Zeit nach der «Versuchung des Pescara», beschränkt, durchziehen okkulte Strömungen das gesamte Jahrhundert. Beispielsweise ist es nicht speziell typisch für Meyer, daß er sein Interesse für den Spiritismus in einem Brief an Haessel vom 13. 5. 1878 durchblicken läßt (es handelte sich um eine Antwort auf Haessels Hinweis auf einen Artikel von J. C. F. Zöllner vom 5. 5. 78 zu diesem Thema).

Einen Bereich kann man jedoch kaum außer acht lassen, was Franzos in dem angeführten Zitat denn auch nicht tat, da es in den Darstellungen der hypnotischen Phänomene immer wieder auftaucht, nämlich die Gedankenübertragung und ihre Variante, die Telepathie. Bereits Mesmer und die übrigen Pioniere in der Geschichte der Hypnose hatten bemerkt, daß von seiten des Hypnotisierten nicht nur eine starke emotionale Bindung zum Hypnotiseur entstand, sondern daß sich in diesem «rapport», wie Mesmer

das nannte, auch eine so ausgeprägte Sensibilität in beide Richtungen feststellen ließ[2], daß die beiden Personen zuweilen imstande waren, direkt die
Gedanken des anderen zu lesen (E 1,152 ff). Von daher ist der Schritt bis zur
Annahme einer mentalen Energie, die unabhängig vom räumlichen Abstand
von einem Menschen zum anderen geht, der Telepathie, nicht weit. Wie
bereits erwähnt, gehörte die «mentale Suggestion» zu der von Prosper
Despine gegebenen Beschreibung der Hypnose (vgl. oben S. 54), wohlgemerkt als eine Fähigkeit des Hypnotiseurs. Charles Richets Experimente mit
dem Gedankenlesen und Gurneys, Myers und Podmores Sammlung von
überprüften Mitteilungen, «Phantasms of the Living», gehen noch einen
Schritt weiter, indem sie behaupten, das Phänomen komme nicht nur in
dieser besonderen Situation vor, sondern sei eine allgemeinmenschliche
Tatsache, eine Überzeugung, die weder die Forscher von Salpêtrière noch
von Nancy teilten. Vielleicht sollte man hinzufügen: Jedenfalls nicht in ihren
wissenschaftlichen Veröffentlichungen[3].

Wenn Strindberg die Suggestionstheorie aufgreift, so muß man deshalb
beachten, daß er zwar als Kind des (natur)wissenschaftsbesessenen 19. Jahrhunderts bei der psychiatrischen Sachkenntnis (Bernheim) Unterstützung
für seine Anschauungen sucht, daß er jedoch genau genommen über die
sicheren experimentellen Ergebnisse hinausgeht, da die Suggestion für ihn in
erster Linie eine mentale, und nicht wie bei Bernheim und Forel eine verbale
Suggestion ist. Noch weiter ging der zweite Autor, der für Meyers Rezeption
der neuen Psychologie von Bedeutung gewesen sein kann.

Unter den modernen Dichtern, mit denen Meyer laut Langewiesche
vertraut war, wird auch Guy de Maupassant erwähnt. Mit diesem Hinweis
will ich nicht sagen, daß die neuen Ideen innerhalb der Psychiatrie das
psychologische Skelett von dessen späten Werken bilden, so wie das bei
Strindberg der Fall war. Es ist ganz im Gegenteil deutlich, daß seine Stärke
als Flaubertschüler in der genauen Beobachtung des charakteristischen
Details im Milieu und in der minutiösen Aufzeichnung von Seelenzuständen
liegt. In dem Sinne wurde er denn in Deutschland um 1890 auch hauptsächlich gelesen. «Das Leben des modernen Menschen fließt ruhig und eben
dahin. Äußere Katastrophen treten nur selten ein. Eingeengt durch Sitte und
Gesetz giebt sich die Tragik des menschlichen Lebens meist nur in Seelen-
kämpfen, in wechselnden Stimmungen aus, die sich nach außen hin kaum
erkennen lassen» (Heinz Tovotes Rezension von «Fort comme la mort».
Magazin ... 58, 1889, S. 813). Neben dieser «auf Nervenerforschung einge-
drillten Psychologie» (Bahr in «Die neue Psychologie») in den leicht parfü-
mierten Fußtapfen von Paul Bourget macht sich jedoch eine zweite, dazu
parallel verlaufende Tendenz bemerkbar.

Edgar Allan Poes «Tales of Mystery and Imagination» sind die offenbare Inspirationsquelle für die andere Seite von Maupassants Talent, die Faszination des Makabren, des Übernatürlichen und des Bizarren, die bereits so deutlich in den frühesten Novellen durchscheint, wie z. B. in «La main d'écorché», «Sur l'eau», «Le loup» und «Auprès d'un mort». Dazu kam nun ein neues Stoffgebiet, als er 1883 Charcots hypnotischen Experimenten beiwohnte[4]. Während Strindberg aus Bernheims Untersuchungen sehr schnell allgemeingültige Schlüsse zog, so daß die psychologischen Experimente letztlich zu einer veränderten Auffassung des Normalitätsbegriffs führten, gelangten Maupassants Eindrücke aus der neuen Psychiatrie ausschließlich in der Gattung der phantastischen Erzählung zur Entfaltung. Die drei Novellen, in denen sich die psychiatrischen Themen am deutlichsten abzeichnen, sind alle Ich-Erzählungen, wohlgemerkt die Monologe eines Irren.

«Un fou» (1884) ist der Bericht von Jaques Parent über seine Angst vor einer fremden Kraft, die er in sich wachsen spürt: «j'ai en moi une action magnétique si extraordinaire qu j'ai peur, oui, j'ai peur de moi, comme je te disais tout à l'heure»[5]. Er ist in zwei Persönlichkeiten gespalten, eine unbekannte, mit einer unheimlichen Macht begabte und eine passiv beobachtende, die vergeblich zu verstehen sucht, was sich da seinen Weg durch die Oberfläche der geordneten Welt bahnt: «Le magnétisme! Sais-tu ce que c'est? Non. Personne ne sait. On le constate pourtant. On le reconnaît, les médecins eux-mêmes le pratiquent; un des plus illustres, M. Charcot, le professe; donc, pas de doute, cela existe. – Un homme, un être a le pouvoir, effrayant et incompréhensible, d'endormir, par la force de sa volonté, un autre être, et, pendant qu'il dort, de lui voler sa pensée comme on volerait une bourse» (972). Verblüffend an Maupassants Einbeziehung der Hypnose ist die Tatsache, daß er die Verhältnisse umkehrt: Das Beunruhigende ist nicht, wie zu erwarten wäre, die Macht des Hypnotiseurs über den Hypnotisierten, sondern das Erlebnis der *Fähigkeit*, zu hypnotisieren, als eine Manifestation eines dämonischen, verborgenen Wesens, eines ans Licht drängenden Doppelgängers: «Quel est il? Je ne sait pas, mais nous sommes deux dans mon pauvre corps, et c'est lui, qui est souvent le plus fort, comme ce soir» (973). Daraufhin beweist das beunruhigende Wesen seine Stärke, indem es erst den Hund des Zuhörers «magnetisiert» und danach durch seinen bloßen Willen die Dinge im Zimmer dazu bringt, sich zu bewegen, ein Messer dazu, über den Tisch zu rutschen, usw. Wie deutlich wird, dient die Hypnose ausschließlich zum Beweis der Existenz einer fremden Wirklichkeit, in der Doppelgänger – oder sekundäre Persönlichkeiten – und Psychokinese zu Hause sind.

Während sich «Un fou» an den rein okkulten, parapsychologischen Bereich hält, so daß Charcots Hypnoseversuche nur am Rande und gleichzeitig mit den anderen unerklärlichen Ereignissen vorkommen, liefert Maupassant zwei Jahre später in «Le Horla» von innen her eine eingehende Schilderung der Entwicklungsstadien einer Psychose, die in die Vorstellung von einem mystischen Wesen, «Le Horla», einmündet, das sich durch Massensuggestion die ganze Welt unterwerfen will. Nachdem er eine Zeitlang überempfindlich auf die kleinsten Veränderungen in seiner Umgebung reagiert hat, die bei ihm seltsame Stimmungsumschwünge auslösen, meint der Ich-Erzähler Spuren von Handlungen feststellen zu können, die er augenscheinlich im somnambulen Zustand begangen hat, weshalb er sich in keiner Weise daran erinnert: «Alors j'etais somnambule, je vivais, sans le savoir, de cette double vie mystérieuse qui fait douter s'il y a deux êtres en nous, ou si un être étranger, inconnaissable et invisible, anime, par moments, quand notre âme est engourdie, notre corps captif qui obéit à cet autre, comme à nous-mêmes, plus qu'à nous-mêmes» (1104). Als eine Nachprüfung dieser Hypothese ergibt, daß sie nicht stimmen kann, kommt er auf den Gedanken, es handele sich statt dessen um «ces influences constatées, mais inexplicables jusqu'ici, qu'on appelle suggestions» (1105). In diesem Glauben wird er während eines Aufenthalts in Paris bestärkt, wo er erlebt, wie Doktor Parent, der auf englische Forscher und auf «l'école de Nancy» verweist (1105), seiner Cousine eine posthypnotische Suggestion eingibt, die sie, ohne die wahre Motivation ihrer Handlung zu kennen, am Tag darauf ausführt, «dominée par l'ordre irrésistible qu'elle avait reçu» (1109). Von dem Augenblick an ist der Erzähler überzeugt davon, daß sich ein fremder Wille seiner bemächtigt habe, so daß er nunmehr nur noch ohnmächtig beobachten könne, was mit ihm geschieht: «Je suis perdu! Quelqu'un possède mon âme et la gouverne! Quelqu'un ordonne tous mes actes, tous mes mouvements, toutes mes pensées. Je ne suis plus rien en moi, rien qu'un spectateur esclave et terrifiè de toutes les choses que j'accomplis» (1114). Danach geht der Gedanke einer suggestiven Fernwirkung direkt in die Vorstellung von einem unsichtbaren Anwesenden, der sich direkt zu erkennen gibt, über. Beispielsweise ist der Erzähler über einem Buch eingeschlafen, wacht auf und sieht, wie ohne sein Zutun Seite auf Seite umgeblättert wird (1116).

Auch in der letzten der drei «irren» Novellen, «Qui sait?», deren deutsche Übersetzung am 21. 6./28. 6. 1890 im *Magazin* erschien, spielt ein geheimnisvoller mächtiger Verfolger eine wichtige Rolle. Der Erzähler, ein Patient in einem Irrenkrankenhaus, berichtet, wie eines Nachts alle Dinge in seinem Haus hinaus und fort wandern, ohne daß er sie durch seine physische Kraft aufzuhalten vermag. Durch Zufall findet er sie lange Zeit später in einem Trödlerladen in Rouen wieder, dessen Inhaber, bevor die Polizei eingreifen kann, die Dinge in derselben unerklärlichen Weise, wie er sie seinerzeit zu sich rief, wieder zurückkehren läßt. Hier überspringt Maupassant, anders als in den beiden vorhergehenden Novellen, die psychologischen Zwischenschritte und schildert nur die Telekinese, die Überzeugung des Erzählers, mitsamt seinem Hab und Gut der unbegrenzten Macht eines anderen Willens preisgegeben zu sein.

Man könnte sich die berechtigte Frage stellen, weshalb diese drei novellistischen Monologe hier angeführt werden. Sieht man einmal davon ab, daß sie zeigen, wie die wissenschaftliche Hypnoseforschung in der Belletristik der 8oer Jahre in Okkultismus übergeht, ein Zug, der in dem darauffolgenden Jahrzehnt noch deutlicher zutage tritt, so ist ja festzustellen, daß sie nicht sehr viel mit der psychologischen Referenzgrundlage zu tun haben, deren sich Maupassant in den meisten seiner Prosawerke im übrigen bedient: der atomisierenden Assoziationspsychologie Ribots, wonach die Persönlichkeit eine locker organisierte Größe, die Summe aus Sinneseindrücken und Assoziationsverknüpfungen ist. Also die Haltung, die von dem zeitgenössischen Ernst Mach her bekannt ist. Dabei bilden die drei pathologischen Winkel der menschlichen Natur nicht einmal eine Experimentalsituation, die gültige Schlüsse über die normale psychische Organisation und Funktion des Menschen zulassen; dafür hat Maupassant den Ausnahmecharakter der drei paranoiden Erzähler viel zu stark unterstrichen. Wozu sie die Begriffe Hypnose und Suggestion benutzen, läßt sich vielleicht am besten durch Forels kritische Bemerkung in Franzos' Enquete illustrieren: «Die sensationellen Berichte der Neuzeit über suggerierte Verbrechen oder Verbrechen durch sogenannte telepathische Einwirkung sind bisher alle oder fast alle im Nebel geblieben oder in's Nichts zerfallen, weil sie das Produkt der aufgeregten Phantasie hypnotismophober Menschen (entschuldigen Sie den Ausdruck) waren. Lassen wir doch diese Fälle sich zunächst öffentlich vor Gericht abwickeln und aufklären, bevor wir ungereimte, phantastische Romane darüber schreiben! Wir dürfen dabei die eingebildeten Hypnosen nicht vergessen. Es ist in der Psychiatrie bekannt, daß gewisse, an Verfolgungswahn leidende Menschen für ihren Wahn, ihre Hallucinationen und ihre krankhaften Gefühle mysteriöse Erklärungen suchen, die sie als wirkliche Erlebnisse ihrer Umgebung zum besten geben. Neue, noch wenig verstandene Entdeckungen der Wissenschaft werden gerne dazu verwendet. Früher behaupteten solche Kranke, daß sie heimlich elektrisiert wurden; als das Telephon aufkam, wurden sie telephonisch von Stimmen verfolgt. In neuester Zeit klagen

nun bereits manche derselben darüber, daß sie *heimlich hypnotisiert werden*»
(op. cit., S. 53)[6].

Ich habe nicht die Absicht, biographisch für die Einbeziehung der drei
Novellen in den Referenzrahmen der «Angela Borgia» zu argumentieren,
obgleich es verlockend erscheint, teils auf das bei Meyer gleichzeitig auftretende Interesse für Forel und für die Parapsychologie, teils auf den Umstand
hinzuweisen, daß während seiner Krankheit im Jahre 1892 eine auffällige
Zwangsvorstellung von einem Verfolger mit einer mystischen und uneingeschränkten Macht über ihn auftritt[7]. Die Tatsache, daß ein Persönlichkeitszug bei dem empirischen Autor auftaucht, bedeutet nicht unbedingt, daß er
auch ein konstituierendes Element seines Werkes sein muß. Die Argumenta-
tion muß hier, wie im Falle von Strindberg, über die Analyse der Personenkonstellationen und Persönlichkeitsfaktoren im Erzählwerk «Angela Borgia» laufen. Die besondere psychologische Struktur dieses Werkes ist als
letztes Glied der von Meyer unternommenen Kette von Versuchen, ein
Modell seines spezifischen Erlebnismodus im Verhältnis zur Umwelt und
sich selbst zu formulieren, einzusetzen.

Gemessen an der Beziehung zu Forel, und damit der Suggestionspsychologie, ist Meyers *eventuelle* Vertrautheit mit den in dieser Hinsicht relevanten Werken von Strindberg und Maupassant[8] von untergeordneter Bedeutung. Es ist bei weitem nicht sicher, daß er literarische Vorbilder brauchte.
Betrachtet man sein gesamtes Erzählwerk als eine kontextuelle Gesamtheit,
in der das Werk x seine Modifikation, das Werk y usw. hervorruft, so läßt
sich die «Angela Borgia» als der Punkt verstehen, an dem der Gegenspieler
der Hauptperson physisch abwesend ist, wo diese Abwesenheit jedoch
durch ein Maximum an psychischem Eingreifen aufgewogen wird. Dieser
dynamische Interpretationsaspekt soll später eingehend behandelt werden,
weshalb hier nur angemerkt sei, daß die Aufnahme der Suggestionsideen im
Jahre 1890 in dieser seiner letzten Novelle keinen zufälligen Fremdkörper
darstellt.

Das entbindet einen jedoch natürlich nicht von der mühseligen Arbeit,
seine möglichen soziokulturellen Vektoren zu erfassen. Wie eng er mit
seinem Ganzheitsfeld verbunden ist, sei zum Schluß durch ein Beispiel
belegt. Praktisch alle Bücher über Meyer zitieren seine Äußerung zu Felix
Bovet: «je me sers de la forme de la nouvelle historique purement et
simplement pour y loger mes expériences et mes sentiments personnels, la
préférant au Zeitroman, parce qu'elle me masque mieux et qu'elle distance
davantage le lecteur. Ainsi, sous une forme très objective et éminemment
artistique, je suis au dedans tout individuel et subjectif. Dans tous les
personnages du Pescara, même dans ce vilain Morone, il y a du C. F. M.»

W. D. Williams bezeichnet die Stelle als «one of the most interesting of Meyer's letters which is concerned with the question of direct self-projection in his characters» (**W 2,**148). Das ist sie sicher auch, doch es wäre naiv, wollte man sie unmittelbar für bare Münze nehmen, d. h. ohne den Vorbehalt, daß Meyer selbst in seinen augenscheinlich persönlichsten Bekenntnissen ausgesprochen dazu neigt, die Ansichten anderer Leute zu assimilieren. Der Brief an Bovet trägt das Datum 14. 1. 1888. Im Dezember 1887/Januar 1888 erschien in *La nouvelle revue* Maupassants kleiner Roman «Pierre et Jean» mit der programmatischen, antizolaschen Vorrede «Le roman». Im Widerspruch zu der realistischen Doktrin «Rien que la vérité et toute la vérité» betont der Verfasser, daß es wichtig sei, einen Roman zu schaffen, der objektiv (im Sinne von: ohne direkte Analyse der Motive der Erzählfiguren) und gleichzeitig subjektiv sei: «Les partisans de l'objectivité (quel vilain mot!) prétendant, au contraire, nous donner la représentation exacte de ce qui a lieu dans la vie, évitent avec soin toute explication compliquée, toute dissertation sur les motifs, et se bornent à faire passer sous nos yeux les personnages et les événements» (836)[9]. Und weiter: «En somme, celui qui fait de la psychologie pure ne peut que se substituer à tous ses personnages dans les différents situations où il les place, car il lui est impossible de changer ses organes, qui sont les seuls intermédiaires entre la vie extérieure et nous, qui nous imposent leurs perceptions, déterminent notre sensibilité, créent en nous une âme essentiellement différente de toutes celles qui nous entourent. Notre vision, notre connaissance du monde acquise par le secours de nos sens, nos idées sur la vie, nous ne pouvons que les transporter en partie dans tous les personnages dont nous prétendons dévoiler l'être intime et inconnu.» /.../ «L'adressse consiste à ne pas laisser reconnaître ce *moi* par le lecteur sous tous les masques divers qui nous servent à le cacher» (838).

Meyers Brief, der zugleich eine Verteidigung seines Erzählstils in der «Versuchung des Pescara» (erschienen Okt./Nov. 1887 in *Deutsche Rundschau*) darstellt, stimmt nicht nur im weiten Sinne mit Maupassants Vorrede überein, d. h. in erster Linie in der Kombination aus ‹objektiver› Erzählsituation und einem klaren Bewußtsein von der absolut subjektiven Gültigkeit der erzählerischen Aussage[10], sondern der Brief scheint sogar eine geraffte Paraphrase, stellenweise sogar eine Montage der Maupassantschen Wendungen zu sein. Das absurdeste Detail des Briefes ist vielleicht das rein klangliche Echo von «quel vilain mot» in «ce vilain Morone»[11]. Darüber hinaus ist es erstaunlich, daß er seine Form plötzlich als «éminemment artistique» bezeichnet, was Maupassants «valeur artistique» (832) entspricht und der von den zeitgenössischen Kritikern erhobenen Forderung nach «vérité» und der Erfüllung der Gattungsnormen gegenübergestellt wird. Sieben Jahre zuvor hatte sich Meyer energisch verbeten, als «artiste» eingestuft zu werden: «Je ne suis pas du tout un ‹artiste›. Au contraire, je n'écris que toutes les fois qu'un fait moral me frappe ou même m'a ébranlé, sans doute en effaçant dans l'œuvre d'art, tout ce qui pourrait être trop individuel.» (Bovet, 31. 12. 81). Ein halbes Jahr später erklärte er François, weshalb er seiner eigenen Lyrik gegenüber eine Art Verachtung empfinde: – «weil sie mir – *nicht wahr genug* erscheint. *Wahr* kann man (oder wenigstens ich) nur unter der dramatischen Maske al fresko sein. Im Jenatsch und im Heiligen (beide ursprünglich dramatisch concipirt) ist in den verschiedensten Verkleidungen weit mehr von mir, meinen *wahren Leiden und Leidenschaften*, als in dieser Lyrik, die kaum mehr als Spiel oder höchstens die Aeußerung einer untergeordneten Seite meines Wesens ist.» Zu dem Zeitpunkt ist also seine künstlerische Wertehierarchie so geordnet, daß ein moralisches Problem bzw. der wahre Ausdruck seines Wesens ganz oben steht. Den drei Äußerungen gemeinsam ist die erklärte Absicht, seine Individualität nicht unverhüllt zur Schau stellen zu wollen. Damit aber hören die Ähnlichkeiten auch auf.

Der Brief an Bovet im Januar 1888 zeigt meiner Meinung nach, *daß* Meyer in der Zeit vor der Entstehung der Angela Borgia seine Aufmerksamkeit auf Maupassant gerichtet hatte, wenngleich seine Briefe im übrigen dafür keinen Beweis liefern. Wichtiger ist jedoch, daß man gleichzeitig einen Einblick in seine ungeheure Beeinflußbarkeit erhält, ein psychologischer Zug, der als Voraussetzung für die Tatsache zu betrachten ist, daß ein 65jähriger teils vom «Pescara» zur Borgianovelle so vorbehaltlos seinen Erzählstil wechseln, teils sich mit Haut und Haar der Suggestionspsychologie verschreiben konnte, wobei letztere These noch zu untermauern ist.

Anmerkungen

[1] Natürlich war die Reaktion aller Befragten negativ. Doch Forels Antwort sei hier dennoch (teilweise) wiedergegeben, weil sie in der Formulierung des Schlusses ein merkwürdiges Schwanken zeigt: «Bis auf den klar auf wissenschaftlichem Wege gelieferten Beweis des Gegenteils, glaube ich für meinen Teil nicht an die Telepathie, resp. an die sogenannte *Suggestion mentale*, so daß ich mit Ihnen die Richtigkeit der in den drei Beispielen Ihrer Anfrage enthaltenen Angaben *bezweifle*. Die Experimente von Ch. Richet, Myers u. A. m., welche die Telepathie beweisen sollen, können mich bis jetzt durchaus noch nicht überzeugen» (op. cit., S. 54).

[2] Während diese Tatsache in der Hypnotherapie zwar konstatiert, doch nicht näher untersucht war, wurde sie im Rahmen der «Übertragung» bzw. «Gegenübertragung» in der therapeutischen Praxis der Psychoanalyse zu einem äußerst wichtigen Gebiet. Vgl. J. Sandler/C. Dare/A. Holder, «The Patient and the Analyst». 1973.

[3] ... «although Janet had made successful experiments with telepathy and suggestion at at distance, he had remained skeptical about these matters» (E 1,348).

[4] «Journal des Goncourt», VI. 1892, S. 256.

[5] Zitiert nach: «Guy de Maupassant, Contes et nouvelles, II (Editions Albin Michel). 1964. Hier: S. 971.

[6] Solch ein «ungereimter, phantastischer Roman» ist beispielsweise «Das Kreuz am Ferner» von Carl Du Prel, parapsychologischer Forscher und einer der Hauptkräfte der Zeitschrift *Sphinx* (1886ff. Vgl. oben S. 59). Innerhalb des Rahmens dieses keineswegs hervorragenden Buches kommt ein nahezu kompletter Katalog der im Zusammenhang mit Suggestion, Spiritismus und Parapsychologie überhaupt auftretenden Phänomene vor, zudem ein eingeflochtener historischer Überblick über die Erforschung dieser Phänomene im 19. Jahrhundert, die mit den «Professoren von Nancy, aber auch Forel in Zürich und Bérillon in Paris» schließt (II, 293. Bérillon war Redakteur der *Revue de l'hypnotisme*). Der Roman erschien im Frühjahr 1891, und da Du Prels Schriften (vermutlich von Forel) laufend für die Kantonsbibliothek in Zürich angeschafft wurden, gehört er oder die durch ihn repräsentierte Strömung möglicherweise zum Hintergrund der «Angela Borgia».

[7] Vgl. Alexander Kielholz, «Conrad Ferdinand Meyer und seine Beziehungen zu Königsfelden». In: *Monatsschrift für Psychiatrie und Neurologie*. Bd. 109. 1944 (= **K 2**). A. C. Petermand, «Aus schweren Alterstagen von C. F. Meyer». In: *Sonntagsblatt der Basler Nachrichten*. Nr. 44. 1937 (= **P 1**).

[8] Auf alle Fälle muß Meyer auf Maupassants «Le Horla» gestoßen sein, da Franzos diese Novelle als das Meisterwerk dieser neuen psychologischen Gattung hervorgehoben hatte (**F 6,X**).

[9] Zitiert nach: Guy de Maupassant, Romans (Edition Albin Michel). 1959.

[10] Maupassant hebt Gustave Flaubert als sein Vorbild hervor (839ff). In einem Brief an François vom 25. 6. 1886 schreibt Meyer: «Ich habe mir in der letzten Zeit den Franzosen Flaubert angesehen, welcher sich aber erst aus seiner neulich veröffentlichten Correspondenz mit George Sand erklärt.» Außer dieser enthält seine Bibliothek: «Salammbô» (1884), «L'éducation sentimentale» (1886) und «La tentation de Saint Antoine» (1886).

[11] Die Ausnutzung von Klangkorrespondenzen – in diesem Fall vielleicht unbeabsichtigt – kommt bei Meyer mehrmals vor; das bekannteste Beispiel ist die Stelle aus «Gustav Adolfs Page»: ... «ein Triumph über die Ähnlichkeit ihres kleinen mit diesem großen Lose, der dann mit dem albernen Kindergedanken, eine gemeinsame Silbe beendige ihren Namen und beginne den des Königs, sich in Schlummer verlor» (XI, 185). Das Gedicht «Zwei Segel» unterstreicht das modernistisch Konstruktivistische, indem es u. a. in dem Schlußwort «Gesell» das erste Substantiv des Textes, «Segel», ‹wendet›. In der Entstehung mehrerer Gedichte läßt sich außerdem beobachten, daß die klangliche Ähnlichkeit über die semantische gestellt wird, z. B. in «Lenz Wanderer, Mörder, Triumphator III», wo der Vers «Frühling, der die Welt umlaubt» durch «Frühling, der die Welt umblaut» ersetzt wird (II,282).

Lucrezia und die dissoziierte Persönlichkeit

In der «Angela Borgia», so wie sie von Meyers Hand fertig vorliegt, ist Lucrezia in vieler Hinsicht die Schlüsselfigur. Die Interpretation beginnt und endet mit ihr. In dem eigentlichen Handlungsskelett der Novelle entspringt alles andere aus ihren Handlungen: Alle Figuren sind letztlich, wie noch gezeigt wird, auf sie hin orientiert.

Bereits die Fabel in ihrer unabhängig von den Umstellungen des Erzähl-prozesses existierenden Form verdeutlicht diese Tatsache. Der Thronerbe zu Ferrara vermählt sich mit der Papsttochter «aus Staatsgründen und aus Gehorsam gegen meinen Vater» (99); eine Folge davon ist, daß Lucrezia ihre Verwandte Angela aus dem Kloster holt, um sie als «Hoffräulein» mit sich zu nehmen (12). Der Hauptverlauf des ersten Kapitels beschreibt Lucrezias Einzug in Ferrara, der mit ihrer Begnadigung aller gefangenen Verbrecher, einschließlich Don Giulios, endet, wobei darin die Dialogszenen Angela – Ferrante und Angela – Giulio als untergeordnete Abläufe eingeschlossen sind. Das zweite Kapitel besteht aus einer langen Dialogszene zwischen Lucrezia und Bembo, die am Schluß Ippolito und Angela einbezieht, wohlgemerkt als Wiederholung und Variation des thematischen Paradigmas, der Eifersucht des Herzogs auf Lucrezias Anbeter, über dem der einleitende Dialog des Kapitels aufgebaut ist. Das dritte Kapitel beginnt ebenfalls mit einer Dialogszene, wo außer Lucrezia auch Ariost und Ben Emin auftreten, geht in dem Dialog Giulio – Strozzi, der sich mit Lucrezia und Angela beschäftigt, weiter und setzt sich danach in der Seitenlinie, Giulios Traum, fort. Im vierten Kapitel, wo Lucrezia in der Zwischenzeit ihr Ziel: «das große Boskett in der Tiefe des Parkes» (27) mit der Statue des gefesselten Cupido, erreicht, ist sie das Gesprächsthema zwischen Giulio und Strozzi, worauf sie im fünften Kapitel zwar der Auseinandersetzung zwischen Ippolito und Giulio weichen muß, aber eigentlich noch immer im Mittelpunkt des Hand-lungsverlaufs bleibt, da die Entscheidung über das Schicksal Angelas, den Gegenstand des Streites, allein in ihre Hände gelegt wird («Donna Lucrezia verfüge» (46)). Im sechsten Kapitel, in dem Giulio geblendet wird, sind die handelnden Personen nicht nur physisch um Lucrezia «in dem dämmernden Boskett des gefesselten Cupido» (49) gruppiert, sondern der Faktor, der die Blendung Giulios durch seinen Bruder, den Kardinal, auslöst, ist ihre Nacherzählung des apokryphen Berichts über den Heiland. Dagegen tritt sie in den folgenden beiden Kapiteln in den Hintergrund, was durch einen deutlichen Wechsel der Erzählsituation gekennzeichnet ist: Während die ersten sechs Kapitel nahezu rein mimetisch-dramatischen Charakters waren, beanspruchen die diegetisch-narrativen Partien[1] in diesen beiden Kapiteln weit über die Hälfte des Platzes. In den Kapiteln 9–11 gipfelt Lucrezias beherrschende Stellung, während in dem Cesare–Lucrezia–Strozzi-Verlauf gleichzeitig wieder das Mimetisch-Dramatische die Oberhand gewinnt. Erst im letzten Kapitel mit seinem stark zusammenfassenden Zeitverlauf und dem unruhigen Erzählrhythmus mit schnellen Wechseln zwischen dramatischen und narrativen Elementen rückt die Angela-Giulio-Handlung in den Vordergrund. Doch auch hier gilt, daß Lucrezias Rückzüge in das Kloster der Clarissen den Rahmen bilden und damit die Möglichkeit für Angelas und Giulios Vereinigung abgeben, teils daß gerade ihr aktives Eingreifen («Gib mir deinen Rat, Lucrezia, was ich mit ihm anfange.» (32)) zu dem idyllischen Abschluß führt, und zwar nicht nur für die beiden Liebenden, sondern auch für sie selbst, da mit der Teilung der flavianischen Güter das letzte Band zu ihrer Vergangenheit zerrissen wird (134).

Auch wenn man von Meyers novellistischem Werk als dem weiteren Kontext ausgeht, bildet Lucrezia die Schlüsselfigur. Betrachtet man z. B. die vier großen Prosawerke «Jürg Jenatsch», «Der Heilige», «Die Versuchung des Pescara» und «Angela Borgia», so ist ihnen allen der Grundzug gemeinsam, daß sie um eine problematische Persönlichkeit aufgebaut werden, über deren Identität zahlreiche Nebenpersonen ins Reine zu gelangen suchen. Wird Jenatsch durch eine fanatische Vaterlandsliebe oder durch Machtbegehr getrieben? Ist Becket ein Heiliger oder ein raffinierter, rachsüchtiger Mensch? Ist Pescara ein Spanier mit feudalen Ehrbegriffen oder ein Italiener, der rational berechnend handelt? Wer ist Lucrezia? Nicht weniger als fünf Personen versuchen eine Charakteristik, wozu dann noch die direkte Analyse des auktorialen Erzählers hinzukommt.

Wenn eine Fiktionsfigur etwas über eine zweite aussagt, so kann man nach der dem Fiktionstext eigenen Logik nicht erwarten, daß eine solche Äußerung an sich einen Wahrheitswert besitzt, da sie eng mit dem begrenzten Erfahrungshorizont und einem spezifischen Erkenntnisbedürfnis des Sprechenden zusammenhängt. Demnach ist begreiflich, daß Don Ferrante, dessen Voraussetzungen in der direkten Charakteristik des auktorialen Erzählers dargelegt werden («geistige Armut», «unerschöpflicher Erfindungstrieb», «Angst und Bosheit» (60/62)), in Lucrezia eindeutig die Giftmischerin sieht (10), die nun ihren Vorteil darin erblickt, ihre Stellung durch die Ehe mit dem Erben von Ferrara zu sichern (9). Deshalb seine zweideutige Bemerkung über ihre zeremonielle Begnadigung der Verbrecher von Ferrara: «Donna Lucrezia wird durch ihr Erscheinen die Verbrecher unschuldig machen» (14). Deshalb auch sieht seine von Angst verkrüppelte Seele sie als das unveränderlich Böse, als ein natürliches Mitglied des Hofes, den er als «ein Geflecht sich erwürgender oder miteinander buhlender Schlangen» (62) beschreibt.

Eine ähnlich statische Auffassung von Lucrezia findet sich bei Don Giulio, nur mit entgegengesetzten Vorzeichen. Für diesen Beobachter, der «trotz seiner Übertretungen eine innerlich unverfälschte und wahrhafte Natur geblieben war» (45), sind «die Frevel ihrer Vergangenheit» nicht Ausdruck einer Charaktereigenschaft, sondern etwas rein Akzidentielles, der Einfluß der Umgebung. Allein kraft «ihres vom Vater ererbten Leichtsinnes» sei sie imstande, die Erinnerung an ihre Verbrechen «ohne Gericht und Sühne» zu verwinden. Er faßt zusammen: «Mit Ausnahme der Anmut, die sie füllt bis in die Fingerspitzen, ist sie ein gewöhnliches, rasch bedachtes Weib!» (29). Was «der leichtherzige Julius» (32) zu erkennen vermag, ist nur ein Spiegelbild seiner eigenen Persönlichkeit in einem anderen Menschen. Da er selbst trotz seiner Ausschweifungen «ein edleres Urbild» (43) in sich birgt, das sich als Augenblicke von «Gewissen» (44) äußert, ist er von der Aufrichtigkeit in Lucrezias Streben nach «dem Porte der Tugend» (29) überzeugt. Eine solche Auffassung wird jedoch nachdrücklich dementiert, da der Erzähler immer wieder ihren absoluten Mangel an ethischer Substanz hervorhebt und hinter ihrer untadeligen Lebensführung und ihren Frömmigkeitsübungen in Ferrara nur eine Mischung aus geschäftsmäßiger Berechnung und unglaublicher Naivität erblickt (120–21). Der Text bietet deshalb keinen Anhaltspunkt für Brunets These: «Il comprend, peut-être mieux que quiconque, Lukrezia» (B 11,353).

Noch stärkeren Vorbehalt muß der Leser gegenüber dem Bild anmelden, das sich der blutjunge Richter Herkules Strozzi von ihr macht. Während die beiden Eigenschaften, die Ferrante und Giulio jeweils als den Kern ihres Wesens auffassen, die Amoralität und der Leichtsinn, als Elemente ihrer Persönlichkeit zumindest vorhanden sind, ist seine Vorstellung, «dieser strahlende rechtlose Triumph über Gesetz und Sitte nach so schmählichen Taten und Leiden» (6), eine reine Projektion, die Bewunderung der vollständigen Negation des Gesetzes, dem er dient und das er vertritt («Ich vertrete das Recht in seiner Strenge!» (80)). Lucrezia ist in der fiktionalen Wirklichkeit, so wie sie in der indiskutabel gültigen Charakteristik des Erzählers zutage tritt, alles andere als ein bewußt autarker Renaissancemensch voller Verachtung für die Sklavenmoral. Strozzis Hypostasierung wird denn von dem Erzähler auch auf ihre tatsächliche Grundlage, die erotische Besessenheit, zurückgeführt (… «während er nur *ein* Begehr hatte,» … (95)); dieses affektive Bedürfnis hindert ihn daran zu erkennen, was sie ist, so daß Bembo den Richter zu Recht mit Ixion vergleichen kann, der «statt der Göttin die Wolke» umarmt (41).

Das leicht Schematische der von diesen drei Fiktionsfiguren vorgenommenen Charakteristik Lucrezias gründet in dem Umstand, daß diese Textper-
spektiven verschiedene Konsensusbildungen im Hinblick auf die historische
Lucrezia artikulieren (vgl. oben S. 23 ff). Wichtig ist jedoch, daß eine jede
solche «Gestaltbildung ihre latente Störung mit produziert»[23], da eine jede
fast augenblicklich durch inkonsistente Züge dementiert wird, oft in der
Form der direkten Analyse des Erzählers[3].

Von etwas anderer Art sind die Porträts, die Bembo und der Herzog von
ihr zeichnen. Bembos Äußerungen werden zwar schon allein durch den
Umstand relativiert, daß er sie direkt zu Lucrezia und später zu ihrem
Gemahl macht, während weder Ferrante, Giulio noch Strozzi durch die
Rücksicht auf die Schicklichkeit gebunden waren, die ihm die Situation
auferlegt. Diese Relativierung wird dafür jedoch durch den Umstand aufge-
hoben, daß seine Charakteristik eine Vorhersage über ihr kommendes
Verhalten enthält, die dadurch Gültigkeit erhält, daß der implizite Autor sie
in Erfüllung gehen läßt. In seinem rhetorischen Meisterstück, bei dem der
Herzog der Zuhörer ist, sieht Lucrezias Entwicklungsgeschichte so aus:
«Ein kindliches Weib, in unselige Abhängigkeiten hineingewachsen, schuldig schuldlos, wie die liebliche Frauenschwachheit ist, flieht, von innerer
Klarheit erhellt, mit zitternden Füßen aus dem Banne des Bösen und ergreift
die ihr gebotene Hand eines seltenen, ja einzigen Mannes,» .... (40). Doch
dieses reichlich ausgeschmückte «menschlich natürliche Bild einer Dulderin»
(41), das ihr ja die Möglichkeit zugesteht, aus eigener Kraft und mit
Unterstützung des Herzogs ihren Charakter zu verwandeln und zu veredeln,
erfährt in dem Gespräch zwischen Bembo und Lucrezia eine beunruhigende
Dimension: «Die Bande Eures Blutes und der Dämon Eures Hauses sind
Eure Gefahr,» ... (18). «Die Verhältnisse liegen vor Euch im Licht Eures
scharfen Verstandes, aber dieser helle Tag reicht nur bis an den Schattenkreis,
wo Eure Liebe zu Vater und Bruder beginnt» (18). Es ist unklar, was genau
Bembo mit seiner Bemerkung meint: Eine gefährliche erbliche Belastung, ein
schicksalbestimmter Hang zum Verbrechen oder eine abnorm starke
Gefühlsbindung, die gegebenenfalls alle anderen Rücksichten zur Seite fegen
wird? Eines ist jedoch sicher: «Das Wiederkommen Cäsars ist Eure Schick-
salsstunde. /.../ wehe Euch, Ihr werdet folgen, wenn Euch Don Cäsar ruft.
Ihr werdet dem Teufel gehorchen, wie sie erzählen, daß Euer Vater auf dem
Sterbebette sagte: Du rufst, ich komme» (19). Diese Überzeugung von ihrem
unbedingten Gehorsam gegenüber dem Bruder teilt der Herzog (42), und als
das so sicher Vorhergesagte eintrifft, tut diese Schwäche seinen mittlerweile
warmen Gefühlen für sie keinen Abbruch. «Denn er wußte, daß die kluge
und reizende Lucrezia bei der Annäherung Cäsars ihrer selbst nicht mehr

mächtig war und, wieder in den Bann ihres alten Wesens, ihrer früheren Natur gezogen, schuldvoll und schuldlos sündigte» (92). Als Cesare tot ist, bringt der Herzog offen seine Sympathie und Bewunderung für ihre ehrlichen Bemühungen um einen Bruch mit der düsteren Vergangenheit zum Ausdruck. «Das Blut der Borgia begehrte täglich in dir aufzuleben und dich zurückzufordern. Doch, siehe, nun bist du frei geworden. Die Deinigen alle sind verstummt und bewohnen die Unterwelt, woher keine Stimme mehr verwirrend zu den Lebenden dringt» (99).

Bembo und dem Herzog gemeinsam ist nicht nur ihre Verliebtheit in Lucrezia und ihre äußerst positive Bewertung ihres aufrichtigen Strebens nach Fortschritten in Tugend und Einsicht, sondern auch ihre klinisch nüchterne Prognose ihrer Reaktion auf die Rückkehr des Bruders, eine Haltung, zu der auch Kardinal Ippolito gelangt. Die Wortwahl des Textes unterstreicht diese Haltung illusionsloser Beobachtung, die im Falle des Herzogs um so bemerkenswerter ist, als er im übrigen als eifersüchtig und rachsüchtig geschildert wird. Als er in Lucrezias Beisein – «nicht unabsichtlich» – das Gerücht von Cesares Befreiung erwähnt, gelangt diese nahezu experimentelle Kühle deutlich zu Wort (Bembos Bericht): «Er betrachtete Euch lange, doch wohlwollend und wie mit der gerechten Erwägung, was Eurer Natur gemäß und welcher Widerstand Euch möglich sei» (20). Die gleiche Beobachterrolle spielt er bei der Mitteilung von Cesares Tod: «Während dieser Rede beobachtete er die Herzogin aufmerksam» (98). Während sie als wie vorhergesagt aus allen Kräften für die Pläne des Bruders arbeitet, trifft der Kardinal auf Befehl des Herzogs alle seine Gegenmaßnahmen, doch mit unbedingter Behutsamkeit und Diskretion, um sie nicht zu demütigen: ... «er glich dem Arzte, der von einer lieben Kranken, die an Wahnsinn leidet, Gifte und tötende Waffen entfernt» (93). Ein ähnliches Bild des Arztes blitzt auch im Zusammenhang mit Bembos warnenden Worten auf, die als «die bittere Arznei» (19) bezeichnet werden. Diese Haltung ist sinnvoll, was auch daraus hervorgeht, daß der Erzähler ihre Unfreiheit gegenüber dem Bruder folgendermaßen kennzeichnet: «Mit brennenden Wangen, in der Schönheit des Wahnsinns, unfähig, dem Dämonenruf zu widerstehen, unempfindlich in diesem Moment für Furcht und Ehre,» ... (87)[4].

Es dürfte klar sein, daß es sich um etwas anderes als eine angeborene Charakterschwäche («das Blut der Borgia») oder so warme Familiengefühle handelt, daß sie ans Inzestuöse grenzen. Lucrezias «Wahnsinn» ist offenbar als psychopathologischer Fall geschildert, und die drei objektiven Beobachter werden anachronistisch als psychiatrisch einsichtsvolle Observateure dargestellt. Aus ihnen spricht nicht die moralische Vorurteilslosigkeit der

Renaissance, sondern Bernheim: «Der Hypnotisierte, der in Folge der Suggestion stiehlt, der Wahnsinnige, der einen Mord verübt, *wissen*, daß sie dies thun. Wenn sie beide für ihre Handlungen nicht verantwortlich zu machen sind, so ist dies nur darum, weil ihr moralisches Bewußtsein durch unwiderstehliche Antriebe unterdrückt wird, weil der Wahn – im anderen Falle die Suggestion – ihr Wesen beherrscht. Sie wissen zwar, daß sie morden, aber sie können sich nicht enthalten es zu thun» (**B** 8,144). Wenn Bembo und der Herzog beide Lucrezia als «schuldig schuldlos» bzw. «schuldvoll und schuldlos» bezeichnen, so geben sie genau diesen Zustand an. Sie handelt bei klarem Bewußtsein und mit einem «Vorrat schärfsten Verstandes und unerschöpflicher Auskünfte» (92), doch die tatsächliche Motivation ihres Handelns ist ihrem Bewußtsein nicht zugänglich und durch ihren Willen nicht beeinflußbar.

Die durch die sie umgebenden Fiktionsfiguren vermittelten Auffassungen ihres Charakters enthalten zahlreiche mehr oder weniger hypothetische isolierte Eigenschaften, die zusammengenommen ein flimmerndes und widerspruchsvolles Porträt ergeben, bei dem bald ihr «vom Vater ererbter Leichtsinn» (29), bald ihr «ernstes Bestreben» (99) im Brennpunkt des Betrachters stehen. Doch das braucht an sich nichts weiter zu sein als eine einfache Folge der benutzten Spiegelungstechnik. Anders verhält es sich jedoch mit der vom auktorialen Erzähler gelieferten direkten Charakteristik.

Bereits in der Eingangsszene der Novelle erhält der Leser einen direkten Einblick in ihre Gedanken und einen Rückblick auf ihre Vergangenheit (6–7). Welche Elemente fließen denn in dieses Charakterbild ein? «Eine zarte Pflanze, aufwachsend in einem Treibhause der Sünde, /.../ hatte Lucrezia Mühe gehabt, /.../ die einfachsten sittlichen Begriffe wie die Laute einer fremden Sprache sich anzulernen; denn sie waren ihrer Seele fremd.» Die Formulierung enthält zwei Behauptungen: 1. das völlige Fehlen von Moralbegriffen ist eine Folge ihrer Sozialisation, und 2. die Ursache dieses Fehlens ist konstitutioneller Art, eine Eigenschaft ihrer Seele, so daß die kirchlichen Frömmigkeitsübungen, die auch zum Milieu gehören, in ihr keinen Nährboden finden. Nach diesen Prämissen muß der Leser ein Wesen erwarten, das in ungestörter moralischer Indifferenz lebt und sein Leben mit völliger Klarheit und Gemütsruhe überschaut. Doch die Analyse geht weiter: «Höchstens geschah es, daß ihr einmal ein Buße predigender Mönch, den dann der heilige Vater zur Strafe in den Tiber werfen ließ, eine plötzliche Röte in die Wangen oder einen Schauder ins Gebein jagte. Mit der von ihrem unglaublichen Vater ererbten Verjüngungsgabe erhob sie sich jeden Morgen als eine Neue vom Lager, wie nach einem Bade völligen Vergessens.» Wie doppeldeutig die

Reaktion auf den Bußprediger auch sein mag: die Worte «Verjüngungsgabe» und «Vergessen» setzen voraus, daß dem ein Erlebnis des Alterns und des Unbehagens vorausgegangen ist, das nun kraft eines glücklichen Naturells spontan verschwindet. Dieser Satz negiert den vorhergegangenen, wonach Verbrechen und Ausschweifungen für sie ganz unproblematisch sein sollten. Darauf folgt die nächste Behauptung: «Und wenn sie nach einer unerhörten Tat verfolgende Stimmen und Tritte der Geisterwelt hinter sich vernahm, so verschloß sie die Ohren und gewann den Geistern den Vorsprung ab auf ihren jungen Füßen.» Der Satz muß mit einem früheren Einblick in ihre Gedanken bei dem Einzug in Ferrara verglichen werden: (ihre gräßliche Vergangenheit) «würde noch hinter ihr drohen und die Furienhaare schütteln, aber durfte nicht nach ihr greifen, wenn sie selbst sich nicht schaudernd umwandte und zurücksah, und solche Kraft traute sie sich zu.» Mit diesem Zug ihrer Persönlichkeit entfernt sich der Leser noch einen weiteren Schritt von der unproblematischen Amoralität der Einleitung: Die Fähigkeit des völligen Vergessens, die später in der Novelle immer wieder hervorgehoben wird («ruhig atmend wie Ebbe und Flut, mit einem Kinderlächeln auf dem halbgeöffneten Mund, während Natur leise verjüngend über ihrem Lieblinge waltete» (110)), ist nun in den Hintergrund getreten. Statt dessen erblickt man eine Frau, die im Gegensatz zu Lots Gattin unter Aufbietung ihrer gesamten Willensstärke dem unerträglichen Anblick der Zerstörungen der Vergangenheit den Rücken zukehrt und ausschließlich durch diese Verleugnung einer «Selbstvernichtung» entgeht.

Keiner dieser Charakterzüge motiviert einen Entschluß, die römische Orgie von Verbrechen zu verlassen. Deshalb führt der Erzähler im nächsten Abschnitt einen neuen Zug ein: «Nur ihr Verstand, und der war groß, überzeugte sie durch die Vergleichung der römischen Dinge mit den Begriffen der ganzen übrigen, der lebenden und der vergangenen Welt /.../ – ihr Verstand allein überführte sie nach und nach von der nicht empfundenen Verdammnis ihres Daseins, aber allmälig so gründlich und unwidersprechlich, daß sie mit Sehnsucht, und jeden Tag sehnlicher, ein neues zu beginnen und Rom wie einen bösen Traum hinter sich zu lassen verlangte.» Isoliert von jeglichem emotionalen Bedürfnis und ohne Zusammenhang mit den drei genannten unreflektierten Haltungen zeichnet sich nun ein neues Porträt einer rational kalkulierenden Persönlichkeit ab, ein Porträt, das gleichfalls durch die späteren Teile des Textes bestätigt wird («die kühle, besonnene Fürstin», «auf eine ganz sachliche Weise», «verständig wie sie war», «vor ihren klugen und scharfen Augen» (120–21)). Dies sollte eine sachlich opportunistische Begründung für ihre Vermählung mit dem Thronerben von Ferrara liefern, doch auch bei diesem Porträt bleibt der Erzähler nicht stehen. Die Wortwahl «Sehnsucht», «wie einen bösen Traum», «verlangte» und im folgenden Abschnitt: «Ihr Begehren, dessen Heftigkeit sie verbarg», gibt ein emotionales Motiv, eventuell einen moralischen Instinkt an, der in den früheren Charakteristiken nicht zu finden war.

Während dieses Begehren als ein Überlebensbedürfnis dargestellt wird («Jetzt ist es erreicht. Mit diesem bin ich gerettet.»), entwickelt der Erzähler danach noch ein weiteres Charakterbild: Lucrezia im ruhigen Bewußtsein ihrer vortrefflichen Gaben und mit der sicheren Gewißheit, in Ferrara ihren Vorsatz eines makellosen Lebenswandels durchführen zu können: «Niemals werde ich ihm den Schatten eines Anlasses geben, Treue oder Gehorsam seines Weibes zu beargwöhnen.» Diese Sicherheit kommt unmittelbar danach zum Ausdruck, als sie den Seiltänzer sieht: «Du gleitest und stürzest nicht, und ich ebenso wenig» (8).

Auch diese Identität bleibt nicht unangefochten. Als bei ihrem Einzug die Kanonen ertönen, gleitet sie tatsächlich vom Pferd (8), eine symbolische Handlung, die noch ein letztes Persönlichkeitsmoment andeutet, das im Verlauf der Novelle eine entscheidende Rolle spielen soll: «die Schmach ihrer Abhängigkeit /.../, kraft deren sie mit Vater und Bruder zu einer höllischen Figur verbunden war.» Dieser Zug negiert sowohl ihre kühle Berechnung wie ihre Sehnsucht nach Befreiung und ihre Gewißheit, aus eigener Kraft ein gesellschaftlich und moralisch wertvolles Leben formen zu können. Außerdem zeigt ihre Angst bei der bloßen Möglichkeit, daß ein solcher Zustand der Abhängigkeit eintreten könnte («Sie schauderte», vgl. «Hier entfärbte sich Lucrezia, und ihr bleiches Auge erstarrte zu einem Medusenblick» (18)), daß zu den drei ersten Charakterbildern ein deutlicher Abstand besteht.

Da wir es mit einem Werk des 19. Jahrhunderts zu tun haben, stellt sich im Zusammenhang mit so disparaten Charakterzügen die ganz natürliche Frage, ob der Text die Entwicklung einer Persönlichkeit als chronologisch geordneten Prozeß beschreibt. Der Aufbau des behandelten Abschnitts (6–7) läßt eine solche Auffassung zumindest zu, obgleich die Schwierigkeit besteht, daß die drei ersten Charakterbilder anscheinend gleichzeitig bestehen, sich also in keinen linearen Verlauf einordnen lassen.

Es sei gleich festgestellt, daß es sich nicht um eine organische Persönlichkeitsentwicklung handelt, sondern dagegen um die biologisch und experimentalpsychologisch fundierte Theorie von der Bildung der Persönlichkeit, die oben S. 68 besprochen wurde. Danach ist das erste Stadium das zeitlos vegetative («Pflanze»), woran sich als zweites Stadium das iterativ regenerative («Verjüngungsgabe») anschließt. Im dritten Stadium tritt ein erst dunkel erkanntes Gespür dafür auf, daß die Handlungen der Vergangenheit nicht unabhängig vom Individuum existieren, sondern es unerbittlich verfolgen. Typisch für diesen Zustand ist jedoch, daß die Handlungen der Vergangenheit nicht in einer zeitlichen Dimension, sondern rein räumlich begriffen werden, so daß die animalische Fluchtreaktion die Antwort des Individuums auf diesen Impuls bildet. Für diese drei Stadien gilt, daß man sie nicht als eigentliche Persönlichkeiten bezeichnen kann, wenn man damit «l'individu qui a une conscience claire de lui-même et agit en conséquence» meint, wie Ribot es ausdrückt (R 2,1). Bewußtsein ist nach Ribot (und Taine) ein Zustand, der ein Zeiterleben, Erinnerung (R 2,16, 79) und damit das Erkennen von Ähnlichkeiten zwischen Vergangenheit und Gegenwart voraussetzt. Diese Geburt des Bewußtseins geschieht in Lucrezias viertem Stadium «durch die Vergleichung der römischen Dinge mit den Begriffen der ganzen übrigen, der lebenden und der *vergangenen* Welt» (meine Hervorhebung), doch in noch rudimentärer Form, da die Persönlichkeit nur aus reinem, vom Rest der Psyche dissoziierten Intellekt besteht. Im fünften Stadium tritt eine gewisse synthetisierende Tendenz auf, wobei die intellektuelle Analyse vage zu der Fluchtreaktion in Beziehung gesetzt wird, so daß sich daraus eine starke Sehnsucht nach Freiheit ergibt. Erst im sechsten Stadium treten dann Ansätze zu moralischen Kategorien als Vorsatz, Idealbild und Anpassung an die sozialen Wertnormen («Treue und Gehorsam») hinzu, die mit der Überzeugung von der Wahlfreiheit des Willens verbunden sind.

Läßt man die Analyse an diesem Punkt enden, so erhält man ein Bild vom Entstehen der Persönlichkeit aus ihrer biologischen Grundlage und von ihrer Entwicklung zu ständig umfassenderen Synthesen. Oder mit Taines Worten am Ende des 2. Buches von «De l'intelligence»: «Le lecteur voit maintenant les suites infinies de cette propriété des sensations et des images que nous avons appelé l'aptitude à renaître; elle assemble en groupes nos événements internes, et, pardessus la continuité de l'être physique que constitue la forme permanente, elle constitue, par le retour et par la liaison des images, la continuité de l'être moral» (T 1,186).

Geht der Leser jedoch auch nur ein klein wenig über diesen Abschnitt hinaus, so wird deutlich, daß es sich hier nicht um ein Muster handelt, das im weiteren Verlauf des Textes ausgefüllt wird, sondern um ein Schema, das modifiziert, ja, negiert wird. Nicht allein wird die anscheinend aufwärtsstrebende Linie in Lucrezias «Entwicklung» durch das Auftauchen des letzten Charakterbildes, der Eliminierung ihrer Persönlichkeit in der Bindung an «Vater und Bruder»[5], gebrochen, eszeigt sich außerdem, daß das, was man für Entwicklungsstadien halten könnte, Existenzmöglichkeiten darstellen, die ständig aktualisiert werden können und auch aktualisiert werden.

Wenn ich bisher Begriffe wie Charakterbilder, Stadien und Existenzmöglichkeiten benutzt habe, dann wollte ich damit darauf hinweisen, daß der Text keine impulsive oder stimmungslabile Persönlichkeit aufbaut – Lucrezia zeichnet als unveränderliche Eigenschaft eine kühle Selbstbeobachtung aus –, auch kein Individuum, das Schauplatz des Kampfes von zwei Haltungen ist. Man hat es dagegen mit so stabilen und unvereinbaren Bildungen zu tun, «cristallisations allotropiques», wie Janet sie nennt (J 2,121), daß sie als reguläre Subpersönlichkeiten aufzufassen sind, die einander zuweilen in sehr schnellem und nur kurz andauerndem Wechsel ablösen. Die multiple Persönlichkeit, eines der meistdiskutierten Themen der Psychiatrie in den 80er Jahren (E 1,126 ff) erfährt hier seinen dichterischen Ausdruck (vgl. oben S. 67 ff).

Das spontane Gleiten zwischen verschiedenen Persönlichkeiten läßt sich überall beobachten, wo Lucrezia auftritt. Hier seien ein paar Beispiele analysiert: Im 2. Kapitel hat der Dichter Bembo Lucrezia aufgesucht, um Abschied von ihr zu nehmen, nicht aus eigenem Antrieb, sondern weil sie direkt seine Entfernung vom Hof gewollt hat. Sie hat erkannt, daß er allmählich eine gewisse Leidenschaft für sie zu empfinden beginnt, und möglicherweise ahnt sie die ferne Möglichkeit, daß sie erwidert werden könnte («wohl um die Herrin vor sich selber zu hüten» (17)), weshalb sie mit kluger Vorsicht einer jeden Möglichkeit dieser riskanten Situation vorbeugt. Zu der bereits erwähnten sechsten Persönlichkeit, die sie hier «den Bau meines neuen Glückes» (18) nennt, gehört, daß alles im Zusammenhang mit ihrer römischen Vergangenheit für sie negative Konnotationen besitzt. Deshalb handelt es sich um einen Fremdkörper, wenn sie nach Bembos schmeichelnder Bemerkung über ihre Nähe, «die wie eine goldige Luft das ganze Dasein erhellt und verklärt» (18), so reagiert: «Das habe ich vom Vater», sagte sie harmlos. Blitzartig springt die sorglos amoralische Persönlichkeit hervor, mitten in einem Zusammenhang, der ihre sorgfältige und leicht bigotte («eine in Gold und gepreßtes Leder gebundene Ausgabe der sieben Bußpsalmen» (17)) Sicherung ihres Daseins gegen Rückfälle in die römische Lucrezia demonstriert. Ihre Bemerkung über den Vater veranlaßt danach Bembo zu einer Warnung vor der Gefahr, die droht, falls Cesare in ihr Leben eingreift. In ihrer Reaktion liegt keine Spur der willensstarken und klug vorbeugenden Lucrezia, auch nicht der unbekümmerten: «Hier entfärbte sich Lucrezia, und ihr bleiches Auge erstarrte zu einem Medusenblick.» Auffällig an dieser siebten Persönlichkeit, der «Schmach ihrer Abhängigkeit», ist die Tatsache, daß sie trotz ihres irrationalen Charakters von einem deutlichen Selbst-Bewußtsein begleitet ist, so daß sie auf Bembos düstere Vorhersage: «Doch ich beschwöre Euch vergeblich, Madonna! Denn ich weiß, Ihr werdet die Zügel verlieren, Ihr werdet des Herzogs Verbote unter die Füße treten» (19), antwortet: «‹Werde ich?› fragte Lucrezia, wie abwesend. Doch erschien ihr glaublich, daß sie es tun werde, denn sie kannte ihre Bande» (20). In ihrem sechsten Zustand registrierte sie die bloße Anwesenheit des unschuldigen Bembo als eine Gefahr, während sie nun, in ihrem siebten Zustand, ohne Affekt und bewußte Furcht der Tatsache ins Auge sieht, daß sie die Grundlage ihrer beschützten Existenz zerstören wird («Eure Sicherheit, Madonna, ruht auf dem Vertrauen, das Don Alfonso Euch schenkt» (18)). Auch dieser Zustand verschwindet spurlos nach den folgenden Bemerkungen Bembos: «Die Herzogin, die wieder völlig heiter war, sagte jetzt mit wunderbarem Leichtsinn:» ... (20). Als darauf der Kardinal hinzutritt, zeigt sich erneut die klarblickende und planende Lucrezia («diese verwegene Bloßlegung der Tatsachen, die ihrer eigenen Wertung der Dinge und Personen nicht allzu fern lag, welche aber nicht gelten durfte, weil sie es nicht wollte» (23)).

Das noch im 2. Kapitel recht undramatische Auftauchen und Verschwinden von untereinander unverbundenen Persönlichkeitsbildungen, die als spontane Ergebnisse von «le jeu automatique de l'association» (J 2,453) dargestellt werden, nimmt in den nachfolgenden Kapiteln ein immer schärferes Profil an. Die Radikalisierung setzt ein, als Cesare in die Handlung eingreift, doch vor einer Darlegung dieses psychologisch komplizierten Verhältnisses, möchte ich den Überblick über das Stadium von Lucrezias Leben, in dem die Persönlichkeitsveränderungen noch recht spontan auftreten, mit einem Blick auf das 6. Kapitel abrunden. Als der Herzog und der Kardinal in «das dämmernde Boskett des gefesselten Cupido» eintreten, hat Ben Emin gerade seine Christuslegende erzählt. Lucrezias Zustand wird durch das Wort «leicht» (49) angegeben, weshalb sie imstande ist, ganz naiv zu sprechen über «die Kirche /.../, in deren Kreis ich durch Geburt und Schicksal gebannt bin und von der allein ich mein Heil verhoffe» (50). Doch während der Nacherzählung der Legende wechselt ihr Zustand, so daß sie mit den Worten schließt: «‹Selbst an dem ekelsten Gegenstande findet die Güte noch eine Schönheit.› Und schwere Tränen stürzten über ihre Wangen. /.../ Es war offenbar, daß sie an sich selbst dachte und unter der Gewalt eines plötzlich über sie kommenden unüberwindlichen Wahrheitsbedürfnisses ohne Hehl und Scham unter einem durchsichtigen Schleier ihren Ursprung aus der Kirche und ihre entsetzliche römische Sünde zeigte» (50–51). Einen solchen Charakterzug hätte man am wenigsten erwartet: Weder ihre Vergangenheit (die einfachsten moralischen Begriffe «waren ihrer Seele fremd» (6)) noch die Zeit nach dieser Episode (ihre «sachliche Weise» und ihre «Schlangenklugheit» (121) in religiösen Dingen) liefern Voraussetzungen für diese emotional erlebte Sündhaftigkeit.

Völlig isoliert, vielleicht durch die Offenbarung des Göttlichen «wie im Spiegel eines dunkeln Gewässers gebrochen» (49) hervorgerufen, tritt hier eine neue und unerwartete Persönlichkeit zutage, mit Eigenschaften, die sich extrem von denen der anderen Subpersönlichkeiten unterscheiden. Innerhalb der religiösen Thematik, die die Novelle auch enthält, ist es durchaus sinnvoll, Lucrezia gerade an dieser Stelle einen Abglanz der Wiedergeburt in Christus erleben zu lassen, da mit der Blendung unmittelbar danach die geistige Wiedergeburt Don Giulios beginnt. Eine solche Auslegung, die sich auf einer anderen Ebene bewegt als meine Untersuchung des Persönlichkeitsaufbaus der Novelle, wird jedoch davon durchkreuzt, daß Lucrezia auch später in einer kurzen Phase eine Persönlichkeit mit einem ausgeprägten Gefühl moralischer Unwürdigkeit zeigt: «Und dann kam, wie das Blut aus einer Wunde sprudelt, ein reuiges Klagen, ein verzweifeltes Sichgehenlassen, ein nacktes Geständnis dessen, was sie von jeher für Cäsar gesündigt und von ihm erlitten» (99). So reagiert sie auf die Mitteilung von Cäsars Tod, doch dem ist freilich hinzuzufügen, daß sie sofort danach in ihre alte einschmeichelnde («mit einer schmeichelnden Gebärde» (100)) und unbekümmerte Persönlichkeit zurückfällt.

Die verschiedenen Subpersönlichkeiten Lucrezias treten demnach nacheinander in völlig kaleidoskopischem Muster auf. Doch damit nicht genug. Wenn sie sich in einem Zustand befindet, scheint es, als habe sie die Erinnerung an den oder die vorhergehenden in dem Sinne verloren, daß sie außerstande zu sein scheint, den Widerspruch zwischen dem Standpunkt, den sie jetzt einnimmt, und dem von vor einem Augenblick zu sehen, ein Zug, der um so seltsamer ist, als ihr kühler Verstand nie zu funktionieren aufhört und außerdem ein paar der Subpersönlichkeiten aus Eigenschaften wie konsequente Berechnung und moralische Verantwortlichkeit für ihre Handlungen aufgebaut sind. Im 11. Kapitel, wo die deutlichsten Persönlichkeitswechsel stattfinden, kann sie deshalb in dem einen Augenblick in aufrichtiger Verzweiflung über die Bosheit klagen, die sie von Cäsar und um seinetwillen hat erleiden müssen (99), und ein paar Stunden später ohne ein Erlebnis der Inkonsequenz von dem Bruder als dem «Ärmsten» sprechen: «Von jetzt an nannte Lucrezia den Dämon, der ihr Bruder gewesen war, nicht anders mehr als den Ärmsten, so wie sie ihr Ungeheuer von Vater längst den Guten nannte. /.../ So sagte sie, und es war ihr Ernst,» ... (103).

Meyer schildert hier eine äußerst radikale Variante von multipler Persönlichkeit. Soweit ich sehen kann, kommen dafür nur zwei Quellen in Betracht, und zwar Ribot und Pierre Janet. Während sich Ribot mit allgemeineren Betrachtungen über die Flüchtigkeit solcher Bewußtheitsphänomene wie die Identitätserlebnisse begnügt («que les manifestations les plus hautes de la nature soient instables, fugaces, surajoutées et, quant à leurs conditions d'existence, subordonnées» (R 2,14)), findet man in Pierre Janets «L'automatisme psycholoquique» Beschreibungen von Experimenten, wo er erst durch Hypnose in der Versuchsperson eine neue Persönlichkeit hervortreten läßt, darauf die hypnotische Prozedur mit der bereits hypnotisierten wiederholt und eine weitere Persönlichkeit hervorruft, usw. usw. Dazu bemerkt er: «La désagrégation mentale, la formation des personnalités successives et simultanées dans le même individu, le fonctionnement automatique de ces divers groupes psychologiques isolés les uns des autres ne sont pas des choses artificielles, résultat bizarre de manoeuvres expérimentales. Ce sont des choses parfaitement réelles et naturelles que l'expérience nous permet de découvrir et d'étudier, mais qu'elle ne crée pas» (J 2,442).

In den Behandlungen des Problems der spontanen Persönlichkeitsverdopplung, in den 80er Jahren des 19. Jahrhunderts unter den «most discussed by psychiatrists and philosophers» (E 1,126), spielt die Amnesiefrage eine wichtige Rolle. Wo ein Individuum in sich die Persönlichkeiten A und B barg, konnten sie entweder gegenseitig amnestisch sein oder es konnte sich um Einwegamnesie handeln, so daß z. B. B ein Bewußtsein von der Existenz von A besaß, nicht aber umgekehrt. Meyers Lucrezia gehört anscheinend zu dem Typ, wo zwischen A, B, C usw. gegenseitige Amnesie besteht, d. h. es handelt sich um eine unglaublich lose organisierte Individualität. Doch der Leser wird bemerkt haben, daß es hier eine Ausnahme gibt: Sie ist sich dessen deutlich bewußt, daß der Vater und der Bruder jederzeit eine Persönlichkeit in ihr hervorrufen können, die sie mit Schrecken betrachtet, und daß sie einer solchen Verwandlung keinen Widerstand entgegensetzen kann (7, 18, 20, 79). Als Cesare diesen Persönlichkeitswechsel in ihr hervorruft, ist sie «unfähig, dem Dämonenruf zu widerstehen, unempfindlich in diesem Moment für Furcht und Ehre» (87); zwar wechselt sie «ein paar Stunden später, aus dem Zauber halb erwachend» (89) in den früheren Zustand zurück, doch nur, um später um so stärker in der provozierten Persönlichkeit bestärkt zu werden: «Im hellen Tageslicht wichen die Gespenster, doch die Herzogin, deren der Bruder sich nach und nach wieder völlig bemächtigte, begann mit allen Kräften ihres Geistes für ihn zu wirken und jede Stunde ihres Lebens in seinem Dienste zu verwenden, indem sie sich einbildete, sie tue aus treuer Schwesterliebe, die das Natürlichste der Welt sei, Erlaubtes und Unerlaubtes für einen großen und unglücklichen Fürsten, ihren geliebten Bruder» (90). In diesem Zustand, der einen ganzen Winter dauert (78, 98), ist sie einer völligen Amnesie in bezug auf ihre anderen Persönlichkeiten, deren Haltungen, Werte und Vorsätze unterworfen. Sie weiß, als sie die Ehe mit Alfonso eingeht, daß ihr Leben und ihre Sicherheit von einer unbedingten Treue zu ihm und seinen Staatsinteressen abhängen, doch als Cesare die verbrecherische Persönlichkeit in ihr provoziert, ist dieses Wissen mit einem Schlag verschwunden, und zwar so sehr, daß sie zu keinem Zeitpunkt Angst hat, dem Verbot des Herzogs zuwiderzuhandeln. Als dieser unter Androhung der Todesstrafe «ohne Unterschied! Ohne Gnade!» seinen Untertanen jegliche Beziehung zu Cesare verbietet, schließt die Szene mit der Bemerkung des Erzählers: «Er drückte ihr die Hand, und sie gab ihm einen warmen Dankesblick, obgleich sie ihn verriet» (88). Die nun aktualisierte Persönlichkeit, wo Cesare «sich (…) wieder mit ihrem ganzen Denken verschmolzen und ihre Seele mit seinem Frevelsinn verpestet (hatte)», umfaßt zwar die äußerste Gerissenheit und Verstellung gegenüber dem Kardinal, der während der Abwesenheit des Herzogs die Staatsge-schäfte führt, doch Lucrezia erlebt zu keinem Zeitpunkt einen Konflikt zwischen ihren beiden Loyalitäten.

Das Studium multipler Persönlichkeiten lag außerhalb des eigentlichen Interessengebiets der Nancyer Schule, und damit auch von Forel, der sich nicht mit der endogenen «faiblesse de la synthèse» (J 2,453) beschäftigte, sondern mit den exogenen Persönlichkeitsveränderungen, die von der Sug-gestibilität der Patienten herstammten. Wenn Meyer in seiner Lucrezia die Tendenz zur Dissoziierung in der Psyche vor und unabhängig von der suggestiven Einwirkung Cesares, auf die ich später zurückkomme, schildert, so hat er vermutlich, wenn man einmal von der eigenen Introspektion absieht, die die Voraussetzung dafür bildet, daß er eine solche Figur über-haupt formen kann, versucht, ausführlichere Darstellungen des Phänomens in der psychiatrischen Fachliteratur zu finden, genauso wie Hofmannsthal anderthalb Jahrzehnte später während der Ausarbeitung seines Andreas-romans Morton Princes «The Dissociation of a Personality» (1906) studierte. Bei Bernheim (B 8,141) beispielsweise konnte er den Hinweis auf die Kran-kengeschichte finden, die man in der Psychiatrie der 8oer Jahre als die klassische Darstellung betrachtete: Eugène Azams «Hypnotisme, double conscience et altérations de la personnalité» (1887. = A 1) mit der Geschichte der Patientin Félida X. Dieses Werk ist so wichtig, daß Pierre Janet in «Contribution à l'étude des accidents mentaux chez les hystériques» (1893) meint, es sei nicht sicher, daß es ohne Félida am Collège de France einen Lehrstuhl in Psychologie gäbe.

Azams Buch, eine Sammlung von zwischen 1860 und 1883 veröffentlich-ten Aufsätzen und einer Nachschrift, besteht zum größten Teil aus einer ausführlichen Darlegung der psychischen Entwicklung der Patientin Félida X von ihrem 15. bis zu ihrem 44. Lebensjahr. Sie ist nicht nur im psychiatrischen Zusammenhang interessant. Die Schilderung dieser Persönlichkeit ist über weite Strecken hin so anschaulich, so fesselnd und voller Einzelheiten, daß sie eigentlich eher an einen psychologischen Roman erinnert und damit als ein Vorläufer von Anna O, Dora, dem Wolfsmann und dem Rattenmann betrachtet werden kann, den Freudschen psychologischen Studien, die eine so harte Konkurrenz für die psychologische Fiktionsprosa bildeten[6].

1858 wurde Azam zu der knapp fünfzehnjährigen Félida gerufen, die seit einem Jahr an seltsamen schlafähnlichen Anfällen litt, denen eine kurze, doch deutliche Veränderung ihres Charakters folgte. In ihrem Normalzustand beschreibt er sie so: «très intelligente et assez instruite pour son état social, elle est d'un caractère triste, même morose, elle parle peu, sa conversation est sérieuse, sa volonté est très arretée et son ardeur au travail très grande» (65). Doch dieser Zustand wird fast jeden Tag zu irgendeinem Zeitpunkt durch eine «Krise», «un sommeil spécial», eine lethargische Phase von einigen Minuten Dauer unterbrochen, aus der sie als ein anderer Mensch erwacht: «Elle lève la tête et, ouvrant les yeux, salue en souriant les personnes qui l'entourent, comme si elles venaient d'arriver; sa physionomie, triste et silencieuse auparavant, s'éclaire et respire la gaieté; sa parole est brève et elle continue, en fredonnant, l'ouvrage d'aiguille que dans l'état précédent elle avait commencé» (67). Abgesehen davon, daß «cette deuxième vie /.../ est de beaucoup supérieure à l'autre» (69) in intellektueller und emotionaler Hinsicht, so besitzt es gegenüber dem Normalzustand noch einen weiteren Vorteil: «Dans cet état, elle se souvient parfaitement de tout ce qui s'est passé pendant les autres états semblables qui ont précédé et aussi pendant sa vie normale» (68). In ihrem Normalzustand dagegen erinnert sie sich nicht daran, was während ihrer «condition seconde» geschehen ist. Im Laufe der nächsten 16 Jahre entwickelt sich Félida so, daß der zweite Zustand der beherrschende wird (119–20), während der erste Zustand allmählich in immer längeren Abständen entsteht und immer kürzer dauert. In dem zweiten Zustand erlebt sie die Rückwechsel in den ersten als Krisen: «Elle reconnaît que, dans ces moments, son caractère se modifie beaucoup; elle devient, dit-elle, méchante, et provoque dans son intérieur des scènes violentes» (85). Die Übergänge zwischen den beiden Zuständen geschehen während dieses Zeitraums im Laufe von wenigen Sekunden, ohne daß ihre Umgebung es bemerkt, und sie lernt es schnell, ihre Ratlosigkeit zu verbergen, wenn sie sich auf diese Weise plötzlich in einer ihr fremden und überraschenden Situation befindet (86–87). Das fällt ihr leicht, da jede ihrer beiden Persönlichkeiten in sich «incontestablement entières» (68) sind: «cette dissimulation est si complète, que dans son entourage son mari seul est au courant de son état du moment» (88). In dieser Phase ihres Lebens geschieht es einige Male, daß sie aus ihrem zweiten Zustand in einen dritten übergeht: «au lieu de s'éveiller dans l'état normal comme à l'habitude, elle se trouve dans un état spécial que caractérise une terreur indicible; ses premiers mots sont: ‹J'ai peur …, j'ai peur …›» (72, vgl. 102). Erst ab ihrem 35. Lebensjahr stabilisiert sich der zweite Zustand, so daß Azam ihn als «nouvelle et différente par son intégrité» (120) bezeichnen kann.

Vergleicht man diese klassische Schilderung einer multiplen Persönlichkeit mit der Fiktionsfigur Lucrezia, dann sieht man sofort, daß Meyer mit einem weit komplizierteren Muster arbeitet als Azam, ein Umstand, der nicht weiter verwundern kann, da die Félidastudien veröffentlicht wurden, bevor die experimentelle Erforschung der Persönlichkeit wirklich einsetzte, während die «Angela Borgia» mit ihrer Verbindung zu Forel auf einer differenzierteren Auffassung des Phänomens aufgebaut werden konnte. Dabei ist noch ein weiterer Umstand in Betracht zu ziehen, nämlich daß Azam – so wie die Schüler Charcots – die Ursache der Persönlichkeitsspaltungen in organischen Defekten suchte[7], eine Theorie, die die Forscher von Nancy selbstverständlich nicht vorbehaltlos akzeptieren konnten, da sie ihre Aufmerksamkeit in so hohem Maße auf die menschlichen Interaktionen richteten.

Ohne behaupten zu wollen, Meyer habe die Félidageschichte direkt gekannt, was gar nicht nötig war, da sie in der Psychiatrie der 80er Jahre Gemeingut war[8], sei hier nur auf einige auffällige Parallelen hingewiesen. Lucrezias drei Haltungen während ihrer Kindheit und Jugend in Rom lassen sich, so problematisch der Zusammenhang zwischen ihnen auch sein mag, zusammen als eine Persönlichkeit betrachten, die durch eine recht weitgehende Konformität mit den Wertnormen ihres Jugendmilieus gekennzeichnet ist. Vereinfacht man nun, auf den Spuren Azams, ihr psychologisches Porträt noch weiter, so muß man auch den schlafwandlerischen Gehorsam gegenüber Vater und Bruder, der als Möglichkeit auch in Ferrara weiter existiert, als Teil ihrer primären Persönlichkeit betrachten. Wie in Félidas Fall wird diese Primärpersönlichkeit tatsächlich für kürzere oder längere Zeit mehrmals aktualisiert, nachdem ihre Alleinherrschaft gebrochen ist.

Die Novelle stellt nun Lucrezias Bruch mit ihrem früheren Zustand relativer Harmonie zwischen Individuum und Milieu als das Ergebnis einer rein intellektuellen Operation dar («Nur ihr Verstand» … «ihr Verstand allein» … (6)). Diese Begründung ist aus mehr als einem Grund seltsam. Da der Erzähler ausdrücklich betont, daß zu dieser Haltungsänderung weder emotionale noch moralische Motive beigetragen haben, wäre es denkbar, daß Lucrezia eingesehen hatte, daß Alexander VI. eines schönen Tages von der

Bildfläche verschwinden würde, was historisch gesehen zwei Jahre nach ihrer Verlobung mit Alfonso geschah, und daß es deshalb angebracht war, sich rechtzeitig in Sicherheit zu bringen. Eine solche Überlegung wäre die natürliche Voraussetzung oder die Konsequenz ihrer kühlen Situationseinschätzung. Doch der im übrigen allwissende, analysierende Erzähler schweigt sich darüber aus – klugerweise, könnte man hinzufügen –, da eine solche Voraussicht im grellen Gegensatz zu dem Leichtsinn und der Unbekümmertheit ihres früheren Wesenskerns stehen würde. Weder hier noch später im Text stellt der Erzähler ihren Entschluß, Herzogin von Ferrara zu werden, als politische Berechnung dar. Die demnach durch und durch unmotivierte intellektuelle Einsicht bringt sie nicht dazu, Pläne für ihre Zukunft zu schmieden, sondern führt dagegen zu einer völlig veränderten Haltung zu sich selbst, einem Gefühl von «Sehnsucht, /.../ Rom wie einen bösen Traum hinter sich zu lassen» ... (7), die durch glückliche äußere Umstände begünstigt als Vorsatz und Wille, ein in jeder Hinsicht untadeliges Leben zu führen, zu ihrem neuen und zweiten Charakter wird. Benutzt man die normale common-sense-Psychologie, was die Meyerforscher meist tun, dann wird Lucrezia als Persönlichkeit zu einem Postulat. Stellt man dagegen Meyer in sein kulturelles Gesamtfeld, so wird gerade die fehlende Motivation zum Schlüssel für das Verständnis der Fiktionsfigur.

So wie bei Félida geschieht bei Lucrezia eine plötzliche Dissoziation der Persönlichkeit, so daß ihre Persönlichkeit A, ihre «condition première», durch B, ihre «condition seconde», ersetzt wird. Meyer hat einen solchen Wechsel zudem sorgfältig vorbereitet, indem er ihre im voraus lose organisierte Persönlichkeit betont. Selbst die Félida kennzeichnende Einwegamnesie kommt bei Lucrezia vor: Bei ihrem Einzug in Ferrara, d. h. in ihrem B-Zustand, ist sie sich bewußt, daß neben ihrer jetzigen Persönlichkeit noch eine frühere existiert, die gegebenenfalls wieder aktualisiert werden kann («wenn der Vater befiehlt /.../ oder der Bruder ruft» (7)), ein Wissen, das sie ihr ganzes Leben hindurch begleitet (vgl. 120: «jegliche Schmach ihrer Abhängigkeit tief zu verstecken, kraft deren sie mit Vater und Bruder zu einer höllischen Figur verbunden war» (7). Ganz Entsprechendes gilt für Félida: «Dans la condition seconde, Félida est moins souffrante et plus avisée que dans l'autre état, et elle considère cet autre état comme un état maladif *dont elle a honte*, sentant venir le mal comme toutes les hystériques sentent venir l'attaque; elle le *dissimule avec une grande habilité*» (159, meine Hervorhebung).

In der Ferrara-Zeit ist der B-Zustand ihr Normalzustand, der von kurzen Momenten des A-Zustands, wie der oben erwähnten Episode während des Gesprächs mit Bembo (18–20), unterbrochen wird, wobei es sich jedoch um kein spontanes Wiederauftauchen handelt. Ihr weiter bestehendes Wissen über ihr früheres – und potentielles – Ich kommt in dem Gespräch mit Angela zum Ausdruck, wo die jüngere Verwandte ihren Abscheu vor der «verbrecherischen römischen Tullia» (78) zeigt, deren Untaten auf einem Gemälde in der «römischen Kammer» dargestellt sind. Auf Angelas Ausbruch: «Widernatürliche! Zauberin! Teufelin!» reagiert Lucrezia: «Dann lächelte Lucrezia, dem eifrigen Mädchen die heiße Wange streichelnd. ‹So ging es nicht zu›, flüsterte sie ihr ins Ohr; ‹die berühmte Römerin verlor sich in einer Dämmerstunde an einen Mann, sein sündiger Geist fuhr in sie, und sie wurde sein willenloses Werkzeug. So war es, glaube mir. Ich weiß es›» (79). Doch unmittelbar nach dieser leidenschaftslosen Feststellung beginnt mit Cesares Brief ein Rückfall in die A-Persönlichkeit, der sich über mehrere Monate erstreckt und wie Félidas «condition première» durch totale Amnesie gegenüber ihren früheren festen Vorsätzen gekennzeichnet ist. Oder genauer gesagt, und hierin zeigt sich der Einfluß der Nancyer Schule, durch eine nachträgliche Rationalisierung der Handlungen und Haltungen, die ihren A-Zustand ausmachen und deren Motive ihr verborgen bleiben. Lucrezia stellt alle ihre Kräfte in den Dienst des Bruders, «indem sie sich einbildete, sie tue aus treuer Schwesterliebe, die das Natürlichste in der Welt sei, Erlaubtes und Unerlaubtes für einen großen und unglücklichen Fürsten, ihren geliebten Bruder» (90, mehr über die nachträgliche Rationalisierung unten). Während selbst so starke Impulse wie Bembos warnender Brief (93–94) außerstande sind, die Amnesie des A-Zustandes zu unterbrechen, leben ihre früheren A-Perioden in ihrer Erinnerung nur um so stärker auf, was dem Umstand entspricht, daß Félida während eines jeden Anfalls der «condition premiere» eine deutliche Erinnerung an die vorhergegangenen ähnlichen Zustände hegt: «Aber sie hatte jetzt seit Wochen wieder mit Cesare in seinen vielen, auch seinen jugendlichen und liebenswürdigen Gestalten zusammengelebt» (94)[9].

Außer diesen eher generellen Parallelen zwischen Félida und Lucrezia kommt jedoch auch noch ein so spezifischer Zug vor, daß man versucht ist, eine direkte Quellenabhängigkeit anzunehmen, da etwas Ähnliches, soweit ich sehen kann, in keiner anderen für Meyer relevanten Darstellung vorkommt. Als sie durch Cesares Brief in den A-Zustand eingetreten ist, tritt nach Ablauf einiger Stunden eine seltsam instabile Phase ein, in der sie imstande ist, dem Teil von Cesares Befehlen, die sie dazu bringen sollen, Strozzi zum Eintritt in den Dienst des Bruders zu verführen, Widerstand entgegenzusetzen («fiel sie ein paar Stunden später, aus dem Zauber halb erwachend, in Reue,» . . . (89)). Aus diesem partiellen B-Zustand, der durch die Lektüre von Bembos Brief verstärkt wird, tritt sie in einen kurzen, doch äußerst markanten C-Zustand über, der Félidas oben erwähnter «troisième condition» entspricht: «Über dem Briefe war sie todesmüde bei brennenden Kerzen in Schlummer gesunken, aber aus den beginnenden Träumen wieder aufgefahren. Es hauchten Geisterwinde und bewegten die Flämmchen der Kerzen. Sie starrte in eine dunkle Ecke, bis ihre unverwandten Blicke dort die Erscheinung Cäsars gestalteten. Jetzt, jetzt trat er hervor und schritt auf ihr Lager zu, die Samtmaske, die er immer trug, von den wohlbekannten bleichen Zügen hebend. Da stieß Lucrezia durchdringende Schreie aus» ... (89). Auch in Félidas Fall tritt der dritte Zustand nach dem Schlafen ein (72): «Ètant en condition seconde, Félida, si elle éprouve une grande émotion, est prise d'une période de transition ordinaire, et au lieu d'entrer comme d'habitude dans l'autre condition, s'éveille dans un état mental, particulier, caractérisé par une peur excéssive. Elle ne reconnaît que son mari, encore à peine, a des hallucinations terrifiantes de l'ouïe et de la vue, voit des fantômes, des égorgements» (102). Während Cesare in ihrem A-Zustand der geliebte Bruder war und im B-Zustand mit einer gewissen affektiven Neutralität betrachtet wurde (19, 20, 79), nimmt er im C-Zustand eine ausgesprochen negative emotionale Färbung an. Aus dem C-Zustand kehrt Lucrezia, genau wie Félida (102), in den B-Zustand zurück (sie sucht den Herzog auf, um bei ihm Hilfe zu suchen, findet ihn jedoch nicht (90)), und erst danach tritt wieder der A-Zustand ein («die Herzogin, deren der Bruder sich nach und nach wieder völlig bemächtigte» (90)), der dann ohne weitere Unterbrechungen andauert, bis ihr Cesares Tod mitgeteilt wird.

Ich habe hier zwar die Parallelität von Félida und Lucrezia betont, muß jedoch hinzufügen, daß ich damit keineswegs behaupten will, es handele sich um eine rein mechanische Übernahme der psychiatrischen Fallgeschichte. In der Struktur der Novelle spielt diese angsterfüllte Halluzination die gleiche Rolle wie Don Giulios Angsttraum, in dem er von der «Traum-Angela» geblendet wird (35): In beiden Fällen enthüllt sich die Wahrheit über einen Menschen nicht in dessen wachem Normalzustand, sondern in dem Augenblick, in dem sich die Welt der Irrationalität oder die der Offenbarung öffnet. Die Auslegung hat hier nur die Ebene gewechselt, von der persönlichkeits-psychologisch-deskriptiven zur metaphysischen. In dieser übergeordneten Struktur muß man wahrscheinlich auch den Grund dafür suchen, daß Lucrezia außer ihren ABC-Persönlichkeiten, gerade in dem Kapitel, in dem Don Giulios Traum in Erfüllung geht, eine neue Persönlichkeit zeigt, die imstande ist, das Evangelium der Barmherzigkeit zu erleben.

Aus ihrem langen Rückfall in den A-Zustand wechselt Lucrezia abrupt in ihre B-Persönlichkeit über, als der Herzog mit dem Brief nach Ferrara zurückkehrt, der von Cesares Tod berichtet. Während er vorgelesen wird, «beobachtete er die Herzogin aufmerksam» (98), und die Reaktion ist unbestreitbar auffällig. In anbetracht der Tatsache, daß sie monatelang «ihren geliebten Bruder» (90) im Kopf gehabt und nur für seine Sache gelebt hat, scheint es unmittelbar – d. h., wenn man den speziellen psychologischen Referenzrahmen nicht einbezieht – unverständlich, daß sein Tod in ihr keinerlei Andeutung der Trauer hervorruft. Ihre ersten Worte sind dagegen: «Du mußt wissen ... laß dir sagen ... ich verriet dich ... ich mißgehorchte dir ...» (99). In ihrer plötzlich wieder etablierten B-Persönlichkeit ist die Erinnerung an das letzte, was in der vorherigen B-Periode geschah (88, 90), nämlich das Verbot des Herzogs, irgendeine Beziehung zu Cesare aufzunehmen, so lebendig und gegenwärtig, daß die dazwischen liegende lange und starke *gefühlsmäßige* Bindung an den Bruder von einer vollständigen Amnesie betroffen zu sein scheint. Dagegen existiert in ihrem Bewußtsein das *Wissen* um ihre Übertretungen des Verbots, was der Einwegamnesie entspricht, die Azam in Félidas «condition seconde» feststellte. Hinzu kommt, daß die sonst so kühle bzw. leichtsinnige Lucrezia in dem Augenblick, wo sie «éprouve une grande émotion» (A 1,102), in «ein verzweifeltes Sichgehenlassen, ein nacktes Geständnis dessen, was sie von jeher für Cäsar gesündigt und von ihm erlitten» (99), übergeht; also ein momentanes Aufscheinen der «troisième condition», die sie nach dem Konflikt zwischen den A- und B-Persönlichkeiten bereits früher erlebt und die ihr Cesare in einem Abscheu erregenden Anblick gezeigt hatte[10]. Danach tritt für den Rest ihres Lebens, genau wie in Félidas Geschichte, ein stabiler B-Zustand ein, in dem sie sich – bereits nach ein paar Stunden – an den Bruder nur noch als den «armen Bruder» (103) erinnert.

Wie konsequent Meyer sein psychologisches Porträt einer beständig von psychischer Dissoziation bedrohten Persönlichkeit gestaltet, geht aus dem Nebenverlauf hervor, der als Epilog zu Cesares langer Herrschaft über sie fungiert. In Strozzis Person leben ihre und die Handlungen ihres Bruders weiter, und damit der sichtbare Ausdruck ihrer emotionalen Bindung an den Toten. Aus dem Grund versteht sie nicht, wen der Herzog meint, als er «einen Schuldigen, der seinen Kopf aufs Spiel gesetzt und ihn verloren hat» (100), erwähnt. Erst Angelas aufgeregte Mahnung beschwört sein Bild: «Lucrezia erschrak und erinnerte sich» (101. Vgl. die entsprechende Reaktion: «Lucrezia erschrak zu Tode» (84), als ihr Blick auf die Handschrift des Bruders auf dem an sie gerichteten Brief fällt). Das nachfolgende Gespräch mit Strozzi, der sein Recht auf sie zu einem Gebot Cesares macht («Wir gehören zusammen, Don Cäsars Wille hat uns vermählt» (104)), ruft einen Ansatz des A-Zustands in ihr hervor: «Sie starrte den Richter mit bleichen Augen an, und alle Lieblichkeit war von ihr gewichen» (104). Anscheinend ist es nur ein Zufall, «der höchst würdevolle Haushofmeister» (104), der in diesem Augenblick eintritt, der diesen Ansatz bereits im Entstehen erstickt. Konsequenterweise schließt das Kapitel, in dem diese Episode vorkommt, damit, daß Angela, nachdem sie den Mord an Strozzi mit angesehen hat, die schlafende Lucrezia betrachtet, «entschlummert, ruhig atmend wie Ebbe und Flut, mit einem Kinderlächeln auf dem halbgeöffneten Munde, während Natur leise verjüngend über ihrem Liebling waltete» (110). Hier tritt im Text zum letztenmal die «Verjüngungsgabe» (6) der «römischen» Lucrezia hervor (vgl. oben S. 36 über die völlig andere Gestaltung der Strozzigeschichte in H[16]).

Der Vollständigkeit halber sei schließlich noch darauf hingewiesen, daß sich Meyer bei der Schilderung der Übergänge zwischen dem A- und dem B-Zustand einer ganz bestimmten Wortwahl bediente: «erstarren» (18), «starrte» (89, 104), «entfärbte sich»/«blaß»/«Blässe»/«bleich» (18, 51, 84, 104), «versteinert» (99). Sowohl Azam (67) wie auch insbesondere Charcot und seine Schüler meinten feststellen zu können, daß einer spontanen oder provozierten (somnambulen) Persönlichkeitsveränderung ein Übergangszustand der Katalepsie und Lethargie vorausging (vgl. Lilienthal, L 4,283), eine Überzeugung, die von der Nancyer Schule nicht geteilt wurde (Bernheim, B 8,129).

Mit dieser letzten Bemerkung kehre ich zu meinem Ausgangspunkt zurück, zu Auguste Forel, dem Schüler Bernheims. Indem ich Azam in die Untersuchung einbezogen habe, habe ich die Lucreziafigur grob vereinfacht, da ich ihre Persönlichkeitsveränderungen als ebenso spontan hingestellt habe wie Félidas Wechsel zwischen Zustand 1 und 2. Doch sie ist, wie ich oben bereits berührte (S. 25 ff), mehr als nur «une personnalité faible», wie Janet es nennt; sie enthält mehr als «une grande instabilité mentale» (J 2,8). Lucrezias B-Persönlichkeit, die bereits bei ihrem Einzug in Ferrara zu ihrem Normalzustand geworden ist, wie labil dieser auch sein mag, geht nicht spontan, als Folge von Veränderungen ihres Organismus[11] in die A-Persönlichkeit über, sondern wechselt durch die Einwirkung eines fremden Willens, so wie auch die *Beendigung* dieses intermittierenden Zustands deutlich exogen motiviert ist.

Dennoch dürfte ein Seitenblick auf Azam angebracht sein, nicht nur weil sich damit nachweisen läßt, wie dissoziiert Lucrezias Persönlichkeit ist, sondern auch, weil die extreme Suggestibilität ihres Wesens durch eine grundlegende Schwäche ihrer Persönlichkeitsstruktur bedingt ist. In dem Zusammenhang wiegt es meines Erachtens nicht so schwer, daß Azam in der Psychiatrie der 8oer Jahre einer anderen Strömung angehört als Forel – auch die Forscher von Nancy ziehen Nutzen aus seiner vorbildlich durchgeführten Krankheitsgeschichte. Meyer besaß ja ebenso wenig wie Strindberg und Maupassant irgendwelches psychiatrisches Fachwissen, weshalb seine Rezeption der neuen Persönlichkeitspsychologie von so vielen Mißverständnissen und psychiatrisch gesehen unmöglichen Kombinationen geprägt sein kann, daß die wichtigste Aufgabe darin bestehen muß, Quellen aufzudekken, die ihrer Chronologie und allgemeinen Verbreitung nach *möglich* sind.

Anmerkungen

[1] Vgl. Franz K. Stanzel, «Theorie des Erzählens». 1979, S. 88 ff (= S 2).

[2] W. Iser, «Der Akt des Lesens», S. 207. (= I 1).

[3] Abgesehen von dieser Fiktionsfunktion, sind die drei genannten Widerspiegelungen Ausdruck der Meyerschen Sorgfalt in bezug auf seine psychologischen Motivationen. Ferrantes und Strozzis Vorstellungen von Lucrezia sind, was die Psychoanalyse Projektionen nennen würde, «eine Abwehr, in der das Subjekt dem Anderen – Person oder Sache – Qualitäten, Gefühle, Wünsche, die es ablehnt oder in sich selbst verleugnet, unterstellt.» (Laplanche/ Pontalis, «Das Vokabular der Psychoanalyse», II,403). Ferrantes Bild von Lucrezia ist eine Folge der Tatsache, daß er ein universales Angstgefühl («Und ich sehne mich, meines Ichs und seiner Angst ledig zu sein» (85, vgl. 60)), das – wie später noch nachzuweisen ist – nicht nur einer realen Furcht vor äußeren Gefahren entspringt, vergeblich durch eine paranoide Reaktion abzuwehren sucht. Ferrante nimmt schließlich selbst Gift und gibt damit an, daß das destruktive Element in ihm selbst liegt, doch eine solche Einsicht ist seinem Bewußtsein sorgfältig vorenthalten, u. a. dadurch, daß sich sein projektives Bild von Lucrezia auf «die Giftmischereien der Borgia» (10) konzentriert. Für Strozzi, den erst zwanzigjährigen obersten Richter von Ferrara, der gleichzeitig paradoxerweise als «florentinischer Republikaner» (5) bezeichnet wird, repräsentiert das projektive Bild von Lucrezia die Triebseite seiner Psyche, die so starke – und widersprüchliche – Überichnormen verleugnen müssen, damit das Selbstbild und das Idealselbst zur Deckung gebracht werden können. Wie Ferrante geht er zugrunde, als der Projektionsmechanismus insofern seiner Funktion nicht gerecht wird, als er sich zum Schluß zur Macht und dem Trieb als der einzigen Realität bekennt («Was phantasiert sie von Recht und Unrecht? ... Es gibt kein Recht!» (104)).

[4] Im Manuskript M werden in noch mehr Fällen als in dem fertigen Novellentext die Worte «Wahnsinn», «wahnsinnig», «Unsinn», «unsinnig», «krank» (XIV, 220, 222, 259, 264, 265, 274) benutzt. Dagegen kommen diese Bezeichnungen in keinem der früheren Manuskripte vor. Es sei jedoch angemerkt, daß sich Ms. H² (vgl. oben S. 35 über die Datierung) auch in dieser Hinsicht unterscheidet, indem es über Lucrezias Gehorsam gegenüber Cesare die Bezeichnung «wie eine Nachtwandlerin» (XIV, 194) benutzt.

[5] Der Text benutzt einen recht raffinierten Kniff, um zu zeigen, wie konstant gegenwärtig diese Bedrohung ist. Lucrezias deutliches Bewußtsein ihrer Machtlosigkeit gegenüber Alexander und Cesare ist der Abschluß der Gedankenreihe, als sie Alfonso das erstemal sieht, d. h. etwas, was zeitlich weit zurückliegt. Doch der Erzähler läßt diesen Rückblickkommentar nahtlos in die Gegenwartshandlung der Erzählung übergehen («sie lächelte das Volk an, um die Schmach ihrer Abhängigkeit tief zu verstecken,» ... usw.), so daß der innere Monolog, als eine Art Apokoinu, gleichzeitig als Vergangenheit und Gegenwart dargestellt wird.

[6] Vgl. Johannes Cremerius, «Robert Musil. Das Dilemma eines Schriftstellers vom Typus «poeta doctus» *nach* Freud.» In: *Psyche* 33, 1979, S. 733–772.

[7] Doch bereits bei Azam finden sich Ansätze (171, 174), wonach die Persönlichkeitsspaltung als eine Reaktion auf äußere Umstände oder als das Ergebnis unbewußter Motivationen aufzufassen ist, eine Auffassung, die sich im übrigen erst gegen Ende der 90er Jahre durchzusetzen beginnt. Eine der wichtigsten Voraussetzungen für diese Änderung waren Freuds Hysteriestudien («Zur Äthiologie der Hysterie» (1896), «Bruchstück einer Hysterie-analyse» (1901)).

[8] Vgl. R 2,79–80.

[9] Vgl. Azam S. 89 ff: «Le souvenir de Félida n'existe, nous le savons, que pour les faits, qui se sont passés pendant les conditions semblables, les onze couches, par exemple.» Auf ähnliche Dinge im Zusammenhang mit provozierten Persönlichkeitswechseln macht u. a. Janet aufmerksam (J 2,75, 131–32).

[10] Die Wortwahl, mit der der Erzähler ihr reuiges Geständnis: «wie das Blut aus einer Wunde sprudelt» (99), wiedergibt, dürfte kaum ein Zufall sein. In ihren Angsthalluzinationen sieht Félida «des égorgements» (102), Schlachten, Morden.

[11] Auch für Ribot besteht kein Zweifel daran, daß «la transition d'une personnalité à l'autre est toujours accompagnée d'un changement de caractère, lié (on n'en peut douter) au changement organique inconnu qui domine toute la situation» (R 2,80).

Das neunte Kapitel

Am 22. Juli 1891 schrieb Meyer an Haessel: «Morgen 1 Uhr gehen wir mit der Schwester nach Steinegg /.../ ich dictire (von 12) am 9 Kapitel der Angela.» Doch die Abreise wurde verschoben und kam erst am 24. zustande. Nicht nur dieser kleine Umstand, sondern auch ein paar Stoßseufzer in den Briefen dieser Tage zeugen davon, welche Anstrengung speziell die Ausarbeitung des neunten Kapitels ihn kostete: «Das Schwerste meiner Borgia Novelle ist überwunden /.../ Es war eine *entsetzlich schwere* Arbeit, ohne Vergleich die schwerste, die ich je unternommen habe» (Wille, 23. 7. 91); «ich Unschuldiger wußte nicht, ein wie schweres Thema ich ergriff, da ich Lucrezia Borgia in die Mitte meiner Dichtung stellte» (Hardmeyer-Jenny, 24. 7. 91). Geht man von meiner These aus, daß sich die «Angela Borgia» in einem Kraftfeld befindet, in dem die psychologischen Theorien Forels und der gesamten Nancyer Schule eine Hauptrolle spielen, so ist unmittelbar einsichtig, daß gerade dieses Kapitel Schwierigkeiten bereiten mußte. Denn hier mußte Meyer in szenischer Form zeigen, wie sich ein Mensch durch Suggestion des Willens und der Vorstellungen eines anderen Menschen bemächtigt, ein Motiv, dessen Entfaltung die ersten 8 Kapitel der Novelle Schritt für Schritt vorbereitet hatten.

In seiner Rezension der von Franzos veranlaßten Suggestionsenquete (*Das Magazin für Literatur*, 17. 12. 90, vgl. oben S. 83–84) hatte Arthur Sperling die von dem Redakteur dargestellten drei konkreten Suggestionsfälle wegen unzureichender «Motivirung der Handlungen der beteiligten Personen» kritisiert: «Für jeden gesunden Menschenverstand wird eine solche Geschichte nicht mehr Wert haben, wie eine Fabel, von der man aus Höflichkeit Notiz nimmt, oder wie ein Schauerroman, der die Leute in Aufregung versetzt. Eine ähnliche Kritik wird sich der sogenannte Dichter gefallen lassen müssen, wenn er uns im Buch oder auf der Bühne eine solche hohle Geschichte auftischt. Wenn er die Handlungen seiner Personen nicht folgerichtig motivirt, sondern uns z. B. sagt, es handle eine Person «unter fremdem Willen», «unter dem Einfluß einer posthypnotischen Suggestion» usw., so wird das große Publikum die possenhafte Figur auslachen und es wird recht daran tun. Anders liegt die Sache, wenn der Dichter es versteht, durch seine Charakteristik einer Persönlichkeit mit ausgesprochener Individualität die Zuhörer zu fesseln, alle Handlungen fein zu motiviren, Gefühle, Stimmungen, impulsive Aktionen naturgetreu darzustellen, mit dichterischem Seherauge die Pfade im Innern dieses Geistes zu erspähn, auf welchen dieses Individuum in geistige Abhängigkeit von fremdem Willen gelangt, und schließlich den hypnotischen Zustand und dessen Folgen als Vorgänge aufzuklären, die dem Verständnis der Gebildeten ebenso nahe stehen wie die psychischen Prozesse des Denkens oder des Erinnerns» (800).

Die Motivation für Lucrezias extreme Empfänglichkeit für die Suggestion des Bruders liefert Meyer in seinem Porträt der «Frau ohne Eigenschaften», der äußerst dissoziablen Persönlichkeit, wie ich sie im Zusammenhang mit der Geschichte der Félida X behandelt habe. Sie ist, wie Mendel es in seinem Beitrag zu der Suggestionsrundfrage ausdrückt, einer der «Menschen, welche, wie auf einer Balanzierstange, ihr psychisches Gleichgewicht zu erhalten suchen und es, wenn das Leben in ausgeschliffenen, regelmäßig sich täglich wiederholenden Ereignissen verläuft, erhalten; der unbedeutendste Stoß, welchen die Stange erhält, irgend ein ungewohntes, plötzliches Ereignis bringt sie aus dem Gleichgewicht heraus, sie sind auf kürzere oder längere Zeit psychisch abnorm» (F 6,100–01). Nebenbei bemerkt dürfte es kaum ein Zufall sein, daß Lucrezia bei ihrem Einzug «vor einem Kastell, von dessen ausdrucksvoller Mauerkrone ein Seiltänzer herabschwebte», stehenbleibt. «Sie sah das Kunststück an und sagte sich: ‹Du gleitest und stürzest nicht, und ich ebenso wenig›» (8). Ein naives Vertrauen, das die späteren Ereignisse nachdrücklich zuschanden machen. Mendels Anschauungen sind für Meyers Fiktionsfigur jedoch nur begrenzt gültig, da gerade für diesen Forscher die Suggestibilität in ihrer weitgehenden Form («wenn das Suggerierte in direktem Widerspruch steht zu dem bisher erlebten oder zu dem, was sich als Kern der Anschauungen und Vorstellungen entwickelt hat, etwas, was wir mit dem Namen Charakter zu bezeichnen pflegen» (F 6,100)) ein krankhafter Zug ist. Einen solchen Vorbehalt machen die Nancyer Forscher nicht, obgleich sie wissen, daß das Phänomen in jeder Stärke vorkommt, eine Auffassung, die Preyer teilt: «Ebenso giebt es keinen Menschen, welcher nicht in höherem oder niederem Grade suggestibel wäre,» … (F 6,126). Es ist wichtig, deutlich herauszustellen, daß diese breite Auffassung den Referenzrahmen der Novelle bildet. Wie später noch zu zeigen sein wird, ist die Suggestibilität nämlich nicht nur auf die Lucreziafigur beschränkt, obgleich sie allein die «hinreichende individuelle Empfänglichkeit» (F 6,16. Eulenburgs Beitrag) besitzt, die einen völligen Verlust des eigenen Willens ermöglicht.

«C'est un danger réel qu'une pareille suggestibilité hypnotique! Livrés à la merci d'un chacun, dépourvus de résistance psychique et morale, certaines somnambules deviennent aussi des êtres taillables et malléables, au gré des suggestionistes» (B 7,412). So charakterisiert Bernheim die besonders gefährdeten Individuen, wodurch der Punkt bezeichnet ist, an dem die Modifizierung des Félida ähnlichen Porträts einzusetzen hat. Lucrezia zeigt zwar ein ausgesprochenes Gleiten zwischen unvereinbaren Haltungen, doch dort, wo die tiefgreifenden Persönlichkeitsverwandlungen eintreten, geschieht das meist als Ergebnis des Eingreifens einer fremden Person. Der Wechsel von der «römischen» zu der zielstrebigen und selbstbewußten «ferraresischen» Persönlichkeit ist zwar durch ihre veränderte Haltung zu sich selbst vorbereitet, setzt sich aber erst durch, als sie ihre Abhängigkeit von Vater und Bruder durch die Abhängigkeit von Alfonso vertauscht: «Beim Anblick dieser ruhigen, geschlossenen Miene hatte sie sich gesagt: ‹Jetzt ist es erreicht. Mit diesem bin ich gerettet›» (7). Nicht Verstand, Vorsatz und Wille, sondern allein «Treue und Gehorsam» (8) gegenüber der neuen Bezugsperson sichern ihr eine einigermaßen stabile Identität, worüber sich der kluge Bembo völlig klar ist: «Schützt und berget Euch vor der Strafe des Herzogs an seinem Herzen. /.../ er wird Euch halten und retten,» ... (20). Eine solche anaklitische Haltung meinte bereits Despine bei mehreren seiner Somnambulen feststellen zu können: «Cet empire d'une volonté étrangere, sollicitée comme un secours suppléant à la volonté de l'individu, s'étend jusqu'aux choses intellectuelles et morales» (D 1,238). Despine denkt dabei an den hypnotischen «rapport», die idealisierende Abhängigkeit des Hypnotisierten vom Hypnotiseur, auch in den Zeiträumen zwischen den Behandlungen; es ist jedoch nicht wahrscheinlich, daß sich Lucrezias Bindung an Alfonso von daher erklären läßt. Dazu hat man es mit einem zu festen, immer wiederkehrenden Zug der Hauptpersonen in Meyers Novellen zu tun, ihrer unvollständigen psychischen Strukturierung, die sie immer «auf der Suche nach äußeren Idealfiguren» sein läßt, «von denen man die Zuwendung und Führung bekommen möchte, die das ungenügend idealisierte Über-Ich nicht geben kann»[1]. Lucrezias makelloser Lebenswandel während der Ferrara-Zeit gründet nicht in einer autonomen psychischen Instanz, einem Über-Ich, das sich als Gewissen äußert, sondern einzig und allein in der Treue zu dem idealisierten Objekt, dem Herzog. Idealisiert ist er, denn der Erzähler unterläßt es nicht, auf seine Mittelmäßigkeit hinzuweisen, die u. a. darin zum Ausdruck kommt, daß er sich nur für Kanonengießen, Fayencemalerei und seine Arbeit an der Drehbank (8, 127) interessiert, wie auch auf seine in mehrerer Hinsicht zweifelhafte Moral, die sich darin äußert, daß das Staatsinteresse in allen Fällen höchste Norm ist. Auf diese Weise wird die bittere Charakteristik, in der Ferrante ihn als «einen engen Hirnkasten» (71) kennzeichnet, im großen und ganzen bestätigt, abgesehen von einem Punkt: seiner beeindruckenden psychologischen Einsicht in Lucrezias Wesen. Das Fehlen einer eigentlichen Gewissensinstanz ist demnach eine wichtige Voraussetzung für die unbegrenzte suggestive Macht, die Cesare über sie ausüben kann, und hier konnte sich Meyer direkt auf Forels Autorität stützen: «Wer wenig Gewissen besitzt, wird ceteris paribus einer Kriminalsuggestion viel leichter Folge leisten, als wer ein stark entwickeltes Gewissen besitzt» (F 3,72)[2]. Die Idealisierungstendenz gilt im übrigen auch für ihr Verhältnis zum Vater und zum Bruder. Eigentümlicherweise erkennt sie ja bereits in Rom «das Verdammnis ihres Daseins» (7), bezeichnet sich später selbst als den «ekelsten Gegenstand» (50) und ist sich auch in ihrer Schlußphase völlig im klaren über «die Summe und Schwere ihrer Sünden» (12). Selbst als Cesares suggestive Macht über sie aufhört, legt sie in ihrem Geständnis des Ungehorsams gegenüber dem Herzog das Schwergewicht auf ihre eigene Schuld («was sie von jeher für Cäsar gesündigt und von ihm erlitten» (99)). Dagegen liegt ihrem Bewußtsein der Gedanke fern (vielleicht mit Ausnahme der Worte «sein sündiger Geist» (79)), daß Vater und Bruder mindestens ebenso verwerflich sein könnten. Ein solches Urteil ist den auktorialen Einschüben und den Aussagen der übrigen Fiktionsfiguren vorbehalten, während in Lucrezias Bewußtsein nur die guten – oder Mitleid erregenden – Eigenschaften ihrer bösen Geister zu finden sind (18, 50, 90, 91, 94 usw.), auch nachdem die beiden durch ihren Tod die Herrschaft über sie verloren haben.

Auf diese Weise vermied Meyer durch sorgfältige Motivation die Fallgrube, vor der Sperling die Dichter gewarnt hatte.

Anmerkungen

[1] Heinz Kohut, «Narzißmus. Eine Theorie der psychoanalytischen Behandlung narzißtischer Persönlichkeitsstörungen». 1976, S. 69.

[2] Schon Harry Maync hat auf die Ähnlichkeit zwischen Meyers Worten über die «Angela Borgia», «zu viel und zu wenig Gewissen», und Otto Ludwigs entsprechende Formulierung über «Zwischen Himmel und Erde» hingewiesen (*GRM* XIII, S. 414. Vgl. HKA, XIV, 172). Meyers Worte fallen jedoch erst in einem Brief an Auguste Bender vom 18. 12. 1890 und in Briefen nach Beendigung des Werkes, während z. B. Anna v. Doß' Referat vom Mai 1890 keine ähnliche Angabe enthält. Die Frage ist also, ob es nicht näher liegt, Forels «wenig Gewissen» als Meyers Ausgangspunkt zu betrachten.

Die Suggerierte

Die Kapitel 1–9 bilden in Lucrezias Geschichte einen Spannungsbogen, der insofern ausgesprochen dramatisch ist, als er einen deutlich finalen Charakter besitzt. In der Exposition, als die man das erste Kapitel bezeichnen könnte, ist das prägnante Moment Lucrezias Wissen, daß ihr Leben sich radikal ändern wird, wenn «der Bruder ruft; aber der liegt in seinem spanischen Kerker» (7). Der Text ist perspektivisch auf diesen Punkt der Zukunft hin orientiert, der immer näher rückt. Erst in Bembos Vorhersage ihrer nahe bevorstehenden kritischen Situation, denn Cesare «wird sicherlich heute oder morgen seine Fesseln durchfeilt haben und wieder aus dem Orcus steigen» (19), und darauf in des Herzogs: «Ihr verderblicher Bruder wird Italien wiederum betreten und uns verwirren» (42). Genau gleichzeitig mit der Nachricht von «der Befreiung des Cesare Borgia und der Aussicht auf seine baldige Erscheinung in Italien» (87) tritt die vorhergesagte Verwandlung von Lucrezias Charakter ein.

Die Peripetie ist nicht nur auf diese Weise vorbereitet. Sie tritt gleichzeitig als Antithese zu mehreren gleichgestellten Verläufen ein. Don Giulios Don Juangestalt ist von Kapitel 1–9 durch das Eingreifen seiner «Donna Anna» zu einem Menschen veredelt worden, der abgeklärt einem «christlichen Ende» (71) entgegensieht: «Ja, redlich leiden und dulden will ich, und darum dank' ich für das neue Leben» (85). Mit diesen Worten akzeptiert er die Begnadigung zu lebenslänglichem Gefängnis. Don Ferrantes «intime Persönlichkeit» (71), der Narr, ist aus dem Gefängnis ausgebrochen und rettet sich – wie Pescara – in den Tod: «Und ich sehne mich, meines Ichs und seiner Angst ledig zu sein» (85). Selbst der machiavellistische Kardinal ist, im Gegensatz zu Meyers historischen Quellen, erhöht worden und «rang im Dämmer eines Krankenzimmers mit seinem Gewissen und dem Tode» (73). Eine Charakterveredlung, die ihren Abschluß darin findet, daß er nicht nur den Herzog dazu bringt, den zum Tode Verurteilten zu begnadigen (83), sondern gegen Ende seines Lebens sogar seine Freilassung aus dem Gefängnis erwirkt. Auch Angela nimmt an dieser allgemeinen Entwicklung von minus zu plus teil, da die strenge Moralistin von dem «Felsen» (11) ihres Klosters herabgestiegen ist und durch ihr Eintreten in «das Tal des Unglücks» (67) die Tugend der Gerechtigkeit in die der Barmherzigkeit verwandelt hat. Nur eines bedroht diesen Zustand der Ruhe: die Möglichkeit von Cesares Auftauchen, die der Kardinal als unmittelbar bevorstehend betrachtet: «Alle meine Schreiben sind voll von Don Cesare. Aus Neapel, aus Rom, aus Frankreich wird mir berichtet, Cäsar rüttle an den Gittern seines Kerkers und habe sie zerbrochen» (77). Sie lauert wie ein drohendes Unwetter am Horizont, analog zu dem konkret heraufziehenden Unwetter, das der Blendung von Don Giulio vorausgeht. Doch während der Sturm und die Verstümmelung in Kapitel 6 äußere Phänomene darstellen, handelt es sich bei der in Kapitel 9 über Ferrara hereinbrechenden Katastrophe um einen inneren, psychologischen Prozeß: Die Blendung ist zur Verblendung geworden (vgl. 19: «Wenn dergestalt Euer Urteil über den heiligen Vater ein verblendetes ist» ...). Während Kapitel 6 in einer symbolischen Reinigung endete («und schwere Regen wuschen und überschwemmten den mit Blut und Sünde befleckten Garten» (54))[1], gibt es nach Cesares moralischer Verpestung der Schwester (94) keine solche Erlösung, sondern nur eine Rückkehr zur Unveränderlichkeit des Naturzustands: «ruhig atmend wie Ebbe und Flut» ... (110). Bis in die Einzelheiten wird die Cesare-Handlung als weitaus gefährlicher für die Beteiligten geschildert als die Feindschaft zwischen dem Kardinal und seinem Bruder, was nur durch ein Beispiel belegt sei: mitten in Don Giulios Gespräch mit Strozzi im 4. Kapitel «zuckte er leicht zusammen, denn ein leiser Finger berührte seinen freien Nacken. Kurz wandte er sich um und blickte in das abgezehrte und feindliche Gesicht des Kardinals, dessen langsames Emporsteigen das Springen des Wassers übertönt und verborgen hatte» (41). Die analoge Stelle der Cesare-Handlung lautet dagegen: «Die Höfe lauschten in atemloser Spannung über die Meeresalpen und die Pyrenäen, während Cäsar anfangs wenig von sich hören ließ und sich, wie der Drache seiner Helmzier, aus seinen eigenen Ringen langsam emporhob» (91). Die Intensivierung des in Kapitel 4 nur Angedeuteten ist unverkennbar.

Das neunte Kapitel, in dem die bisher latente Bedrohung offenbar wird, nimmt nicht nur in der psychologischen Ökonomie der Novelle eine Sonderstellung ein; auch durch einen formalen, kompositorischen Kniff hat Meyer es von den übrigen Kapiteln getrennt. Nur dieses Kapitel wird durch eine leere Szene, ein «Bild» in der Typologie von Robert Petsch[2], eingeleitet, eine Beschreibung eines Raums und in diesem Raum ein Kunstwerk: «Gerade über dem Tische im mittleren Felde der mit Malerei geschmückten Täfeldecke ragte über einem scheuenden Zweigespann die verbrecherische römische Tullia und zerquetschte unter den Rädern ihrer Biga die Leiche des eigenen gemordeten Vaters» (78). Betrachtet man die früheren Novellen, so entdeckt man, daß man es hier nicht mit einer Kapitel-, sondern mit einer typischen *Novellen*einleitung zu tun hat. «Die Versuchung des Pescara» (1887) beginnt mit den Worten: «In einem Saale des mailändischen Kastelles» (XIII, 151) und schildert danach die beiden Fresken (das Bacchusfest und die

Speisung in der Wüste), die als Paradigma der nachfolgenden Handlung dienen. Eine ähnliche Einleitung kommt mit dem Bild der «Opferung Isaaks durch den eigenen Vater Abraham» (XI, 167) in «Gustav Adolfs Page» (1882) und mit «dem ehernen Reiterbilde» (XII, 161) in «Die Richterin» (1885) vor. Auch die übrigen Novellen zeigen dieses kompositorische Prinzip in mehr (Jürg Jenatsch) oder weniger ausgeprägtem Maße. Sieht man diese Eigentümlichkeit der «Angela Borgia» im Zusammenhang mit dem Kontext des epischen Werkes, so erhält man den Eindruck, daß damit angedeutet werden soll, daß die eigentliche novellistische Handlung hier beginnt[3] und alles andere in den vorhergehenden Kapiteln nur Vorgeschichte gewesen ist. Das ist natürlich nicht so zu verstehen, daß man hier eindeutig die übergeordnete thematische Struktur des Werkes, geschweige denn die einzige, vor sich hat; eine solche geordnete, hierarchische Aussagenkomposition dürfte in keinem Fiktionswerk zu finden sein[4].

Die Beschreibung der beiden symbolischen Kunstwerke schließt der Erzähler mit der Wiedergabe eines typischen Wortwechsels zwischen Angela und Lucrezia, die sich in dem vergangenen Sommer (der geschlossene Charakter des Kapitels wird dadurch angedeutet, daß es mit einem «Wintergespräch» (88) endet), oft in dem kühlen Raum aufhielten und über die verbrecherische Tullia auf dem Gemälde in Streit gerieten. Bei einer solchen Gelegenheit lieferte Lucrezia indirekt einen Einblick in ihre eigene Vorgeschichte: «die berühmte Römerin verlor sich in einer Dämmerstunde an einen Mann, sein sündiger Geist fuhr in sie, und sie wurde sein willenloses Werkzeug. So war es, glaube mir. Ich weiß es» (79). Tatsächlich wurde ein zeitlich begrenztes ähnliches Einzelereignis bereits in dem in der Novelleneinleitung gegebenen Rückblick über ihre Vergangenheit erwähnt: «den ersten Gatten durch Meineid abschüttelnd, einen anderen von ihrer Brust weg in das Schwert des furchtbaren und geliebteren Bruders treibend» ... (6). Die Bedeutung dieser letzteren Begebenheit für ihr Verhältnis zu dem Bruder wird in einer späteren Stelle unterstrichen: «Aber war sie nicht an Cäsar, als an ihr Schicksal geschmiedet, seit er sie vom Sterbelager ihres zweiten, von ihm gemordeten Gemahles wegriß und sie den Widerstand vergaß?» (94).

Interessant an den Formulierungen ist, daß sie als einen spezifisch pathogenen Faktor von Lucrezias Psyche ein einzelnes traumatisches Erlebnis postulieren. In der psychiatrischen Literatur der 80er Jahre wird mehrmals beschrieben, wie eine heftige Gemütsbewegung an sich bei gewissen Individuen einen somnambulen Zustand auslösen kann. «Die Hypnotisierung Hysterischer durch plötzliche heftige Eindrücke ist in der Salpêtrière unzählige Male wiederholt worden, gewiß erfolgte sie ohne den Willen der betreffenden Kranken» (L 4,348). Und Lilienthal führt an anderer Stelle an, der Zustand sei gekennzeichnet durch «die moralische Unmöglichkeit, gewissen Suggestionen Widerstand zu leisten, und durch die beim Erwachen fortbestehende Erinnerung an die Vorgänge während der Dauer der Hypnose» (L 4,290). Preyer geht in seinem Aufsatz in der Umfrage von Franzos ziemlich weit in diese Richtung, indem er behauptet, eine Suggerierung ohne eigentliche Hypnose sei möglich bei einer einfachen Schreckreaktion, die Teile des Bewußtseins lähmt (F 6,124). Schließlich sei erwähnt, daß Pierre Janet bei seinen hypnotischen Experimenten mit Léonie die Beobachtung machte, daß es sich bei dem hypnotischen Zustand in Wirklichkeit um die Reaktivierung einer Persönlichkeit handelte, die als Folge eines traumatischen Erlebnisses in ihrer Kindheit abgespalten und aus dem Normalbewußtsein verdrängt worden war (J 3,590)[5].

Die drei genannten Forscher neigen alle zu den Anschauungen der Schule der Salpêtrière. Weshalb sie also einbeziehen, wenn Meyer sich seine Anregungen vermutlich aus der Nancyer Schule geholt hat? Das hat den ganz einfachen Grund, daß weder Forel[6] noch seine Kollegen mit einer ähnlichen Traumatheorie operieren, da Suggestibilität als eine völlig normale Erscheinung und als die eigentliche Grundlage des hypnotischen Schlafs und der verschiedenen kataleptischen und lethargischen Zustände betrachtet wird. Die Tatsache, daß die Persönlichkeit multipel ist und sich die latenten Subpersönlichkeiten jederzeit durch Suggestion aktivieren lassen, setzt danach keinen psychischen Defekt und bestimmt kein traumatisches Erlebnis voraus: «In wenigen Secunden kann ein leicht suggestibler Mensch, der noch nie hypnotisirt worden ist, zur willenlosen Puppe eines anderen Menschen werden. /.../ Von einem «Nichtwollen» ist in diesen Fällen keine Rede» (Forel, F 3,18).

Wie immer Meyer sich den Zusammenhang zwischen Trauma und Suggestion vorgestellt haben mag, jedenfalls kann man im 9. Kapitel feststellen, daß Lucrezia durch den Brief ihres Bruders erneut sein «willenloses Werkzeug» (79) wird, in einen Zustand eintritt, den der Erzähler mit Worten wie «Wahnsinn» (87) und «Zauber» (89) umschreibt. Cesare als Hypnotiseur aufzufassen, ist kein so unsinniger Anachronismus, wie man unmittelbar vielleicht annehmen könnte. Besonders die Forscher von Nancy betonen, daß die systematische experimentelle Erforschung der Suggestibilität zwar ein modernes Phänomen sei, diese Eigenschaft selbst aber ebenso alt sei wie die Menschheit: «Als Erscheinungen und Potenzen sind die Suggestion und die Hypnose so alt wie der Mensch in der Welt, wahrscheinlich sogar phylogenetisch viel älter» (F 3,16)[7]. Nach Forels Ansicht hat es zu allen Zeiten «große Hypnotiseurs von Natur aus» (F 3,69) gegeben.

Als Lucrezia auf dem Balkon über dem Schafott Cesares Brief erhält, reicht der bloße Anblick des «feinen Frauenschriftchens Cäsar Borgias» (84) aus, um eine heftige Reaktion («erschrak zu Tode») und eine Veränderung ihrer physische Erscheinung auszulösen: ... «das wunderbare Weib an seiner Seite zitterte unerklärlich unter der weißen Wolle, und ihre blassen und doch feurigen Augen schauten groß und geisterhaft unter der Kapuze hervor.» Die Frage, ob sich bei den Versuchspersonen überhaupt äußere Zeichen der psychischen Veränderungen wahrnehmen ließen, war in der Hypnoseforschung ein kontroversieller Punkt. Während Bernheim und Liégeois der Überzeugung waren, alle Formen der Suggestion ließen sich so leicht herbeiführen, daß sie von keinerlei äußeren Veränderungen begleitet seien, ist sich Forel nicht ganz so sicher, z. B. wo er im Zusammenhang mit einem Kriminalsuggestionsexperiment die äußeren Zeichen eines starken Affekts beschreibt: «große innere Aufregung verrathend, zitternd, mit verzerrten Zügen» ... (F 3,73). In einem anderen Fall referiert er, wie eine Person, die eine posthypnotische Suggestionshandlung ausführt, reagiert: «der Blick wird starr /.../ Es gibt da alle Stufen vom starren bis zum völlig klaren Blick,» ... (F 3,39)[8]. Und hat Meyer Maupassants «Le Horla» gekannt, so konnte er hier die Beschreibung der äußeren Symptome dafür finden, daß eine Person einem suggestiven Einfluß unterliegt: ... «le pouls rapide, l'oeil dilaté, les nerfs vibrants,» ... (M 3,II, 1099). Zweifellos eine recht triviale, melodramatische Schilderung, doch Ähnliches kommt insbesondere bei den Leuten der Salpêtrière recht häufig vor (selbst bei Beaunis findet man Wendungen wie «la fixeté du regard» (B 5,164)), und Meyer benutzt genau diese Elemente.

Wenn man mit der Hypnoseforschung der 80er Jahre nicht vertraut ist, dann wirkt es sicher wie ein phantasievolles Postulat, daß Meyer mit dieser Schilderung habe beschreiben wollen, wie ein Mensch durch das bloße Lesen eines Briefes zu Handlungen suggeriert wird, die seinen vitalen Interessen widersprechen. Doch in der zeitgenössischen Fachliteratur beschäftigt man sich tatsächlich stark mit dieser spektakulären Demonstration der Möglichkeiten der Suggestion. Beispielsweise schreibt Bernheim: «Personen, bei denen die hypnotische Suggerierbarkeit stark entwickelt ist, bedürfen zum Einschläfern keiner so lebhaften Betonung der Vorstellung des Schlafs. Man kann solche Leute schriftlich hypnotisieren, indem man ihnen mitteilt, daß sie in Hypnose verfallen werden, sobald sie den betreffenden Brief gelesen haben,» ... (B 8,6)[9]. Um Mißverständnissen vorzubeugen möchte ich daran erinnern, daß der hypnotische Schlaf für die Nancyer Schule ein arbiträres Begleitphänomen der Suggestion darstellt, d. h. nur die Ausführung des Befehls: «Schlaf!» Auch andere Befehle, darunter die Hervorrufung bestimmter Vorstellungen oder Halluzinationen, lassen sich durch Suggestion «auf Abstand» durchsetzen. Lilienthal führt beispielsweise Binets und

Férés Experimente auf diesem Gebiet an («wir haben unsererseits die Ausführung schriftlich gegebener Befehle erreicht» (L 4,315)).

Nach Meyers historischen Quellen liegt in dieser Situation kein Brief von
Cesare an seine Schwester vor, wohl aber einer an den Marquese von Mantua
(HKA XIV, 426), aus dem die Novelle ein paar Sätze wörtlich übernimmt.
Die Annahme liegt nahe, daß der Brief als eine schriftliche Suggestion
gedacht ist; denn Meyers dichterische Zusätze bestehen überwiegend aus
imperativischen und futurischen Ausdrücken: «vernimm», «sende», «der
mir in Italien dazu behilflich sei», «nimm», «Du wirst wagen», «schicke»
(86), so daß die Mitteilung allein in ihrer Form einer typischen Verbalsuggestion ähnelt. Doch eine so einfache Annahme dürfte kaum Lucrezias ganzen
Komplex an Reaktionen erklären.

Natürlich stellt die Psychologie der Fiktionsfiguren eines gegebenen
Werkes keine autonome Größe in dem Sinne dar, daß sie völlig unabhängig
von existierenden Modellen der menschlichen Persönlichkeit denkbar wäre.
Andererseits besteht das Universum des Fiktionswerkes ja gerade in der
Entpragmatisierung solcher von vornherein gegebenen Modelle, so daß man
damit rechnen muß, daß eine erhebliche Freiheit zur Kombinierung und
damit Transzendierung der verschiedenen extratextuellen Schemata besteht.
Schließlich ist in dem vorliegenden Fall auch einzukalkulieren, daß Meyer
einige der Auskünfte, die er der psychiatrischen oder rechtsmedizinischen
Fachliteratur entnehmen konnte, mißverstanden haben kann. Was sich als
schriftliche Suggestion auffassen läßt, könnte im Grunde ebenso gut als ein
Beispiel posthypnotischer Suggestion begriffen werden. Nur ist in dem Fall
der besondere Wortlaut des Briefes ein überflüssiges Detail.

Bereits in seinem ersten Werk hatte Bernheim die posthypnotische Suggestion definiert als «la possibilité de créer chez un somnambule des suggestions d'actes, d'illusions sensorielles, d'hallucinations qui se manifesteront
non pendant le sommeil, mais au réveil: le sujet a entendu ce que je lui ai dit
pendant le sommeil, mais il n'a conservé aucun souvenir de ce que je lui ai dit;
il ne sait plus que je lui ai parlé. L'idée suggérée se présente dans son cerveau,
à son réveil: il a oublié son origine et croit à sa spontanéité» (B 6,19). Die
Suggestion braucht nur ganz einfach zu sein, so daß es der Erfindungsgabe
der Person selbst überlassen bleibt, wie sie sie ausführen will: «Ce n'est pas le
mot formulé, c'est l'idée contenue dans ce nom qui est retenue par le cerveau»
(op. cit., S. 23. Vgl. B 2,113 ff). Forel, der vor allem an den therapeutischen
Möglichkeiten des Phänomens interessiert war, verdeutlicht dessen Reichweite: «Gefühle, Gedanken, Entschlüsse usw. können ebensogut posthypnotisch als hypnotisch eingegeben werden» (F 4,105). Das heißt, eine posthypnotisch ausgeführte Handlung besitzt den gleichen unbedingt zwanghaf-

ten Charakter wie eine in Hypnose ausgeführte Handlung, eine Tatsache, die Forel besonders schwerwiegend erscheinen mußte, da er Bernheims Auffassung teilte, wonach Suggestion oft im Wachzustand geschehen konnte (B 8,17ff): «Bei sehr suggestiblen Menschen kann man, ohne den hypnotischen Schlaf einzuleiten, im vollen Wachen erfolgreich die Suggestion anwenden und dabei alle Erscheinungen der Hypnose oder der posthypnotischen Suggestion hervorrufen» (F 3,37). Wenn man dazu noch hinzunimmt, daß der Hypnotiseur seiner Versuchsperson zusammen mit dem posthypnotischen Befehl in bezug auf den eigentlichen Suggestionsakt völlige Amnesie eingeben konnte, dann ist verständlich, daß dies in Fällen von Suggestion zu kriminellen Handlungen Konsequenzen für die strafrechtliche Zurechnungsfähigkeit haben konnte. Will man deshalb beurteilen, was Meyer mit Cesares Brief, der genau genommen Teil einer Kriminalsuggestion ist, wollte, muß man festhalten, daß Suggestion durch einen schriftlichen Befehl trotz allem einen selten vorkommenden Fall darstellt, die posthypnotische, durch ein Signal, wie z. B. einen Brief, auslösbare Suggestion jedoch ein Phänomen ist, das praktisch alle größeren Darstellungen über Suggestion und Hypnose gründlich und umfassend behandeln. Besonders wichtig für die vorliegende Problemstellung ist der Umstand, daß das posthypnotisch induzierte Verbrechen in Franzos' Umfrage einen Schlüsselbegriff bildet. Selbst der skeptische Grützner (vgl. oben S. 84) hat in diesem Punkt keine Vorbehalte: «Daß es sogenannte posthypnotische Suggestionen giebt, steht für mich außer allem Zweifel fest. Habe ich doch selbst gar viele Fälle beobachtet, in denen die betreffenden Personen der festesten Überzeugung waren, *freiwillig* dies oder jenes zu thun, während sie lediglich nur die ihnen im hypnotischen Schlaf erteilten Befehle ausführten» (F 6,63). Ganz im gleichen Sinne äußert sich der Jurist Lilienthal: «Die zu gleicher Zeit regelmäßig vorhandene Erinnerungslosigkeit für die Vorgänge während der Hypnose verhindert es, daß die empfangene Vorstellung von der Nothwendigkeit der auszuführenden Handlung als eine fremde anerkannt werde. Sie erscheint als eignes Erzeugnis des Handelnden und in gewissem Sinne ist sie es auch, denn durch die widerstandslose Annahme hat sich eine Aneignung vollzogen, welche Gedanken und That des Handelnden ganz in demselben Maße zu seinem eignen macht, wie das bezüglich der Handlung der Fall ist, zu welcher sich der Handelnde hat anstiften lassen» (L 4,385)[10].

Ein paar Züge der Lucrezia der Novelle untermauern die Annahme, daß sich Meyer ihre Verwandlung als Ergebnis einer posthypnotischen Suggestion vorstellte. Da sie bei Erhalt des Briefes seit mehreren Jahren ein Leben führt, das mit ihrem lasterhaften römischen Lebenswandel nur wenig gemein hat, erhält die neu aufgetauchte Vorstellung den Charakter eines Fremdkörpers im Verhältnis zu ihrem Normalbewußtsein, wie lose dieses auch strukturiert sein mag. Diese Isolation von den dominierenden Assoziations- zusammenhängen (um Janets Terminologie zu benutzen (J 2,453)), ermög- licht einen gewissen Widerstand gegen die *Ausführung* der suggerierten Handlungen, obgleich der Anreiz, sie auszuführen, heftig ist und zudem als etwas Unerklärliches erlebt wird (J 2,426). Das letzte Moment gibt Meyer durch die Wortwahl «Dämonenruf» (87) und «Zauber» (89) wieder. Bern- heim beschreibt in solchen Fällen den Kampf zwischen «dem Drang der Suggestion einerseits und den associirten, ästhetischen oder ethischen Gegenvorstellungen der normalen Individualität» (B 8,72). Meyer hält sich mit seiner Darstellung von Lucrezias Widerstand recht eng an diese und ähnliche Beschreibungen[11] (z. B. F 3,70 ff), indem er ihren Versuch, ihre Integrität zu behaupten, nicht bei der vom Bruder vorgebrachten Bitte um Hilfe ansetzen läßt, sondern bei seiner Forderung, sie möge ihm durch erotische Verführung einen Helfer sichern: «Sende mir einen Mann nach deiner Wahl, /.../ Nimm von ihm, wie du es kannst, für mich Besitz. Du wirst wagen, denn du liebst mich» (86). Nur dieses Ansinnen gerät in Konflikt mit ihrem vitalen Interesse, der Treue – hier verstanden als erotische Treue – zum Herzog («Niemals werde ich ihm den Schatten eines Anlasses geben, Treue und Gehorsam seines Weibes zu beargwöhnen ...» (7)). «Ein tödlicher Widerwille gegen den seiner Leidenschaft blind gehorchenden Richter, der ihr, seiner Fürstin, einen gemeinen Handel antrug, bemächtigte sich ihrer» (89). Dagegen reicht ihr Widerstand aus eigener Kraft nicht bis zu dem tiefer liegenden psychischen Fundament der eigentlichen Suggestion, dem zwanghaften Hang zum Gehorsam gegenüber dem Bruder.

Hier ist einzufügen, daß dieser Widerstand gegen ein prekäres Element der Suggestion, die Forderung nach Untreue gegenüber dem Ehegatten, im Fiktionswerk natürlich nicht ausschließlich durch den Wunsch nach einem korrekten klinischen Bild motiviert sein kann. Augenscheinlich ist Meyer daran gelegen, einerseits an Lucrezias «authentischen Verbrechen» gegen die nivellierende Tendenz von Gregorovius festzuhalten, sie aber andererseits gleichzeitig moralisch zu entlasten, indem er sie unter psychischem Zwang handeln läßt: «schuldvoll und schuldlos» (92). «Guter Wille» und «ernstes Bestreben» (99) besitzt sie reichlich, doch die Novelle zeigt den Punkt, an dem die Freiheit des Willens zusammenbricht. In dieser Hinsicht ist die «Angela Borgia» das negative Echo der «Versuchung des Pescara». Die in der Wunde des Feldherrn symbolisierte Ohnmacht des Willens ist für seine unheilbar gespaltene Persönlichkeit (XIII,252) Rettung und Wohltat, für Lucrezia aber bedeutet diese Ohnmacht einen Fall in eine chaotische Persön- lichkeitsauflösung. Numa Datis «auch wenn er wollte, so kann er nicht»

(XIII,219), bedeutet demnach im Kontext das genaue Gegenteil von des Herzogs: «Doch meine erste Untertanin, die Herzogin, wird nicht gehorchen; denn sie kann es nicht,» ... (42).

Doch zurück zu den Einzelheiten der psychologischen Reaktion Lucrezias. Wenn das, was mit ihr geschieht, als eine posthypnotische Suggestion aufzufassen ist, so wird verständlich, daß der Brief keine abrupte Veränderung der gesamten Persönlichkeit auslöst, sondern ausschließlich gewisse Vorstellungskomplexe trifft. Lilienthal sagt über solche Fälle: «bald wächst die Vorstellung allmählich, sie bemächtigt sich des Verstandes mehr und mehr, der Kampf hat begonnen» (L 4,327). Man vergleiche damit Lucrezias: «die Herzogin, deren der Bruder sich nach und nach wieder völlig bemächtigte, begann mit allen Kräften» ... (90)[13]. Sie bewahrt eine intakte Persönlichkeit, so weit ihre Kräfte reichen, und versucht deshalb, die Zwangsvorstellungen und Zwangshandlungen in einen für sie sinnvollen Zusammenhang zu inkorporieren, genauso, wie es in der Fachliteratur immer wieder beschrieben wird: «Manchmal wird es klar, daß die Person sich Gründe für die Vorstellungen aufsucht, die sie in ihrem Gehirn vorfindet» (B 8,31 vgl. 142). Die Etablierung eines solchen «posteriorischen Motivs» (F 3,32) schildert Meyer recht eingehend: ... «die Herzogin /.../ begann mit allen Kräften ihres Geistes für ihn zu wirken und jede Stunde ihres Lebens in seinem Dienste zu verwenden, indem sie sich einbildete, sie tue aus treuer Schwesterliebe, die das Natürlichste in der Welt sei, Erlaubtes und Unerlaubtes für einen großen und unglücklichen Fürsten, ihren geliebten Bruder. War er nicht ein Jüngling mit unendlicher Zukunft?» usw. (90). Daß es sich dabei um eine offenbare nachträgliche Rationalisierung und nicht nur um eine natürliche und dauernde Haltung zum Bruder handelt, geht teils aus ihren bereits referierten negativen Reaktionen bei jeder Erinnerung an ihn (7, 18, 19), teils aus seiner unheimlichen Erscheinung in ihrer unmittelbar vorhergehenden nächtlichen Angstvision (89) hervor. So ist sie sich keines Gegensatzes bewußt zwischen ihren «hundert Anliegen und Geschäften zu Gunsten ihres Bruders» (92) und ihrem verantwortungsvollen Amt als «Regentin» (93) während der Abwesenheit des Herzogs: «L'idée imposée est, par sa persistance, un phénomène du même genre que la conservation des souvenirs /.../ Mais l'initiative pour leur mise à exécution à l'instant où sa pensée en naît paraît au sujet venir de son propre fonds»[14].

Wie deutlich geworden sein dürfte, bewegte sich die Untersuchung des Aufbaus dieser Fiktionsfigur durch drei Stadien. Das erste sammelte die notwendigen Daten in der Feststellung, *daß* diese Persönlichkeit keine Einheit ist, sondern aus einem Konglomerat von mehreren besteht, von denen jede für sich offenbar zu jeder Zeit und für kürzere oder längere Dauer aktualisiert werden kann. Es handelt sich um distinkte Persönlichkeiten, und nicht um einen sozusagen impressionistischen Menschentypus, wie Brunet annimmt («une suite de moments sans lien entre eux» (B 11,346)). Im zweiten Stadium werden diese Daten als bewußte Verfasserintention gedeutet, wobei Azams Beschreibung von spontanen Persönlichkeitswechseln in einer multiplen Persönlichkeit als das einfachste mögliche Modell und gleichzeitig als eine der möglichen Quellen herangezogen wurde. Schließlich wurde dieses Modell auf der augenblicklichen Stufe differenziert, da einerseits klar ist, daß Lucrezia als eine äußerst dissoziable Persönlichkeit aufgebaut ist, daß dies andererseits aber in erster Linie eine psychologische Begründung für ihre Suggestibilität liefern soll. Zu den spontanen Wechseln zwischen den Persönlichkeiten 1, 2 und 3 usw. tritt also noch die für die Thematik der Novelle wichtige These, daß neben diesen ein fremder Wille in dem Suggestiblen durch direktes suggestives, unbewußtes Eingreifen in seine Vorstellungen, Vorsätze und seinen Willen eine selbständige Persönlichkeit hervorrufen kann. Damit ist man wieder beim Ausgangspunkt, der Nancyer Schule als Exponent einer neuen Menschenauffassung, die das Gewicht von der «inneren Form» der Persönlichkeit oder ihrer physiologischen Bedingtheit auf die zwischenmenschlichen Interaktionsfaktoren verlagert.

Von daher soll nun die Übergangsphase zwischen dem Empfang des Briefes und Lucrezias psychischer Verschmelzung mit dem Bruder näher untersucht werden. Von Meyers psychologischem Bezugsrahmen her ist es verständlich, daß sie sich einer Hingabe an Strozzi widersetzen kann und wird. Dagegen bereitet die nächtliche Vision Cesares auf der psychologischen Ebene Schwierigkeiten. Ich habe sie oben (S. 137) mit Félidas «troisième condition» verglichen, was jedoch aus mehreren Gründen eine unzureichende Erklärung ist. So wie Alfonso die notwendige Bedingung für die Etablierung einer Persönlichkeit bildet, die gegenüber der «römischen» (vgl. oben S. 143) einigermaßen abgrenzbar war, kommt auch Lucrezias Schreck vor dem Bruder nicht als spontane Haltungsänderung, und schon gar nicht als Ergebnis bewußter Überlegungen. Die Auslösung der posthypnotischen Suggestion ist an eine Bedingung gebunden: den Brief. Doch gleichzeitig erhält sie «ihren zweiten Brief» (89), den sie erst einige Stunden später liest. Allein dieser Brief, den «der treue Bembo» ihr schickt, also ein Signal der gleichen Art wie der Suggestionsauslöser, versetzt sie in die Lage, die Gefahr der Situation zu erkennen («Über dem Brief war sie todesmüde bei brennenden Kerzen in Schlummer gesunken,» … (89)), und nur ein Zufall, nämlich die Abwesenheit des Herzogs, vereitelt ihren Rettungsversuch. Die Wirkung dieses Briefes beruht darauf, daß er den Befehl enthält, «sich ihrem Gemahl flehend in die Arme zu werfen und dort durch das Bekenntnis ihrer Schwäche Schutz gegen sich selbst zu suchen» (89), und daß dieser Befehl fast wörtlich Bembos Worte an sie aus dem Gespräch in Kapitel 2 wiederholt (19–20). Bei dieser Gelegenheit, wo der Freund bis in die Einzelheiten ihre Situation bei Cesares Rückkehr vorhersagt, wird Lucrezia in solchen Wendungen beschrieben, daß, wenn man dies mit der überraschenden Wirkung des Briefs vergleicht, die Annahme nahe liegt, Meyer habe damit angeben wollen, daß sie auch in diesem Fall einem suggestiven Einfluß unterliegt: «Hier entfärbte sich Lucrezia, und ihr bleiches Auge erstarrte zu einem Medusenblick» (18). Mitten in Bembos «beschwörende» Worte wird dann ihre Reaktion eingeschoben: «‹Werde ich?› fragte Lucrezia, *wie abwesend*» (20. Meine Hervorhebung). Hinzu kommt, daß Meyer das Wort «umarmen»/«umklammern» offensichtlich als Chiffre für die Suggestion benutzt. Cesares Brief schließt mit den Worten: «Ich umarme dich» (86), und als seine suggestive Macht über die Schwester aufhört, sieht der Herzog sie «aus unsichtbaren, sie umklammert haltenden Armen stürzen» (99). Entsprechend versichert Bembo: «wann immer ich erfahre, Cäsar sei aus dem Kerker gebrochen, ich eile auf Windesflügeln nach Ferrara und umklammere Euch, daß Ihr ihm nicht in die Arme stürzet» (20; vgl. 41 über Strozzi). Daß seine «Gegensuggestion» (ein Begriff, der in der zeitgenössischen Diskussion des strafrechtlichen Aspekts oft auftaucht) zwar wirksam ist, auf die Dauer jedoch nicht gegen Cesares stärkeren Einfluß ankommt, beruht auf dem Umstand, um Forels Worte über die Hypnose zu gebrauchen, «daß unser Wille durch Personen, die von uns besonders geliebt, verehrt oder gefürchtet werden, beeinflußt werden kann» (F 6,50). Die Frage ist also, ob in der Ökonomie der Novelle Bembos Funktion nicht ausschließlich in seiner psychologischen Rolle als Cesares ohnmächtiger Gegenspieler besteht. Er kommt im Text nur an diesen beiden Stellen vor und spielt für den Handlungsverlauf im übrigen keine Rolle.

Mit der verpaßten Möglichkeit der Befreiung beginnt nun für Lucrezia ein seltsames Doppelleben. Mit dem einen Persönlichkeitsteil führt sie ihr normales Leben in Ferrara weiter, während sich ein zweiter in ihr völlig in den Dienst des Bruders stellt. Ähnliche Phänomene finden sich in der zeitgenössischen psychiatrischen Literatur recht häufig beschrieben[15]; hier sei als Illustration nur Lilienthals Beschreibung angeführt: «Auch kann durch fortgesetzte hypnotische Einwirkung geradezu ein Doppelleben hervorgerufen werden, ein Zustand, der übrigens als Begleiterscheinung des natürlichen Somnambulismus, wenn auch nicht gerade häufig, so doch schon wiederholt beobachtet worden ist. Die französischen Schriftsteller bezeichnen ihn als état seconde. Er ist bemerkenswert, weil neben dem ursprünglichen Ich der betreffenden Person sich ein neues somnambules Ich entwikkelt, ohne daß zwischen diesen beiden Persönlichkeiten oder besser zwischen diesen beiden verschiedenen Erscheinungen desselben Wesens ein geistiges Band bestünde. Das somnambule Ich handelt und denkt selbständig, ohne durch irgend eine Erinnerung mit dem Verhalten in nichtsomnambulem Zustande verbunden zu sein» (L 4,349–50)[16]. Vermutlich läßt sich nicht entscheiden, ob es sich in Meyers Text um eine solche Amnesie zwischen der posthypnotisch reaktivierten «somnambulen» und der «normal» fungierenden Persönlichkeit handelt. Mit Sicherheit läßt sich nur sagen, daß sie keinen permanenten Konflikt zwischen den aus den beiden Ichs entspringenden Haltungen erlebt.

Nur an einem Punkt ist Lucrezia wie erwähnt imstande, aus eigener Kraft dem Befehl des Bruders Widerstand zu leisten, nämlich als ihr die Aufgabe zufällt, Strozzi mit allen Mitteln zu gewinnen. Doch selbst dieser Widerstand ist instabil. Unmittelbar nachdem sie den Brief gelesen hat, «bestrickte Lucrezia den Richter, Leib und Seele, mit einem Blicke der Verführung» (87). Im Augenblick der Überrumpelung ist sie «ein einfacher Automat» (F 6,51), vermag sich jedoch sofort danach zu verteidigen, als Strozzi – erklärlicherweise – verlangt, «seines Wunsches gewährt zu sein, bevor er in so gefährlicher Sendung das Leben wage» (87). Ihr «tödlicher Widerwille» (89) gegen ihn führt dazu, daß sie am Tag darauf alles, was sie zu ihm gesagt und was sie getan hat, wieder zurücknimmt (90). Doch auch diese Behauptung ihrer relativen Selbständigkeit ist bedroht, als der Bruder in seinem zweiten Brief direkt auf Strozzi verweist und von ihr «das Größte und Äußerste, um diesen Einzigen, den ich als einen Bruder schätze, für mich zu gewinnen» (94), verlangt. In dieser Situation ist Lucrezias Wille so untergraben, daß sie zu einer äußerlichen Verteidigung greifen muß: Sie nimmt Angela mit zu Strozzi «und faßte sie bei der Hand, um nicht einen Augenblick mit ihm allein zu sein» (94). Während sie nach dem ersten Brief «Zorn und Abneigung» (87) mobilisieren konnte, ist sie bei der zweiten Begegnung mit Strozzi stumm und passiv und vermittelt auch rein äußerlich den Eindruck einer nahezu somnambulen Lähmung: «Zwar lächelte sie auf das Geheiß des Bruders, doch die großen lichten Augen starrten versteinernd, wie die der Meduse» (95). Die Gefährlichkeit dieser «teuflischen Einflüsterungen» (93) besteht nicht nur in der Wiederholung des Befehls, sondern auch in dem Umstand, daß Cesare ihr mit den Worten «als einen Bruder» die Vorstellung zu geben versucht, er und Strozzi könnten als identisch betrachtet werden. Deshalb hindert sie nicht so sehr ihr eigener Widerstand, sich in Strozzis Arme zu werfen – daß sie nahezu willenlos ist, geht aus der Tatsache hervor, daß sie ihm den Brief des Bruders übergibt, in dem ihr direkt befohlen wird, «das Größte und Äußerste» (94) zu tun, um ihn zu gewinnen.

Diese stumme Einwilligung – sie hätte sich mit dem Versuch begnügen können, ihn mit ihren eigenen Worten zu überreden oder zu bestricken – wird allein durch Angelas ebenfalls stummen, aber wirksamen Schutz verhindert: «Er sah die ernsten und tieftraurigen Augen Angelas unter richtenden Brauen auf sich geheftet. Und mehr als der Prunk der ihn umgebenden Kruzifixe und heiligen Bilder, erschreckte ihn der stumme Vorwurf des unschuldigen Mädchens» (95). Unter diesem Eindruck tritt Strozzi zurück und gibt es auf, Lucrezia ein Versprechen entlocken zu wollen.

Nach Cesares Tod findet zwischen Lucrezia und Strozzi ein drittes Gespräch statt. Unter den gegebenen Voraussetzungen – die Suggestion wird mit der Botschaft vom Tod des Bruders als beendet beschrieben (99) – sollte man erwarten, daß sie mit ihrer nunmehr klaren Einsicht in ihren früheren nicht zurechnungsfähigen Zustand («meiner Torheit» (103)) die Situation mit kühlem Überblick beherrscht. Das ist zu Beginn des Gesprächs auch der Fall. Als aber Strozzi von ihren Argumenten und ihrer deutlichen Distanzierung unberührt bleibt und sie unterbricht: «Du verlierst deine Mühe, Lucrezia, /.../ ich weiche nicht aus Ferrara, noch von dir! Wir gehören zusammen, Don Cäsars Wille hat uns vermählt!» (104), wechselt ihr Zustand – bloß durch diesen indirekten Befehl des Bruders – in einen erneuten Versuch der «Verführung» über, obgleich diesmal «zum Guten». Schließlich, als er von ihrem Widerstand unbeeindruckt mit den Worten: «Denn Liebe /.../läßt ihr Ziel nicht» (104) auf seinem Recht besteht, was eine Wiederholung von Cesares Beschwörung («denn du liebst mich» (86)) darstellt, verwandelt sie sich in die allmählich bekannte Passive, Gelähmte: «Sie starrte den Richter mit bleichen Augen an, und alle Lieblichkeit war von ihr gewichen» (104). Inzwischen braucht wohl nicht mehr betont zu werden, daß dies nicht bedeutet, daß sie Schrecken oder Gewissensbisse über ihre Schuld an seinem unumgänglichen Untergang empfindet. Selbst hier, in dem Epilog zu Cesares Suggestion, ist sie als eine vollständig reaktive Persönlichkeit dargestellt, die in Abhängigkeit von einem fremden Willen von einem Zustand in den anderen hineingleitet.

Als Franzos das Ergebnis seiner Umfrage zusammenfaßte, wies er u. a. auf folgendes hin: «Einstimmig wird ferner die ‹Telepathie› (Hypnotisierung aus der Ferne) abgelehnt, als ‹unmöglich›, als ‹undenkbar›, als ‹Unsinn›, nur von einem Gutachtenden als ‹unbewiesen›» (F 6,XXVIII). Letzteres kam von Forel: «Die von vielen unklaren Köpfen, von den Spiritisten, aber auch von einigen redlichen und ernsten Forschern studierten und teilweise bestätigten Erscheinungen der sogenannten Telepathie, des Hellsehens, der Suggestion mentale (d. h. eines ohne äußere Zeichen und Sinnesvermittlung, einfach durch konzentriertes Denken eines Menschen auf einen anderen Menschen sogar auf große Entfernungen übertragenen Einflusses, der bis zum Gedanken- und Willenszwang gehen kann) schweben meiner Ansicht nach noch im Bereich des völlig Unbewiesenen, Unerklärten und Unklaren» (F 6,40). Obgleich Meyer in dem Langewieschegespräch mit Forel praktisch zugleich telepathische Phänomene erwähnt, unterläßt er es, wie deutlich gesagt wurde, in der «Angela Borgia», dieses okkulte Element in die Handlung einzubeziehen. Der Schluß des 10. Kapitels illustriert das noch stärker. In der «Versuchung des Pescara» hatte Meyer mit seiner Vorliebe für dramatische Ironie die Handlung so aufgebaut, daß sich die italienischen Politiker auf weitreichende Pläne einlassen, die alle auf der Voraussetzung aufbauen, daß es gelingt, den Feldherrn dazu zu überreden, sich an die Spitze eines italienischen Heers zu stellen. Gleichzeitig aber hat der Gegenstand ihrer Spekulationen ohne ihr Wissen psychologisch bereits die Grenze zwischen Leben und Tod überschritten und befindet sich auf diese Weise jenseits von allen Intrigen und Versuchungen. Die «Angela Borgia» übernimmt im 10. Kapitel diese Komposition im kleinen Maßstab: Lucrezia und ihr Gegenspieler, der Kardinal, legen sich beide sorgfältig ihre Strategie für Cesares baldige Ankunft in Italien zurecht, ohne zu wissen, daß der Grundstein ihrer kunstfertigen Gebäude nicht mehr existiert. Angesichts der Tatsache, daß Cesare «mit ihrem ganzen Denken verschmolzen» (94) war, hätte man im Augenblick seines Todes irgendeine Vision erwarten *können*[17]. Meyer tut etwas anderes. Der auktoriale Erzähler stellt nicht nur zwei tatsächliche Ereignisse (das Gespräch zwischen Lucrezia und dem Kardinal kontra Cesares Untergang) einander gegenüber, sondern formuliert ihr Bindeglied als eine Hypothese: «Wenn ihre Augen hätten den Raum durchdringen können, so hätten sie die beiden gesehen» ... (97; das Manuskript M hat die Variante: «Wenn ihres Geistes Augen den Raum hätten durchdringen können,» ... (XIV,226)). Auf diese Weise wird eine von den Begrenzungen des Raumes unabhängige Vision *formuliert*, während der hypothetische Bedingungssatz die Behauptung gleichzeitig vorsichtigerweise zurücknimmt. In den Stichworten zu Kapitel 10, die Betsy nach Meyers Diktat im Sommer 1891 niederschrieb (H[19], XIV,307), ahnt man vielleicht noch die okkulte Vorstellung: «Wiederholte Szene zwischen Kardinal und Lukrezia. Sie wundern sich wo Strozzi sei u. wissen beide wo er ist. – Vision von Cesares Tod. –»

Die posthypnotische Suggestion (denn um eine solche handelt es sich vermutlich) wird wie erwähnt nicht durch irgendeine immaterielle Einwirkung von Cesares Seite aus hervorgerufen, sondern durch einen materiellen Auslöser, den Brief. «‹Gedankenübertragung› durch totes Medium», hätte Strindberg das vermutlich genannt (vgl. oben S. 98). Man kann sich die

Sache also so vorstellen: Cesare hat sich seine fortgesetzte Macht über Lucrezia gesichert, indem er ihr vor ihrer Abreise aus Rom unter Hypnose folgende Vorstellung eingegeben hat: «Wenn du von mir einen Brief mit dem und dem Inhalt erhältst, wirst du aus ganzer Kraft und unter Aufbietung deiner gesamten Intelligenz für meine gerechte Sache zu arbeiten beginnen, ohne dich durch andere Rücksichten beirren zu lassen. Wenn du jetzt gleich aufwachst, wirst du dich nicht daran erinnern, was während dieses Schlafs geschehen ist.» Deshalb reicht der bloße Anblick von Cesares Handschrift auf dem Brief aus, um in ihr eine ausgeprägte psychische Veränderung zu bewirken (84). Ähnliche Fälle sind in der Fachliteratur so oft beschrieben worden, daß hier kein spezielles Beispiel angeführt zu werden braucht. Außer dieser Möglichkeit wäre, wie bereits erwähnt, auch noch eine zweite möglich: Cesare hat der Schwester, vielleicht immer wieder, die Suggestion eingegeben, sie werde überall und jederzeit seinen Befehlen gehorchen. Diese Suggestion kann die Form angenommen haben, daß Lucrezia «an Cäsar, als an ihr Schicksal geschmiedet» (94), «mit Vater und Bruder zu einer höllischen Figur verbunden» (7) ist, daß ihre «Bande» zum Bruder unzer-reißbar sind (29). Die imperativische Form des Briefes könnte in diese Richtung weisen. Für welche Erklärung man sich auch entscheidet, die Konkretisierung des Befehls ist eine unumgängliche Bedingung – eine Bedin-gung, die Meyers Text erfüllt, womit er sich im Rahmen des nach Auffassung der Nancyer Forscher wissenschaftlich Gesicherten bewegt.

Bei genauerem Hinsehen zeigt sich jedoch, daß noch einiges hinzukommt. Cesares erster Brief befiehlt ihr: «Sende mir einen Mann nach deiner Wahl, den besten und begabtesten, den du finden kannst,» ... (86), nennt jedoch keinen Namen und liefert keinen weiteren Hinweis. Dennoch richtet Lucre-zia augenblicklich («in diesem Moment» (87)) die gesamte Energie ihrer Verführung auf Strozzi, man ist versucht zu sagen: mit schlafwandlerischer Sicherheit. Doch diese Verführung beendet sie selbst bereits am nächsten Tag (90). Den ersten Brief erhielt sie am kürzesten Tag des Jahres (78). Mehrere Monate später («es war ein unheimliches Frühjahr» (91)) kommt der zweite Brief mit der genauen Angabe des gewünschten Helfers: «den Richter Herkules Strozzi» (93–94). Aufgrund ihres Widerwillens gegen Strozzi (Meyer macht an dieser Stelle eine sehr feine psychologische Beobachtung: «Sie war schuld daran, und sie haßte ihn darum» (89)) ist es ausgeschlossen, daß sie den Bruder auf dieses geeignete Werkzeug für seine Pläne aufmerk-sam gemacht hat. Wie man vielleicht erwarten wird, glaube ich nicht weiter an die Erklärung, die die Meyerforschung vermutlich mit großer Einigkeit anbieten wird: die nachlassende «gestalterische Kraft des müde gewordenen Dichters» (Z 1,225). Was wäre leichter gewesen, als Lucrezia bereits in dem ersten Brief darum zu bitten, Strozzi näher an sich zu binden, und danach in dem zweiten zu verlangen, der verführte Richter solle Ferrara verlassen und sich dem Kreis von Cesares Helfern anschließen? Und weshalb sollte Betsy Meyer, die starken Anteil an der endgültigen Gestaltung der Novelle nahm, die in diesem Punkt scheinbar bestehende Inkonsequenz des Textes nicht korrigiert haben?

Lucrezia greift also in einem Zustand von «Wahnsinn» (87) Cesares Wahl vor, die erst mehrere Monate später getroffen wird. Zur Erklärung dieser Eigentümlichkeit muß ein Phänomen berücksichtigt werden, das während der ersten historischen Phase der dynamischen Psychologie erhebliches Interesse auf sich gezogen hatte, und zwar der magnetische «rapport». «Involuntarily, the hypnotist suggested to the patient more than he thought he did, and the patient returned to the hypnotist much of that which the latter secretly expected. A process of mutual suggestion may thus develop; the history of dynamic psychiatry abounds in fantastic myths and romances that evolved through the unconscious collaboration of hypnotist and hypnotized» (E 1,120). Diese Hypersensibilität, die später zu einem wichtigen Studienobjekt und therapeutischen Mittel für die Psychoanalyse wurde, war für die Nancyer Schule zwar nicht sonderlich interessant (eine Ausnahme war Beaunis, vgl. B 5,221 ff), wurde aber dafür in den 80er Jahren von anderen Forschern umso gründlicher studiert. Es dürfte kaum ein Zufall sein, daß gerade die beiden psychologischen Pioniere der Hypnoserenaissance, Prosper Despine und Charles Richet, diesem Problem besondere Aufmerksamkeit widmen; sie waren ja weitgehend auf die in der älteren Literatur zu findende Beschreibung hypnotischer Zustände angewiesen. Für Despine ist es beispielsweise eine Tatsache, daß zwischen dem Hypnotiseur und seinem Hypnotisierten reine Gedankenübertragung stattfinden kann, «de sorte que ces derniers, ainsi influencés, ne peuvent plus vouloir ce qu'ils désirent, mais seulement ce que leur imposent, par un entraînement fatal, irrésistible, les commandements formulées, même mentalement, de la personne qui les fascine et les magnétise,» ... (D 1,227). In der *Revue Philosophique* («La suggestion mentale et le calcul des probabilités» Dez. 1884) erschienen danach Richets Studien über die Bedingungen und die Häufigkeit der Gedankenübertragung. Meyer kann seine Theorien nicht übersehen haben, ganz einfach, weil Preyer in zwei Aufsätzen im Dezember 1885 und im Januar 1886 dazu Stellung genommen hatte. Diese Aufsätze standen in der *Deutschen Rundschau*, wo im Oktober–November 1885 gerade «Die Richterin» erschienen war.

Meyer bewegt sich in dieser Hinsicht also am Rande des für die Zeitgenossen wissenschaftlich Haltbaren. Offenbar war es in seinem Porträt der

Lucrezia jedoch kein unwesentliches Element. Jedenfalls wiederholt er es in modifizierter Form, als sie Cesares zweiten Brief erhält: «Es war ein Schreiben von wenigen dringenden Linien, zwischen denen, nur dem Auge Lucrezias sichtbar, verruchte Anschläge und teuflische Einflüsterungen liefen» (93). Der Text gibt nicht an, was konkret damit gemeint ist – um die Verführung von Strozzi kann es sich nicht handeln, da der Befehl dazu in dem Brief ausdrücklich genannt wird. Deshalb besagt diese Formulierung nur eines: Sie erkennt mehr, als in den verbalisierten Befehlen ausgedrückt ist; Cesare ist «mit ihrem ganzen Denken verschmolzen» (94).

Die gleiche Gratwanderung zwischen der nüchternen Suggestionsforschung und der Parapsychologie zeigt die Szene in der Nacht nach dem Erhalt des ersten Briefes. Zwar ist die Halluzination, in der sie Cesare aus dem Dunkel treten sieht, durch die von Bembos Brief ausgehende «Gegensuggestion» ermöglicht (vgl. oben S. 154–55). Doch die Worte, die der auktoriale Erzähler in dieser Situation wählt, ziehen in eine andere Richtung: «Es hauchten Geisterwinde und bewegten die Flämmchen der Kerzen. Sie starrte in eine dunkle Ecke, bis ihre unverwandten Blicke dort die Erscheinung Cäsars gestalteten. Jetzt, jetzt trat er hervor und schritt auf ihr Lager zu, die Samtmaske, die er immer trug, von den wohlbekannten, bleichen Zügen hebend» (89).

Mitten in der letzten Arbeitsphase an der «Angela Borgia» (Januar 1891 – Juni 1891), bevor sie im Juli diktiert wurde, erschien ein seltsamer Roman: «Das Kreuz am Ferner. Ein hypnotisch-spiritistischer Roman» (Stuttgart 1891). Das philosophische Werk des Autors, Carl du Prel (1839–99), der sich hier – erfolglos – auf dem Gebiet der Belletristik versuchte, hatte ihm einen gewissen Ruf eingetragen und ist recht typisch für den Strom von Okkultismus, der in den letzten Jahrzehnten des Jahrhunderts zutage tritt. 1890/91 erschienen seine «Studien aus dem Gebiete der Geheimwissenschaften»[18], und in der parapsychologischen Zeitschrift *Sphinx* (1886 ff) (und später außerdem in *Die Zukunft*, 1892 ff) behandelte er laufend psychologische und parapsychologische Themen. In dem Roman kommt der Wissenschaftler Marhof eines Nachts in seinem Laboratorium zum erstenmal in Kontakt mit der Geisterwelt, wobei sich dieses «Hereinragen der Geisterwelt in die unsrige» (I,171) dadurch zu erkennen gibt, daß die Kerzen im Raum flackern und ohne nachweisliche Ursache ausgeblasen werden (I,239–40). Zweifellos ein nahezu gattungsspezifischer Zug von Geistergeschichten, wie auch du Prel bemerkt: «In zahlreichen Spukgeschichten hatte er von ausgeblasenen Lichtern gelesen» (I,239), doch für Marhof mehr als das: «Es gibt unsichtbare, intelligente Wesen, die in unsre irdische Welt eingreifen können» (I,241). Unmittelbar vor der Episode hat er einen Brief seines Freundes Alfred erhalten, der berichtet, daß er durch die telepathischen Fähigkeiten eines Mediums genau erfahren habe, wo sich Marhof in einem bestimmten Augenblick aufgehalten und was er getan habe. Am Tag darauf erscheint ihm das nächtliche Erlebnis folgendermaßen: «Als Marhof /.../ erwachte, nahm er die ganze Nüchternheit seines Denkens zusammen, um die Ereignisse der Nacht sich zu vergegenwärtigen. /.../ Mochte er das Erlebte skeptisch hin und her wenden, wie er wollte, eine Sinnestäuschung war ausgeschlossen» (I,253).

Wie zu sehen ist, bestehen zwischen dieser und Meyers Schilderung gewisse Ähnlichkeiten. «Im hellen Tageslicht wichen die Gespenster» (90) auch für Lucrezia, doch obwohl das Erlebnis der Nacht offenbar einen Schein der Unwirklichkeit annimmt (das negative Bild Cesares taucht in ihrem Bewußtsein nicht auf), wird das brüderliche Eingreifen in ihr Leben zu einer handfesten Realität, da ihre Handlungen von nun an von seinem Willen gesteuert werden. Die auffällige Wendung «Geisterwinde /.../ bewegten die Flämmchen der Kerzen» (89) hält sich in dieser Form enger an das Parapsychologische als die entsprechenden Stellen in Manuskript M (das Alfred Zäch auf die erste Hälfte von 1891 datiert): «Da (hauchte) blies sie ein Luftzug an» ist in dem Ms. durch «die Flämmchen der Lichter flackerten» ersetzt, dazu kommt noch der Zusatz des Wortes «Geisterluft», dessen Einordnung und Deutung unklar ist (XIV,265). Dafür wird die Erscheinung Cesares in Ms. M als eine erlebte Tatsache, eine Materialisation beschrieben: ... «und sie erblickte in einem Zimmerwinkel die Erscheinung Caesars, der von seinen wohlbekannten bleichen Zügen die Sammtmaske hob, womit er sie zu bedecken pflegte und auf sie zueilte.» Der endgültige Text dagegen definiert die Erscheinung eindeutig als eine Halluzination («gestalteten»), nicht zuletzt dadurch, daß der Blickwinkel vom Erzähler auf die Figur überwechselt («Jetzt, jetzt trat er hervor,» ...)[19].

Alles in allem ist jedoch zu betonen, daß die parapsychologischen Anklänge in beiden angeführten Fällen im Verhältnis zu den Suggestionshandlungen sekundär sind. Für die Vision von Cesare gilt beispielsweise, daß sie sich als direktes Ergebnis von Bembos Brief verstehen läßt, da er in der Novelle gegenüber Lucrezia als einziger den Bruder als «Teufel» (19) bezeichnet und es deshalb durchaus denkbar ist, daß er bei der Suggestiblen eine solche Vorstellung hervorgerufen hat. Wie stark sein Einfluß auf Lucrezia ist, zeigt sich daran, daß sie bei Tagesanbruch als erstes «den Brief Bembos zum andern und dritten Mal» (90) liest und danach sofort den Herzog aufsucht, um «Schutz vor sich selbst» (89) zu suchen. Schließlich sei zur Abrundung dieser Frage, die wichtig ist, weil die Negation des Übernatürlichen Meyers Werk in einen fest definierten kulturhistorischen Kontext einordnet, hinzugefügt, daß der Einfluß des fremden Willens auf sie mit Cesares physischem Tod aufhört.

Der markanteste – und am dramatischsten geschilderte – Wendepunkt in Lucrezias Leben ist, wie bereits in der Einleitung (S. 30–31) erwähnt wurde, Cesares Tod. Das Dramenmanuskript H², das ich versuchsweise auf den Herbst 1890 angesetzt habe (vgl. oben S. 35), erwähnt diesen Wendepunkt in einer Replik Angelas als etwas zur Vergangenheit Gehörendes: ... «da plötzlich kam mit seinem Schwert u. seiner Halskette die Kunde, er sei todt, im Dienst Navarras in einen Hinterhalt gefallen – u. plötzlich legte sich der Sturm u. – ihr lächeltet» (XIV, 194–95). Die Novelle gestaltet das Ereignis anders, in erster Linie dadurch, daß der Herzog persönlich ihr die Botschaft überbringt – im Gegensatz zu Gregorovius im übrigen, der schreibt, die Nachricht kam, «während der Herzog Alfonso abwesend war» (XIV, 429). Doch der Herzog begnügt sich nicht damit, ihr mitzuteilen, daß der Bruder gefallen ist: «Er zog einen Brief aus dem Wams und entfaltete ihn» (98). Meyer knüpft die posthypnotische Suggestion an einen materiellen Auslöser, Cesares Brief. Konsequenterweise wird die Suggestion dann auch durch einen Brief, und nicht nur durch eine mündliche Mitteilung, aufgehoben. Meine hypothetische Rekonstruktion der von Cesare ausgeübten posthypnotischen Herrschaft über die Schwester (oben S. 158–59) läßt sich also aufgrund der Tatsache, daß Meyer diese unschuldig erscheinende Einzelheit einfügt, folgendermaßen abrunden: «Dein unbedingter Gehorsam gegenüber meinen Wünschen wird erst in dem Augenblick aufhören, in dem du einen Brief erhältst, der dich ausdrücklich von diesem Zwang löst.»
Meyers historische Quellen berichten übereinstimmend von ihrer maßlosen Trauer, als sie von dem Tod des Bruders erfährt (XIV, 430). Auch in diesem Punkt bewegt sich die Novelle weit über die common-sense-Psychologie hinaus. In ihrem posthypnotisch reaktivierten A-Zustand hatte sie ihn nur als «einen großen und unglücklichen Fürsten, ihren geliebten Bruder» gesehen und ihn in ihrer Phantasie noch einmal in «seinen jugendlichen und liebenswürdigen Gestalten» (94) erlebt. Während für Gregorovius «die schwesterliche Liebe die reinste und großmütigste aller menschlichen Empfindungen ist» (XIV, 430) und deshalb ihre Trauer über den Verlust als ein versöhnender menschlicher Zug begriffen wird, ist Meyers Beschreibung nicht nur bar jeder Sentimentalität, sondern besitzt in ihrer klinisch kühlen Haltung die gleiche «impassibilité» wie Flauberts Verhältnis zu Madame Bovary. Ihr heftiger Affekt richtet sich in diesem Augenblick nur auf eines: die Verzweiflung darüber, das Verbot des Herzogs übertreten zu haben. Ihre Reaktion ist unerklärlich, wenn man – wie es andere Interpretationen der

Novelle tun – ihr Verhältnis zu dem Bruder als eine starke gefühlsmäßige Bindung, inzestuöse dämonische Abhängigkeit, die Stimme des Blutes oder ähnlich beschreibt. Mit recht beeindruckender Konsequenz stellt Meyer die Einwegamnesie zwischen den A- und den B-Zuständen dar: Unter dem Einfluß der Suggestion, im A-Zustand, ist sie gegenüber den fundamentalen Zügen des B-Zustandes absolut amnestisch, gegenüber ihren guten Vorsätzen, ihrem Wissen von dem Verbot des Herzogs, ihrer Liebe zu ihrem Mann, ihrem Wissen über die moralische Verwerflichkeit der Borgias. In den B-Zustand zurückgekehrt, *weiß* sie, was sie im A-Zustand getan hat, doch die Grundlage ihrer Handlungen, die Liebe zu Cesare, die Überzeugung von der Gerechtigkeit seiner Sache und nicht zuletzt der posthypnotische Suggestionsakt selbst sind aus ihrer Erinnerung ausgelöscht. Die Vorstellungen existieren in ihrem Bewußtsein, doch völlig dissoziiert von den Affekten, die sie begleiteten und motivierten. Das gilt, wie bereits erwähnt, auch für die Beziehung zu Strozzi. Sie hat ihn zwar ganz ehrlich vergessen, doch der Herzog und Angela können ihn in ihre Erinnerung zurückrufen. Dagegen sind ihre negativen Gefühle für ihn so sehr von der Amnesie betroffen, daß sie für ihn Fürbitte leistet, ja aufrichtig sein Leben retten möchte. Diese Neutralität ist im Grunde ebenso seltsam wie das nun stabilisierte, konventionelle Erinnerungsbild an den Bruder: «der Ärmste» (103). Nach der «normalen» Psychologie müßte der Leser an dieser Stelle eigentlich Rachsucht gegenüber dem Mann erwarten, der ihre «Torheit» (103) ausgenutzt hat, oder jedenfalls im besten Fall Gleichgültigkeit gegenüber dem grausamen Schicksal, das den Verräter erwartet, besonders da ihr «tödlicher Widerwille» (89) gegen den Richter in der momentanen Rückkehr in den B-Zustand, der auf Cesares ersten Brief folgte, ausdrücklich formuliert wird[20].

Angela ist bei dieser Szene die stumme Zuschauerin und «erduldete für die andere alles Entsetzen des Frevels und alle Qualen der Schande» (100). Womit negativ ausgedrückt ist, was in Lucrezias Innerem also *nicht* passiert. Lucrezia empfindet nur die Angst vor der unmittelbaren Bedrohung, der Strafe des Herzogs, ihre Vergangenheit ist ihr so fremd, als hätte ein Doppelgänger an ihrer Stelle gehandelt[21].

Meyer läßt im Gegensatz zu den Quellen den Herzog anwesend sein, als Lucrezia von dem Tod des Bruders erfährt, was natürlich nicht nur ästhetisch motiviert, d. h. in dem Wunsch nach dem Aufbau einer dramatischen Szene, begründet ist. Indem er Alfonso bei der Desuggerierung physisch anwesend sein läßt, läßt der Autor den grundlegenden Zug von Lucrezias Persönlichkeitskonglomerat hervorteten: Sie existiert nicht in sich, sondern nur in der Beziehung zu einer konkreten Bezugsperson, einem Überich-Surrogat (vgl.

oben S. 143). Aus diesem Grund leistet sie keine «Trauerarbeit», da sie sich – auch rein physisch – augenblicklich an ihr wiedergefundenes Hilfs-Ich klammert. Die schützende und identitätserhaltende Abhängigkeit vom Objekt setzt demnach voraus, daß es konkret anwesend ist. Entsprechend war der Herzog während der Monate, in denen Cesares suggestive Macht über sie dauerte, tatsächlich nicht in Ferrara (was auf der Handlungsebene der Novelle eine logische Unmöglichkeit darstellt, da der Herzog und der Kardinal sich darin einig sind, daß Cesares Rückkehr nach Italien eine tödliche Gefahr für die Existenz des Herzogtums bedeutet (76–77), vgl. unten S. 266). Durch ihr vorbehaltloses Eingeständnis ihrer Vergehen erreicht sie, was Bembo in der Atmosphäre strengen psychischen Determinismus, der in der Novelle herrscht, bereits vorgeschrieben hatte: «Schützet und berget Euch vor der Strafe des Herzogs an seinem Herzen» (20). Welche Folgen hätte es für ihren psychischen Zustand gehabt, wenn der Brief über den Tod des Bruders sie erreicht hätte und keine Stützperson zur Stelle gewesen wäre? Der Beginn des 10. Kapitels zeigt eine solche Situation, als die Suggestion des Bruders teilweise durch die Gegensuggestion, Bembos Brief, gebrochen wird. In dem Fall ist Lucrezia allein, die reine *Vorstellung* des Herzogs und der Notwendigkeit, ihm die Treue zu wahren, ist so machtlos, daß ihre Existenz auf ihre elementare Grundlage, die Angst, reduziert wird: «Hilflos, schutzlos, weinend wie ein Kind» ... (90).

Es ist also ersichtlich, daß meine einleitende These (oben S. 28 ff.), wonach der entscheidende Wendepunkt in Lucrezias Leben im Zusammenhang mit Cesares Tod zu finden ist, erheblich modifiziert werden muß. Auch nach dieser Zäsur ist und bleibt sie eine von den Ausgesetzten, von denen Bernheim sagt: «Sie war wie ein weicher Teig, zur Tugend gerade so gut zu kneten wie zum Laster. Das heißt in der Sprache der Psychologie: Sie hatte ein suggerierbares Gehirn, sie fügte sich allen Suggestionen, und ihr moralischer Sinn, muß ich hinzufügen, konnte der maßlosen Suggerierbarkeit kein Gegengewicht bieten» (B 8,165). Ihr Versuch, sich während der letzten Jahre ihres Lebens «den Himmel zu versöhnen» (120), folgt ganz genau dem Muster, das sich bereits während ihrer römischen Periode abzeichnete. Wenn sie hinter sich «jegliche Schmach ihrer Vergangenheit» (120) hört, wendet sie sich ebenso wenig um wie in ihrer Jugend und nimmt auch die Schuld für ihre Taten nicht auf sich, sondern versucht «mit Hilfe der kirchlichen Rettungsmittel einen untersten Raum des Fegefeuers zu gewinnen», genauso wie sie sich früher beim Anblick des Herzogs gesagt hatte: «Mit diesem bin ich gerettet» (7). Ihre Hoffnung auf Erlösung stützt sich nicht auf die göttliche Barmherzigkeit, sondern einzig und allein auf «die Vermittelung der Heiligen» (121). Ihre veränderte Lebensführung wird nur als eine vollständige Anpassung an Alfonsos Wesen und Erwartungen beschrieben («der grausame Pedant» (40), wie Strozzi ihn einmal genannt hat). Was zur Genüge bewiesen wird, als sie auf ein abgemachtes Zeichen hin Strozzi den Mördern im Dienste des Herzogs ausliefert, ohne irgendwelche Gewissensbisse zu verspüren.

Lucrezias «Entwicklung» hat nichts Befreiendes oder Erhebendes an sich – nicht sie hat sich verändert, sondern die Verhältnisse, die Personenkonstellationen um sie sind andere geworden. Im «Heiligen» hatte Becket den König gewarnt: «Gib mich nie aus deiner Hand in die Hand eines Herrn, der mächtiger wäre als du! – Denn in der Schmach meiner Sanftmut müßte ich ihm allerwege Gehorsam leisten und seine Befehle ausführen» ... (XIII,75). «Die Schmach meiner Sanftmut» ist in Lucrezias Fall zu «die Schmach ihrer Abhängigkeit» (7) geworden, womit diese Eigenschaft jeden versöhnlichen Anstrich verloren hat. In Meyers Werken läßt sich bei der Behandlung dieses psychologischen Problems eine zunehmende Negativität beobachten. Jürg Jenatschs Identifikation mit dem Vaterland, Beckets mit dem leidenden Christus, ja, selbst Astorres mit Mitleid vermischte Liebe zu Antiope erweisen sich zwar für diese drei instabilen Helden und ihre Umgebung als zerstörerisch, es handelt sich aber doch immerhin um eine Identifikation mit *Werten.* Dagegen ist in der «Versuchung des Pescara», dem letzten Werk vor der «Angela Borgia», die Tendenz zur reinen Psychologisierung der Loyalitätsproblematik zu spüren. Die Hauptperson, der Feldherr, motiviert zwar seine Ablehnung gegenüber dem Ansinnen der italienischen Politiker mit seinem Abscheu vor der Amoralität Italiens und betont die Treue als die höchste Tugend, doch in seinem letzten Gespräch mit Vittoria Colonna macht er deutlich, daß die Treue zum Kaiser für ihn in erster Linie Schutz vor der Selbstdestruktion der Persönlichkeit bedeutet: «Wäre ich aber von meinem Kaiser abgefallen, so würde ich an mir selbst zugrunde gehen und sterben an meiner gebrochenen Treue, denn ich habe zwei Seelen in meiner Brust, eine italienische und eine spanische, und sie hätten sich getötet» (XIII,252–53). Gleichzeitig ist er sich bewußt, daß er damit eine in ihrem Wesen böse Macht fördert: «Dieses spanische Weltreich aber, das in blutroten Wolken aufsteigt jenseits und diesseits des Meeres, erfüllt mich mit Grauen» (XIII,253). Während Jenatsch, Becket und Astorre als Märtyrer ihrer Sache sterben, ist der Tod im «Pescara» etwas Akzidentielles, eine von außen kommende Kraft, die das Problem nicht löst, sondern nur davon befreit: «Der Knoten meines Daseins ist unlösbar, er zerschneidet ihn» (XIII,252). Im Schlußbild wird der Feldherr mit «einem jungen, magern, von der Ernte erschöpften und auf seiner Garbe schlafenden Schnitter» verglichen (XIII,275). Mit den Worten «Ernte» und «Schnitter» unterstreicht der Erzähler, daß dieses Leben trotz der unlösbaren Konflikte eine abgerundete Einheit bildet und der Tod ein verdientes Ausruhen nach langen Mühen darstellt. Drei Jahre nach der Veröffentlichung der Pescaranovelle (*Deutsche Rundschau*, Oktober–November 1887) ist dieser letzte Rest von Harmonisierung verschwunden: Die Persönlichkeit ist chaotischer geworden, ein ständiges Wechseln zwischen Haltungen und vorübergehenden Stabilisierungen als Anpassung an auswechselbare Bezugspersonen. Der Schlaf ist nicht mehr Ruhe und Vollendung, sondern nur noch eine Serie von Pausen, die, weil sie die Verbindung zwischen Vergangenheit und Gegenwart radikal zerschneiden, die Persönlichkeit «verjüngen» (7, 29, 110), die Tafel reinwaschen, die Kontinuität brechen[22]. Die negative Seite davon ist die Tatsache, daß jeder Ansatz zu einer autonomen Identitätsbildung unmöglich gemacht wird; Lucrezia besitzt nicht die Fähigkeit zur Sublimierung, weshalb sie, um sich vor der völligen Fragmentierung, d. h. einer manifesten Psychose, zu retten, Symbiosen mit äußeren Stabilisatoren eingehen muß. Damit verliert sie jede Autonomie, und damit wird die Determination nicht nur, wie für die Naturalisten, zu einer physischen und sozialen, sondern schließt auch die psychischen Kernbereiche ein. Mit der neuen Psychiatrie konnte Meyer also ein detailliertes Signalement des Zustands der Unfreiheit liefern, das in Schärfe und negativer Konsequenz weit über das der früheren Novellen hinausgeht. Von der ästhetischen Faszination des vitalen Amoralismus der Renaissance ist in dieser Novelle nur noch das Phantasiebild in Strozzis Kopf – und, so könnte man sagen, in den Köpfen einiger Meyerforscher – übrig.

Die positive Folge der Inkorporierung der Suggestionslehre und der Theorie über die multiple Persönlichkeit zeigt sich deutlich, wenn man die «Angela Borgia» in den Kontext des Gesamtwerks einordnet. Die Grundfabel der Novellen (nur die beiden humoristischen Novellen «Der Schuß von der Kanzel» und «Plautus im Nonnenkloster» weichen etwas davon ab) besteht aus einer Komponentenreihe: 1: x fügt y einen Verlust zu – 2: y verrät/betrügt x, indem er sich 3: z anschließt – 4: y geht wegen seines Verrats zugrunde/der Verrat wird bestraft. «Der Heilige» zeigt dieses Schema in seiner reinsten Form. In den übrigen Novellen wird es variiert, indem entweder das Gewicht von einem Glied der Komponentenkette auf ein anderes verlagert wird oder die Akteure ausgewechselt werden, manchmal auch, indem die Kette oder Teile davon in Nebenpersonen oder Nebenverläufen auftaucht. Gleichgültig aber, welche Umsetzung man in dem konkreten Text findet, immer spielt die vierte Komponente eine wichtige Rolle als Schuldgefühl, Selbsthaß oder Selbstauflösung der Hauptperson, letzteres vielleicht am deutlichsten in Astorre («Die Hochzeit des Mönchs») und Morone («Die Versuchung des Pescara»). In diese «sengende und verzehrende Atmosphäre des Selbsthasses» (über Bourbon. XIII,156) tritt nun die Diskussion der 8oer Jahre über das Problem der Zurechnungsfähigkeit im Lichte der gewonnenen Einsicht in das Phänomen der Suggestibilität ein. Ein Mensch, der «als gefügiges, willenloses Werkzeug in der Hand eines Anderen alle Beeinflussungen annimmt, alle Befehle ausführt» (B 8,145), ist demnach wie Lucrezia «schuldvoll und schuldlos» (92) zugleich. Der freie Wille als Voraussetzung für moralisches Handeln und moralische Schuld ist in solchen Fällen suspendiert. Forel zog daraus weitreichende Konsequenzen, indem er in einem später gestrichenen Abschnitt von «Der Hypnotismus. Seine Bedeutung und seine Handhabung» schreibt: «Es braucht kaum nach all dem Gesagten noch einmal daran erinnert zu werden, daß bei der Annahme eines freien Willens die Suggestivwirkungen unerklärlich erscheinen müssen, da sie die Negation desselben sind» (F 3,52). Lucrezia Borgia ist zwar, in ihre «authentischen Verbrechen» wieder eingesetzt, in Meyers Werk die Verrätergestalt, deren Verrat moralisch am stärksten belastet ist, da ihr Handeln nicht durch früher erlittenes Leid oder durch höhere Rücksichten motiviert ist (das Familiengefühl für Cesare wiegt, gemessen an den Motiven der anderen Novellen, sehr leicht), andererseits aber wird diese Senkung des moralischen Niveaus durch die Schuldfreiheit aufgewogen, die einer so dissoziablen und suggestiblen Persönlichkeit zugestanden werden muß. Das erklärt, weshalb nicht nur die übrigen Personen der Novelle, sondern auch der Erzähler sie mit so auffallender Milde und mit Verständnis betrachten. Selbst auf dem Höhepunkt ihrer Ränke für die Sache des Bruders behandeln der Herzog und der Kardinal sie mit einer schonenden und einsichtsvollen Behutsamkeit, die in scharfem Gegensatz zu der Brutalität steht, mit der sie ihre und die Feinde des Staates im übrigen behandeln: «So genoß er, die Kluge stündlich täuschend, kein Vergnügen der Bosheit, sondern er glich dem Arzte, der von einer lieben Kranken, die an Wahnsinn leidet, Gifte und tötende Waffen entfernt» (93).

Die Gratwanderung zwischen den Extremen der absoluten Ruchlosigkeit und der absoluten Schuldfreiheit war schwer für Meyer. Sicher ist darin vor allem die Wahl einer epischen Darstellungsform begründet, die deutlich von den früheren Novellen abweicht (vgl. oben S. 11). Der Text wechselt nicht nur weit schneller und häufiger zwischen narrativen und dialogischen Teilen, sondern auch der Erzählrhythmus (vgl. S 2,96–102) mit seinem Wechsel zwischen personaler, neutraler und auktorialer Erzählsituation[23] ist weitaus unruhiger. Es scheint, als habe es der Autor nicht gewagt, es der Kombinationsfähigkeit des Lesers zu überlassen, Lucrezias Figur ins rechte Licht zu rücken, so daß immer wieder die Autorität des Erzählers mobilisiert werden muß (von der Art: «So sagte sie, und es war ihr Ernst» (103)), um das alles andere als selbstverständliche Verständnis einer radikal eigenartigen Persönlichkeitsstruktur zu sichern. Das ist dennoch mißlungen, was die Interpretationen der Novelle zeigen. Schuld daran ist die hermeneutische Inkongruenz, die so spürbar wird, weil sich der Text innerhalb eines sehr spezifischen Bezugsrahmens realisiert.

Anmerkungen

[1] Es besteht eine sonderbare Ähnlichkeit zwischen der Naturszenerie bei Giulios Blendung und der epischen Rahmensituation, wo Maupassants Jaques Parent («Un fou?») von seinem «pouvoir effrayant et incompréhensible» erzählt und es demonstriert. In beiden Fällen handelt es sich um einen Abend mit drückender Windstille vor einem Unwetter, «après une journée d'atroce chaleur» (M 3,II, 971). Vgl.: «Die Hitze des Julitages hatte sich gegen Abend unter dem dichten Laubdach verfangen. Es war unerträglich dumpf» ... (48). Nachdem Parents unheimlicher Auftritt beendet ist, sieht die Situation so aus: «Une rumeur accourrut dans le feuillage, comme un coup de vent. C'était l'averse, l'ondée épaisse torrentielle» (976). Vgl.: ... «Windstöße sausten durch den Wald und beugten die Wipfel der Bäume. Bald war der Himmel lauter Lohe und die Luft voller Donnergetöse. Dann stürzten die finsteren Wolken auf die Erde, und schwere Regen wuschen und überschwemmten den mit Blut und Sünde befleckten Garten» (54). Wie später noch zu zeigen sein wird, bezeichnet diese Szene in der «Angela Borgia» die Kulmination suggestiver Manipulation des ferraresischen Fürstenhofs.

[2] «Wesen und Formen der Erzählkunst». Halle 1934, S. 167ff.

[3] Kapitel 9–12 enthalten die stärksten Abweichungen von Meyers historischen Quellen (vgl. XIII, 78, 89, 90, 92, 93, 111).

[4] Vgl. Uffe Hansen, «Die unvermeidliche Inkohärenz des Kunstwerks». In: *Text & Kontext*. Sonderreihe, Band 10. Literatur und Psychoanalyse, S. 177–210.

[5] Mit dieser Beobachtung griff Janet z. B. den späteren ausführlichen Schilderungen einer multiplen Persönlichkeit vor, wie Morton Prince, «The Dissociation of a Personality» (1905) und C. H. Thigpen/H. M. Cleckley, «Three Faces of Eve» (1957).

[6] Vgl. aber – diese Bemerkung steht bei Forel jedoch isoliert – die folgende Bemerkung in der Umfrage von Franzos: «Durch Angst oder Einschüchterung kann man aber auch zuweilen Jemanden hypnotisierbar, resp. suggestibel machen. Doch ist dies eine verwerfliche, schlechte Methode, die schaden kann» (F 6,50–51).

[7] Despine macht bei der Besprechung einer Variante der Hypnose, «action à distance», auf das gleiche Phänomen aufmerksam und weist darauf hin, daß diese Gedankenübertragung nicht nur bei «les possédés du moyen âge» auftritt, sondern auch noch in Mme. Guyons Autobiographie (D 1,221). Daß Meyer diese quietistische Mystikerin kannte, weist Hans Zeller in einer Analyse des Gedichts «Der römische Brunnen» nach («Abbildung des Spiegelbildes. Conrad Ferdinand Meyers Verhältnis zur bildenden Kunst am Beispiel des Gedichts ‹Der römische Brunnen›». In: *GRM* 49 (1968), S. 72–80).

[8] Diese Eigentümlichkeit der posthypnotischen Suggestion in der von Forel geschilderten Form kann für Meyer eine gewisse Bedeutung gehabt haben. Ich habe oben (S. 138) die

physischen Begleiterscheinungen des Übergangs vom A- in den B-Zustand erwähnt. Um einen solchen Übergang handelt es sich jedoch nicht, als Lucrezia im 10. Kapitel Strozzi umgarnt: «Zwar lächelte sie auf das Geheiß des Bruders, doch die großen lichten Augen starrten versteinernd, wie die der Meduse» (95). Dafür führt sie ganz offensichtlich, unter Überwindung eines erheblichen Widerstands (94, 95), ein posthypnotisches «Geheiß» aus.

[9] Liégeois liefert ein Beispiel für diese Suggestionsform. Er schickte einer Versuchsperson ein Briefchen folgenden Inhalts: «Mademoiselle, moins d'une minute après que vous aurez lu ces lignes, vous dormirez, que vous y consentiez ou non. Vous vous éveillerez au but de cinq minutes. Vous ne pourrez plus ensuite lire ce billet sans dormir de nouveau pendant cinq minutes. Dormez!» (L 3,110). Nach diesem einfachen Experiment, das gelang, unternahm Liégeois nach eigenen Angaben zahlreiche kompliziertere Suggestionen aus der Entfernung, die u. a. Befehle enthielten, die ein Jahr nach Eingabe der Suggestion ausgeführt wurden.

[10] Aus Hauptmanns Bericht über Forels Praxis am Burghölzli geht hervor, daß die Demonstration von posthypnotischen Suggestionen zu seinem festen Repertoire gehörten: «Die Wärterinnen des Burghölzli, traf er sie in den Gängen, sanken auf seinen Blick in Schlaf. Standen sie dann wie schlafende Säulen, empfingen sie seine Suggestionen, um dann, erwacht, die absurdesten Dinge auszuführen» (op. cit., S. 1066). Da aus Langewiesches Bericht bekannt ist, daß Meyer Forels Demonstrationen beigewohnt hat, weiß man also mit Sicherheit, daß er die posthypnotischen Phänomene mit eigenen Augen gesehen hat. Man darf wohl kaum vermuten, daß sie ihn weniger beeindruckten als Hauptmann.

[11] In Maupassants «Le Horla», die wie erwähnt eine Schilderung eines Experiments mit posthypnotischer Suggestion nach dem Vorbild der «école de Nancy» enthält, wird der äußere Ausdruck des inneren Kampfes beschrieben: «Elle tremblait d'angoisse, tant cette démarche lui était douloureuse, et je compris qu'elle avait la gorge pleine de sanglots» (M 3,II, 1109).

[12] Auf einer anderen Interpretationsebene als der von mir gewählten läßt sich dieser Widerstand gegen ein erotisches Verhältnis nicht nur als Ausdruck der ausschließlichen Bindung an den Hypnotiseur deuten, sondern als eine Eigenart der Idealisierungstendenz der Hypnose: «Die hypnotische Beziehung ist eine uneingeschränkte verliebte Hingabe bei Ausschluß sexueller Befriedigung,» ... (Freud, «Massenpsychologie und Ich-Analyse» (F 7,IX, 107).

[13] Der Text in der *Deutschen Rundschau* (Okt./Nov. 1891) sowie alle erhaltenen Manuskripte und Korrekturbögen zeigen eine noch deutlichere Hervorhebung des Charakters von Cesares Einfluß: ... «deren der Bruder sich auf geistige Weise nach und nach» ... (XIV,370; vgl. 265).

[14] Liébeault, Aug. Ambr., «Du sommeil et des états analogues considérés surtout au point de vue de l'action du moral sur le physique.» (Paris 1866, S. 172. Das Buch stand in der Kantonsbibliothek).
Meyer läßt die posthypnotischen Wirkungen mehrere Jahre nach der vermuteten Suggestion eintreten (historisch fand der Einzug in Ferrara 1502 statt, Cesare floh 1506 aus dem Gefängnis). War eine posthypnotische Suggestion nach so langer Zeit nach damaliger Auffassung möglich? Weder Bernheim (B 8,36) noch Forel (F 3,18, 42) können dies bestätigen. Beaunis dagegen (B 5,221) nimmt eine Wirkung über mehrere Jahre hinweg an, eine Auffassung, die anscheinend von Preyer (F 6,126) geteilt wird.

[15] B 8,62–63, 134; J 2,125, 134, 409, 442; F 3,40, 71.

[16] Lilienthals Auffassung der Amnesie ist seltsam. Azam hatte ja ausdrücklich darauf hingewiesen, daß sich Félida in ihrem 2. Zustand deutlich an ihren 1. Zustand erinnerte (A 1,68). Ebenso deutlich ist Forel: «Im Wachzustand weiß der Mensch nichts oder fast nichts von

seinem Schlafleben. Im somnambulen oder Schlafzustand dagegen weiß er in der Regel vom Wachleben» (F 3,258). Vgl. D 1,98.

[17] Gurney, Myers und Podmore: «Phantasms of the Living» (1886), eines der parapsychologischen Hauptwerke des Jahrzehnts, ist voll von solchen Visionsschilderungen «at or near the moment of death» (LXI): «The phenomenon of transmission of thought or sensation without the agency of the recognized organs of sense had been previously recorded in connection with the mesmeric state, but, so far as we know, its occasional occurrence in the normal state was now for the first time maintained on the strength of definite experiment. And the four years 1882–1886 have witnessed a great extension of those experiments, which no longer rest on the integrity and capacity of the earliest group of observers alone» (LX). Meyer muß das Werk gekannt haben, da es in der *Revue des Deux Mondes*, 1. 5. 1888, ausführlich besprochen wurde (F 3,8). Auch für Schopenhauer ist die «actio in distans»/«passio a distante» des Somnambulismus ein unbestreitbares Faktum («Versuch über das Geistersehen», op. cit. IV, S. 319 ff). «Zwischen Magnetiseur und Somnambule sind Räume keine Trennung, Gemeinschaft der Gedanken und Willensbewegungen tritt ein: der Zustand des Hellsehens setzt über die der bloßen Erscheinung angehörenden, durch Raum und Zeit bedingten Verhältnisse, Nähe und Ferne, Gegenwart und Zukunft, hinaus» («Über den Willen in der Natur», op. cit. III, S. 429).
Dies sei nur erwähnt, um zu präzisieren, daß Meyer mit der Psychologie seiner Fiktionsfiguren nicht ganz allgemein mit dem Strom des Okkultismus schwimmt, der das ganze 19. Jahrhundert durchzieht und etwa um 1890 zunimmt. Sein Bezugsrahmen ist deutlich abgesteckt.

[18] Sowohl dieses Werk wie der Roman und die früher erschienenen «Das Gedankenlesen» (1885), «Justinus Kerner und die Seherin von Prevorst» (1886) sowie «Die monistische Seelenlehre» (1888) waren für die Kantonsbibliothek in Zürich bzw. die Stadtbibliothek angeschafft worden.

[19] Es mag einem heutigen Leser schwer fallen, du Prel ernst zu nehmen, weshalb man leicht übersieht, welche Bedeutung er für die neue Psychologie in den letzten beiden Jahrzehnten des Jahrhunderts hatte. Übersehen werden sollte jedoch nicht, daß z. B. Strindberg bereits ab 1887 ein eifriger Leser der *Sphinx* war, für die du Prel fleißig Beiträge lieferte (L 5,301), und daß er in «Svarta fanor» du Prels Okkultismus gegen die Anklage des Schwindels verteidigte: «Nein, das ist ein höher entwickelter Hypnotismus und eine höher entwickelte Suggestion. Hast Du nicht Karl du Prels ausgezeichnete Aufsätze über den Okkultismus gelesen, die in den 90er Jahren in der *Zukunft* erschienen sind» (L 5,298). Eine Linie von Meyer zur *Sphinx* könnte über Helene von Druskowitz, die Nietzschebewundern, laufen (der Briefwechsel Meyer–François erwähnt sie häufig), die ein paar Aufsätze in dieser Zeitschrift veröffentlicht hatte.
Die Versuchung, das Interesse für «das Unerforschliche und Geheimnisvolle», das Frey erwähnt (vgl. oben S. 43), mit in die Dichtung einfließen zu lassen, läßt sich im übrigen dem Brief an Haessel vom 21. 7. 1887 über die Endfassung der «Versuchung des Pescara» entnehmen: «Etwas Mystisches oder Gespenstisches à la Kleist, das sich ich weiß nicht wie eingeschlichen hatte wird weggehoben und das Sumpfland in festen Boden verwandelt.»

[20] Angesichts des Abnormen dieser Reaktion ist es nicht weiter sonderbar, daß man normalerweise völlig darüber hinwegliest, daß Lucrezia in der Schlußphase gegenüber Strozzi keinerlei Affekt zeigt: ... «diese bestrickt den Großrichter und haßt ihn, als sie ihn nicht mehr braucht» (Ö 1,123). «Lukrezia ne saurait avoir de respect pour celui qui, par orgueil, s'est fait son valet» ... (B 11,352). Eine solche Achtung liegt nicht im Bereich ihrer Möglichkeiten.

[21] Lucrezia hat mehr von Meyer in sich, als man vielleicht unmittelbar annehmen sollte.

Während seines Aufenthalts in Königsfelden (7. 7. 1892 – 27. 9. 1893) litt er unter der Zwangsvorstellung, daß ihn eine grausame Strafe erwarte: «Später behauptet er, einen Doppelgänger zu haben, der unter seinem Namen allerlei Greueltaten begeht, worauf er dann den Tod erleiden müsse» (K 2,275). Die Vorstellung von dem fehlenden Zusammenhang zwischen einer persönlichen Schuld und der Strafe kommt verhüllt und selbstironisch in einem Brief an Fr. v. Wyß vom 7. 8. 89 zum Ausdruck: «Durchgemacht in den letzten Jahren habe ich mehr als ich je eingestehen werde. Was mich hielt war eigentlich ein Seelenwanderungsgedanke: ich sagte mir, du hast offenbar in einem frühern Dasein irgend etwas Frevles unternommen. Da sprach das Schicksal: dafür soll mir der Kerl auf die Erde und ein Meyer werden.» Zum erstenmal stößt man auf diesen Gedankengang in ein paar Briefen aus dem Jahre 1883 (François, 23. 3. 83; Paoli, 25. 5. 83. Später Lingg, 23. 3. 85 und Bovet, 18. 10. 90), nur wenige Monate nach Beendigung der Doppelgängernovelle «Gustav Adolfs Page». Lucrezias Geständnis endet damit, daß sie vor dem Herzog auf die Knie fällt; sie «ergriff seine Hände und bedeckte sie mit Küssen: ‹Ich bin die Maria Magdalena›, schluchzte sie. ‹Mein Herr hat mir vergeben, und jetzt ist kein Teilchen meines Wesens mehr, das nicht sein eigen wäre …›» (100). In «Gustav Adolfs Page» sieht Leubelfing stumm und passiv zu, als der Lauenburger, der Doppelgänger, um dessentwillen er vor dem König fliehen mußte, eine ähnliche Szene aufführt: «Jetzt warf er sich vor ihm nieder, umfing seine Kniee, schluchzte und schrie ihn an mit den beweglichen Worten des verlorenen Sohnes: ‹Vater, ich habe gesündigt in den Himmel und vor dir!›» (XI,209). Der Unterschied besteht natürlich darin, daß der Lauenburger ein bewußter Betrüger ist, während Lucrezia zumindest in der Aufrichtigkeit des Augenblicks handelt. Für beide Fälle trifft jedoch zu, daß die angenommene biblische Figur keine Gesinnungsänderung im normalen Sinne abdeckt.

[22] Die Sonderstellung der «Angela Borgia» im Verhältnis zu den früheren Novellen läßt sich in diesem Punkt durch einen Vergleich mit dem bereits angeführten Abschnitt aus «Plautus im Nonnenkloster» (*Deutsche Rundschau*, November 1881) beleuchten, der anscheinend das gleiche Problem der Gewissenlosigkeit behandelt, das auch Lucrezia stellt. Plautus fragt: «Was ist das Gewissen?» und antwortet selbst: «Ist es ein allgemeines? Keineswegs. Wir alle haben Gewissenlose gekannt und, daß ich nur einen nenne, unser heiliger Vater Johannes XXIII., den wir in Constanz entthronten, hatte kein Gewissen, aber dafür ein so glückliches Blut und eine so heitere, ich hätte fast gesagt kindliche Gemütsart, daß er, mitten in seinen Untaten, deren Gespenster seinen Schlummer nicht beunruhigten, jeden Morgen aufgeräumter erwachte, als er sich gestern niedergelegt hatte.» (XI,155). Hier handelt es sich, wenn man so will, um ein glückliches, vor und nach dem Schlaf gleich «aufgeräumtes» Naturell. Die Ähnlichkeit mit einem der Elemente in der Charakteristik von Lucrezia ist auffällig, was denn auch sowohl Zäch (Z 1,222) wie Brunet (B 11,234–35) hervorheben. Sie übersehen jedoch den Unterschied. Johannes ist eine stabile amoralische Person, auf die nichts Eindruck zu machen vermag, während Lucrezias «menschliche Möglichkeit» (5) ganz im Gegenteil darauf beruht, daß sie trotz der genauen Beobachtung und Beurteilung ihrer Umwelt die «Verjüngungsgabe» besitzt, die ihr die Möglichkeit gibt, «jeden Morgen als eine Neue vom Lager (sich zu erheben), wie nach einem Bade völligen Vergessens» (6).

[23] Ich halte hier an der Unterscheidung von drei Erzählsituationen fest (vgl. Uffe Hansen, «Segmentierung narrativer Texte. Zum Problem der Erzählperspektive in der Fiktionsprosa». In: *Text & Kontext* 3. 2. 1975, S. 3–48), auch wenn Stanzel (S 2,192) diese Unterscheidung hat fallen lassen. Insbesondere die textgeschichtlich frühesten Kapitel 2–4 der «Angela Borgia» zeigen Beispiele dieser pseudoobjektiven Erzählsituation.

Ferrante

In der Analyse der Lucrezia Borgia habe ich ein Thema aus dem komplexen Repertoire des Textes, eine extratextuelle Norm (vgl. II,114ff.) herausgeschält, das in dem persönlichkeitspsychologischen Ansatz der Nancyer Schule vorliegt. Natürlich ist dieses Thema an sich nicht identisch mit dem «Sinn» des Textes, stellt aber andererseits ein so wichtiges – und übersehenes – Element dar, daß es mehr strukturiert als nur den Aufbau der Fiktionsfigur Lucrezia. Das psychische Kampfthema der Suggestion ist, wie ich noch nachweisen werde, nicht nur eine Entwicklungsstufe in der Variation und Verschiebung der novellistischen Grundfabel des Gesamtwerkes, sondern das, was unmittelbar wie eine vereinzelte psychologische Studie über eine abnorm identitätslose und suggestible Persönlichkeit wirken könnte, erweist sich bei näherem Hinsehen als die Beschreibung eines konstituierenden Zuges bei mehreren Figuren der Novelle.

Mit der «Hochzeit des Mönchs», die im Dezember 1883/Januar 1884 in der *Deutschen Rundschau* erschien, führte Meyer in seine feste Personengalerie eine Nebenperson ein, nämlich den Narren[1]. In dem Augenblick, als Astorre seine Ordenstracht ablegt, läßt der Erzähler Dante an seiner Seite den Narren Gocciola auftauchen, der Ezzelins früherer Warnung an den Mönch sichtbaren Ausdruck verleiht: «Würdest du in die Welt treten, die ihre eigenen Gesetze befolgt, welche zu lernen es für dich zu spät ist, so würde dein klarer Stern zum lächerlichen Irrwisch und zerplatzte zischend nach ein paar albernen Sprüngen unter dem Hohne der Himmlischen!» (XII,25–26). Es gelingt Astorre durch einen Zufall (den Ring), dieser Destruktion der Persönlichkeit zu entgehen, indem er sich an Antiope mit einem ebenso unbedingten Opferwillen bindet, wie er in seinem früheren geistlichen Stand ganz und gar seinem barmherzigen Amt aufging. Wie dünn aber der Boden über dem Abgrund ist, zeigt die Novelle dadurch, daß allen seinen Handlungen der Klang der «läutenden Schellenkappe» des Narren folgt, ja, selbst sein und Antiopes gemeinsamer Tod wird von einem «fernen Gelächter» begleitet, den letzten Worten der Novelle. Der Narr selbst ist eindeutig als ein abstoßendes Wesen, ein eitler Blöder geschildert («Blödsinn» (35), vgl. die Doppeldeutigkeit in seinem Namen «das Tröpfchen» (34)), ohne jede Andeutung der barocken Narrenweisheit. Er verkörpert den Wahnsinn, der sich unter der Person öffnet, die entweder freiwillig oder in diesem Fall gezwungen oder verleitet das Bezugssystem und/oder die Bezugsperson aufgibt, ohne deren Stütze Meyers Hauptpersonen ihr Leben nicht zu leben vermögen[2].

Gocciola steht nur in einem paradigmatischen Verhältnis zur Hauptperson, Morone in der «Versuchung des Pescara» (1887) dagegen, der geschmeidige und erfinderische, aber närrische Kanzler[3], bildet einen wichtigen Faktor auf der Ebene des eigentlichen logischen Handlungsablaufs. Gleichzeitig ist der Narr hier trotz seiner skrupellosen Wahl der politischen Mittel erheblich erhöht worden: «denn er war der erhabensten und der gemeinsten Gefühle in gleicher Weise und Stärke fähig» (XIII,217). Pescara ist zwar von «dieser Wahrheit des Gefühls in einem lügnerischen Geiste» (213) fasziniert, sieht aber in ihm ebenso klar «diesen unzusammenhängenden Geist» (214). Ohne daß hier Morones Charakter und Funktion näher untersucht werden soll[4], sei doch unterstrichen, daß gerade er für den Feldherrn einen so gefährlichen Versucher darstellt, weil er als der einzige in der Novelle imstande ist, ohne die Existenzstütze, die die anderen Personen brauchen, zu überleben. Seine Persönlichkeit gleitet beständig zwischen den verschiedensten Gefühlen, Loyalitäten und Masken hin und her, und er ist eine so wehrlose Beute seiner Einbildungskraft, daß er bei einer Gelegenheit sogar ein direktes halluzinatorisches Erlebnis hat: Lionardo da Vincis Schlangenfresken («die Schlange mit dem Kind im Rachen») scheinen sich ihm zu bewegen: «Dann plötzlich erschien es ihm, als lebe und drehe sich das Gewinde. Der Kanzler wendete sich schaudernd und trat wieder an das Fenster» (217).

In der «Angela Borgia» ist der jüngere Bruder des Herzogs, Don Ferrante, der direkte Nachkomme dieser Narrengestalten. Typisch für die mehrsträngige Komposition dieser Novelle ist jedoch, daß er so isoliert in seinem eigenen Handlungsverlauf scheint, daß zwischen seiner recht ausführlichen Charakteristik und seiner relativen Entbehrlichkeit für die Don Giulio-Handlung sowie der absoluten Isolation von der Lucrezia-Handlung eine Diskrepanz entsteht. Im 8. Kapitel erhalten sein «Wahn» und seine «Verschwörungsgedanken» zwar eine gewisse Gewalt über die Vorstellungen des blinden Giulio, doch letztlich wird der Unglückliche in die hoffnungslose Verschwörung gegen den Herzog und den Kardinal nicht durch die «Ausgeburten seiner (Ferrantes) Angst und Bosheit» (62) hineingezogen, sondern durch Angelas Eingeständnis ihrer Mitschuld an der Blendung: «Ich bin Angela Borgia, die deine Augen über alles liebte und sie zerstörte, dadurch daß sie einem Bösen ihre Schönheit lobte» (66). Da seine Stellung in dem linearen Verlauf also nur lose motiviert ist, muß er eine Milieu aufbauende oder paradigmatische Funktion haben.

Als Angelas Begleiter und Cicerone bei ihrem Einzug in Ferrara fällt diesem zynischen und witzigen Misanthropen die privilegierte Rolle zu, nicht nur ihr, sondern auch dem Leser die Verhältnisse am Hof vorzustellen.

Daß es sich dabei um eine subjektive Spiegelung handelt, darauf machen sowohl der Erzähler (der ihn als «diese höhnische Larve» und seine Worte als «die vergiftenden Reden» bezeichnet) wie er selbst aufmerksam: «Aber seht, Fräulein, es ist meine Charaktermaske, öffentlich zu schmähen und zu lästern», ...(9). Dennoch kann man seine Betrachtungen nicht ohne weiteres als Ausgeburten eines kranken Gemüts abfertigen, ebenso wenig wie man ihn vorbehaltlos zu den Personen der Novelle zählen kann, die im Gegensatz zu Giulio und Angela «ohne Gewissen ihren rein egozentrisch bestimmten Zielen» leben (F 2,102). Seine klassische Narrenrolle besteht in einer unbarmherzigen Entlarvung der Bosheit, Berechnung und des Zynismus, die sich hinter dem strahlenden «Theater» des Einzugs verbergen, und in diesem Widerwillen gegen die Verstellung findet er paradoxerweise mit Angela zusammen, wie unterschiedlich ihre Motive auch sein mögen. Ferrante ist sich dieser seltsamen geistigen Verwandtschaft bewußt: «Und wisset, tapferes Mädchen, damit habet Ihr mich gleich für Euch gewonnen, daß Ihr nicht fade seid, sondern, wie ich, der Wahrheit Zeugnis gibt, ohne Menschenfurcht – wenn es sein muß, auf offenem Markte» (9). Das erste Kapitel endet denn auch damit, daß Angela in «Zorn und Jammer» (15) der heuchlerisch geschmückten, häßlichen Wirklichkeit den Schleier herunterreißt. Zum Fürsprecher der Wahrheit macht ihn jedoch vor allem die Tatsache, daß *alle* seine Aussagen über Zustände und Personen am Hof durch entsprechende auktoriale Analysen und Kommentare verifiziert werden[5]. Angesichts der Elemente, aus denen die Hofwelt in der Fiktion aufgebaut wird, was in Giulios Blendung, den fiebergequälten Erinnerungsbildern des Kardinals (73–74) und seinem offenen Evangelium der Gewalt (82–83) gipfelt, erscheint Ferrantes Auffassung von seiner Umwelt als eine treffende Beschreibung der tatsächlich gegebenen Verhältnisse: «wenn dieser die gepriesene Gerechtigkeit des Herzogs einen Abgrund der Ungerechtigkeit nannte, nicht besser als die teuflische Bosheit des Kardinals, und den Hof von Ferrara ein Geflecht sich erwürgender oder miteinander buhlender Schlangen, einen eklen Knäuel, den es ein Verdienst wäre, zu zerhauen und zu zertreten» (62). Er nimmt also in der Personengalerie eine Sonderstellung ein, weil alle anderen (Angela ist neben Mirabili und Mamette die einzige wichtige Ausnahme) in diesem Zustand der Dinge mitleben, ohne sich durch dessen Negativität und Widersprüche stören zu lassen; zuweilen flüchten sie auch – wie Lucrezia – vor dieser Erkenntnis oder verschleiern sie.

Diese positive Charakteristik wird noch stärker betont, wenn man die Figur im Gesamtkontext von Meyers Werk sieht, da Ferrante als eine Variante des Grundtypus betrachtet werden muß, der am deutlichsten durch den Leibarzt Ludwigs XIV. in den «Leiden eines Knaben» vertreten wird[6].

Trotz der erklärten Abneigung des Königs, die Bosheit, das Unrecht, die Gewalt und Häßlichkeit der Welt zu erkennen, geschweige denn davon zu hören (XII, 120), versucht Fagon mit seinem Bericht über Julian Boufflers, «in dieser Welt der Unwahrheit und ihr zum Trotz von einer blutigen Tatsache, und wäre es die schmerzlichste, das verhüllende Tuch unversehends wegzuziehen ...» (XII, 121). Sein Ziel ist es, den König vor dem neuen Beichtvater, dem Jesuiten Tellier, «diesem Feinde der Menschheit» (153) zu warnen. Doch er erreicht nichts. Der König hat in seinem Bewußtsein die solide Illusion aufgebaut, in seinem Reiche und mit ihm als Mittelpunkt stehe alles zum Besten (153). Die gleiche Situation findet sich im ersten Kapitel der «Angela Borgia» wieder, während aber die vom französischen König an den Tag gelegte Immunität gegenüber der Wahrheit gut in seinem Charakter begründet ist, steht Angelas Ungläubigkeit gegenüber Ferrante («Eure Zunge meuchelt» (10)) in offenem Gegensatz zu ihrer gleich darauf angeführten deutlichen Erkenntnis der «herrschenden Nichtswürdigkeit» (11). Ferrantes Warnung vor dem Kardinal («Fürchtet diesen Geier, junges Mädchen» (13)) verhallt ebenso wirkungslos wie Fagons Warnung vor dem «tückischen Wolf» (XII, 105)[7].

Selbst als er indirekt an der Blendung des Bruders mitschuldig wird, indem er auf dessen erotische Ausschweifungen anspielt, spricht ihn der Erzähler mit seiner direkten Charakteristik von jeglicher Schadenfreude frei: «Diese mehr bittere als lose Rede» ... (51). Danach jedoch verwandelt sich diese Figur in absonderlichem Maße. Zwar scheint der Erzähler diesen Wechsel mit dem heftigen Eindruck zu begründen, den Giulios Verstümmelung in ihm hinterlassen hatte («An jenem Abend (...) geschah ein Riß in seinem schwachen Geist» ... (60–61)), doch eine solche ursächliche Erklärung von einem traumatischen Ereignis her (vgl. oben S. 147) reicht nicht aus, da der Erzähler im gleichen Kapitel mit einer Analyse seiner allgemeinen psychischen Konstitution kommt: «Don Ferrante war ein wunderlicher Zwitter, gemengt aus geistiger Armut und unerschöpflichem Erfindungstriebe. Seine Jugend war unter dem Drucke beständiger Furcht verkrüppelt» (60). Zusammenfassend wird er nun als «unehrliche und machtlose Natur» (60) bezeichnet, und sein Verhältnis zu dem Geblendeten entbehrt jeglichen versöhnlichen Momentes: «Er weidete sich am Schmerze des Bruders, weil er Pläne darauf baute. Er vergiftete seine Wunde, weil er sie nicht heilen lassen wollte» (56). Seine ständigen kleinen Ränke gegen die Regierenden bewirken, «daß er immer unwahrer und verschrobener wurde» (60). Eine solche direkte Charakteristik als unwahr und unehrlich kollidiert ganz offensichtlich mit dem indirekten (und bestätigten) Porträt des 1. Kapitels. Sieht man jedoch genauer hin, so findet man auch schon vor dem 7. Kapitel derartige eindeutig negativen Zeichnungen, wohlgemerkt nicht im Zusammenhang mit Angela, wohl aber mit Don Giulio, der berichtet: «Neulich lud er mich brüderlich ein, den Herzog, wie er sich ausdrückte, aus der Mitte zu schaffen; doch sei überzeugt, hätte ich nur halbwegs hingehorcht, der Arge wäre zur selben Stunde an mir zum Verräter geworden» (32).

Die Pläne, die der arglistige Ferrante mit seinem Bruder hat, sind nach Auskunft des Erzählers durch seine «krankhafte Angst» (61) diktiert, also den Wunsch, sich um jeden Preis am Leben zu erhalten. Als die Verschwörung entdeckt und er gefangengenommen wird, ist diese Triebkraft mit einem Schlag verschwunden: «Don Ferrante dagegen, erzählten sich die Ferraresen, habe zwar ebenso wenig geleugnet, aber nach seiner zynischen Art nicht nur das Gericht, sondern auch die Hoheit des Herzogs und den Kardinal mit Schimpf und Hohn überschüttet» (71). Er hat nun nur noch den Wunsch, im Narrenkleid «den Sprung ins Nichts in gebührendem Gewande und mit Schellengeläute zu vollziehen» (71). Selbst dieser Zustand dauert nicht: Auf dem Schafott äußert er «ernst und gelassen»: «Ich habe mein Leben stets verabscheut; warum, weiß ich nicht. Und da ich es nicht liebte, habe ich es mißbraucht und mich und andere verachtet. Überall, wohin ich darin zurückblicke, sehe ich nichts als törichte Larven, Hohlheit, Neid und Nichtigkeit ... nirgends eine reinliche Stapfe, wo Erinnerung den Fuß hinsetzen könnte, ohne ihn zu beschmutzen! Ich fürchte mich vor dem Leben, das du mir schenkst! Und ich sehne mich, meines Ichs und seiner Angst ledig zu sein» (84–85)[8]. Eine solche durchdringende Selbstanalyse, eine solche Ehrlichkeit und moralische Strenge gegenüber sich selbst ist, auch wenn man das Klischee von der existentiellen Wahrheit im Angesicht des Nichts berücksichtigt, psychologisch unvereinbar mit «geistiger Armut» und «unehrlicher und machtloser Natur».

Soll man diese unzusammenhängende Personenschilderung damit erklären, daß Ferrante in der Entstehungsgeschichte der Novelle verschiedene Funktionen zufielen und Meyer in seinem geschwächten Zustand nicht imstande war, diese disparaten Züge zusammenzuarbeiten? Eine solche Erklärung, die mit den üblichen Interpretationen der Novelle übereinstimmen würde, ist ganz einfach schon deshalb nicht stichhaltig, weil die Figur in Manuskript M weit homogener gezeichnet ist (XIV, 235–36, 250, 251, 256–57) als in der fertigen Novelle. Es scheint sich also eher umgekehrt zu verhalten: Erst in der letzten Ausarbeitungsphase läßt Meyer Ferrante im selben Körper in drei verschiedene Persönlichkeiten zerfallen. Der Zersplitterung muß eine bewußte Absicht zugrunde liegen, da Betsy Meyer, seine strengste und vielleicht beste Kritikerin, augenscheinlich an der endgültigen Gestaltung im Juli-August 1891 aktiv teilnahm (vgl. seinen Brief an Rodenberg vom 12. 8. 91: «Meine l. Schwester, der ich dictirte u. den Mund nicht verbot, wird schon zum rechten gesehen haben.») und auch später noch Gelegenheit hatte, Fehler zu korrigieren und unbeabsichtigte Brüche in der Logik der Erzählung zu ändern.

Der intelligente und klarblickende, doch groteske Misanthrop – der beschränkte, ruhelose und von panischem Schrecken ergriffene Ränkeschmied – der abgeklärte und unerschrockene Wahrheitssucher: drei distinkte Partialpersönlichkeiten, ebenso unverbunden wie die vielen Gesichter Lucrezias. In beiden Fällen handelt es sich nicht nur um einen inneren Kampf zwischen verschiedenen Haltungen, «ein Mensch mit seinem Widerspruch» («Huttens letzte Tage» (XXVI)), da sich keiner der beiden, so wie Hutten und später Pescara, eines inneren Widerspruchs bewußt ist. Ähnlich wie Lucrezia zeigt im übrigen auch Ferrante jedenfalls einen *Ansatz* dazu, die Alternation der Subpersönlichkeiten mit der Abhängigkeit von Bezugspersonen zu kombinieren, da er in seiner Rolle als der ohnmächtige Verführer zum Bösen ausschließlich im Zusammenhang mit Don Guilio auftritt, die Bitterkeit des Misanthropen überwiegend zusammen mit Angela an den Tag legt und schließlich die unverstellte Selbsterkenntnis in dem Augenblick zeigt, als er der Einsamkeit überlassen wird. Schließlich hat er auch in dem Sinne das gleiche Schicksal wie Lucrezia, daß beide von einer Jugend in einem extrem brutalen und angsterzeugenden Milieu gezeichnet sind («Als Kind schon Zeuge unzähliger Intrigen und Komplotte in Ferrara selbst» … (60)). Neben dieser Parallelität – beide entspringen der Idee von der multiplen Persönlichkeit – hat Ferrante gleichzeitig noch eine Kontrastfunktion zu Lucrezia, die auf eine sehr frühe Problematik im Gesamtwerk zurückweist: «Ich büße leichte Jugendsünde schwer,/ Den Fluch des Bösen überwindet er!/ Er atmet unbeklommen, altert heil,/ Und ich? Mir keucht die Brust – das Grab mein Teil!» («Huttens letzte Tage» (LVIII)). Wie Nicola Pesce (in dem gleichnamigen Gedicht) schafft Lucrezia durch ihren Leichtsinn «dieses kühle Gleiten» (I,186), wo die Vergangenheit sie niemals einholt[9], während sich Ferrante nicht allein vergeblich dem Gewicht der Vergangenheit zu entziehen versucht (die «Stapfen»-Chiffre), sondern in seiner Konfrontation mit seiner «intimen Persönlichkeit» (71) mit dem gleichen Fazit endet wie der Wächter in den «Nachtwachen von Bonaventura»: «Nichts».

Die Gestaltung des heterogenen Charakters der Persönlichkeit im Zusammenhang mit dieser Nebenperson zeigt deutlich, wie schwierig diese erzähltechnische Aufgabe war. Während das in Lucrezias Fall recht elegant gelang, scheitert das Porträt von Ferrante, weil die ausführliche direkte Charakteristik seines Wesens (60) im Verhältnis zu den konkurrierenden indirekten oder diskreteren direkten Charakterisierungen ein auktoriales Übergewicht erhält.

Anmerkungen

[1] Die Narrenfigur ist in den «Leiden eines Knaben» (erschienen in *Schorers Familienblatt* im September 1883) in der Figur des Père Amiel vorausgenommen («Euer tolles Fratzenspiel, das Euch dem Dümmsten zum Spotte macht!» (XII,150)), hier jedoch noch in der liebenswürdigen Form mit Anklängen an Wertmüller aus dem «Schuß von der Kanzel». In die 3. Ausgabe von «Huttens letzte Tage» (1881) wird das nach der 4. Ausgabe gestrichene Gedicht «Die drei Närrchen» eingefügt, das u. a. folgende Zeilen enthält: «Mich gruselte vor solcher Narretei,/ Als ob ich selbst ein Sinnbethörter sei» (VIII,613).

[2] «Die Hochzeit des Mönchs» hat neben Gocciola die tragische Version der Narrheit, die Gräfin Canossa, die bei der Hinrichtung ihres Mannes den Verstand verlor: «Wenn natürliche Stimmungen sich unmerklich ineinander verlieren wie das erlöschende Licht in die wachsende Dämmerung, wechseln die ihrigen in rasendem Umschwung von Hell und Dunkel zwölfmal in zwölf Stunden» (XII,47).

[3] Morone wird abwechselnd als «Pantalon» (158), «Buffone» (179), «Gaukler» (190, 270), «Narr» (215) und «Paillasse» (260) bezeichnet.

[4] Gustav Beckers («Morone und Pescara. Proteisches Verwandlungsspiel und existentielle Metamorphose.» In: *Euphorion* 63, 1969, S. 117–45) unterschätzt mit Sicherheit die spontane Labilität von Morone und versteht ihn nur als den leidenschaftlichen Schauspieler, der sich nie ganz an seine augenblickliche Rolle hingibt: «Als Ergebnis der verschiedenen Untersuchungsgänge ist festzuhalten, daß es sich bei Morone allerdings um Verwandlungen eines Schauspielers handelt, die nicht den Menschen selbst ergreifen. Nie erfaßt eine der Verwandlungen des Kanzlers ihn substantiell, er bleibt unter den verschiedenen Maskenformen stets dieselbe an sich und von sich aus nichtswürdige «Person», die nur Vehikel der Verwandlungsform ist, niemals Eigengestalt» (136). Die beiden angeführten, indiskutablen Erzähleraussagen (213, 217) dementieren eine solche Auffassung.

[5] Z. B. Ferrante 9 Zeile 11–12; 9 Zeile 12–14; 9 Zeile 26–28; 10 Zeile 10–11; 13 Zeile 1–6; 13 Zeile 8–10; 13 Zeile 10–15; 14 Zeile 5–6; entsprechend zu des Erzählers 7 Zeile 33–35; 7 Zeile 6–12; 11 Zeile 19–28; 119 Zeile 10–14; 8 Zeile 12–15 + 119 Zeile 1; 100 + 108 + 111, 52–54; 15 Zeile 22–24.

[6] Die Schilderung von Ferrante enthält mehrere wörtliche Anklänge an Fagon: in der Stimmenführung («höhnisch», «höhnte», «gellend» (XII,105, 120)), Fagon ist ein physischer, Ferrante ein psychischer Krüppel (XII,104, 121. XIV,60), beide sind durch ihre Kindheitserlebnisse deformiert.

[7] Meyers Ferrante weicht, wie Alfred Zäch nachweist (XIV,412) von dem historischen sowohl im Charakter wie im Lebenslauf ab. Der resolute Selbstmord des Ferrante in der Novelle (85) ist unhistorisch. Außerdem zeigt noch eine weitere Einzelheit, wie Meyer sich um eine Erhöhung seiner Figur bemüht: Laut Gregorovius versuchte sich Ferrante durch einen Kniefall vor dem Herzog zu retten, worauf dieser ihm in einem Wutanfall mit einem Stock ein Auge ausschlug. Das Demütigende dieser Szenerie entfernte Meyer von Ferrante und übertrug es statt dessen auf eine Nebenperson, einen «Kämmerer des Herzogs» (69).

⁸ Indem Meyer Ferrante so als einen Menschen darstellt, der seine eigene Vergangenheit nur mit Angst und Ekel betritt, rückt er ihn im Kontext des Gesamtwerks in die Nähe von Karl Bourbon, Pescaras engem Freund und alter ego (XIII,156, 198–99, 214). Wichtiger ist jedoch, daß Ferrante mit seinen Worten eines der wichtigsten lyrischen Motive von Meyer ausdrückt: «Ich hemme die beschwingten Rosse nicht,/ Ich freue mich, mit jedem neuen Licht/ Das Feld gestreckten Laufes zu durchmessen,/Ein fernes, dunkles Gestern zu vergessen,/ Ich fliege – hinter mir versinkt die Zeit –/» («Ohne Datum»). Sogar die wichtige Chiffre «Stapfen», die die Erinnerung in ihrem positiven, wahrheitsoffenbarenden, Zusammenhang schaffenden Aspekt bezeichnet, haben Ferrante und Meyers lyrisches Ich gemeinsam. Vgl. die Gedichte «Liederseelen», «Die Felswand», «Stapfen», «Ihr Heim» und «Die Ketzerin» (in der Textgeschichte all dieser Gedichte tritt die Chiffre erst in der Zeit um 1880 auf).

⁹ Hans Zeller weist auf diese Ähnlichkeit zwischen den Formulierungen des Gedichts und der Novelle hin (III,358). Die erste Redaktion von «Nicola Pesce» stammt von 1881/82.

Ippolito

In den von Meyer benutzten historischen Quellen (vgl. XIV, 170–86) tritt
Kardinal Ippolito als «ein verschwenderischer Lebemann», «ein eifersüchti-
ger Wüstling», «der frevelhafte Kardinal» auf, als ein Mann, der «heftigen
Gemüts» «Jagd, Krieg, Frauen und schwelgerische Gelage mehr als die
Kirche» liebte. In keiner der Quellen ist er die graue Eminenz; Jacob
Burckhardt betont ganz im Gegenteil, daß Ferraras Stellung als das am
effektivsten regierte Staatsgebilde im Italien der damaligen Zeit einzig und
allein den persönlichen Eigenschaften des Herzogs zuzuschreiben sei
(B 12,39–43). Wenn es stimmen würde, daß die Novelle neben der erbauli-
chen Botschaft geprägt wäre durch Meyers «Faszination des rücksichtslosen,
von seinen Leidenschaften allein bestimmten Renaissance-Menschen, wie er
etwa in der Figur des Kardinals Ippolito d'Este gestaltet ist» (F 2,102), was
wäre dann leichter gewesen, als das überlieferte Porträt beizubehalten?

Wie üblich behandelt Meyer die Geschichte auch in diesem Fall «souverän» (François, 4. 5. 1883) und baut statt dessen das Bild eines intellektuell
überlegenen und völlig skrupellosen Politikers (vgl. B 11,349–50, Ö 1,117–
25), eines Richelieu in Kleinformat, auf. Natürlich liefert Ferrante das
profilierteste Porträt des Kardinals: «Seine Rache ist die grausamste, da er der
größere Geist ist und als der uns allen Unentbehrliche keinen Prätor zu
fürchten hat. Er ist der Diplomat unseres Hauses; die Fäden unserer Politik
laufen alle durch seine gelenken Finger, und er kennt unsere schlimmsten
Geheimnisse» (13). Diese Charakteristik wird Punkt für Punkt bestätigt:
Der Herzog betrachtet ihn ganz offen als «einen dem Staate Ferrara unentbehrlichen Frevler» (37) und verzichtet aus diesem einleuchtenden Grund
darauf, ihn nach dem sinnlosen Überfall auf Don Giulio zu bestrafen,
geschweige denn des Landes zu verweisen (55). Seine Abhängigkeit von
diesem begabten Diplomaten, dessen Rat er ohne Zögern befolgt
(76,83,132), reicht, was für die Personenbeziehungen der Novelle charakteristisch ist, jedoch über das Rationale und Nützlichkeitsbezogene hinaus,
was u. a. aus seinem Besuch am Krankenlager des Kardinals hervorgeht:
«Der Herzog küßte die herabhangende Hand des Bruders mit Zärtlichkeit;
denn nicht nur liebte er den Bruder, die Rettung Ippolitos gab ihm auch den
unentbehrlichen Ratgeber zurück» (75). Ippolitos Grausamkeit und Rück-
sichtslosigkeit bei der Wahl seiner Mittel wird zwar betont («Der Kardinal
war als der Besitzer und Ernährer einer stattlichen Bande bekannt» (33)), was
nicht zuletzt in den während seines Fieberzustands auftauchenden Erinne-

rungen an «die vielen, vielen Opfer» (73) zum Ausdruck kommt, doch dieser «Philosoph des Verbrechens», wie Ferrante ihn nennt, ist alles andere als eine blind destruktive Kraft. Seine Untaten werden fast ausnahmslos mit der Staatsräson begründet («seines unerbittlichen und unersättlichen Ferraresischen Ehrgeizes» (74)) und gründen sich auf eine Verleugnung jeder moralischen und religiösen Realität: «Ich weiß nur von dem durch die Kirche in den Himmel erhöhten König, von dem durch die Theologie geschaffenen zweiten Gotte der Dreifaltigkeit. Sein der Himmel! Unser die Erde! Unser ist hier die Gewalt und das Reich! Und es ist Herrscherpflicht, das Schädliche und Unnütze, das uns widersteht, zu vernichten» (82–83). Hinter dieser Figur zeichnet sich deutlich Dostojewskis Großinquisitor ab. Doch dieser reine Intellekt, der Vorrang des Geistes vor der physischen Stärke, bezeichnet seinen Platz in dem Meyerschen Fiktionsuniversum als eine verschärfte Reformulierung des in Thomas Becket, Ezzelin und Pescara verwirklichten Typs[1]. Die leidenschaftslose Rationalität verläßt ihn denn auch keinen Augenblick, während er sein diplomatisches Meisterstück ablegt (92), nämlich Lucrezias Wirken für den zurückkehrenden Cesare entgegenzuarbeiten: «So genoß er, die Kluge stündlich täuschend, kein Vergnügen der Bosheit, sondern er glich dem Arzte, der von einer lieben Kranken, die an Wahnsinn leidet, Gifte und tötende Waffen entfernt» (93). Er ähnelt Pescara so sehr, daß beide fast mit den gleichen Worten als Schachspieler charakterisiert werden, die trotz ihrer Überlegenheit ab und zu den schwachen Gegenspieler gewinnen lassen (XIII, 159, 185. XIV, 93).

Sieht man einmal von seinem Verhältnis zu Angela ab, so differenziert sich das Bild noch stärker in seiner Haltung zu Don Giulio. Im 5. Kapitel kommt es zu einem heftigen Zusammenstoß zwischen den beiden Brüdern, dessen direkte Ursache in der «Orgie in Pratello» des jüngeren Bruders zu suchen ist, die «Tumult, Blasphemie, Entführung, Blut, Gewalttat, mehrere Tote» (28) nach sich zog. Auf den Zorn des Kardinals reagiert Giulio «mit Tränen»: «Warum stößest du mich in den Schlamm, daß ich darin ersticke, während du mich früher emporheben wolltest? Warum hassest du mich so wild, der du einst den Knaben väterlich geliebt hast?» (43–44). Zusammen mit Giulios früher gemachter Äußerung: «Er liebte mich nie besonders, und jetzt beginnt er mich zu hassen» (31), bezeichnet diese Formulierung die Aufrichtigkeit der Verachtung und Enttäuschung des Kardinals über den Bruder, einen Menschen, der «ohne jede geistige Freude dem gemeinsten Genusse frön(t)» (43). «Das will ich dir sagen, Julius. Als ich, der zehn Jahre Ältere, dich als Kind neben mir sah, freute ich mich deines offenen Antlitzes und deines hellen Geistes. (...) Dir gelang, deinen ganzen reichen Hort nutzlos und schädlich zu vergeuden. Nicht der Staat, nicht die Wissenschaft, nicht einmal der die Jugend entflammende Kriegsdienst vermochte dich zu gewinnen. Du tötetest deine Tage mit großen und kleinen Freveln ... ein kleinlicher und niedriger Geist» (44).

Auch dieses Verhältnis zwischen dem älteren und dem jüngeren Bruder ist in der «Versuchung des Pescara» vorweggenommen, und zwar in der Haltung des Feldherrn (und Victoria Colonnas) zu dem Neffen Del Guasto, der meist als Don Juan bezeichnet wird, ebenso wie Giulio in Ms. M (vgl. S. 21 Anm. 6). Auch in diesem Fall findet man «den wohlgebildeten und feurigen Knaben», der zur Enttäuschung seiner Erzieher im Laufe seiner Entwicklung «die Liebenswürdigkeit seiner Seele» verliert: «Das schöne Profil bekam einen Geierblick und den immer schärfer sich biegenden Umriß eines Raubvogels, und die sich offenbarende Unbarmherzigkeit begann Victoria zu befremden und abzustoßen» (XIII, 187). Im Gegensatz zu Victoria verhält sich Pescara moralisch betrachtet ebenso neutral, wie es in seiner Freundschaft zu dem Erzverräter Bourbon zum Ausdruck kommt: «War es Klugheit, war es Gleichgültigkeit gegen die sittlichen Dinge, war es Freiheit von jedem, auch dem begründetsten Vorurteil, oder war es die höchste Gerechtigkeit einer vollkommenen Menschenkenntnis, was immer –» ... (XIII, 199). Und völlig wie Ippolito verurteilt er nicht die Grausamkeit an sich, sondern erkennt sie unter einer Bedingung an: «Treue am Fürsten ist die einzige Tugend, deren Ihr zur Not fähig seid, und der letzte Ehrbegriff, der Euch übrig bleibt. Sie wird Eure Unerbittlichkeit adeln, wenn Ihr dieselbe gegen Abfall und Empörung ausübet, und Eure grausamen Triebe werden der irdischen Gerechtigkeit dienen» (XIII, 229–30). Schließlich sei der Vollständigkeit halber erwähnt, daß Pescaras hartes Urteil über Don Juan direkt durch die erotische Verführung der Julia Dati veranlaßt wird (XIII, 230), ein Element, das sich in Ippolitos Abscheu vor Don Giulios grober Sinnlichkeit wiederholt (24). Von diesem Kontext her wird deutlich, daß man den Kardinal nicht, so wie es meist der Fall ist, als ein machiavellistisches Klischee und seinen Unwillen gegenüber dem jüngeren Bruder als «nicht begründet» (Z 1,225) betrachten kann. Entsprechend sollte man sich wohl auch hüten, die Worte des Erzählers über den sterbenden Kardinal – sterbend wie Pescara! – für normalsprachliche bare Münze zu nehmen, d. h. rein negativ zu verstehen: «Verzehrt bis zur Entkörperung, leicht gebückt, mit durchdringenden Augen unter der kahl und hoch gewordenen Stirn, schien er lauter Geist zu sein, grausam und allwissend» (82). Tatsächlich folgt dieser Beschreibung denn auch seine Bitte um Begnadigung der beiden schuldigen Brüder (83).

Festhalten lassen sich dagegen zwei wichtige Punkte für die Problemstellung der vorliegenden Arbeit. Erstens sind die bisher in Ippolitos Persönlichkeit zutage tretenden Extreme radikaler als in den isomorphen Figuren des übrigen Werkes, vor allem, weil trotz allem die destruktiven Elemente stark hervortreten. Zweitens wird diese desintegrative Tendenz durch den gleichen äußeren Faktor in Schach gehalten, der auch in Lucrezias mühsamer Bewahrung ihrer Identität zu beobachten war: die ausschließliche Bindung an ein idealisiertes Objekt, in diesem Fall an das Wohl des Staates. Diese *stabile* Identifikation macht ihn zu ihrem überlegenen Gegenspieler und, so könnte man hinzufügen, zur makabren Illustration eines sozialpsychologischen Phänomens, das im 20. Jahrhundert eine unheimliche Aktualität erhalten sollte: Ein konsistentes Über-Ich wird durch «eine konformistische Anklammerung an schützende Partner, Gruppen, Institutionen, Ideologien» ersetzt (H. E. Richter, «Flüchten oder Standhalten». 1976, S. 19–20).

An diesem Punkt sieht es also so aus, als bilde Ippolitos widersprüchliche, aber dennoch konsistente Persönlichkeit einen Gegenpol zu Lucrezias und Ferrantes lose organisierten und suggestiblen Identitäten. Der Text belastet ihn nicht mit einer traumatisierenden Jugend, seine Vorgeschichte weist keine Bruchlinien auf, er hat nur einen Orientierungspunkt, die Staatsräson. Die Behauptung: «in dieser Novelle geschieht überhaupt nichts Wichtiges, auch das Gute nicht, ohne die Mitwirkung des Kardinals Ippolito» (Ö 1,125), stimmt ja durchaus. Dennoch zeigt sich bei näherem Hinsehen, daß auch er in die Problematik der multiplen Persönlichkeit hineingezogen wird.

«In den psychologischen Vorgängen bleibt auch manches dunkel oder ungenügend motiviert. (...) Ippolitos Haß ist einfach da, so wie seine Liebe zu Angela oder diejenige Strozzis zu Lucrezia, ohne daß wir etwas von ihrem Keimen und Wachsen vernähmen. Daß schließlich Ippolitos Liebe zu Angela in Haß umschlägt, weil er ihretwegen zum Verbrecher am Bruder geworden ist, wird auch mehr bloß mitgeteilt als psychologisch wahrscheinlich gemacht» (Z 1,225). Durch die Angabe dieser «künstlerischen Mängel» (ibid.) legt Alfred Zäch den Finger genau auf die interessante Stelle im Aufbau der Figur des Kardinals, ohne jedoch im eigentlichen Sinne einen Lösungsvorschlag zu machen. Die Tatsache, daß der Don Juan der Novelle von Angela vielleicht gerade aufgrund ihrer Verachtung für ihn (30) und trotz seines erklärten fehlenden erotischen Interesses («Wuchs und Gebärde dieser Virago sind nicht mein Stil» (45)) fasziniert sein konnte, ist von seinen gegebenen Charakterzügen her verständlich, daß jedoch «das junge Mädchen aufs zärtlichste und rasendste von dem Kardinal geliebt wird» (22), steht als ein isoliertes und unerklärtes Faktum da, besonders da diese Leidenschaft so weit geht, daß er um Angelas willen bereit ist, den geistlichen Stand aufzugeben: «Ich bin jung genug dazu, und ich speie auf das kirchliche

Gaukelspiel!» (45, vgl. 23). Ein solcher Schritt ist unvereinbar mit seiner staatsmännischen Klugheit, doch erst der Herzog muß ihn auf diese Selbstverständlichkeit hinweisen: «Eine verspätete Verweltlichung aber zum Behufe einer Heirat wäre ein Ärgernis – ein Spott!» Auch bei dem physischen Ausdruck dieser unerklärlichen Leidenschaft betont der Erzähler, daß es sich nicht nur um eine der «seltenen, aber rasenden persönlichen Begierden» (74) des Kardinals handelt. Während des ersten Gesprächs mit Angela ist sein Blick «fieberscharf» (23), und der Herzog bezeichnet bei einer späteren Gelegenheit seine Leidenschaft als «eine Krankheit» (45). Eine sich über Monate hinziehende, tödliche Krankheit (73–74) ist denn auch die Folge dieser emotionalen Erschütterung. In der Sinnstruktur des Textes gehört diese Seite von Ippolito somit zu demselben Paradigma wie Lucrezias «Leidenschaft» für Cesare: Auch sie wird als eine «Kranke, die an Wahnsinn leidet» (93), bezeichnet. Ähnlich wie in Lucrezias Fall trägt auch seine plötzliche Leidenschaft den Charakter eines Fremdkörpers, der die Persönlichkeit wie eine hypnotisch eingegebene Vorstellung zwanghaft beherrscht. Vom Text her ist schwer zu entscheiden, ob der Hauptfaktor dieses Affektzustands die Liebe zu Angela oder die Eifersucht auf den Bruder ist; jedenfalls spürt der Kardinal, «daß er die Besinnung verliere und einer Ohnmacht nahe sei» (46). Entsprechende Formulierungen werden über Lucrezias Verhältnis zu dem Bruder benutzt: ... «daß du die Herrschaft über dich verlierst» (19), ... «es gibt einen Fall und eine Stunde, die sie ihres klaren Sinnes berauben werden» (42), ... «solange sie ihrer selbst und ihrer vollen Besinnung mächtig blieb» (89). Genauso wie Lucrezia *weiß* (7,20), daß bei der Einführung eines auslösenden Faktors eine bis dahin latente Subpersönlichkeit auftreten wird, die der Kontrolle ihres Normalzustands entzogen ist, vermag der Kardinal vorauszusehen, daß es nur einer Nebensächlichkeit bedarf (ein Wort von Angela zugunsten Giulios), um seine rational kalkulierende Normalpersönlichkeit verschwinden zu lassen und einer anderen, ungehemmt destruktiven Subpersönlichkeit Platz zu machen: «Don Giulio betrachtete den Kardinal mit erschrockenen Augen. Ihm schien, daß ihn dieser unwillkürlich und aufrichtig warne vor den mörderischen Ausbrüchen seines Hasses, und er beschloß, ihm zu gehorchen» (46). Die Parallele zu Lucrezia wird noch dadurch unterstrichen, daß sich Ippolito in dieser Szene einen Augenblick lang in einem Zustand befindet, der mit dem Wort «gedankenabwesend» beschrieben wird, vgl. Lucrezias Gespräch mit Bembo: «wie abwesend» (20). In Manuskript M ist diese Spaltung in seiner Selbstcharakteristik explizit ausgedrückt: «Neben mir in meiner wildesten Wut steht ein kalter Betrachter, der wieder ich ist» ... (246)[2].

Angelas Bemerkung «Don Giulio hat wundervolle Augen» (52), ruft die gefürchtete Veränderung hervor, die physisch mit dem Wort «bebend» (52) ausgedrückt wird, so wie Lucrezia beim Anblick von Cesares Brief «zitterte» (84). Für Cesare wird konsequent die Bezeichnung «Dämon» benutzt (76, 87, 99, 103), und entsprechend heißt es in dieser Situation über den Kardinal: «Da überwältigte den Kardinal sein böser Dämon» (52). Während diese Einzelheiten an sich weniger wichtig sind, zeigt seine spontane Reaktion, als sich der geblendete Giulio an ihn, seinen Henker, klammert, daß er sich Augenblicke später als an der begangenen Untat nicht schuldig betrachtet: «Der Kardinal erschrak. Er zog krampfhaft seinen Purpur an sich, und seine Stimme klang unnatürlich, als er ausrief: «Nicht ich! ... Das Weib verführte mich! ... Sie lobte deine Augen! ...»» (54). Das Manuskript M ist noch deutlicher: «Ich weiß den Thäter, heulte Don Giulio, es ist der Kardinal. Nein, Don Giulio antwortete eine markige Stimme aus dem Hintergrund. Donna Angela Borgia ist es, die dich blendete, indem sie boshafter Weise vor mir deine schönen Augen rühmte. Sie hat dich geblendet und nun liebe ich sie auch nicht mehr wegen ihrer Grausamkeit» (231). Die Festigkeit und Ruhe des Kardinals, das Verschwinden seiner Leidenschaft, so als habe sie nie existiert, steht in so scharfem Gegensatz zu seiner unmittelbar vorausgegangenen «Wut» (229), daß ein normales psychologisches Verständnis dieses Umschwungs nicht möglich ist. Zwischen dem Ms. M und der endgültigen Redaktion sah Meyer offensichtlich, daß die Art, wie der Kardinal seine augenblickliche Abscheu vor Angela formulierte, zu hohe Anforderungen an die Einsicht des Lesers stellte, weshalb er die Bemerkung auf seine nächste Begegnung mit Angela verlegt: «Ich könnte dich erwürgen! Ich bin deiner – ohne Gewährung – übersatt. Du bist mir ein Abscheu! ... Du hast mir die Augen meines Bruders verhaßt gemacht, die Himmelsaugen, die mich früher voll Vertrauen anschauten!» (82). Demnach erweist sich auch dieser kühle Diplomat als ebenso empfänglich für die «Verführung» wie Lucrezia, ein Zug, der sich außerdem später bei so unterschiedlichen Figuren wie Strozzi, Giulio und Angela wiederfindet. Das erklärt auch den seltsamen Umstand, daß der Geblendete in Ms. M dem Kardinal in seiner Zurückweisung der Verantwortlichkeit sofort recht gibt: «So wird es sein! schrie der unsinnige Geblendete diese Angela ist mein Unglück, mein Verhängniß. In die Hölle mit ihr!» (231). Wiederum behält Meyer in der «Angela Borgia» diesen psychologisch betrachtet sonderbaren und deshalb aufschlußreichen Zug bei, verlegt jedoch diese nahezu unglaubliche Einsicht in die Unfreiheit der menschlichen Handlungen auf den späteren Prozeß gegen die Verschworenen: «Er habe, sagte er, sich den Haß des Kardinals zugezogen durch seine unabhängige Art und seinen wilden Wandel, nicht aber durch Beleidigung der brüderlichen Person. Er räume ein, daß ihm der Kardinal über seinen

Mangel an Ehrgeiz Vorwürfe gemacht, ihn wiederholt seiner Antipathie versichert und ihn davor gewarnt habe. Dessen erinnere er sich jetzt» (70). Auf der logischen Handlungsebene eine merkwürdige Form der Erinnerung, da Giulio weiß, daß der Haß des Bruders – nicht sein allgemeiner Unwillen – speziell durch die Eifersucht hervorgerufen wurde («Angela Borgia, die der Grund ist deines grausamen Hasses gegen mich» (44)), und weiter, daß die Verstümmelung direkt durch «das Lob Angelas» (67) verursacht wurde. Man hat hier also die Wahl: Entweder betrachtet man Giulios Reaktion als «ungenügend motiviert» (Z 1,225), oder man interpoliert die Idee der Suggestionstheorien von «la complète irresponsabilité des somnambules» (Gilles de la Tourette, «L'hypnotisme et les états analogues». 1889[2], S. 366. Zit. L 4,386), gleichgültig, ob es sich dabei um einen spontanen oder provozierten Persönlichkeitswechsel handelt. Dieser Einzelfall soll später noch versuchsweise in einen übergeordneten Zusammenhang eingefügt werden.

Zu diesen beiden isolierten Partialpersönlichkeiten tritt eine ebenso «unmotivierte» dritte. Von den durch den Text gegebenen Prämissen her, nämlich dem erklärten Immoralismus des Kardinals, erscheint es unmittelbar unverständlich, daß er nach seiner Untat in einen Zustand psychosomatischer Krankheit verfallen sollte: «es war Wahrheit, der mächtige Kardinal rang im Dämmer eines Krankenzimmers mit seinem Gewissen und dem Tode» (73). So wie Lucrezia in ihrer «troisième condition» nach einem Übergangszustand («Schlaf») eine Angstvision von Cesare und eine ihr ansonsten verborgene Einsicht in sein Wesen erlebt, steigt der Kardinal nach einem «bleiernen Schlaf» (73) hinunter in «einen dunkeln Schacht, der sich mit flackernden, sich drängenden Visionen bevölkerte» (73). Der sonst so fest in sich ruhende Machiavellist sieht nun seine Verbrechen im Dienste des Staates von einem radikal veränderten Standpunkt aus. Ohne den identitätserhaltenden Rahmen der Loyalitätsbindung und ohne den strengen Determinismus, der die Handlungen einer Person als notwendige Glieder einer Kausalkette erscheinen läßt, erinnert er sich nun seiner Taten als Handlungen einer verantwortlichen und deshalb moralisch verwerflichen Person. Ich kann mir denken, daß man an dieser Stelle einwenden wird, Meyer habe in der zweiten Hälfte der Novelle ja nur zeigen wollen, wie die christliche Moralauffassung selbst das ruchlose ferraresische Milieu zu durchbrechen vermag (vgl. F 1,186, Z 1,225–26). Doch diese neue Subpersönlichkeit Ippolitos entsteht und *verschwindet* ebenso abrupt wie die vorhergehende. Bei seiner letzten Begegnung mit Angela in der Hinrichtungsszene (9. Kap.) sind sowohl die Zurückweisung der Verantwortlichkeit wie der Machiavellismus voll wieder hergestellt: «‹Was weiß man von dem Nazarener?› sagte er. ‹Was man von seinen Reden und Taten erzählt, ist unglaublich und unwichtig.›»

etc. (82–83). Schließlich findet sich auch in seiner virtuosen Durchkreuzung von Lucrezias Plänen im 10. Kapitel keine Andeutung einer moralischen Dimension, nur die von Burckhardt beschriebene «völlig objektive, von Vorurteilen wie von sittlichen Bedenken freie Behandlung» (B 12,69) aller Dinge, die unter die politische Sphäre fallen[3].

Der zielbewußte und klarblickende Staatsmann, der zu Don Giulio über «mein stolzes Bemühen in einer Zeit des Zerfalls, wo die Persönlichkeit alles ist, die deinige zu entwickeln» (44) spricht, ist demnach zeitweilig machtlos gegenüber Kräften, die die Einheit dieser Persönlichkeit auflösen.

Im Zusammenhang mit Lucrezias «condition seconde» (oben S. 132, 160, vgl. 55) wurde auf die abnorm erhöhte Sensibilität bei Personen in hypnotischem Zustand hingewiesen, was sich nicht nur als ein verschärftes Gespür für die Umwelt äußert, sondern speziell als eine besondere Empfänglichkeit für das Unausgesprochene in menschlichen Beziehungen. Wo die von der Vernunft geleitete Persönlichkeit des Kardinals endet und die isolierte Leidenschaft für Angela (und negativ: für Giulio) einsetzt, da zeigt sich bei ihm eine feinfühlige Registrierung des Gefühlsspiels zwischen diesen beiden Personen. Weder in den Äußerungen des Erzählers noch der Figuren, wenn man also einmal von Ippolito absieht, wird angedeutet, daß Angela während der ersten beiden Jahre ihres Aufenthalts in Ferrara irgendwelche Anzeichen der Verliebtheit in Giulio gezeigt habe. Abgesehen von ihrer öffentlichen Verurteilung des leichtlebigen Kavaliers – obgleich der Erzähler bei seinem Einblick in ihre Gefühle anläßlich dieser Gelegenheit nur «Zorn und Jammer» (15) verzeichnet. Erst unmittelbar vor der Blendung zeigt die vom Erzähler gelieferte Analyse ihrer Reaktion auf die haßerfüllten Worte des Kardinals über den Bruder, daß sie eine ihr selbst nicht bewußte Gefühlsbindung in sich birgt: «Da änderte sich plötzlich die Haltung des aufgebrachten Mädchens. Die Brandmarkung des ausschweifenden Jünglings, zu der – wunderbarerweise – nur sie ein Recht zu haben glaubte, kochte in ihr als Zorn und Widerspruch» (52). Dennoch ist sich der Kardinal in der dazwischen liegenden Zeit nicht im Zweifel darüber, daß «sie selbst, als echtes Weib, unwissend und hoffnungslos für den größten Taugenichts der Erde entflammt ist» (22). Umgekehrt geht aus dem Text der Novelle hervor, daß Giulio ihr *nicht* im normalen Sinne den Hof gemacht hat. Als Strozzi ihn auf seine zweideutige Haltung zu ihr aufmerksam macht («Du suchst und fliehst sie»), meint er: «sie ist mir gleichgültig. Aber seit jenem Einzug vor zwei Jahren /.../ bin ich nicht mehr derselbe! Meine Sinne taumeln, und wie ein Rasender suche, wechsle ich Mund und Becher und habe nur einen Wunsch, daß jene, die sich feindselig und kalt von mir abwendet, mir noch einmal ihr hell flammendes Antlitz zukehre und mich noch einmal bedrohe – noch stärker als das erste Mal» (30). In dem späteren Wortwechsel zwischen den Brüdern fällt Giulios aufrichtig gemeinte Bemerkung: «Das Mädchen ist mir so gleichgültig wie die Göttin Diana», und der Erzähler fügt hinzu«Er (d. h. Ippolito) traute den Worten Don Giulios» ... (45). Der Text bestätigt weiter, daß eine lange Zeit nach der Blendung (Kapitel 7–11) zunächst von Don Giulios Seite keinerlei Interesse an Angela angedeutet wird, selbst die früher von ihr ausgehende ambivalente Faszination ist anscheinend verschwunden, augenscheinlich weil sein Angsttraum (34–35) durch den Überfall des Kardinals auf ihn in Erfüllung gegangen ist[4]. Die deutlichste Aussage in dieser Richtung findet sich in der Schilderung von Giulios Zustand nach Angelas unerwartetem Besuch in Pratello (Kap. 7), charakteristischerweise in einem Gedankenreferat in erlebter Rede, d. h. in einer narrativen Form, die grammatisch mit dem «inneren Monolog» zusammenfällt und damit eine Zwischenstellung zwischen Figurenaussage und Erzähleraussage einnimmt[5], sich also potentiell einer «wahren» Feststellung annähert: «Mit teuflischer Bosheit hatte er (d. h. Ippolito) ihr das verderbliche Wort aus dem Munde gezwungen, und hätte sie feige geschwiegen und ihn beschimpfen lassen, der Arge hätte bald eine andre Gelegenheit gefunden, die spröde Kälte des Mädchens an ihm, dem völlig Unbeteiligten, den der Zurückgewiesene bevorzugt glaubte, satanisch zu rächen» (67). Der einzige tatsächliche Anhaltspunkt, der die Vermutung des Kardinals, zwischen Angela und Giulio bestehe eine emotionale Bindung, unterstützt, ist anscheinend das rein hypothetische: «Er traute den Worten Don Giulios, denn er wußte, daß dieser trotz seiner Übertretungen eine innerlich unverfälschte und wahrhafte Natur geblieben war, und er sagte sich, daß dieser Wunderquell, in dessen Tiefe man durch seine leuchtenden Augen hinunterblicken konnte, für die wahrheitsdurstige Angela eine geheime Anziehungskraft haben mußte, ohne welche sie nicht hingerissen worden wäre, den aus dem Kerker Steigenden auf offenem Markte zu mißhandeln und zu beklagen» (45). Daß er mit seiner Vermutung, die Augen seien das Bindeglied, richtig liegt, wird nicht nur durch Giulios Traum, sondern auch durch Angelas eigenes Bekenntnis bestätigt: «Ich bin Angela Borgia, die deine Augen über alles liebte und sie zerstörte, dadurch daß sie einem Bösen ihre Schönheit lobte» (66).

Wie subtil Meyer bei seiner psychologischen Analyse vorgeht, wird durch einen Vergleich mit seinen historischen Quellen deutlich. Bei Gregorovius heißt es gerade heraus: «zu den Anbetern Angelas gehörten die beiden gleich lasterhaften Brüder des Herzogs Alfonso, der Kardinal Hippolyt und Giulio, ein natürlicher Sohn Ercoles» (XIV, 172). Guicciardini berichtet: «Es hatte der Cardinal von Este oder Ferrar Hippolytus eine junge Frau, so ihm mit Blutfreundschaft verwandt war, ganz heftig und einbrünstig lieb, und die war nicht weniger entzündet gegen des Hippolyti unehelichen Bruder Julio, und bekannte sie dem Cardinal selber, daß sie fürnehmlich durch Schöne seiner Augen zu dem Julio angereizt würde» (XIV,174–75. Die übrigen Quellen weichen davon nicht ab). Hätte es nicht näher gelegen, und wäre es für die Interpretation nicht bequemer gewesen, den sinnlichen Giulio der Angela den Hof machen zu lassen, worauf das Unglück seine Gefühle von «irdischer Liebe» zu «himmlischer Liebe» (vgl. den Brief an Haessel vom Dez. 1891) hätte veredeln können, so daß auch Angela in diese Verwandlung eingeschlossen gewesen wäre? Eine solche Gestaltung hätte teils die Eifersucht des Kardinals deutlicher motiviert, teils Giulios Bekehrung schärfer profiliert. Meyer liefert in der «Angela Borgia» jedoch gerade *kein* «Keimen und Wachsen» der Gefühle (Z 1,225), das u. a. Alfred Zäch vermißt, sondern den komplizierten und abrupten Wechsel der Persönlichkeitsfragmente. Weil der Kardinal in seiner Beziehung zu Angela selbst so empfänglich für «Verführung» ist, hat er ein ausgeprägtes Gespür für die Wirkung, die die Augen des Bruders bei der ersten Begegnung auf Angela gehabt haben müssen («Anziehungskraft» (45)). Selbst in seinem abnormen Zustand vermag er zwar bei weitem nicht so beeindruckende Demonstrationen der subliminalen Perzeption oder des Gedankenlesens zu liefern wie z. B. Pierre Janets Versuchspersonen[6], doch selbst in den Grenzen des literarischen Dekorums beweist er eine ziemlich bemerkenswerte Fähigkeit, bei Angela und Giulio Emotionen zu erkennen, lange bevor sie aktualisiert oder ihnen selbst bewußt werden.

Die Spaltungstendenz in Ippolitos Persönlichkeit tritt vielleicht am deutlichsten zutage, wenn man ihn mit der entsprechenden Gestalt in der »Hochzeit des Mönchs», mit Ezzelin, vergleicht. Beide sind dadurch gekennzeichnet, daß sie außerhalb des Handlungsverlaufs der Hauptpersonen und darüber stehen, und zwar in dem Sinne, daß nur sie die Macht besitzen, direkt in das Schicksal ihrer Mitmenschen, oder eher ihrer Untertanen, einzugreifen. Astorres Austritt aus dem Kloster und damit die Verwandlung seines Lebens zu einem grotesken Verfallsprozeß wird letztlich durch den an sich harmlosen Umstand ausgelöst, daß Ezzelin zufällig an dem Fluß vorbeikommt, als sich der Hochzeitszug abwärts bewegt, und daß er «mit einer weiten Gebärde nach der Barke herüber grüßte» (XII,13). Dadurch wird er «der unschuldige Urheber des Verderbens» (XII,14). Wie Ippolito in Manuskript M (XIV,246, 253–54) verabsolutiert er den Kausalitätsbegriff so sehr, daß für die menschliche Verantwortlichkeit kein Platz mehr bleibt: «ich, Ezzelino da Romano, bin der erste und darum der Hauptschuldige. Hätte ich mein Roß nicht» ... etc. (XII,85). In der Endfassung der «Angela Borgia» ließ Meyer dieses Thema jedoch verschwinden (was aus XIV,82–83 hervorgeht) und gestaltete statt dessen die Bedingungen der Unfreiheit als die Machtlosigkeit der Personen gegenüber der «Verführung», d. h. der Suggestion. Während Ezzelin in einer Welt der Unbeständigkeit (die Chiffre «Schneegestöber», vgl. unten S. 301–02) den absolut unbeweglichen Punkt der Leidenschaftslosigkeit (XII,19,21,23,40,82,91) und Gerechtigkeit (XII,39,40,81) darstellt, wird der auf seine Weise ebenso unheimliche Ippolito offensichtlich momentweise selbst eine Beute des Eingreifens anderer Kräfte in seine psychische Substanz. Zwar gibt es zwischen dem Tyrannen von Padua und dem Kardinal in seinem Normalzustand viele nahezu wörtliche Übereinstimmungen, doch das plötzliche Auftauchen von Subpersönlichkeiten, wie dem brutalen Affektverbrecher und dem von seinem Gewissen Geplagten, ist weit von der Vorstellungswelt in der «Hochzeit des Mönchs» entfernt. In einem späteren Kapitel möchte ich nachzuweisen versuchen, welche von außen kommende Kraft den Kardinal letzten Endes zu einem Menschen macht, der «nun als gefügiges, willenloses Werkzeug in der Hand eines Anderen alle Beeinflussungen annimmt, alle Befehle ausführt» (Bernheim, B 8,145).

Anmerkungen

[1] «Ich liebe das Denken und die Kunst und mag es leiden, wenn der Verstand über die Faust den Sieg davonträgt und der Schwächere den Stärkeren aus der Ferne trifft und überwindet» («Der Heilige», XIII,33). ... «Menschen und Dinge mit unsichtbaren Händen zu lenken, sei das Feinste des Lebens, und wer das einmal kenne, möge von nichts anderem mehr kosten» («Die Versuchung des Pescara», XIII,186). Mit dem fatalistischen Ezzelin ist der Kardinal am deutlichsten in Manuskript M verbunden, wo er Giulios gesamten Lebenslauf so deterministisch analysiert («die graue Brüderschaft (...), die im Innern unserer Thaten ohne Unterbruch schaufelt und gräbt» (254)), daß «Thäter» und «Büßer» zu Werkzeugen einer verborgenen Macht reduziert werden. Mit der gleichen Unerbittlichkeit zerlegt er seine eigenen Motive: «Neben mir in meiner wildesten Wut steht ein kalter Betrachter, der wieder ich ist, und kein Gerichtshof könnte mir den mildernden Umstand leiblicher oder geistiger Trunkenheit gewähren» (246). In dieser letzteren Formulierung erkennt man das Problem der Zurechnungsfähigkeit wieder, das sich im Fall Lucrezia stellte, diesmal aber sogar mit direktem juristischem Wortlaut.

[2] Diese Formulierung wurde in der «Angela Borgia» aus gutem Grund gestrichen; man hätte sie nämlich mißverstehen können als Ausdruck einer reinen Spaltung von Gefühl und Intellekt der Art, wie sie Grillparzers berühmte Charakteristik von Fixlmüllner beschreibt: «Er war zugleich Zuseher und Schauspiel. Aber der Zuseher konnte nicht Plan und Stoff des Stückes ändern, noch das Stück den Zuseher zum Mitspieler machen» (Tagebuch 1827).

[3] Nur der Brief des Kardinals, in dem der Sterbende den Bruder bittet, Don Giulio freizulassen (132), läßt sich als eine Verwandlung im christlichen Geiste auslegen. Vgl. jedoch den Brief an Frey vom 7. 10. 91: «Ihrer Befürchtung, des zu *Düstern* der Angela, die ich theilte, habe ich

vorgebeugt durch ein Mittel, welches aber, wie andere Arzneimittel, das eine Uebel entfernt u. ein anderes verursacht. Der Schluß nämlich ist durchaus versöhnend, aber fast idyllisch.» Meyer war sich anscheinend des isolierten Epilogcharakters des Schlusses bewußt.

[4] Ich gehe hier nicht auf die Funktion des Verhältnisses Giulio-Angela in der thematischen Struktur der Novelle ein, da man sich in einer solchen Untersuchung in allen Fällen auf andere Interpretationsebenen hinüberbewegen würde. Das Problem läßt sich in dem Fall nämlich entweder metaphysisch, z. B. als der Gegensatz Eros-Agape betrachten, der mit dem Wirken der Gnade durch das Leiden kombiniert ist (vgl. 129), oder auf einer anderen Ebene (von Giulio aus betrachtet) als das Bedürfnis nach einer Wiederholung der Situation, in der er von Angela bestraft wird, also als ein unbewußtes Schuldgefühl (vgl. Freud, «Das Ich und das Es» (F 7,III,316); «Das ökonomische Problem des Masochismus» (F 7,III, 350–53)), eventuell kombiniert mit einer sadomasochistischen Faszination (wobei man verschiedene Parallelen aus dem übrigen Werk heranziehen könnte, z. B. XII,48–49, 66).

[5] Vgl. Stanzel (S 2,54–55, 176–77).

[6] Maupassant schildert in «Le Horla» einen solchen Versuch so kurz und knapp, daß er als Beispiel dienen kann. Der Ich-Erzähler berichtet, daß seine Cousine hypnotisiert in einem Sessel sitzt: ««Mettez-vous derrière elle», dit le médecin. Et je m'assis derrière elle. Il lui plaça entre les mains une carte de visite en lui disant: «Ceci est un mirroir; que voyez-vous dedans?» Elle répondit: «Je vois mon cousin.» – «Que fait-il?» – «Il se tord la moustache.» – «Et maintenant?» – «Il tire de sa poche une photographie.» – «Quelle est cette photographie?» – «La sienne.» C'était vrai! Et cette photographie venait de m'être livrée, le soir même, à l'hôtel. «Comment est-il sur ce portrait?» – «Il se tient debout avec son chapeau à la main.» Donc elle voyait dans cette carte, dans ce carton blanc, comme elle eût vu dans une glace» (M 3,II, 1107–08).

Herkules Strozzi

Unter der Entstehungsgeschichte der Novelle wurde (oben S. 34–37) erwähnt, wie sich im Laufe der völligen Umarbeitung des Textes innerhalb der Handlungsstruktur die Funktion und damit der Charakter von Herkules Strozzi, dem obersten Richter von Ferrara, ändert. In den Frühstadien der Novelle (und des Dramas?) war er als Freund Giulios definiert, wobei gerade seine treue Freundschaft ihn mit dem Herzog in Konflikt geraten ließ und seinen frühen Tod verursachte (XIV,211–14). In dem endgültigen Text dagegen ist er von Anfang an eine paradoxe, von inneren Widersprüchen bestimmte Gestalt, die sich dieser Widersprüche im übrigen deutlich bewußt ist: «ich bin ein noch unfertiges Metall, eine flüssige Lava. Noch kämpfen um mich verschiedene Gesetze und Anbetungen!» (39). Auf diese Weise bildet er einen Gegensatz, einmal zu den *scheinbar* festen Charakteren, dem Misanthropen Ferrante und dem skrupellosen Staatsmann Ippolito, zum anderen zu der labilen und im großen und ganzen unreflektierten Lucrezia.

Der auffälligste Zug seines Charakters, wie er in Kapitel 1–4 vorgestellt wird, ist sein Respekt vor dem Gesetz, dem «heiligen Recht» (28), und sein aufrichtiger Wunsch, «ein Mann des Rechts, den nichts mehr besticht und blendet» (39), zu werden, eine Eigenschaft, die sowohl durch seine Handlungen in diesem ersten Teil der Novelle (37) wie durch die Beurteilung seines Charakters von seiten der anderen Personen («Anbeter der Gerechtigkeit» (32)) bestätigt wird. Somit ist er als die einzige Person in der Umgebung des Herzogs mit einer festen Zugehörigkeit zu einem ethischen Ideal definiert. Seine unmittelbare Reaktion auf den Anblick Lucrezias entspricht dem denn auch: «Wäre es nicht seine Fürstin gewesen, er hätte sie als florentinischer Republikaner vor sein Tribunal geschleppt», … (5). Doch dieser die Gerechtigkeit liebende Republikaner ist gleichzeitig Fürstendiener in «Ferrara, auf welchem ein Joch der Knechtschaft und der Befehl unbedingten Schweigens in Staats- und Hofsachen härter als sonst irgendwo in Italien lastete» (61). Wenn er deshalb, das Todesurteil über die beiden aufrührerischen Brüder in der Hand, stolz erklärt: «Ich vertrete das Recht in seiner Strenge» (80), so erkennt er als das gehorsame Werkzeug des Staates unbedingt die Auffassung des Herzogs an, «daß die Unverletzlichkeit der regierenden Person die Grundbedingung des neuen Fürstentums ist, wie es jetzt in Italien überall entsteht» (80). Zu *dieser* Haltung paßt es völlig, daß die in Kapitel 3 und 4 dargestellte Freundschaft zu Giulio ohne nähere Motivation und ohne Andeutung eines inneren Konflikts verschwindet, als der wirkliche

Machthaber in Ferrara, der Kardinal, den jüngeren Bruder vernichtet. Nicht allein schweigt sein «richterliches Gewissen» (wie es der Herzog ironisch nennt (106)) angesichts dieses rechtlosen Überfalls, sondern er unterläßt es sogar, den unglücklichen engen Freund zu besuchen, was er so begründet: «Es war mir vom Herzog untersagt» (68). Die völlige Kälte gegenüber dem Freund und die Gleichgültigkeit gegenüber seinem weiteren Schicksal stehen demonstrativ im Gegensatz zu der früheren Zusammengehörigkeit der beiden Freunde und ihren gemeinsamen Ansichten über ihre Umwelt, z. B. wenn Strozzi auf Giulios mitleidige Äußerung über Angelas Schicksal antwortet: «‹Ich weiß›, antwortet der Richter, ‹der Ungerechte liebt die Ärmste wütend. Und sündig wie die Welt und allmächtig, wie er auf diesem Ferrara heißenden sündigsten Flecke derselben ist, würde sie dem Geier schon längst ohne Erbarmen zum Raube gefallen sein, wenn nicht› ...» (31). Es ist deshalb eine nicht angemessene Vereinfachung, wenn z. B. Brunet meint: «Strozzi n'est qu'un valet au service de la raison d'État» (B 11,351). Der Richter repräsentiert die gleiche zentrifugale Persönlichkeitstendenz wie die bereits besprochenen Figuren, und Meyer unternimmt keinen Versuch, die Übergänge von einem Extrem zu einem anderen darzustellen oder zu motivieren, weder wenn es sich um das emotionale Verhältnis zu Giulio handelt, noch wenn es darum geht, daß er eine Rechtsphilosophie gegen eine andere austauscht.

Zu diesen unvermittelt in derselben Person nebeneinander stehenden Persönlichkeitskomponenten gesellt sich eine dritte Haltung, nämlich die unverhüllte Bewunderung für die amoralische Vitalität der Ausnahmeexistenzen, was in seinen Worten zu dem Freund Giulio zum Ausdruck kommt: ««Dein ruchloser Leichtsinn könnte das treuste, das angeborne Wohlwollen erschöpfen, und ich hätte mich längst mit Ekel von dir abgewendet, so lieb du mir bist, du schönes Laster, hättest du nur die Hälfte deiner Taten gefrevelt; aber das Ganze übersteigt derart die Schranke, daß ich dich als eine Sondergestalt betrachte, welche jeden menschlichen Maßstab verspottet» (28). Diese Sehnsucht nach dem «großen Menschen» (29), der – wie er es sieht – durch seine Lebensform die Rechtsbegriffe, an die er gebunden ist, vernichtet, bildet die Grundlage seiner Leidenschaft zu Lucrezia: «aber gerade dieser strahlende rechtlose Triumph über Gesetz und Sitte nach so schmählichen Taten und Leiden riß ihn zu bewunderndem Erstaunen hin» (6). Die Vision des «freien Geistes», die noch im 10. Kapitel als eine triumphierende «Lichtgestalt» «vor seinen trunkenen Augen» (94–95) auftaucht, bezeichnet jedoch trotz ihres Nietzscheschen Anflugs nur eine sporadisch auftretende und unvollständig realisierte Haltung. Bereits in seinem im 3. Kapitel mit Don Giulio geführten Gespräch ist die Begeisterung für die amoralische Schönheit einem Erlebnis quälender Abhängigkeit gewichen: «‹Daß ich die Gesetzlose lieben muß, ist Schicksal›, sagte der Richter mit einem peinvollen Lächeln» (28). Die seltsame Art der Verliebtheit, von der er besessen ist, wird übereinstimmend damit in Bembos Worten analysiert: «Dein strenger Rechtssinn verdammt das, was dein Auge beglückt und das Feuer deines Herzens entzündet. Das ist dein Widerspruch und dein Irrsal. Der Richter wird entflammt für die von ihm Gerichtete. /.../ Da kommst du, Unseliger, siehst die Emporgehobene in den Armen ihres Schutzengels, verurteilst sie zu den Höllenkreisen und stürzest dich auf sie, um dein Urteil selbst auszuführen. Wehe dir, du bist ihr verfallen!» (40–41). Das Erotische ist ebenso fest mit der Vorstellung eines Strafenden und eines Bestraften verwebt wie in dem Verhältnis Angela-Giulio, wo Angela im Traum sagt: «Gerade deine viele Sünde, die ich strafen muß, ist es, die mich an dich kettet» (34). In seiner Analyse dieser Verliebtheit zeigt Meyer den inneren Widerstreit dieser psychologischen Komponenten, wozu natürlich noch hinzukommt, daß dieser isolierte Affekt an sich sowohl mit Strozzis strengem Rechtsbegriff wie mit seinem Selbstverständnis als loyalem Werkzeug des Fürsten unvereinbar ist, gleichgültig, ob die letztgenannte Überzeugung aufrichtig oder nur Opportunismus ist. Jedenfalls zieht er mit dieser «anstößigen» Leidenschaft für Lucrezia (39) den Zorn des Herzogs auf sich und untergräbt damit seine Stellung am Hof.

In Nietzsches «Jenseits von Gut und Böse» (vgl. oben S. 26) hatte Meyer folgenden Aphorismus lesen können: «Der Wille, einen Affekt zu überwinden, ist zuletzt doch nur der Wille eines andern oder mehrerer andrer Affekte» (N 1,II,632), eine Äußerung, die nebenbei bemerkt völlig mit den psychiatrischen Ideen des Jahrzehnts bei Ribot, Janet, den Forschern von Nancy usw. übereinstimmt. Trotz der fragmentierenden Tendenz vermag Strozzi in den ersten neun Kapiteln der Novelle jedoch als einigermaßen heiler und unverletzter Charakter zu funktionieren, womit der Herzog trotz seiner mißbilligenden Haltung denn auch rechnet. Die einander bekämpfenden Affekte halten sich gegenseitig in Schach. Die Gefahr der Auflösung droht von einer anderen Seite: Als Alfonso Lucrezias kommende Entwicklung voraussagt, bezieht er Strozzi in diese Prognose ein, indem er vorhersieht, daß dessen Wille machtlos ist, wenn Lucrezia auf ihn den gleichen suggestiven Einfluß ausüben sollte wie Cesare auf sie: «Euch wird sie ergreifen, Herkules Strozzi. Damit ist Euer Haupt verwirkt. /.../ Man wird Euch tot auf der Straße finden» (42). Wie auch in Lucrezias Fall kann die multiple Persönlichkeit *allein* die Existenz einer Person nicht zerstören; das geschieht erst dann, wenn eine von außen kommende Kraft, die Suggestion, die lockere Persönlichkeitsstruktur zersetzt und an ihre Stelle eine sekundäre artifizielle setzt oder, genauer gesagt, eine der vorhandenen Subpersönlichkeiten aktualisiert und sie alle die übrigen dominieren läßt.

Diese Situation scheint nun einzutreten, als Lucrezia, die selbst unter der Suggestion des Bruders steht, den Richter, «Leib und Seele, mit einem Blicke der Verführung» (87) betört. Nach den vorliegenden Prämissen, nicht zuletzt deshalb, weil er in seiner begeisterten Verliebtheit bei dieser Gelegenheit sein Richteramt «mit völliger Gedankenlosigkeit» ausführt (84, vgl. die ähnlichen Formulierungen über Lucrezia («wie abwesend») und Ippolito («gedankenabwesend»)), hätte man teils erwarten können, daß ihn diese Verliebtheit völlig umnebelt, teils daß er folglich ohne Zögern ihrem Befehl, Cesare aufzusuchen, Folge leisten würde. Doch nichts dergleichen geschieht. So wie Lucrezia erst eine Phase des Widerstands gegen die Suggestion durchlaufen muß und erst Schritt für Schritt dieser psychischen Verwandlung unterliegt, gehorcht Strozzi erst, als er Cesares zweiten Brief liest, ohne Rücksicht auf das Verbot des Herzogs dem Befehl. Hinzu kommt, daß seine Verliebtheit bei weitem nicht zur Idealisierung der geliebten Person führt, sondern als unverhüllte Forderung nach barer sexueller Bezahlung für die von Lucrezia verlangte Dienstleistung zum Ausdruck kommt («verlangte /.../ seines Wunsches gewährt zu sein» (87), «einen gemeinen Handel» (89)). Selbst bei der zweiten Begegnung mit ihr, wo sie seiner Phantasie «in derselben triumphierenden Lichtgestalt, wie er sie bei ihrem Einzuge in Ferrara geschaut hatte» (94–95), erscheint, versucht er, ihr «irgend eine Gewährung, einen Lohn» (95) abzuzwingen. Der Erzähler betont auch weiter, daß seine Realitätsprüfung in dieser Szene trotz seiner Leidenschaft intakt ist; er preist zwar «die Tugend der Stärke» und verherrlicht «die Gewalttat, die durch die Unterdrückung des Rechts in das höhere Recht zurückführe» (95), doch, so wird hinzugefügt: «er wäre ein Abscheulicher gewesen, wenn er nur geglaubt hätte, was er sagte; aber er redete unüberzeugt und leer, während er nur *ein* Begehr hatte», ... (95).

Das zweite Gespräch mit Lucrezia fand im März statt (vgl. 96). Im April trifft die Nachricht von Cesares Tod ein, und gleichzeitig kehrt Strozzi nach Ferrara zurück, nachdem er mit ihm zusammengearbeitet hat, worauf, wie er weiß, auf den ausdrücklichen Befehl des Herzogs die Todesstrafe steht. Was die erotische Leidenschaft nicht geschafft hatte, ist nun im Laufe dieser einmonatigen Abwesenheit geschehen: Strozzi ist eine verwandelte Persönlichkeit, die jeglichen Bewußtseins der Vergangenheit und ihrer Realitäten beraubt ist. Er begegnet dem Herzog nicht nur am Stadttor provozierend und unbekümmert («Weder begrüßte er mich, noch verbarg er sich. Die Vermessenheit seiner Haltung hatte etwas Beleidigendes» (102)), sondern zeigt diese Haltung auch in dem Gespräch über die flavianischen Güter («unbeirrt» (106), «den achtungslosen Ton» (107), «spottete», «scherzte der Richter mit wüster Heiterkeit, nicht anders, als wäre er trunken» (107), usw.). Sein Wissen über die konsequente Haltung des Herzogs in Angelegenheiten, die die Unantastbarkeit der fürstlichen Person und die Forderung nach unbedingtem Gehorsam betreffen, existiert in diesem Augenblick nicht in seinem Bewußtsein. Das gleiche gilt für seine früheren Überzeugungen von den Prinzipien des Rechts: «Was träumt diese da von Gut und Böse /.../ Was phantasiert sie von Recht und Unrecht? ... Es gibt kein Recht! ... Dieser schöne Frevel hier /.../ hat es getötet!» (104). Sein Wesen wird von einer einzigen Idee beherrscht: «ich weiche nicht aus Ferrara, noch von dir! Wir gehören zusammen, Don Cäsars Wille hat uns vermählt!» (104); er geht «in Rausch und Taumel» (88) unter, ganz wie der Kardinal es vorhergesehen hatte, als er Strozzi warnend mit der Mücke verglich, die sich ins Licht stürzt. Allerdings ist hier ein kleiner, doch wichtiger Nebenumstand zu beachten. Als Lucrezia nach Cesares erstem Brief «aus dem Zauber halb erwachend» (89) einen Augenblick lang in ihre «troisième condition» eintritt, erlebt sie eine starke und unvorhergesehene Angst, die sie beim Herzog Zuflucht suchen läßt (90). Die gleiche abrupte Veränderung geschieht in dem zuvor so übermütigen Richter, als er nach dem Gespräch mit dem Herzog «wie tastend» zu ihm zurückkehrt: «‹Ich weiß nicht, wie mir geschieht, Hoheit›, stotterte Strozzi, dessen Lustigkeit verschwunden war, ‹ich finde den Ausgang nicht und bitte um eine Fackel›» (108). Mit dieser winzigen Episode, die ohne Verlust für den Handlungszusammenhang ausgelassen werden könnte, verweist Meyer in verkürzter Form auf die Parallele zu Lucrezia, die sich in einer entsprechenden Gefahrensituation über die Richtigkeit der Bemboschen Ermahnung im klaren ist: «Schützet und berget Euch vor der Strafe des Herzogs an seinem Herzen» (20). In der Welt der Novelle ist der Herzog, welche Eigenschaften er auch immer haben mag, der einzige feste Punkt und der einzige Schutz vor der Angst und der Auflösung. Im Rahmen dieser übergeordneten Thematik muß Strozzi deshalb zurückkehren und die Person um Hilfe bitten, die er unmittelbar zuvor im doppelten Sinne gekränkt und verraten hat.

An dieser Stelle genüge eine vorläufige Feststellung: Strozzi ist wie fast alle anderen Figuren der Novelle ein lockeres Persönlichkeitskonglomerat. Eine neue Organisation seiner Persönlichkeit wird jedoch nicht eigentlich durch die erotische Leidenschaft, also Lucrezia, hervorgerufen. Sie ist in dem Zusammenhang bloßes Werkzeug. Manuskript M dagegen zeigt Spuren eines solchen direkten Zusammenhangs zwischen Lucrezia und Strozzi, was in der Antwort des letzteren zum Ausdruck kommt, als der Herzog seine offenkundige Anbetung der Herzogin mißbilligt (die Stelle entspricht S. 39

in der «Angela Borgia»): «Dann werde ich euch und dem Staate Ferrara brauchbarer zurückkehren und den seltsamen und unnatürlichen Zauber – wenn ich ihn eingestehen muß – überwunden haben» ... (219). Die Chiffre «Zauber» gibt, wie in Lucrezias Fall (vgl. oben S. 148, 152) an, daß die Person ihre Handlungen, Affekte und Vorstellungen als fremd erlebt.

So wird in der Gestalt des ansonsten unbestechlichen Richters, der obersten Rechtsinstanz des Staates, das Problem der Zurechnungsfähigkeit, der juristische Aspekt der Suggestion, überspitzt dargestellt (vgl. oben S. 65–67, 85–87). Und durch die gesamte Novelle zieht sich der absurde Prozeß um die flavianischen Güter als eine andauernde Demonstration der Zerbrechlichkeit der irdischen Gerechtigkeit: Der juristische Querulant Graf Contrario, «der zäheste Widersprecher und Rechthaber in ganz Italien» (10), behält im buchstäblichen Sinne das letzte Wort (134).

In das im August 1891 an Rodenberg abgeschickte Druckmanuskript fügte Meyer u. a. ein kleines Tableau ein, das die Persönlichkeitsproblematik der Novelle ganz präzise und kurz umreißt. Mitten in dem Gespräch zwischen Giulio und Strozzi im 3. Kapitel will der Richter gehen, wird jedoch von dem Freund zurückgehalten: «Er hatte noch nicht ausgeredet. Seltsam verschlangen sich auf dem hellen Kiesgrund zu ihren Füßen zwei ringende, kurze Schatten. Strozzi sah den grotesken Kampf und lachte: ‹Siehe, wie du mich zwingst!›» (29). So wie sich eine latente Subpersönlichkeit frei macht und danach außerhalb der Reichweite des Willens ihr selbständiges Leben entfaltet, so verselbständigen und isolieren sich die Schatten der beiden Personen in einem solchen Maße, daß der eine ihrer Besitzer sie staunend beobachtet[1]. Zu dieser plastischen Darstellung der Dissoziation der Persönlichkeit kommt dann noch hinzu, daß der eine Schatten den anderen zwingt, genauso wie die Suggestion ohne Mithilfe des Bewußtseins den Menschen seiner Handlungsfreiheit beraubt (vgl. Ferrantes Worte über Lucrezia: «Nur stand sie in der Familie vereinzelt und litt unter dem Zwange des Vaters und Bruders» (9)). Diese Betonung des Zwangs findet sich auch in der Schilderung des Kunstgegenstandes, um den sich die Ereignisse der Kapitel 3–6 gruppieren: «Hier stand in der Mitte ein eherner Cupido, der sich mit zerrissenen Flügeln und verschütteten Pfeilen in Fesseln wand» (27). Der Erzähler deutet die Statue zwar fast mit den gleichen Worten wie Gregorovius (vgl. XIV,420. Meyer schildert eine allegorische Darstellung auf der Rückseite einer existierenden Medaille der Lucrezia Borgia): «Dieses Bild sagte in der wunderbar freien Sprache des Jahrhunderts, daß für die verheiratete Lucrezia die Zeit der Leidenschaft vorüber sei», ... (27). Doch an den Stellen, wo die Statue später erwähnt wird, werden die beiden Gefangenschaft und Notwendigkeit bezeichnenden Attribute gewählt: «gefesselt»/«in Banden» und «ehern». Damit tritt der symbolische Gegenstand in einen Kontext ein, in dem menschliche Beziehungen in auffälligem Maße durch das Wort «fesseln» und die semantisch verwandten «ketten», «verketten», «binden», «bannen», «bestricken», «verführen», «hinreißen», «gehorchen» usw. sowie ihre entsprechenden adjektivischen und substantivischen Bildungen geschildert werden. Dieses leitmotivische Bestehen auf der Bindung der Figuren aneinander verweist mit aller wünschenswerten Deutlichkeit auf den grundlegenden Zug dieses Menschenbildes: Je stärker die Einheit der Persönlichkeit verfällt, um so größere Möglichkeiten bieten sich der Umgebung, durch den Zwang der Suggestion eine der existierenden Subpersönlichkeiten hervorzuziehen und damit eine nahezu absolute Herrschaft über die andere zu erreichen.

Anmerkung

[1] In Ansätzen liegt das Motiv bereits in «Huttens letzte Tage» vor, wo es über Luther heißt: «In seiner Seele kämpft, was wird und war,/ Ein keuchend hart verschlungen Ringerpaar» (XXXII). Die Episode in der «Angela Borgia» enthält natürlich auch den Aspekt, daß sich der eine der Kämpfenden in die Unfreiheit hineinbewegt, während der andere der Freiheit entgegengeht.

Don Giulio

«Nach der Zeichnung der Danteschen Hölle, wie sie jedem italienischen Geiste innewohnt, beschäftigte er sich damit, nicht zwar den trichterförmigen Höllenabgrund zu bevölkern, sondern einen Krater des Unglücks zu graben, dessen Stufen er auch nicht mit Verdammten und Unseligen des geisterhaften Jenseits, sondern mit den Elenden, den Leidenden, den Verzweifelnden dieses irdischen Lebens füllte – immer eine Stufe unseliger als die andere, wobei er ohne Bedenken in die unterste, dunkelste Kluft die Blinden versetzte» (65). Nicht nur hier, wo der blinde Giulio seinem Unglück Worte zu verleihen sucht, sondern auch an anderen Stellen der Novelle verweist der Text auf Dantes «Inferno»: Bevor sich Giulio zum Schlafen niederlegt, den Kopf im Schoße des Banditen, erfährt er, daß der Kardinal «den fratzenhaften Teufelsmarsch in der Danteschen Hölle» (33) zur Benennung seiner Bandenmitglieder benutzt hat. Auch als der Herzog Strozzi vor dessen überhand nehmender Leidenschaft zu Lucrezia warnt, hebt er Bembos Beispiel hervor: «denn, wie Dante im wilden Walde, ist er angstvoll den reißenden Bestien entronnen» (39). Diese Stellen verweisen auf eine der thematischen Strukturen der Novelle, und zwar die, mit der sich die Meyerforschung nahezu ausschließlich beschäftigt hat, nämlich Giulios Wanderung durch das Inferno und sein Aufstieg zum Licht mit Angela als seiner Beatrice. Von diesem Einfallswinkel her betrachtet ist verständlich, daß die Blendung als die «unerhörte Begebenheit» der Novelle genau in der Mitte des Werkes (am Ende des 6. Kapitels) angebracht ist und Giulio gegen Ende seiner Bahn zur Einsicht in den Sinn des Verlustes seiner Augen – dem zentralen Dingsymbol der Novelle – gelangt: «‹Als du mich einst in Pratello aufstörtest, sagte ich dir, du könntest Vergangenes nicht ändern und meine Augen nicht wiederschaffen; aber jetzt sind mir geistige aufgegangen. Ich sehe› – er lächelte – ‹ich sehe mit ihnen, daß, wenn mich dein zufälliges Wort geblendet hat, es zu meinem Heile geschah›» (129). Meyer unterstreicht den exemplarischen Charakter dieser Handlung durch eine Reihe Hinweise auf die Bibel. In Giulios Traum sagt Angela beispielsweise: «Die Schuld liegt in deinen zauberischen Augen, mit denen du frevelst. Reiße sie aus und wirf sie von dir!» (34). Die Formulierung verweist natürlich auf das Matthäusevangelium, Kap. 5, V. 29: «Wenn dir aber dein rechtes Auge Ärgernis schafft, so reiß es aus und wirf's von dir. Es ist dir besser, daß eins deiner Glieder verderbe und nicht der ganze Leib in die Hölle geworfen werde.» Entsprechend heißt es im 1. Brief des Johannes, Kap. 2, V. 15–17: «Habt nicht lieb die Welt noch was in der Welt ist. So jemand die Welt liebhat, in dem ist nicht die Liebe des Vaters. Denn alles, was in der Welt ist, des Fleisches Lust und der Augen Lust und hoffärtiges Leben, ist nicht vom Vater, sondern von der Welt. Und die Welt vergeht mit ihrer Lust; wer aber den Willen Gottes tut, der bleibt in Ewigkeit.» In dem Gedicht «Die tote Liebe» wird mit dem Hinweis auf die Wanderung nach Emmaus (Lukas 24, 31: «Da wurden ihre Augen geöffnet, und sie erkannten ihn») das gleiche Motiv gestaltet. Schließlich sei erwähnt, daß Giulios Aussöhnung mit dem Herzog: «Bruder, ich habe mich schwer an dir vergangen», (133) an die Heimkehr des verlorenen Sohnes (Lukas 15, 18) erinnert. Diese Thematik ist so auffällig, daß Alfred Zäch schließt: «Die Sehnsucht nach der Welt der Starken zittert kaum mehr durch dieses Spätwerk. Der Dichter legt mehr Gewicht darauf, die Gültigkeit christlicher Moral aufzuzeigen. Darum muß sich Ippolito in Gewissensqualen bis zum Tod verzehren, darum muß der leichtsinnige Giulio durch Leiden sich läutern und erkennen, daß der wahre Trost im Glauben an das Evangelium der Liebe ruhe» (Z 1,224). Karl Fehr geht sogar so weit zu behaupten: «Das Vorbild dieser zwei vermag veredelnd auf die wüste und amoralische Welt von Ferrara zurückzuwirken» (F 2,103).

Zwischen einer solchen Interpretation und der von mir in den vorhergehenden Kapiteln vorgenommenen Analyse von Lucrezia, Ferrante, Ippolito und Strozzi braucht nicht notwendigerweise ein Gegensatz zu bestehen. Es wäre ja denkbar, daß diese Figuren gerade durch ihren fehlenden inneren Zusammenhang und ihre entsprechende psychische Unfreiheit den Zustand der irdischen Verlorenheit zeigen sollten, «ein Geflecht sich erwürgender oder miteinander buhlender Schlangen, einen eklen Knäuel» (62) – freilich ohne die Veredelung, von der Karl Fehr spricht und die nur schwer erkennbar ist. Abgesehen jedoch von dem dann sonderbaren, oben erwähnten Umstand (S. 10), daß Meyer selbst die Aussage des Werkes als «grausam» und «düster» auffaßte, zeigt eine nähere Analyse von Giulio und Angela sowie ihrer Beziehung zueinander, daß das christliche Erlösungsthema nicht ohne weiteres als das übergeordnete bezeichnet werden kann, da es Teil einer komplexen Struktur ist, in der zumindest ein weiteres damit konkurrierendes Thema ebenso starkes Gewicht besitzt. Eine Identifizierung dieses zweiten Themas setzt die Untersuchung der beiden Gegenpole zu dem lasterhaften ferrarresischen Hof voraus. Mehrere Umstände komplizieren das Verständnis der Persönlichkeit und der Funktion Don Giulios in der Gesamtheit. Er ist zwar als exemplarische Figur Teil eines bestimmten thematischen Zusammenhangs, doch darüber hinaus treten Züge auf, die sich nicht als der erwartbare Zuwachs an individuellen Eigenschaften betrachten lassen, der normalerweise stattfindet, wenn eine überwiegend allegorische Figur in einem gegebenen Milieu mit gegebenen Mitspielern an einem Handlungsverlauf teilhat.

Als erstes fällt auf, daß er die Fähigkeit, Suggestionen einzugeben und/ oder zu empfangen, mit den bereits behandelten Figuren teilt. Als Angela vor ihrer Begegnung mit ihm ihren Begleiter Ferrante fragt, was der gefangene Don Giulio begangen habe, antwortet der zynische Cicerone: «O, nichts! Er hat mit seinen Augen ein Weib bezaubert und ihrem Manne den Degen durch die Brust gerannt» (14). Der Erzähler bestätigt dann: «seine Augen, die wirklich in ihrer tiefen Bläue unter dem edeln Zuge der dunkeln Brauen von seltenem Zauber waren» (15). Es sei daran erinnert, daß Meyer das Wort «Zauber» teils benutzt, um Lucrezias Zustand nach dem Erhalt von Cesares Brief zu bezeichnen (89), teils, um Strozzis Bindung an sie zu beschreiben (104 sowie in Ms. M (219)), und schließlich, um ihre Wirkung auf ihre Umgebung zu charakterisieren (93, 99). Diese «unvergleichlichen und ver- brecherischen Augen» (14) sind das Organ, mit dem Giulio seine Macht über seine Mitmenschen ausübt, und Angela bildet keine Ausnahme: «Wie sie nun gar in den Born dieser wunderbaren Augen blickte, wurde sie von Zorn und Jammer aufs tiefste erschüttert» (15). Paradox an der unmittelbaren Wirkung dieser Augen auf Angela ist die Tatsache, daß die sonst so wenig Verdam- mende und Selbstgerechte dazu provoziert wird, ihn öffentlich zu verurtei- len, eine Affektäußerung und moralische Reaktion, die auf der logischen Ebene nur schwach motiviert ist, da ihr tatsächliches Wissen über ihn Ferrantes Strom verleumderischer Charakteristiken des Hofes von Ferrara entstammt. Durch die Wortwahl unterstreicht Meyer, daß es eine unbe- stimmte, nicht der Herrschaft des Willens unterworfene Macht ist, die sie zum Sprechen bringt («es bewegte sich etwas Undeutliches auf ihren aus- drucksvollen Lippen.» «Da brach es hervor.» (16)). Mit einer umgekehrt verlaufenden Assoziation wird entsprechend ihr späteres Lob seiner Augen durch die vom Kardinal geäußerte «Brandmarkung des ausschweifenden Jünglings» (52) provoziert, zudem mit derselben Betonung des Unwillkürli- chen der Handlung: «Sie schüttelte ihr stolzes Haupt und bewegte ihre Lippen» (52) – ohne daß zunächst ein Laut zu hören ist. Wie bei der ersten Begegnung löst auch hier Ferrantes Bericht über Giulios beharrliche Verfüh- rungskünste (51) ihre Reaktion auf Ippolitos Verachtung aus, «zu der – wunderbarerweise – nur sie ein Recht zu haben glaubte» (52). Die ausschließ- liche Bindung an die Person, unter deren suggestivem Einfluß man steht, ist nebenbei ein Phänomen, dem die Hypnoseforscher große Aufmerksamkeit widmeten (vgl. Forel, F 3,19). Angelas Bemerkung über die Augen scheint an dieser Stelle zwanghaft begründet und steht völlig ohne Zusammenhang, da sich das Gespräch um *Moral* und nicht um äußerliche Schönheit dreht. Die

Augen scheinen demnach das Mittel zu sein, mit dem dieser Don Juan von Verführung zu Verführung und damit von Totschlag zu Totschlag schreitet (28), eine Bedeutung, die ganz deutlich wird, als Angela im Traum sagt: «Die Schuld liegt in deinen zauberischen Augen, mit denen du frevelst. Reiße sie aus und wirf sie von dir!» (34). Giulios Einfluß auf Angela steht deshalb in keiner Weise im Gegensatz zu den Bindungen, die das gegenseitige Verhältnis der übrigen Personen prägen. Es ist keine Rede davon, daß ihre Verliebtheit geboren wird, sich entwickelt und reift – sie *ist* mit einemmal da, eingepflanzt und in ihrem Wesen unerkannt, und lebt während eines Zeitraums von mehreren Jahren (vgl. die Datierung S. 18: «Jahre waren vergangen») ohne äußere Nahrung sozusagen ihr eigenes Leben. So wie bei den anderen Figuren, wird dann das Zwanghafte der Bindung durch die charakteristischen Verben betont, wenn die Traum-Angela sagt: «Gerade deine viele Sünde, die ich strafen muß, ist es, die mich an dich kettet» (34, vgl. oben S. 199).

Die Funktion der Augen als «Organ des Ärgernisses», als Ausdruck von «des Fleisches Lust», ist gleichfalls deutlich in dem Gedicht «Auf dem Canal Grande», das unmittelbar vor der Entstehung des «Angela Borgia»-Plans geschrieben wurde: «In dem purpurroten Lichte/Laute Stimmen, hell Gelächter,/Überredende Gebärden/Und das frevle Spiel der Augen./» (I,164). Dies wird jedoch von einer anderen Funktion durchkreuzt, da die «Augen» nicht nur mit «Frevel» und «Zauber» kombiniert werden, sondern auch, wie in einigen der angeführten Zitate, mit «Wunder». Diese zweite Bedeutung tritt in den eifersüchtigen Gedanken des Kardinals hervor (als erlebte Rede und damit potentielle Erzähleraussage): ... «er sagte sich, daß dieser Wunderquell, in dessen Tiefe man durch seine leuchtenden Augen hinunterblicken konnte, für die wahrheitsdurstige Angela eine geheime Anziehungskraft haben mußte», ... (45). Diese konkurrierende Bedeutung taucht erst in der allerletzten Redaktionsphase der Novelle auf und fehlt in Ms. M (vgl. 224) und in der ersten vollständigen Niederschrift von Anfang Juli 1891, B¹ (XIV,310). Liest man jedoch die Augen auf diese Weise als den Ort in Don Giulio, an dem «ein edleres Urbild durchschiene» (43), so verliert die Blendung ihre klare Funktion in dem Thema Schuld – Sühne/Tod – Auferstehung.

Wie fest verwebt er mit dem Thema der suggestiven Unfreiheit ist, tritt noch weiter durch den im Text zu findenden Ansatz einer Parallelisierung mit *Lucrezia* hervor. Auch Giulio wird durch die Worte «leichtherzig»/ «Leichtsinn» (28,32,48) gekennzeichnet, und ihm ist es vorbehalten, diese Seite ihres Wesens zu sehen: «Es scheint dir wunderbar, Prätor, daß sie die Frevel ihrer Vergangenheit verwindet ohne Gericht und Sühne. Siehst du nicht, daß es nur der Rettungsgürtel ihres vom Vater ererbten Leichtsinnes ist, der sie oben hält? Und daß sie nun über der tödlichen Tiefe hell und sorglos dem Porte der Tugend zukämpft, hältst du für dämonische Größe» (29). Im Rahmen der zahlenmäßig stark begrenzten Meyerschen Motive läßt sich diese Stelle als das Motiv «Der Schwimmer» identifizieren, wohlgemerkt in der passiven Variante, wie sie in dem Gedicht «Nicola Pesce» zu finden ist (I,186 (1881/82)): «Ein halbes Jährchen hab ich nun geschwommen/Und noch behagt mir dieses kühle Gleiten,/Der Arme lässig Auseinanderbrei-ten –/ /.. / Die Furcht verlernt' ich über Todestiefen,/Fast bis zum Frieren kühlt' ich mir die Brust/ /...//». Eng mit diesem Motiv verbunden ist «das Meer», der ruhige wiederholte Rhythmus aus Auf- und Abbau, der Kreis-lauf, der u. a. in dem Gedicht «Der Gesang des Meeres» (I,183) und in «Flut und Ebbe» (I,188–89) ausgedrückt wird, die in die Zeit der Umarbeitung der «Angela Borgia», Oktober-November 1890, fallen. In der Novelle wird Lucrezias Beteiligung an dem natürlichen regenerativen – und deshalb moralisch indifferenten – Prozeß in der letzten Szene des 11. Kapitels unterstrichen, wo Angela sie nach dem Mord an Strozzi schlafend findet, «ruhig atmend wie Ebbe und Flut, mit einem Kinderlächeln auf dem halbgeöffneten Munde, während Natur leise verjüngend über ihrem Lieb-linge waltete» (110). Entsprechend wird Giulio mit dem Requisit «der Neptunusbrunnen» verbunden: «Dieser /.../ rauschte und plätscherte in der Schwüle, genährt von den Wasserstrahlen, welche das Gesinde des Meergot-tes aus Urnen und Muscheln in die Riesenschale herabgoß» (29). In diesem Springbrunnen «badete er sich, der Kühle bedürftig, das Antlitz und ließ den aus der Steinbrust eines Meerweibs springenden Wasserstrahl gegen seine durch die vertobte Nacht entkräftete Stirn fahren» (32). In Übereinstim-mung mit dieser «motivischen» Meyerschen Logik wird der Blinde zuletzt in den «vergessenen Turm» versetzt: ... «von verwilderten Brombeerstauden und kletternden Schlingpflanzen bis zu seiner halben Höhe überwuchert, war er in das unbeachtete Weben der Natur zurückgekehrt» (112, vgl. das Gedicht «Die alte Brücke»: «Du fielest heim an die Natur,/Die dich umwil-dert, dich umgrünt,/Vom Tritt des Menschen dich entsühnt!» (I,123)). Der moralische Impetus, den man im Zusammenhang mit Don Giulio so gern als Meyers einziges Anliegen hat sehen wollen, ist bei weitem nicht das beherr-schende Thema. Zwar kann man sich auf Pater Mamettes Deutung des bekannten Meyerschen Motivs: «Werdet arm und ärmer, damit Ihr empfan-gen und geben könnt, wie ein Brunnen, der Schale um Schale überfließend füllt», berufen (117, wieder aufgenommen S. 134), dabei sollte man jedoch nicht vergessen, daß man das Motiv aus «Der römische Brunnen» (I,170) nicht ohne seinen Kontext betrachten kann, die vielen Gedichte, die von der

Harmonie des ewigen Kreislaufs im Gegensatz zur Flüchtigkeit der menschlichen, und darunter der moralischen, Kategorien handeln. Schließlich dürfte es, um zum Ausgangspunkt zurückzukehren, auch kaum ein Zufall sein, daß der geläuterte Giulio den Sinn seiner Leidensgeschichte mit dem gleichen Bild deutet («wie eine Mutter ihr schreiendes Kind einem Räuber aus den Armen reißt» (129)), wie es der Erzähler benutzt, als er Lucrezias Befreiung von Cesares suggestiver Herrschaft schildert: «Nicht anders als ein geraubtes Weib, welches ihr von einem Pfeile durchbohrter Entführer plötzlich fallen läßt» (99).

Begreift man Giulios Lebenslauf als «triomphe de l'idée morale de responsabilité» (H 1,422), so wird diese Thematik somit von der Tatsache überlagert, daß der Verlust der Augen zugleich den Verlust eines «Wunderquells» bedeutet, in dem die Wahrheit und die Güte verborgen liegen, und daß die geistige Wiedergeburt gleichzeitig als die Selbstheilung der Natur dargestellt wird. Doch liegt in seinem Schicksal nicht trotz allem eine deutliche Entwicklung von Minus zu Plus? Bezeichnet die Blendung, die Handlungsachse der Novelle, nicht dennoch einen deutlichen Umbruch in seiner Lebenshaltung? In einer Hinsicht ja, in anderer nein.

Wer ist Giulio vor der Blendung? In Ferrantes Beschreibung vor der Begegnung mit Angela der rücksichtslose Genießer des Lebens, dem in seiner Gier der durch ihn verursachte Schaden völlig gleichgültig ist, ein Don Juan von Tirso de Molinaschem Zuschnitt: «Er ist ein ungezogener Knabe! In den Weingarten des Lebens eingebrochen, reißt er, statt sich ordentlich eine Traube zu pflücken, deren, so viele er mit beiden Händen erreichen kann, vom Geländer, zerquetscht vor Gier die süßen Beeren und besudelt sich mit dem roten Safte Brust und Antlitz» (14). Die Charakteristik stimmt, das geht nicht nur aus Strozzis entsprechender Beurteilung hervor («eine Sondergestalt /.../, welche jeden menschlichen Maßstab verspottet» (28)), sondern auch aus Giulios eigener Bemerkung, er vergieße nur Blut, «wenn ein Lästiger mein Vergnügen stört!» (30). Selbst unmittelbar vor der Blendung ist er voller erotischer Aktivität, «mit den üblichen Griffen und Bissen und ehrbaren Spielen und Wortspielen, welche seit Adams Zeiten das Ergötzen unserer edeln Menschheit sind» (51).

Doch dieser klassische Typ erwächst nicht organisch aus Anlagen, Milieu und Erlebnissen. Eine früher völlig andere Persönlichkeit zeichnet sich in der Beschreibung des Kardinals ab: «Als ich, der zehn Jahre ältere, dich als Kind neben mir sah, freute ich mich deines offenen Antlitzes und deines hellen Geistes. Herzgewinnend, schön, aufmerksam und begabt, schienest du mir ein unter günstigen Sternen geborener Este, uns geschenkt zum Gedeihen unseres Hauses und Staates, ein Labsal, eine Stütze für Tausende» (44). Der

Erzähler bestätigt diskret die Richtigkeit dieses Porträts («es war, als ob sich seine Züge vergrößerten und ein edleres Urbild durchschiene» (43); «Don Giulio konnte noch recht kindlich lachen» (33); «Noch war er nicht so verweichlicht, daß» ... (30)). Nach den Worten des Kardinals ist diese Verwandlung ganz plötzlich während seiner Jugend eingetreten: «da wandtest du dich ab von den Zielen der Ehre und Arbeit und verlorest dich völlig in Spiel und Lust» (44)[1]. Bemerkenswert ist jedoch, daß diese primäre positive Persönlichkeit neben der sekundären negativen noch immer weiter besteht, so daß der Kardinal trotz seines Zornesausbruchs weiß, «daß dieser trotz seiner Übertretungen eine innerlich unverfälschte und wahrhafte Natur geblieben war» (45). So wechselt Giulio also nicht nur in seinen eigenen Äußerungen, sondern auch in dem Bericht und den Kommentaren des Erzählers zwischen diesen beiden simultanen Persönlichkeiten hin und her. Dieselbe Novellenfigur spricht einmal gleichgültig von seinen Verbrechen («erwiderte der Este frevelmütig» (30)) und sagt im nächsten Augenblick unter «Tränen»: «Warum stößest du mich in den Schlamm, daß ich darin ersticke, während du mich früher emporheben wolltest?» (44). Unabhängig von dem Eingreifen Angelas existieren in ihm zwei Partialpersönlichkeiten, der unbekümmerte Don Juan und das edle Kind, und zwar ebenso unverbunden wie Félidas zwei «conditions» und Lucrezias unmotivierter Übergang von der Lasterhaften zu derjenigen, die aufrichtig danach verlangt, «Rom wie einen bösen Traum hinter sich zu lassen» (7). Es stimmt also nicht, daß die Begegnung mit Angela «le premier éveil de la conscience et de l'amour vrai» (B 11,353) darstellt. Giulios Ausgangspunkt ist im Rückblick des Textes «ein edleres Urbild», und Angelas erlösende Liebe am Ende der Novelle rettet nicht nur den durch den Sündenfall verlorenen Menschen, sondern auch «das edle Glied der Geisterwelt vom Bösen»[2].

Giulio ist also in seiner ersten Phase in seiner Bewegung von der Reinheit zum Laster ein spiegelbildliches Gegenstück zu Lucrezia, wobei dann zu diesen simultanen Persönlichkeiten in ihm, provoziert durch Angelas Verurteilung, eine dritte tritt, die weder mit dem leichtsinnigen Genußsüchtigen noch mit dem edlen Urbild identisch ist. In seinem und Strozzis Gespräch im 3. Kapitel erkennt der Richter, «daß er nicht minder als sein genußsüchtiger Freund an einem giftigen Schlangenbisse dahinsieche» (29). Was mit diesem «Schlangenbiß» gemeint ist, geht aus Giulios Darstellung seiner augenblicklichen Gemütsverfassung hervor: «seit jenem Einzug vor zwei Jahren /.../, seit jenem Tage bin ich nicht mehr derselbe! Meine Sinne taumeln, und wie ein Rasender suche, wechsle ich Mund und Becher und habe nur einen Wunsch, daß jene, die sich feindselig und kalt von mir abwendet, mir noch einmal ihr hell flammendes Antlitz zukehre und mich noch einmal bedrohe –

noch stärker als das erste Mal ... Doch ich rede Unsinn» (30)[3]. Das Ergebnis dieses ihm selbst unverständlichen zwanghaften Aufsuchens einer Bestrafungssituation ist eine emotionale Grundstimmung, die in den zuvor existierenden Partialpersönlichkeiten nicht zu finden ist: »Der Kardinal mag sein Netz über sie werfen, obwohl ich es grausam und abscheulich finde, abscheulich und hassenswert, wie diese ganze Welt, wenn ich nicht trunken bin oder einen Frauenmund küsse» (31). Mit dieser Subpersönlichkeit nähert sich Giulio eng an Ferrantes letzten Zustand an: «Ich fürchte mich vor dem Leben, das du mir schenkst! Und ich sehne mich, meines Ichs und seiner Angst ledig zu sein» (85). Auffällig ist im übrigen, daß Giulio in der Darlegung seines chaotischen Zustands plötzlich eine Pause macht: «er schwieg und träumte» (31), d. h. hier zeigt sich die gleiche Andeutung eines Wechsels des Bewußtseinsniveaus wie bei Lucrezia, als von Cesares Macht über sie gesprochen wurde («wie abwesend» (20)), und wie bei dem Kardinal («gedankenabwesend» (46)). Angelas Verurteilung bewirkt also nicht, daß er sich auf den Wert seiner bisherigen Lebensform *besinnt*, im Text ist nur von einem blinden Stimuluseffekt die Rede, einer Kombination aus Lebensüberdruß und rastlosem sich-in-blutige-Orgien-Stürzen, was parallel zu Lucrezias hektischer Tätigkeit für den Bruder gesehen werden kann.

Die oben angeführte Bezeichnung «giftiger Schlangenbiß» zeigt, wie überdeterminiert Angela im Verhältnis zu Giulio ist. Innerhalb der einen Thematik ist sie die Stimme des Gewissens, während sie mit der Schlangenmetapher teilhat an der negativen Bewertung der übrigen «Schlangen», Lucrezia (5,87,126) und Cesare (91). Danach wird verständlich, daß Angela zwar im Traum (33–35) die Strafe des himmlischen Gerichts, die Blendung, ausführt, daß aber Giulio gleichzeitig in der realen Situation wie ein unschuldiges und vertrauensvolles Kind seinen Kopf in Kratzkralles Schoß legt, ausgerechnet in den Schoß des Banditen, der später «wie eine Schlange» hervorkriecht (52) und die Blendung tatsächlich durchführt. Meyer greift in diesem Tableau ein Motiv aus der «Versuchung des Pescara» wieder auf, die Beschreibung des «Schlangensaals» im Schloß zu Mailand: «das entsetzliche Wappenbild der Visconti, die Schlange mit dem Kind im Rachen» (XIII,217). Doch während das Bild in der älteren Novelle in verkürzter Form Pescaras Geborgenheit inmitten der Gefahr ausdrückte[4], da der «Rachen» in seinen Vorstellungen den Ort bezeichnet, an dem die Verräter «zermalmt» (XIII,236) werden, und er ja von vornherein gegen den Verrat geschützt ist, ist die Funktion in der «Angela Borgia» mit ihrer Atmosphäre der Ohnmacht gegenüber den Mitmenschen radikal anders.

In Lucrezias durch Cesares Brief hervorgerufenem posthypnotischem Suggestionszustand existierte kein Bewußtsein eines Gegensatzes zwischen der eingegebenen Vorstellung, nach der sie alle ihre Energie in den Dienst des Bruders stellen mußte, und ihrem übrigen Verständnis von sich selbst und ihrer Umwelt, während sich Giulio offenbar bewußt ist, daß der Zwang, eine neue Bestrafungssituation zu suchen, in seiner Psyche einen Fremdkörper darstellt. Forel hatte darauf hingewiesen, daß sich seine Patienten in bestimmten Fällen darüber im klaren waren, daß eine Handlung oder der Impuls zu einer Handlung posthypnotisch suggeriert sein mußte, weil es sich um eine so absurde oder barocke Vorstellung handelte, daß sie sich nicht in ihre übrige Verhaltensstruktur einordnen ließ (F 3,41–42). Die Zwangsvorstellung erscheint Giulio demnach als «ein Rätsel», «Unsinn» (30), weil sie teils im Verhältnis zu seiner moralischen Indifferenz, insbesondere aber im Verhältnis zu seiner unzweideutigen gefühlsmäßigen Gleichgültigkeit gegenüber Angela (30,31,45,67. Vgl. oben S. 188–90) isoliert erscheint. Selbst in seinem Traum findet sich keine Spur eines wärmeren Gefühls für sie, dagegen erkennt er in diesem Traum den emotionalen Hintergrund für «Zorn und Drohung» (34) von *ihrer* Seite. Der Text liefert keine Möglichkeit, seine Faszination als «l'éveil d'un sentiment délicat» (B 11,354) aufzufassen, weshalb die Verstümmelung durch den eifersüchtigen Bruder einen in dieser Hinsicht Unschuldigen, das hilflose Kind, trifft. Daß dies der Fall ist, geht denn auch aus der Tatsache hervor, daß er sich trotz seines Wissens von der Identität des Täters («Der Kardinal ließ mich meuchlings überfallen» (54)) gerade an diesen klammert, mit den Worten: «O, o, warum raubst du mir das Licht? Was nimmst du mir das All und Einzige weg, das ich war ... ein in der Sonne Atmender! ... Du, der du alles bist und hast! Dem ich nichts nahm und nichts neidete! ... Ich winde mich vor dir wie ein blinder Wurm!» (54)[5]. Da so die zwanghafte Handlung, sich von Angela strafen zu lassen (vgl. oben S. 186 über seine Erkenntnis, daß Angela die Strafende ist), ausgeführt ist, verschwindet folglich in den nächsten Kapiteln seine seltsame Bindung an sie. Daß die Schilderung des Aufhörens dieser suggerierten Vorstellung deutliche Ähnlichkeiten mit Lucrezias Befreiung von der Macht Cesares (99) aufweist, bedarf wohl keines besonderen Hinweises.

Betont werden soll dagegen eine andere Ähnlichkeit. Wie bereits erwähnt, tritt bei ihr ein «dritter Zustand» ein, in dem sie zwischen Schlaf und Erwachen teils eine starke Angst erlebt, teils undeutlich erkennt, daß es Cesare ist, der ihr Gewalt antut (89). Etwas ähnliches geschieht in Giulios Traum: «Unbekannte Angst befiel ihn» (34) ... «heulte vor Unglück und erwachte» (35). Wie in Lucrezias Fall, so wird die Angstvision auch hier von dem Wissen begleitet, sich in der Gewalt eines anderen Menschen, hier Angelas, zu befinden, während er selbst ohnmächtig und unbeweglich auf der Erde liegt. Wenige Minuten nachdem er Strozzi bekannt hat, er sei von dem Wunsch besessen, Angela möge ihn «noch stärker als das erste Mal» bedrohen (30), zeigt er in seinem Traumzustand die völlig entgegengesetzte Haltung, nämlich Angst vor ihr als seinem Henker. Im Traum ist sowohl Lucrezia wie Giulio ein Wissen zugänglich, das ihrem Bewußtsein sonst verschlossen ist. «Les sensations dont le sujet paraît n'avoir aucune conscience n'ont pas disparu et subsistent encore en lui d'une autre manière», hatte Pierre Janet angemerkt (J 2,271) und gleichzeitig auf den Umstand hingewiesen, daß derartige subliminale Perzeptionen in hypnotischen Zuständen, wo das Normalbewußtsein suspendiert war, erinnert werden konnten. Im 2. Kapitel von «L'automatisme psychologique» lieferte er Beispiele dafür, daß in ein und derselben Person bis zu fünf scharf von einander getrennte «Bewußtseinsschichten» existieren konnten, wobei sich der tiefste, d. h. am weitesten vom Normalbewußtsein entfernte Zustand deutlich an alle die anderen, einschließlich den wachen Normalzustand, entsann, während der zweittiefste sich nicht an den tiefsten erinnerte usw. bis hin zum Normalbewußtsein, das den Zustand mit dem engsten Erinnerungsfeld bezeichnete. Vor diesem Hintergrund ist verständlich, daß Meyer Giulio und Lucrezia (sowie im übrigen auch Ippolito) in dem bewußtseinsfernen Zustand des Traums eine Einsicht in die realen psychischen Einflüsse gewinnen läßt, denen sie unterworfen sind, eine Einsicht, die von ihrer normalen Situationsauffassung isoliert ist und deshalb vorübergehenden Charakter besitzt[6].

Wenn Giulio als «der weichliche und gewissenlose Erotiker» (F 2,102), «the instinctive lover of life, unaware of sin, untouched by the desire to understand» (W 2,199), bezeichnet wird, dann stimmt diese Charakteristik nur, wenn man sie so weit einschränkt, daß damit nur einer der thematischen Verläufe der Novelle, der moralische/metaphysische, erfaßt ist. Doch selbst dort, wo dieses Thema am deutlichsten hervortritt, in seiner mit Kapitel 7 beginnenden Wanderung gegen das himmlische Licht, wird es durch andere und ebenso wichtige thematische Strukturen überlagert. Erstens ist er trotz der anscheinend autonomen intrapsychischen Instanz, dem «Quell echter Reue», der sich in ihm geöffnet hat, noch immer ganz ausgeprägt empfänglich für «Verführung».

Nach Meyers historischen Quellen war der zu Recht verbitterte Giulio der Kopf der folgenden Verschwörung gegen den Herzog und den Kardinal (XIV,173, 178), während er in der Novelle nur passiv von Ferrantes «Verschwörungsgedanken» (63) beeinflußt und allmählich eingefangen wird. Doch nicht ohne Widerstand: «Dieser aber sträubte sich gegen die Ermordung des Fürsten aus Menschlichkeit und verwarf mit einer edeln Empörung, deren er, so lange er nur genoß und schwelgte, niemals fähig gewesen wäre, die ihm angesonnene Rolle eines Mitleid erregenden Schauspiels» (62). Ferrantes Beeinflussung des Bruders allein reicht also nicht aus, seine Haltung der Ergebung in die Fügungen des Schicksals zu ändern, die sogar so weit geht, daß er «in gewissen Augenblicken wenigstens» sein Unglück «einer eigenen Verschuldung» zuschreibt (59). Diese Veredlung, in der der Blinde ein starkes Gefühl der Zusammengehörigkeit mit den anderen «Unglücklichen und Leidenden» (59) der Welt entwickelt, birgt jedoch ein seltsames Element: Obgleich Giulio bei seiner Blendung wußte, daß der Kardinal der Täter war (54), und obwohl Ferrante jede Gelegenheit ausnutzt, um ihn an die unumstößlichen Tatsachen zu erinnern, scheint dieses Wissen, einschließlich der sich daraus ergebenden Auffassung des ferraresischen Hofes, aus seinem Bewußtsein verschwunden zu sein: «Konnte nicht der unglückliche Bruder in gewissen Grenzen recht haben und ihm wirklich Schlimmes angetan worden sein?» /.../ «so war er nicht ferne davon, dem Bruder beizustimmen, wenn dieser die gepriesene Gerechtigkeit des Herzogs einen Abgrund der Ungerechtigkeit nannte, nicht besser als die teuflische Bosheit des Kardinals», ... (62). Es scheint ihm nun, als sei er «einem unbegreiflichen Attentat zum Opfer gefallen» (62) und als sei Ferrantes Bericht von den Ereignissen im Park «eine schauerliche Verzierung und phantastische Lüge» (67). Und doch war er sich vor der Blendung über die hemmungslose Eifersucht des Kardinals im klaren und begriff, «daß ihn dieser unwillkürlich und aufrichtig warne vor den mörderischen Ausbrüchen seines Hasses» (46). Mag sein, daß Meyer von der Darstellung der Quellen abweicht, weil er das Thema entfalten möchte, daß der Sünder von einer unbegreiflichen Strafe betroffen wird und daraufhin, statt in der Welt der irdischen Gerechtigkeit zu bleiben, in sich geht und seine eigene Sündhaftigkeit sowie die göttliche Lenkung hinter dem Unglück erkennt. Doch Giulio, was in diesem Thema nicht begründet ist, weiß reell *nichts* von dem Handlungszusammenhang. Meyer hätte diesen scheinbar absurden psychologischen Zug leicht entbehren und Giulio in dem Zustand der Frömmigkeit, in dem er sich befindet, seinen Feinden vergeben lassen können. Doch gerade in der Absurdität zeigt Meyer seinen besonderen psychologischen Bezugsrahmen: Aus der nahezu totalen Amnesie gegenüber dem traumatischen Erlebnis kann man schließen, daß Giulio in Kapitel 7 eine andere Persönlichkeit ist als unmittelbar zuvor und daß der Erinnerungsvorrat dieser Persönlichkeit ebenso begrenzt ist wie der von Félida 1 gegenüber Félida 2. Unter Angelas Einfluß wurde somit in Kapitel 3–6 eine «tiefer liegende» Persönlichkeit aktualisiert als in Kapitel 7, was die besagte Einwegamnesie zur Folge hat.

Eine solche Annahme wird durch die Wirkung bestätigt, die Angelas persönliches Auftauchen bei dem Blinden in Pratello auslöst. Hier gibt sie sich zu erkennen als die, die «deine Augen über alles liebte und sie zerstörte, dadurch daß sie einem Bösen ihre Schönheit lobte» (66), und als diejenige, die vergeblich fragt: «Wo ist meine Sühne? Wie soll ich büßen?» (66). Logisch gesehen erfährt Giulio nichts Neues, dennoch bewirken Angelas Worte und Anwesenheit, daß die amnestische Zwischenphase aufgehoben wird, so daß seine Erinnerung und seine emotionale Grundstimmung direkt an der Szene anknüpfen, in der er das Bewußtsein verlor, und so, daß die in den dazwischen liegenden Monaten vorgenommene Verarbeitung des Traumas völlig vergeblich gewesen zu sein scheint: «Ein rasender Zorn gegen den Schuldigen und nicht minder gegen den die Missetat ungestraft lassenden kaltherzigen Fürsten bemächtigte sich Don Giulios, kochte in seiner Brust und brauste durch seine Adern» (67). Der Satz enthält ersichtlich die bekannten Signalwörter für den Suggestionsakt: «rasen» und «sich bemächtigen» (vgl. oben S. 139 Anm. 4, 153). Zum zweitenmal provoziert Angela in ihm eine durch Unrast, Zynismus und Aggressivität gekennzeichnete Persönlichkeit (67–68), die ebenso zwingend und plötzlich auftritt wie die posthypnotisch reaktivierte Partialpersönlichkeit bei Lucrezia. In dieser Hinsicht spielen Angela und Cesare ungeachtet ihrer Unterschiedlichkeit in der Beziehung zu den beiden Suggestiblen die gleiche Rolle. Giulios «Hypnotiseur» ist nicht nur «Angela», sondern auch «Borgia».

Ebenso wie die Blendung löschen nun Verhaftung und Todesurteil diese provozierte Persönlichkeit, und das so gründlich, daß Angela anscheinend völlig aus seinem Bewußtsein verschwunden ist. Der übrige Teil seiner Erinnerung dagegen ist intakt: «Er räume ein, daß ihm der Kardinal über seinen Mangel an Ehrgeiz Vorwürfe gemacht, ihn wiederholt seiner Antipathie versichert und ihn davor gewarnt habe. – Dessen erinnere er sich jetzt» (70). Doch auch hier ist ein Rest der Amnesie zu spüren, da er sich zwar an das Geschehene erinnert, sich emotional jedoch so dazu verhält, als handele es sich um eine fremde Person, deren Motive er zwar wiedergeben, aber nicht wiedererleben kann: «Damals aber habe die an ihm verübte Tat ihn schlimmer als Mord, eine unmenschliche Ungerechtigkeit, eine höllische Grausamkeit gedäucht. Am tiefsten habe ihn getroffen, daß sie vom Herzog ungeahnt geblieben sei» usw. (70–71). Wiederum muß man sich fragen: Hätte es nicht eine tiefergreifende Verwandlung im christlichen Sinne gezeigt, wenn Giulio die Bosheit oder menschliche Schwäche der Brüder erkannt und ihnen darauf aus der Einsicht in seine eigene Unvollkommenheit und die allgemeine Sündhaftigkeit der Schöpfung heraus aufrichtig vergeben hätte?

Mit der Begnadigung auf dem Schafott nimmt Giulio seine unterbrochene Bußwanderung wieder auf: «Ich bin gestürzt und an der andern Seite der Kluft emporgeklommen, welche die Genießenden und Satten der Erde von den Hungrigen und Durstenden trennt. Die Freude und ihre Genossen habe ich verlassen – ich gehe zu den Leidensbrüdern. Ja, redlich leiden und dulden will ich» (85). Doch der Gefängnisaufenthalt der nächsten drei Jahre «erschlaffte und lähmte ihn» (117) trotz des Trostes des Franziskanerpaters Mamette und seiner Verkündigung der absoluten Armut als Weg zur Gnade (116–17). Deshalb ist Lily Hohensteins These nur unter Vorbehalt zu akzeptieren: «Geburt des Gewissens: so könnte der Vorgang in der Seele des Geblendeten formuliert werden. Aus der Welt der Aphrodite-Pandemos stürzt Giulio in die Todestiefe der Erkenntnis, kann darum emporgehoben werden in die Welt der Urania-Angela. Das Leben in Pratello, das die Liebenden erwartet, ist schon ein Leben jenseits der irdischen Welt, eine Seligkeit, die mit aller Bitternis des Todes erkauft ist, und die nichts mehr gemeinsam hat mit glücklich-sonniger Oberfläche» (H 4,320–21). Typisch für Giulio auch in seiner letzten Phase ist ja die reaktive Haltung, die sich nur durch das Eingreifen einer fremden Person zu verwandeln vermag, das in diesem Fall stattfindet, als Angela ihn zum drittenmal in dem vergessenen Turm aufsucht, mit dem Ruf: «Don Giulio, Euer Unglück ist da! Es folgt Euch in Liebe» (129). Seine Liebe zu ihr entsteht in diesem Augenblick mit der gleichen Plötzlichkeit und fehlenden psychologischen Motivation, die für die Psychologie der gesamten Novelle kennzeichnend ist; sie «ist einfach da», wie Zäch mit Recht über die Gefühle der Novellenpersonen sagt (Z 1,225). Welcher Sprung die ganz auf das Jenseits gerichtete Persönlichkeit von Angelas glücklichem Geliebten trennt, wird deutlich, wenn man zwei Äußerungen aus der jeweiligen Phase vergleicht: Von dem Gefangenen heißt es, er bereite sich auf sein Ende vor, «das er eher ersehne als fürchte, da, wie er sage, das einzige Licht, das ihm in seine Nacht heruntergestreckt werden könne, das ewige sei» (71). Wogegen man im 12. Kapitel seinen «in Sehnsucht anschwellenden Gesang» vernimmt: «Ich glaube, daß im Maienduft der reine/ Gestirnte Himmel glänzt, ich kann's nicht schauen!/ Ein einzger Stern darf meinen Himmel zieren …/ Und, wehe, meinen Stern muß ich verlieren,/» (125). Für einen Barockpoeten hätte zwischen einer solchen hyperbolischen Lobpreisung der Angebeteten und einer Verankerung im Christentum zwar kein Widerspruch bestanden, doch das petrarkistische Pastiche in der «Angela Borgia» besitzt eine nicht nur kulturhistorisch illustrische Funktion. Von dem Moment an, in dem Angela wieder über Giulio herrscht, schweigt sich der Text über seine teuer erworbene Frömmigkeit aus, so daß das himmlische Licht tatsächlich gegen Angelas Liebe ausgetauscht ist. Mamettes Auslegung des Bildes von den Schalen des Springbrunnens: «Werdet arm und ärmer, damit Ihr empfangen und geben könnt wie ein Brunnen» … (117), scheint erneut in Giulios Schlußreplik über

Angela durch: «Sie gibt gern, und ich nehme gern. Sie ist selig im Geben und ich im Nehmen» (134). Hier wird positiv das Wesentliche von Giulios Persönlichkeit(en) formuliert, nämlich die *passive* Seligkeit, während Angelas Seligkeit im Geben besteht. Die Einheit der Persönlichkeit, ihre Fähigkeit zum Geben und Nehmen, wird hier ausdrücklich *nicht* formuliert. Und vielleicht verweist Meyer mit seiner subtilen Ironie auch auf diese unvollendete Synthese (eine Konsequenz, die er aus der Idee der multiplen Persönlichkeit zieht), wenn er als letzten Satz im Werk Contrario sagen läßt: «‹Erlauchte Frau›, sagte er, ‹ich willige in die von Euch vorgeschlagene *Teilung* der flavianischen Güter.›» (134, meine Hervorhebung).

Anmerkungen

[1] Der Untergang des Kindes, die Verwandlung der Unschuld in Härte und Grausamkeit, ist ein häufig auftretendes Motiv bei Meyer. In «Die sterbende Meduse» (I,233–34. Etwa 1878) heißt es: «Medusen träumt, daß einen Kranz sie winde,/ Der Menschen schöner Liebling, der sie war,/ Bevor die Stirn der Göttin Angebinde/ Verschattet ihr mit wirrem Schlangenhaar» (vgl. «Maientag» (I,61) und «Mit einem Jugendbildnis» (I,226)). In der «Versuchung des Pescara» ist das Motiv in der Nebenfigur Del Guasto verwirklicht: «Mit der Weichheit seiner Züge aber verlor er auch die Liebenswürdigkeit seiner Seele. Das schöne Profil bekam einen Geierblick /.../, und die sich offenbarende Unbarmherzigkeit begann Victoria zu befremden und abzustoßen» (XIII,187). Neu in der «Angela Borgia» ist, daß sowohl das unschuldige Kind wie der verstockte Erwachsene als aktuelle, abwechselnd realisierte Möglichkeit vorhanden sind.

[2] Am 29.9.91 schrieb Meyer an Wille: «Zuerst kommt noch der Cesare (nur als drohende Erscheinung) u. der Untergang Strozzis. Dann das Ewig-Weibliche.»

[3] Die Wortwahl verweist teils auf Strozzis Bindung an Lucrezia («Taumel» (88), «taumelnde Sinne» (95)), teils auf Ippolitos Verhältnis zu Angela («aufs zärtlichste und rasendste» (22), vgl. oben S. 185), teils auch auf Lucrezias hypnotische Ohnmacht gegenüber Cesare (vgl. oben S. 139 Anm. 4: «Unsinn»).

[4] Daß Meyer das Wappen der Visconti in diesem Sinne einsetzt, ist wahrscheinlich von einer entsprechenden Stelle in Goethes «Egmont» her zu verstehen: «und wie ein Kind, umwunden von der Schlange, des erquickenden Schlafes genießt, so legt der Müde sich noch einmal vor der Pforte des Todes nieder und ruht tief aus» ... (Hamburger Ausgabe IV, 452). Im August 1889 hatte Meyer zu Hans Blum folgendes über «Gustav Adolfs Page» (1882) gesagt: «Ich las Goethes Egmont und vertiefte mich in den Gedanken: es lohnte wohl, ein Weib zu zeichnen, das ohne Hingabe, ja ohne daß der Held nur eine Ahnung von ihrem Geschlecht hat, einem hohen Helden in verschwiegener Liebe folgt und für ihn in den Tod geht» (B 9,109). Er dachte während dieser Zeit also an Goethes Drama.

[5] Diese seltsame hochtrabende Betonung der Allmacht des Kardinals und seiner eigenen Erbärmlichkeit könnte darauf verweisen, daß Giulio als eine Art Hiobgestalt zu verstehen ist (vgl. Das Buch Hiob 13, 24–28; 42, 1–2), vielleicht über Faust (vgl. oben S. 206).

[6] Die Träume spielen in Meyers Novellen eine ziemlich wichtige Rolle, so z.B. im «Amulett» (XI, 62–63), in «Jürg Jenatsch» (X,27–28), im «Schuß von der Kanzel» (XI,109), in «Gustav

Adolfs Page» (XI,185) und im «Heiligen» (XIII,60). Doch Giulios Traum unterscheidet sich von diesen Träumen; teils drückt er eine ihm nicht bewußte Wahrheit über seine eigene Situation aus, teils enthält er ein genaues Vorauswissen über ein kommendes Ereignis. Der prophetische Charakter des Traums läßt sich natürlich von dem verschärften, die niedrigen Bewußtseinsgrade kennzeichnenden Gespür her erklären, es ist jedoch nicht auszuschließen, daß es sich dabei auch um die Übernahme eines Gedankens aus der älteren Erforschung des animalischen Magnetismus handeln kann, wonach eine Person im magnetischen Schlaf die Fähigkeit zur «pressensation», wie Puységur es nannte, besitzt (E 1,71. Vgl. auch Schopenhauers «Versuch über das Geistersehen», op. cit. IV, S. 303ff, 336). Auch Eduard v. Hartmann (vgl. oben S. 73 Anm. 15) vermutet die Existenz des Phänomens «Hellsehen» in verschiedenen Zuständen spontanen oder provozierten Somnambulismus («Philosophie des Unbewußten». 1871³, S. 91–97), führt jedoch solche Einblicke in die Zukunft auf die «unbewußte Wahrnehmung» (91) von Gliedern der Kausalitätskette zurück, die dem Bewußtsein noch verborgen sind. Auffällig ist im übrigen, daß Meyer in seinem Gedicht «Votivtafel» (I,77) von 1889 eine solche visionäre Ahnung einer kommenden *Heilung* schildert, wie sie Hartmann unter seinen Beispielen anführt (op. cit., S. 94).

Angela

Wäre «der schöpferische Gedanke der Novelle» wirklich «das Gegenüber zweier Frauen» gewesen, wie Meyer mehr als vier Monate nach Beendigung der Arbeit schrieb (Haessel, etwa 22.–25. Dezember 1891), so hätte man erwarten können, daß sich dieses Thema darin zeigt, daß Angela im Gegensatz zu ihrer Umgebung Integrität, Widerstandskraft und Willensstärke besitzt. In dem Referat von Anna v. Doß ist sie denn auch die starke Heldin, «das personifizierte Gewissen» (XIV, 144), so wie sie in der «Angela Borgia» auch als «die sichere Reiterin» (8) eingeführt wird. Also endlich ein Charakter aus einem Guß, der der übrigen Personengalerie das richtige pathologische Relief verleiht?

Die historischen Quellen melden so gut wie nichts über ihren Charakter und ihre Vorgeschichte und beschäftigen sich ausschließlich mit ihrer Rolle bei dem Verbrechen des Kardinals gegen den Bruder. In der Novelle dagegen ist die Waise in einem Kloster aufgewachsen, wo sie «in Bild und Predigt» «eine sittliche Schönheit und Vollkommenheit» (11) vor Augen gehabt hat, die sie sich so sehr als verpflichtendes Ideal aneignet, daß sie sich danach weigert, Kompromisse mit dem moralischen Verfall der Zeit zu schließen, der extrem in dem Geschlecht der Borgias in Rom zum Ausdruck kommt. Sie ist bei weitem kein kontemplatives Gemüt, ihr moralischer Sinn äußert sich als «eine gewisse ritterliche Tapferkeit, nicht nach dem duldenden Vorbilde ihrer weiblichen Heiligen, sondern mehr nach dem kühnen Beispiel der geharnischten Jungfrauen, die in der damaligen Dichtung umherschweiften» (11). Bereits bevor sie sich zu diesem «widerstandsfähigen und selbstbewußten Mädchen» entwickelte, spielte Lucrezia in ihrer Vorstellungswelt eine Rolle, da sie sich im Kloster «schwere Bußen und Geißelungen» zum Heil der lasterhaften Verwandten auferlegte, bis die vernünftigen Nonnen sie mit der Begründung von diesem hoffnungslosen Unterfangen abbrachten, «alle ihre Anstrengungen wären einem solchen Unmaß der Sünde gegenüber gänzlich unzureichend und vergeblich» (11).

Wie nun reagiert diese «Virago» (11), als die berüchtigte Lucrezia unerwartet im Kloster auftaucht und «Hand in Hand mit ihr durch einen Lorbeergang des Gartens auf- und niederwandelnd» mitteilt: «ich will dein Glück machen. Du gefällst mir, und ich behalte dich, bis ich dich vermähle»? Zwei Zeilen zuvor hatte der Erzähler betont, sie sei «widerstandsfähig und selbstbewußt», doch bei der Begegnung mit Lucrezia hört der direkte Einblick in ihre Gedanken auf, und keine äußere Handlung deutet irgendeinen inneren Konflikt oder Widerstand gegen diese Verfügung an. Unmittelbar danach wird erwähnt, daß sie den Vatikan «mit geheimem Grauen» (12) betritt, doch dieses Gefühl erstreckt sich augenscheinlich nicht auf Lucrezia und Cesare, hier schweigt der Erzähler erneut. Ihre Reaktionen bei dem Einzug in Ferrara zeigen ganz im Gegenteil, daß ihr die beiden Geschwister in positivem Licht erscheinen, beispielsweise, wenn Ferrante auf Lucrezias Universalmittel, ihr «weißes Pülverchen», anspielt: «Diese Anspielung auf die Giftmischereien der Borgia preßte dem Mädchen eine Träne aus, die sie zornig von der langen Wimper schüttelte. «Eure Zunge meuchelt, Don Ferrante!» sagte sie» (10). Während ihres Aufenthalts im Vatikan hat Cesare Don Giulio ihrer Gewogenheit empfohlen (12); als nun Ferrante sein ungeschminktes Porträt des ausschweifenden Prinzen liefert, lauten Angelas Gedanken: «Und mit diesem frevlen Jüngling hatte sie Don Cesares Gedanke zusammengestellt!» (14). Der verblüffte Leser muß sich hier fragen, wie sie erwarten konnte, daß ausgerechnet Cesare sie in Ferrara mit einem untadeligen Ehrenmann hätte verbinden wollen. Wo bleibt ihr zuvor beschriebenes «Bedürfnis verzweifelter Gegenwehr /…/ gegen die herrschende Nichtswürdigkeit» (11)? Trotz der Tatsache, daß sie allgemein als «redlich» (16) und «wahrheitsdurstig» (45) charakterisiert wird, protestiert sie an Ferrantes Seite nicht gegen die Verderbnis, sondern nur dagegen, daß er sie entlarvt. Daß sie im übrigen einen scharfen Blick für die Inkarnationen der Bosheit besitzt, zeigt ihre «bange Angst», als sie, nachdem Ferrante ihr von Ippolito erzählt hat, vor ihrem inneren Blick «das vor ihr aufsteigende hagere Bild des Kardinals» erblickt (13).

Soll man den Text so verstehen, daß sich die arme Verwandte mit den gegebenen Verhältnissen abfindet und sich dazu entschließt, zu schweigen und sich den herrschenden Ansichten ihres neuen Milieus anzupassen? Eine solche Auslegung könnte für Kapitel 2 gelten, wo Lucrezia sich daran macht, Angelas Ehe mit Graf Contrario vorzubereiten, und der Text keine Reaktion Angelas vermittelt. Für die übrige Novelle gilt jedoch etwas anderes. Gegen Ende des Einzugs bricht die Wahrheitsliebe scheinbar energisch durch die Oberfläche des höfischen Schauspiels und tritt in der höchst unpassenden («etwas Unziemliches» (16)) öffentlichen Züchtigung des herzoglichen Bruders zutage, und bei ihrem Besuch in Pratello wird die erste Beschreibung Angelas direkt wieder aufgegriffen: «In den feurigen, von flatterndem Kraushaar beschatteten Augen wohnte Wahrheit und auf dem weichen Mund neben einem kindlichen Zuge der Trotz der Liebe, ja eine gefährliche Entschlossenheit» (63). In den nachfolgenden Kapiteln folgen die Unterstreichungen ihrer ethischen Grundhaltung Schlag auf Schlag: Ihr Abscheu vor der verbrecherischen römischen Tullia (78–79), ihr Ausruf gegenüber

Strozzi: «O ihr Lügner und Heuchler!» (80), der Angriff auf Ippolito («Trittst du immer der Gnade in den Weg, Widersacher!» usw. (82)), die Ermahnungen an Strozzi (104), um schließlich im letzten Kapitel zu gipfeln. Der Text läßt keinen Zweifel, Angela ist die Wahrheitssuchende und Tatkräftige, aufrichtig bis zur Unüberlegtheit. Ein Bereich jedoch ist davon ausgenommen.

Als Bembo sich im 2. Kapitel von Lucrezia verabschiedete, drückte er seine Sorge um ihre Zukunft mit diesen Worten aus: «Die Verhältnisse liegen vor Euch im Licht Eures scharfen Verstandes, aber dieser helle Tag reicht nur bis an den Schattenkreis, wo Eure Liebe zu Vater und Bruder beginnt» (18). Für Angelas moralische Urteilskraft gilt etwas Ähnliches: Sie ist selektiv, da Lucrezia davon nicht berührt wird. Das ist nicht nur in den oben angeführten Episoden zu Beginn der Novelle der Fall, sondern auch im Zusammenhang mit Lucrezias Verrat am Herzog, ihrer Tätigkeit für Cesare und der Verführung von Strozzi findet man diese isolierte moralische Indifferenz„ die so ausgeprägt ist, daß es zwischen den beiden Frauen nie zu einem äußeren noch inneren Konflikt kommt. Der Text deutet in keiner Weise an, daß Angela Lucrezias Verderben sieht und sie entschuldigt: Sie registriert sie nur mit einer seltsamen Affektneutralität, die keiner anderen Person der Novelle zuteil wird. Sie geht sogar so weit, daß sie sich mit ihr identifiziert, so absurd eine solche Identifikation auch erscheinen mag. Als Lucrezia Strozzi zu ihrem Bruder geschickt hat und beide Frauen wissen, daß dies ihn das Leben kosten wird, fühlt sich Angela von dem Gedanken gepeinigt: «Mit einem unüberlegten Worte habe ich einen Menschen geblendet und kann es nie verwinden! Diese aber lächelt, indem sie einen Menschen überlegter Weise in den sicheren Tod sendet.» Doch der Erzähler fährt fort: «Doch hielt sie sich darum nicht für die Bessere, sondern verschloß das gemeinsame Elend in ihrer barmherzigen Brust» (96). Ihre Reaktion, als sie über Strozzis Leiche stolpert, ist charakterischerweise nicht Entsetzen und Abscheu vor den an diesem Mord Schuldigen, dem Herzog und – insbesondere – Lucrezia. Ganz im Gegenteil! «Als Angela aus dem Schlosse floh, hatte sie der Wunsch getrieben, sich schluchzend an die Brust der Freundin zu werfen und ihren Geblendeten neben den Getöteten Lucrezias zu legen» (110, vgl. die gleiche Parallelisierung S. 101). Selbst bei Lucrezias nacktem Eingeständnis ihrer Übertretung des herzoglichen Verbots einer Zusammenarbeit mit Cesare taucht diese identifikatorische Reaktion auf: «Aber Angela, deren Gegenwart Lucrezia unter der Übermacht ihres Gefühls vergaß oder für nichts achtete, wechselte die Farbe und erduldete für die andere alles Entsetzen des Frevels und alle Qualen der Schande» (100). Es ist also durchaus eine Wahrheit mit Modifikationen, wenn bereits Frey in der 3. Auflage der

Biographie von den beiden weiblichen Hauptpersonen behauptet: «sie sind bloß, durch ihren Wesenskontrast, in Gegensatz gestellt, nicht aber in ein Gegenspiel. Es hat jede ihre Handlung für sich. Es ist nicht *eine* Novelle, es sind zwei» (F 10,350. Vgl. Z 1,221 ff.). Die äußere Verknüpfung ist durch eine psychische Abhängigkeit ersetzt.

Worin diese besteht, das geht vielleicht am deutlichsten aus der Szene hervor, in der die beiden Frauen vor dem Bild der Tullia ihre Betrachtungen austauschen: «‹Du Böse! Warum mußte man dich im Gedächtnis behalten? Warum wissen wir von dir, du Unhold! ... Du bist kein Weib, Mörderin des Gatten und der Schwester ... Mörderin des Vaters ... Verführerin des Schwagers! ... Widernatürliche! Zauberin! Teufelin! ...› Dann lächelte Lucrezia, dem eifrigen Mädchen die heiße Wange streichelnd. ‹So ging es nicht zu›, flüsterte sie ihr ins Ohr; ‹die berühmte Römerin verlor sich in einer Dämmerstunde an einen Mann, sein sündiger Geist fuhr in sie, und sie wurde sein willenloses Werkzeug. So war es, glaube mir. Ich weiß es›» (78–79). Angela zeichnet hier in starkem, angesichts eines Gemäldes sonderbar wirkendem Affekt ein gelungenes Porträt von Lucrezia, offensichtlich jedoch ohne zu wissen, daß sie damit die Anwesende charakterisiert. Es wirkt, als handele es sich um eine Parallele zu dem Phänomen «negative (post)hypnotische Halluzination», das von den Forschern in Nancy und der Salpêtrière recht gründlich erforscht worden war. Über die Versuchspersonen, denen suggeriert worden war, daß sie eine Sinneseinwirkung, einen sichtbaren Gegenstand, einen Laut, einen Geruch, Schmerz hervorrufende Einflüsse u. ä. *nicht* wahrnehmen sollten, benutzte beispielsweise Bernheim folgenden Ausdruck: «Sie sehen mit den Augen des Leibes, aber nicht mit den Augen des Geistes» (B 8,44). Angela registriert zwar mit einem Teil ihrer Psyche die Bosheit und die hypnotische Macht («Zauber»), ist jedoch außerstande, diese Eigenschaften mit Lucrezia zu verbinden; ihr positives Bild ist so ausgeprägt, daß Angela wenige Augenblicke später zu Strozzi sagen kann: «Und die Herzogin! Vertritt sie nicht die Gnade?» (80). Ihre ganze Jugend hindurch hat sie von Lucrezias Verbrechen gehört, sie später als Hofdame in Ferrara aus nächster Nähe beobachten und ihre naive Heuchelei zumindest bemerken können (14–15, 17–18); sie hat bis in alle Einzelheiten Lucrezias Ränke zugunsten von Cesare verfolgt und gesehen, wie sie Strozzi ins Verderben führte, doch aus irgendeinem Grund vermag sie diese Erfahrungen nicht in eine Beurteilung umzusetzen, obgleich sie in allen anderen Fällen ausgeprägte Sym- und Antipathien hegt. Gerade weil Angela im übrigen eine weitaus homogenere Gestalt ist als die übrigen Figuren der Novelle, läßt sich ihre affektlose Haltung zu Lucrezia in ihrer Psyche als ein deutlicher Fremdkörper identifizieren.

Ein ähnliches psychologisches Muster, die Isolierung des Affekts von der bewußten Perzeption oder Erinnerung, kommt in der Novelle noch ein weiteres Mal vor, nämlich in Lucrezias Beziehung zu ihrem Bruder: «Von jetzt an nannte Lucrezia den Dämon, der ihr Bruder gewesen war, nicht anders mehr als den Ärmsten, so wie sie ihr Ungeheuer von Vater längst den Guten nannte» (103). Auch Lucrezia ist sich zwar momentan ihrer psychischen Unfreiheit bewußt («die Schmach ihrer Abhängigkeit» (7)), isoliert diese Einsicht jedoch von ihrer übrigen Vorstellungswelt. Die (post)hypnotische Vorstellung von Cesares berechtigtem Anspruch auf ihre aktive Hilfe, den Zwang, sich ihm zu unterwerfen, fügt sie in ihr psychisches Gesamterleben ein, indem sie eine aposteriorische Begründung für ihre Handlungsweise etabliert: «War er nicht noch ein Jüngling mit unendlicher Zukunft? Von seiner Berechtigung /.../ war sie völlig überzeugt» (90. Über Rationalisierung vgl. oben S. 153). Die Tatsache, daß Angelas ansonsten so lebendiges moralisches Gespür speziell in der Beziehung zu Lucrezia gelähmt ist, läßt sich somit vom Kontext her mit einiger Wahrscheinlichkeit als eine hypnotisch induzierte Vorstellung auffassen, die mit ihrer übrigen Vorstellungswelt ebenso unverbunden auftritt, wie sich der Hang, die Strafe aufzusuchen, in dem Charakter des leichtsinnigen Giulio entfaltet (vgl. oben S. 188–89, 206–08). Lucrezias Idealisierung des Bruders stellt einen Faktor dar, der ihr eine starke Motivation für ihren äußerst aktiven Einsatz zu seinen Gunsten verleiht. Von Angela dagegen wird in ihrer Beziehung zu Lucrezia nur eine passiv akzeptierende Haltung verlangt, so daß es ausreicht, wenn ihre moralische Urteilskraft in diesem Punkt außer Kraft gesetzt wird. Sie spricht über Lucrezia («eines armen Weibes» (104)) bezeichnenderweise mit demselben Adjektiv wie Lucrezia von Cesare («den Ärmsten» (103)) – doch wohlgemerkt erst, als er nach seinem Tod keine Ansprüche mehr an sie stellen kann.

Vor diesem Hintergrund ist erklärlich, daß Angela eine starke Zusammengehörigkeit, ja, Identität mit ihr empfindet, wie die angeführten Beispiele belegen. Mit einem Teil ihres Bewußtseins erkennt sie: «Wie bin ich eine andre!» (110), kann jedoch bei der gleichen Gelegenheit ohne das Erlebnis eines Widerspruchs den Drang empfinden, «ihren Geblendeten neben den Getöteten Lucrezias zu legen» (110). Und während Lucrezia dem Herzog bekennt, «was sie von jeher für Cäsar gesündigt und von ihm erlitten» (99), leidet Angela bei dieser Gelegenheit «für die andere alles Entsetzen des Frevels und alle Qualen der Schande» (100). Auch sie erlebt, daß ein Fremder «mit ihrem ganzen Denken verschmolzen» ist (wie es S. 94 von Lucrezia heißt), doch, so sollte man hinzufügen, in einem eng begrenzten, dafür jedoch um so auffälligeren Bereich ihrer Vorstellungswelt.

Geht man nun davon aus, daß es sich bei diesen Zügen um das Ergebnis einer Suggestion handelt, der sie unterworfen worden ist und bei der Lucrezia direkt oder indirekt (darüber später) die aktive Rolle spielt, so versteht man die Wortwahl in der Episode, in der der Kardinal im 2. Kapitel zum erstenmal offen um Angela wirbt: «Die Fürstin zog das neben ihr stehende Mädchen zu sich auf die Bank nieder und behielt seine Hand in der ihrigen, als nähme sie von Angela Besitz» (21). Meyer benutzt hier genau die gleiche Chiffre, die Lucrezias Macht über Strozzi bezeichnet. «Nimm von ihm, wie Du es kannst, für mich Besitz», lautete Cesares Befehl an die Schwester, und ihr Gehorsam wird durch die gleiche Wendung ausgedrückt («nahm von Herkules Strozzi für den Bruder Besitz» (87)). Entsprechend drückt der Herzog Lucrezias eigene suggestive Abhängigkeit von ihrem Bruder mit den Worten aus: «bis dahin besaß dich der Geist deines Hauses» (99; vgl. oben über «sich bemächtigen», S. 153, 211).

Wie deutlich wurde, gehört zu Meyers Beschreibung der Suggestionszustände eine vorübergehende Phase, in der der Suggerierte imstande ist, eine andere als die von der Suggestion gesetzte Wirklichkeit zu erkennen. Das geschieht bei Ippolito in seinem Fieberwahn, bei Giulio im Traum und bei Lucrezia in dem hypnoiden Übergangszustand, also unter Umständen, in denen das Wachbewußtsein suspendiert ist. Bei Angela tritt etwas Ähnliches ein, als sie sieht, wie Lucrezia nach der Nachricht von Cesares Tod gegenüber dem noch unentschiedenen Schicksal Strozzis völlige Gleichgültigkeit zeigt. Hier tritt zum erstenmal ein deutlich negativer Affekt auf: «Angela zitterte vor Empörung, daß Lucrezia in unglaublicher Selbstsucht ihren Mitschuldigen vergaß», doch die Fortsetzung des Satzes zeigt, daß hier nur von einer teilweisen Abstandnahme die Rede ist: «und in ihrem innern Jammer warf sie sich vor, daß auch sie ihren unglücklichen Blinden in seinem Kerker vergessen. Es war ein ungerechter Vorwurf, den sie sich machte» ... (101). Noch immer fehlt ihr die Fähigkeit zu erkennen, daß Lucrezia anders ist als sie, wogegen sie wenige Stunden später eine deutliche Vision des ihr bisher verborgenen Wesens der anderen hat: «Als sie bei Kerzenschein neben der Herzogin am Spätmahl saß, überwältigte sie dies Jammergefühl, und da sie Lucrezia die Speisen, welche sie dem Herzog zärtlich vorlegte, kosten und ihm roten Neapolitaner, zuerst davon schlürfend, kredenzen sah, war es ihr, als trinke Lucrezia Menschenblut» (101). Auffällig ist hier die Wendung «bei Kerzenschein», da Lucrezias Schreckensvision unter den gleichen äußeren Umständen eintritt: «bei brennenden Kerzen» (89). Meyer wollte mit dieser Ähnlichkeit der Formulierung vermutlich angeben, daß sich Angela in diesem Augenblick in einem hypnoiden Zustand befindet[1]. Während sie vorher ohne Schwierigkeit imstande war, das «Vampyrische» der Bosheit des

Kardinals zu sehen («Beruhige dich, du wirst Blut trinken!» (82)), bedarf es in der Beziehung zu Lucrezia also einer besonders dazu disponierenden Situation, damit sie den Vampyr in ihr erkennen kann. Doch damit nicht genug: In der Art und Weise, wie Lucrezia mit dem Essen und den Getränken umgeht, sieht sie zum erstenmal etwas, was ihr die Vorstellung von deren «Giftmischereien» (10) ins Bewußtsein bringen kann. Unmittelbar darauf, als sie Lucrezias letztem Gespräch mit Strozzi beiwohnt, «empörte sich die stille Angela gegen diese Verführung – selbst zum Guten, zur Rettung» (104), und tadelt mit plötzlicher Klarheit die fehlende Fähigkeit des Richters, «mit dem Bösen zu brechen und den Zauber eines armen Weibes zu fliehen» (104). Zwar ist eine solche Einsicht in Lucrezias Wesen und die Existenz der psychischen Unfreiheit so vage und vorübergehend, daß sie keinen dauerhaften Einfluß auf ihre Auffassung von der Herzogin hat; beispielsweise will sie nach dem Mord an Strozzi spontan «ihren Geblendeten neben den Getöteten Lucrezias legen», sich «an die Brust der Freundin» werfen (110), doch diese Reaktion kündigt ihre späte Emanzipation und die Entfaltung ihres ursprünglichen aktiven, barmherzigen Virago-Wesens an. Erst jetzt verschwindet die unmögliche Identifikation mit Lucrezia und weicht der Erkenntnis: «Wie bin ich eine andre!» (110), dessen ungeachtet bleibt es jedoch bei einem völlig unproblematischen und konfliktfreien Verhältnis zwischen den beiden Frauen, was im letzten Kapitel in ihrem Gespräch über Don Giulio zum Ausdruck kommt (128–29).

In einer Rezension in der *Neuen Freien Presse* (Wien, 11. 5. 1892) kritisierte Rudolph Lothar, daß Angela ihr behauptetes Virago-Wesen nicht in die Tat umsetze, daß sie sich zu passiv verhalte, um als Heldin der Novelle gelten zu können. Diese Kritik stimmt insofern, als sie ihren eigenen Willen nur bei einer einzigen Gelegenheit durchsetzt. Während sie sich in Kapitel 2 anscheinend damit abfand, daß Lucrezia sie an Graf Contrario verheiraten wollte, arbeitet sie im letzten Kapitel mit großer Energie auf die Eheschließung mit Giulio hin. Wichtig ist jedoch zweifellos, daß dieser Akt der Emanzipation in das an den Gefängnisturm angrenzende Clarissenkloster verlegt ist. Hiermit scheint Angela zu ihrem klösterlichen Ausgangspunkt zurückgekehrt zu sein, nach ihrem Abstieg[2] in die Welt der Verdammten, wo sich die Unfreiheit der Erbsünde in der Herrschaft der Menschen über die Seelen und Körper ihrer Mitmenschen zeigte.

So begriffen, geht es anscheinend darum, daß sich Angela aus dem Zustand der Unmündigkeit zu befreien vermag, der die übrigen Personen gefangen hält. In dem Gedicht «Der sterbende Julian» vom Sommer 1891, das Meyer während des Aufenthalts auf Steinegg schrieb, wo er die «Angela Borgia» zu Ende diktierte, lautet die 3. Strophe: «Es ist Gnade, schuldlos sich entfärben,/ Es ist Gnade, früh und gern zu sterben,/ Freie fesseln alternd sich zu Knechten,/Mit den Jahren freveln die Gerechten –»/ (III,370). Gelingt es demnach Angela durch ihre himmlische Liebe, «die aus Reue und Mitleid stammt» (128), dem Schicksal, von dem das Gedicht spricht, zu entgehen, oder kann man nur durch einen frühen Tod einer universalen Verdammnis entgehen, die den Menschen notwendigerweise bindet und schuldig macht? Anscheinend ist ihre treue Liebe zu dem Geblendeten ein solcher unverletzlicher Ort, so daß sie nicht wie Ferrante mit dem Bewußtsein zurückzublicken braucht: «nirgends eine reinliche Stapfe, wo Erinnerung den Fuß hinsetzen könnte, ohne ihn zu beschmutzen!» (85). Damit übereinstimmend schließt die Novelle ja mit dem Blick auf den Zustand der kommenden irdischen Glückseligkeit: «Deine Augen werden heller und jünger leuchten als zuvor … aus dem Angesichte deiner Kinder, wenn sie mir Gott gibt!» (134). Das ist das hier leicht umgeschriebene Märchenende: «Da wurde der Königssohn ganz verzweifelnd und stürzte sich gleich den Turm hinab, das Leben brachte er davon, aber die beiden Augen hatte er sich ausgefallen, traurig irrte er im Wald herum, aß nichts als Gras und Wurzeln und tat nichts als weinen. Einige Jahre nachher gerät er in jene Wüstenei, wo Rapunzel kümmerlich mit ihren Kindern lebte, ihre Stimme deuchte ihm so bekannt, in demselben Augenblick erkannte sie ihn auch und fällt ihm um den Hals. Zwei von ihren Tränen fallen in seine Augen, da werden sie wieder klar, und er kann damit sehen wie sonst» (Brüder Grimm, «Kinder- und Hausmärchen», No. 12, «Rapunzel»). Nach dieser thematischen Linie gelesen, wird die Opposition Lucrezia – Angela, Amoralität und Gewissen, unterstrichen.

Doch diese thematische Linie wird von einer zweiten durchkreuzt. Die Schwierigkeit ist ja, daß Meyer von «zu viel Gewissen» spricht (Fr. v. Wyß, 22. 8. 91. Vgl. oben S. 14ff), was nur als eine gewisse Reserviertheit gegenüber Angela gedeutet werden kann. Die Frage ist dann, wo diese Reserviertheit im Novellentext zutage tritt. Nach den vorliegenden Interpretationen entspringt die Liebe zwischen ihr und Giulio aus dem Augenblick, als sie ihn bei dem Einzug in Ferrara öffentlich verurteilt: … «entre Giulio et Angela naît de cette condamnation qui est déjà de la sympathie une amitié virtuelle, prête à s'épanouir» (B 11,348). Dabei hat man aber übersehen, daß Angela bereits im voraus mit Giulio verbunden ist, noch ohne ihn gesehen zu haben. Meyer läßt sie nämlich ohne Stütze in seinen Quellen und scheinbar ganz unnötig für den äußeren Handlungsablauf im Vatikan Cesare Borgia begegnen, der bei dieser Gelegenheit sagt: «Ich werde euch beide nicht nach Ferrara begleiten, die Geschäfte verbieten es; doch möchte ich euch Don Giulio empfehlen, den ihr dort finden werdet, einen jüngern Bruder Don Alfonsos. Er ist ein bescheidener, aber hochbegabter Jüngling, nur daß er den Sinnen noch zu viel einräumt. Er wäre es aber wert, und ich möchte es ihm gönnen, daß er sich durch eine edle Frau fesseln ließe» (12). Als darauf Ferrante sein ungeschminktes Porträt von Giulios Charakter und Lebenswandel zeichnet, ist ihre unmittelbare Reaktion: «Und mit diesem freveln Jüngling hatte sie Don Cesares Gedanke zusammengestellt!» (14). Diese Formulierung steht parallel zu Strozzis Worten zu Lucrezia: «Wir gehören zusammen, Don Cäsars Wille hat uns vermählt!» (104). Beide Verbindungen entspringen Cesares Gehirn. Tatsächlich zeigt Angela beim Anblick des Mannes, den Cesare ihr bezeichnet hat, einen unerwartet starken Affekt: «Ihre innerste, starke Natur überwältigte sie, und jede Verschleierung abwerfend, trat ihr Wesen unverhüllt hervor» (15–16). Was man unmittelbar als ein plötzliches – und isoliertes – Wiedererwachen ihrer «ritterlichen Tapferkeit» (11. Vgl. F 2,103: «moralistisch gefärbte Abscheu vor dem Wüstling Giulio») betrachten könnte, ist demnach Ausdruck dafür, daß sie gegen ihren Willen überwältigt wird, was auch durch die Schilderung ihres darauffolgenden Zustands bestätigt wird, wo sie «vor Scham und Aufregung in ein krampfhaftes Schluchzen ausbrach», ... (16), eine Reaktion, die angibt, daß sie das Geschehene als Blamage auffaßt, obgleich man es nach den Prämissen des Textes ja mit «einem widerstandsfähigen und selbstbewußten Mädchen» (11) zu tun hat.

Daß das Motiv der öffentlichen Verurteilung Giulios nicht nur der Abscheu des Moralisten, sondern Liebe ist, das erkennt nicht nur Ippolitos von der Eifersucht abnorm geschärfter Blick (45, vgl. 22), sondern auch Giulio selbst in seinem Traum (34). Angela dagegen erscheint ihre eigene Reaktion unerklärlich: «Die Brandmarkung des ausschweifenden Jünglings, zu der – wunderbarerweise – nur sie ein Recht zu haben glaubte», ... (52). Erst nach der Blendung ist der Weg frei für die Einsicht in ihre eigenen Motive: «Ich bin Angela Borgia, die deine Augen über alles liebte und sie zerstörte», ... (66). Doch vor diesem Wendepunkt trägt die Beziehung zu Giulio den fremdartigen und zwanghaften Charakter (vgl.: «Gerade deine viele Sünde, die ich strafen muß, ist es, die mich an dich kettet» (34)), der eine posthypnotische Suggestionshandlung kennzeichnet (vgl. oben S. 208). Während für Lucrezia der Empfang eines Briefes von Cesare das Signal war, das den Zustand von «Zauber» (89) auslöste, ist für Angela das auslösende Moment der Anblick von Giulios «zauberischen Augen» (34, vgl. 15), so daß sie sich danach in der gleichen Spaltung befindet wie Strozzi, von dem Bembo sagte: «Dein strenger Rechtssinn verdammt, was dein Auge beglückt und das Feuer deines Herzens entzündet» (40). Es wäre kaum richtig, wollte man sagen, daß hier die Natur mit ihr durchgeht (Ö 1,121), sie bringt nur ganz einfach Cesares Willen («daß er sich durch eine edle Frau fesseln ließe»

(12)) zur Ausführung, doch unter Aufbietung aller ihr zur Verfügung stehenden «Widerstandsfähigkeit»: So sagt sie im Traum: «Die Schuld liegt in deinen zauberischen Augen, mit denen du frevelst. Reiße sie aus und wirf sie von dir» (34). Wenn sie vor dem zügellosen Kardinal Giulios Augen lobt und dieses Lob so makabre Folgen zeitigt, so läßt sich das auf der Ebene der Suggestionsthematik als ein Versuch verstehen, sich von der demütigenden suggestiven Bindung zu befreien. Somit ist es zwingend logisch, daß Meyer im Manuskript M Ippolito und dessen Opfer einträchtig der Überzeugung sein läßt, die Blendung sei ihr Werk: «Donna Angela Borgia ist es, die dich blendete, indem sie boshafter Weise vor mir deine schönen Augen rühmte», worauf der Geblendete antwortet: «So wird es sein! /. ./ diese Angela ist mein Unglück, mein Verhängniß» (231). In der «Angela Borgia» ist dieser Sachverhalt verhüllt, aber noch immer erkennbar. Angelas «Liebe» ist demnach eine alles andere als eindeutige Größe; der Leser muß sich fragen, ob es sich auf dieser Stufe der Handlung nicht nur um einen Destruktionsdrang als Reaktion auf eine quälende posthypnotische Zwangsvorstellung handelt.

Die Voraussetzung für diese Auslegung ist natürlich, daß Meyer eine Begegnung zwischen Angela und Cesare einfügt (12), ein Element, das sich – wie noch deutlich werden wird – fast unmöglich in die Chronologie der Novellenhandlung einordnen läßt und deshalb besonders wichtig sein muß. Der Zweck von Cesares Suggestion soll später behandelt werden, weshalb hier nur unterstrichen werden soll, daß Meyer die psychiatrischen Autoritäten seiner Zeit völlig hinter sich hat, wenn er Angelas Abhängigkeit von Cesares suggestivem Einfluß als ein Phänomen darstellt, dessen sie sich weder während der Suggestion noch während der später posthypnotisch bewirkten Handlungen bewußt ist. Franzos schrieb in dem Vorwort zu seiner Enquete: «Novellen und Romane, in welchen ein Mensch den anderen durch Suggestion, ohne daß es dieser merkt oder merken kann, ja ohne persönliches Beisammensein in seinen Bann zwingt, sind heute in Frankreich und England nicht selten, auch in Deutschland keine unerhörten Ausnahmen mehr» … (F 6,X). Er schließt seinen Bericht über einen solchen Fall aus der Welt der Wirklichkeit mit folgender Bemerkung: «Hier also geben unbedingt achtungswerte, für ihren Stand gebildete Männer eine Darstellung, der zufolge wir anzunehmen haben, daß ein Mann dem anderen ohne Worte ganz bestimmte, sehr verwickelte Handlungen suggeriert habe» (XIX). In den Beiträgen der Wissenschaftler äußern sich zwar Vorbehalte gegenüber solchen mentalen Suggestionen, dafür aber wird mehrere Male betont, wie leicht verbale Suggestionen durchgeführt werden: «Der hypnotische Zustand ist aber nicht einmal unbedingt erforderlich, um Suggestionen von solcher Tragweite, d. h. mit Alleinherrschaft ganz bestimmter Vorstellungen und Unterdrückung aller entgegenstehenden Willensregungen zu erzeugen. Es giebt Suggestionen ohne eigentliche Hypnose» ... (Eulenburg, F 6,21). «Deshalb ist es praktisch zu wissen, daß schon eine ohne irgend welche Hypnotisierung (mit und ohne Einwilligung) in einfachen Worten geäußerte Suggestion bei sehr vielen Menschen eine außerordentliche Kraft besitzt» (Preyer, F 6,127). Schließlich betont Forel: «bei sehr suggestiblen Menschen braucht es von vorne herein keinen Schlaf, um erstaunliche suggestive Wirkungen zu erzielen. Mit der individuellen Willenskraft hat die Suggestibilität ebensowenig als mit der Hysterie oder mit Krankheit überhaupt etwas zu thun, viel eher dagegen mit der plastischen Phantasie. Es giebt sehr willensstarke Menschen, die zugleich sehr suggestibel sind» ... (Forel, F 6,46). Das Gefährliche von Cesares Suggestion, daß der junge Mann, der «den Sinnen noch zu viel einräumt», es wert sei, sich «durch eine edle Frau fesseln» (12) zu lassen, liegt zudem in der Tatsache, daß die suggerierte Handlung völlig mit Angelas Charakter und Idealvorstellungen übereinstimmt. So wie sie zuvor Lucrezia durch ihre Bußübungen hatte retten wollen (11), so drückt sie später ihre Vorliebe für «die Barmherzigen, wenn sie die Sünder mit starken Armen emporziehen» (118), aus. Damit sind selbst die vorsichtigsten Vorbehalte gegenüber der Suggestibilität (vgl. F 6,50) ausgeräumt.

Die Grausamkeit der Novelle – denn grausam war sie nach Meyers Aussage ja – liegt nicht zuletzt in dem Umstand, daß Angelas energischer Versuch, die Unfreiheit zu überschreiten, so blutige Folgen zeitigt und sich außerdem als vergeblich erweist; denn sie durchbricht zwar die zwanghafte, von Giulios Augen ausgehende Faszination, wird aber jetzt nur noch stärker durch ihr Schuldgefühl und ihr Bedürfnis zu sühnen gebunden. Auf ihre Frage: «Wo ist meine Sühne? Wie soll ich büßen?», antwortet der Geblendete: «Sühnen kannst du nicht! Meine Augen kannst du nicht neu schaffen!» (66–67), womit er angibt, daß sie mit ihrem Schuldgefühl für immer an ihn gebunden bleiben wird. Auf einer zweiten thematischen Ebene wird sie zwar freigesetzt, indem sich ihre irdische Faszination durch das blutige Opfer in «die Liebe, die aus Reue und Mitleid stammt» (128), verwandelt, während Giulio gleichzeitig «die geistigen Augen» (129) erwirbt. Übrig bleibt jedoch die Tatsache, daß selbst der idyllische Schluß, die Ehe, das letzte Glied einer Kausalkette darstellt, die mit Cesare Borgias Plan begann. Deshalb ist die Grundlage der Ehe nicht die freie Wahl, sondern die Notwendigkeit, wie es in Pater Mamettes Worten ausgedrückt wird: «So mußte und durfte ich unwürdiger Priester durch das Sakrament der Ehe die beiden in *eine* Schuld und in *eine* Buße vermählen» (130).

Oben (S. 220) wurde gesagt, daß Angela erst spät einen hellsichtigen

Augenblick lang ihre Beziehung zu Lucrezia begreift und erst danach ihr ursprüngliches aktives und barmherziges Wesen sich tatkräftig zu entfalten beginnt. Jetzt kann auch das fehlende Glied der Analyse ergänzt werden, nämlich die Antwort auf die Frage, weshalb die relative Emanzipation gerade auf dieser Stufe der Novellenhandlung einsetzt. Wenn Angelas Tatkraft durch Cesares und ihre moralische Urteilskraft durch Lucrezias Suggestion gelähmt ist – Lucrezia selbst ist ja ebenfalls dem Willen des Bruders unterworfen –, was ist dann selbstverständlicher, als daß der Tod Cesares auch für sie «ein Aufatmen der Erleichterung und Entbürdung» (99) bedeutet? Versteht man ihre Bindung an Giulio als Ergebnis eines suggestiven Zwangs, so ist außerdem klar, weshalb sie gerade im 11. Kapitel zweimal die Identität zwischen Lucrezias Beziehung zu Strozzi und ihrer eigenen zu Giulio sieht und weshalb sie sich so stark in Lucrezias Bekenntnis ihrer Verbrechen einlebt, daß sie «für die andere alles Entsetzen des Frevels und alle Qualen der Schande» erduldet (100). Erst als sie die Gewißheit hat, daß der Hypnotiseur nun «die Unterwelt, woher keine Stimme mehr verwirrend zu den Lebenden dringt» (99), bewohnt, beginnt ihrem bisher von den suggerierten Ideen beherrschten Bewußtsein die Einsicht in die wahren Verhältnisse – auch die Lucrezias – zu dämmern. «Wenn sie beide für ihre Handlungen nicht verantwortlich zu machen sind, so ist dies nur darum, weil ihr moralisches Bewußtsein durch unwiderstehliche Antriebe unterdrückt wird, weil der Wahn – im anderen Fall die Suggestion – ihr Wesen beherrscht» (B 8,144). Diese bereits zitierte Stelle aus Bernheims Hauptwerk über die Suggestion hat eine Parallele in Meyers Novelle, nämlich da, wo der Erzähler direkt betont, daß Lucrezia «schuldvoll und schuldlos» (92, vgl. 40) sündigt. «Schuldlos» sind beide Frauen, da sie nach «unwiderstehlichen Antrieben» handelten, «schuldvoll» dagegen, da ihre Handlungen objektive Schadwirkungen zur Folge hatten. Doch während Lucrezia, nachdem die Suggestion ihre Macht über sie verloren hat, so weiterlebt, als seien die Taten ihrer Vergangenheit und deren Folgen völlig von ihrer Person losgelöst, so daß sie sich in keiner Weise verpflichtet fühlt, den Folgen abzuhelfen, geschweige denn sich genötigt fühlt, ihre gewohnte «Schlangenklugheit» (121) aufzugeben, verfällt Angela in das andere Extrem: «Die ganze Schuld an der Blendung des Este und nicht minder die Schuld seines Hochverrats lag auf ihrem Gewissen. Sie war die Ursache des Kerkers» (130). Hier nimmt sie deutlich etwas auf sich, was zu tun oder zu lassen nicht ihrem freien Willen unterlag, hier entfällt die Unterscheidung zwischen «dolus» und «culpa», die der Jurist Lilienthal (L 4,388) in den Suggestionsfällen für unumgänglich hielt, hier hat sie kurz gesagt «zu viel Gewissen».

Die menschlichen Beziehungen in der «Angela Borgia», deren Wesen durch die Schlüsselwörter «fesseln» «ketten», «binden», «zwingen» bezeichnet werden und die in Ferrantes Zauberspiegel als «ein Geflecht sich erwürgender oder miteinander buhlender Schlangen» (62) hervortreten, sind auch Angelas Lebensbedingungen. Wie die übrigen Unfreien, so ist auch sie nicht nur die passiv Leidende, Suggerierte, sondern hat ebenfalls einen aktiv «verführenden», suggerierenden Einfluß auf ihre Umgebung. Ippolitos und Giulios psychische Abhängigkeit von ihr wurde bereits besprochen (185 ff., bzw. 208 ff.). Ippolitos Fall ähnelt auf den ersten Blick am ehesten der klassischen großen Passion, nur mit dem entscheidenden Zusatz, daß diese Passion nur einen Teil der Persönlichkeit besetzt, während der intakte Teil imstande ist, sie neutral zu betrachten, als gehöre sie zu einem fremden Menschen (am deutlichsten in Manuskript M, 246), und daß sie abrupt aufhört, als sein verhaßter Mitbewerber unschädlich gemacht wird, ein Zug, der unverständlich erscheinen müßte, wenn es sich um eine rein erotische Leidenschaft gehandelt hätte. Die Blendung des Bruders bewirkt nicht nur, daß das positive Gefühl für Angela verschwindet, als habe es für ihn nie als psychische Realität existiert, sondern auch, daß das ursprüngliche Bild von Giulio wiederhergestellt wird: «Du hast mir die Augen meines Bruders verhaßt gemacht, die Himmelsaugen, die mich früher voll Vertrauen anschauten» (82). Daß Angelas Erscheinen in Ferrara eine abnorme Spannung zwischen den Brüdern hervorruft, geht deutlich aus Giulios Bemerkung zu Strozzi hervor: «Er liebte mich einst, und jetzt beginnt er mich zu hassen auf eine unmenschliche Weise» (31). Der Pfahl im Fleische des Kardinals, seine Zwangsvorstellung, kreist nicht um seine eigene unbeantwortete Liebe – in dem Punkt erlebt der Leser ihn nie in Affekt –, sondern um das Unerträgliche einer Verbindung zwischen ihr und Giulio: «Eine andere Marter peinigt mich und dreht sich Tag und Nacht mit mir, wie das Rad des Ixion. /.../ Ich hasse den, welchen du in deinem Herzen verbirgst! Reiße ihn heraus!» (23–24). Hier und nur hier kommen seine Affekte, «Wut», «Raserei», «Haß» (45–46) zur Entfaltung, wobei betont sei, daß der Text sie als einen isolierten Komplex beschreibt, der nicht nur einen Fremdkörper in einer ansonsten kühl kalkulierenden Persönlichkeit darstellt, sondern auch nahezu unabhängig von den tatsächlichen äußeren Gegebenheiten existiert. Der Kardinal hat keinen weiteren Anhaltspunkt für die Annahme, der Bruder sei der Bevorzugte, als seine rein hypothetische Vermutung der Ursache von Giulios öffentlicher Verurteilung durch Angela, wobei er nicht einmal Zeuge dieser Begebenheit gewesen ist (vgl. 13). Natürlich läßt sich Meyers Absicht nur schwer in allen Einzelheiten durchschauen, unmittelbar jedoch wirkt dieser gegen den Bruder gerichtete Affektkomplex, bei dem Angela nur Katalysator ist, sein Zwangscharakter und seine Unzugänglichkeit für Realitätskorrekturen und nicht zuletzt die Tatsache, daß er von einem Augenblick zum anderen verschwindet, wie eine Parallele zu der psychischen Bemächtigung Lucrezias durch Cesare. Der Unterschied ist nur, daß ihre Befreiung durch einen äußeren Umstand ausgelöst wird, während Ippolito seine Zwangsvorstellung erst los wird, als die (post)hypnotische Suggestion – denn eine solche schildert der Text offensichtlich – ausgeführt worden und damit ihrer Energie beraubt ist. Daß Angela auf schwer durchschaubare Weise hinter der Verstümmelung Giulios steht, scheint nicht nur aus der Reaktion des Kardinals hervorzugehen («Nicht ich! ... Das Weib verführte mich! ... Sie lobte deine Augen! ...» (54)), sondern auch aus dem Umstand, daß sie im Traum in ihrem Befehl («Reiße sie aus und wirf sie von dir!» (34)) die gleichen Worte benutzt wie er («Reiße ihn heraus» (24)). So wie Lucrezia in ihrer Vision von Cesare, so erkennt ja auch Giulio in seinem Traum unmittelbar Angelas wirkliche Haltung zu ihm und weiß, was sie beabsichtigt, wobei er die gleiche Angst durchlebt wie Lucrezia. In beiden Fällen sehen die beiden Träumenden, daß der Wille des Suggerierenden auf ihre Vernichtung abzielt. Die psychologische Logik des Textes verlangt deshalb, daß Angelas suggestive Dominanz über die Brüder genau bis zur Blendung anhält, *weil* sie das eigentliche Ziel der Suggestion darstellt[3].

Wie Giulio und Lucrezia ist sie sich natürlich nicht darüber im klaren, daß sie diesen verhängnisvollen Zwang auf ihre Umgebung ausübt – das ergibt sich aus der spezifischen Psychologie der Novelle. Wie diese beiden ist sie in einer Wirklichkeit gefangen, in der Menschen unerkannt gezwungen werden und selbst zwingen. Und in ihrer Beziehung zu den beiden Brüdern in der ersten Hälfte der Novelle kann die ansonsten selbstbeherrschte und moralisch intakte Angela durchaus die Worte des Ich-Erzählers aus Maupassants «Le Horla» übernehmen: «Je suis perdu! Quelqu'un possède mon âme et la gouverne! Quelqu'un ordonne tous mes actes, tous mes mouvements, toutes mes pensées. Je ne suis plus rien en moi, rien qu'un spectateur esclave et terrifié de toutes les choses que j'accomplis» (**M 3**,II, 1114).

Nur von einer Figur der Novelle kann man sagen, daß die Suggestion eine freie Wahl und ein bewußt eingesetztes Mittel zur Erreichung eines Ziels darstellt: von Cesare Borgia. Blickt man dagegen auf die sechs bisher im Zusammenhang mit dem Suggestionskomplex und der multiplen Persönlichkeit behandelten Personen, so scheinen ihre Persönlichkeitsveränderungen und Handlungen zwar in mehreren Fällen einer lose organisierten Persönlichkeit zu entspringen, doch die wirklich markanten Züge der Novellenhandlung lassen sich alle auf verschiedenen Wegen auf Cesares sozusagen *primäre* Suggestion zurückführen. Direkten suggestiven Einfluß hat er auf

Lucrezia, darauf folgt ihre Beeinflussung von Strozzi, wobei diese Linie damit endet, daß der Richter, als direkte Folge der zuvor von dem Bruder ausgeübten Herrschaft über sie, unmittelbar vor seinem Tod in gegenläufige Richtung eine gefährliche Faszination auf Lucrezia ausübt. Cesare bewirkt darüber hinaus, daß sich Angela zu Giulio hingezogen fühlt und diese beiden Figuren zwanghaft aneinander gebunden sind, was wiederum Ippolitos Zwangsvorstellung und -handlung auslöst. Was mit Cesares Aufforderung an Angela: «ich möchte es ihm gönnen, daß er sich durch eine edle Frau fesseln ließe» (12), begann, endet in dem nach Giulios Blendung ausbrechenden Unwetter: «Jetzt rötete ein Blitz den *gefesselten* Amor», ... (54, meine Hervorhebung). Und selbst Angelas himmlische Liebe, «die aus Reue und Mitleid stammt» (128), zeigt ihren Ursprung in der Wortwahl, mit der der abgewiesene Contrario einen Wermutstropfen in den Becher der Liebenden fallen läßt: ... «ein ganz vollendeter Edelmann hätte sich wohl gefragt, ob es zart gehandelt sei, wenn ein Blinder eine Sehende an sich fesselt» ... (133). Somit liegt in Ippolitos Bildersprache eine tiefere Wahrheit, als er Lucrezias Pläne mit der folgenden Bemerkung zu durchkreuzen versucht. «Wie diese Ringe verkettet sich Absicht mit Absicht, um Euch zu kuppeln, Angela Borgia» (23). Die Glied für Glied ineinander greifende Kette ist auf dieser thematischen Ebene das zentrale Symbol des Textes. Unlösbar verbunden mit der Blendung und damit letzten Endes auch mit Cesares Suggestion ist außerdem Ferrantes Sprung von der närrischen Rolle des Komplotte Schmiedenden zu dem aktiven, zielbewußten Konspirator und weiter zu der abgeklärten Ruhe des Lebensmüden. Auch Ippolito wird auf diesem indirekten Weg verwandelt und zerbrochen, während er in der direkten Konfrontation mit Cesare seine Handlungsfreiheit bewahrt.

Meyer schildert hier eine Kettenreaktion von Suggestionen, ein Phänomen, das in der psychiatrischen Literatur zum Thema so häufig beschrieben worden ist[4], daß es kaum notwendig sein dürfte, den Wegen seiner Rezeption nachzuspüren. Wie in der Salpêtrière und in Bernheims Klinik in Nancy, so konnte sich jeder Besucher in Forels Burghölzli durch eigenen Augenschein davon überzeugen, daß die Hypnotisierung eines einzigen Patienten alle übrigen extrem suggestibel machte, so als läge hier eine psychische Kontamination vor (vgl. W 1,69, 72)[5]. «Wir bilden hier einen festgeflochtenen, farbigen Kranz», sagt der Kardinal in seinem Gespräch mit Lucrezia und Angela (12) und hat damit mehr recht, als er selbst weiß. Willensgelähmt, in angstvoller Erwartung dessen, das sich – so fühlt man – seinen Weg bahnt, sitzen Hof und Herrscher um die Statue des gefesselten Amors im Park: «Hier aber war nicht nur der eherne Amor gefesselt, sondern alle Geister der Unterhaltung lagen in Banden. Man saß, in der

Schwüle schwer atmend, zusammen und konnte bei der sinkenden Nacht kaum mehr die Züge des Nachbars unterscheiden. Eine bleierne Müdigkeit und zugleich die beklemmende Angst einer Erwartung lähmte die Glieder, wenn auch nur das Warten auf die Flammen und Donner eines Gewittersturmes, dessen Fittiche zur Stunde noch gebunden waren» (53). Das «goldene Zeitalter» der Hypnose (**B 2,3**) im Rücken, konnte Meyer endlich das Motiv fruchtbar machen, das ihn bereits in den 70er Jahren stark angezogen hatte, die Heimkehr des Odysseus und sein Eintreten in den Saal, in dem sich die Freier um Penelope drängen. Betsy Meyer erzählt in ihren Erinnerungen, wie der Bruder zuweilen aus diesem Abschnitt der Odyssee vorlas: «‹Welche ahnungsvolle Stimmung!› rief er dann wohl und legte das Buch weg. ‹Wie eine schwere Wetterwolke unversehens die Gegend verdüstert, so senkt sich heimliches Grauen über die prassende Menge der Freier, sobald der gewaltige alte Bettler die Halle betritt›» (B. Erinn. 188). Im «Schuß von der Kanzel» (1878) läßt Meyer seine Bewunderung für diese Stelle durch Wertmüller ausdrücken: «Ihr habt es gefühlt, Pfannenstiel, daß die zweite Hälfte der Odyssee von besonderer Schönheit und Größe ist. Wie? Der Heimgekehrte wird als ein fahrender Bettler an seinem eigenen Herde mißhandelt. Wie? Die Freier reden sich ein, er kehre niemals wieder, und ahnen doch seine Gegenwart. Sie lachen und ihre Gesichter verzerrt schon der Todeskrampf – das ist Poesie» (XI, 89–90). Wie stark diese Szene seine Phantasie noch immer beschäftigte, geht aus dem Brief vom 2. 12. 1891 an Adolf Frey hervor, der folgenden Gruß an Frau Frey enthält: «Weiß Frau Lina, woher der Ton Strozzis vor seiner Ermordung stammt? Aus der Odyssee (vid. Freier).» Doch nicht nur Strozzis «unheimliche Lustigkeit» (108) bildet eine Parallele zum Triumphieren der Freier. Das gleiche Überlegenheitsgefühl zeigt der Hof zu Ferrara gegenüber Papst Alexander, der bei der Mitgift wie eine Zitrone gepreßt und in bezug auf Lucrezias «Wittum», die flavianischen Güter, hinters Licht geführt worden ist (9–10). Und unmittelbar bevor Giulios «Schreckens- und Schmerzenstöne» (53) verkünden, daß der zerstörerische Kampf unter den Brüdern begonnen hat, scheint sich Lucrezia mit ihrer Auslegung der Legende von Ben Emin so hoch und sicher über ihre römische Vergangenheit emporgehoben zu haben, daß kein von außen Kommender ihre ruhige Entwicklung stören kann (vgl. oben 128–129). In diesem Augenblick tritt der abwesende Cesare hervor, nicht im physischen Kampf gegen die Herrscher von Ferrara, sondern in einem «Kampf der Gehirne», der «nicht minder furchtbar, wenn auch nicht so blutig» ist (Strindberg, «Der Kampf der Gehirne»).

Anmerkungen

[1] Charcot hatte in «Leçons sur les maladies du système nerveux faites à la Salpêtrière» (1880–83) auf die Bedeutung dieser Zustände für die Ätiologie der Hysterie hingewiesen. Die Bezeichnung selbst stammt aus Josef Breuers Behandlung des Falls Anna O, vgl. Breuer/Freud, «Studien über Hysterie» (1895). Auch bei Janet (J 2) werden ähnliche Zustände geschildert, die als «états seconds» bezeichnet werden.

[2] Räumlich gesehen kommt diese thematische Linie dadurch zum Ausdruck, daß das Kloster, in dem Angela aufgewachsen ist, auf einem Felsen lag (11) und das Gefängnis, wo sie den Prinzen aufsucht, sich «in dem ‹vergessenen› Turm» befindet (111 ff.).

[3] Daß die Blendung auf einer thematischen Ebene als die Umsetzung einer suggerierten Vorstellung in Handlung, und damit als das Aufhören der Suggestion aufzufassen ist, geht daraus hervor, daß Giulio in seinem Rückblick auf das Ereignis das gleiche Bild benutzt («wie eine Mutter ihr schreiendes Kind einem Räuber aus den Armen reißt» (129)) wie der Erzähler, als er Lucrezias Befreiung von der Herrschaft des Bruders schildert: «Nicht anders als ein geraubtes Weib, welches ihr von einem Pfeile durchbohrter Entführer plötzlich fallen läßt» (99).

[4] Freuds Aufsatz «Hypnose» in A. Bum: «Therapeutisches Lexikon», S. 724, enthält folgende Bemerkung über den Zuschauer bei der Hypnose: «Er gerät dadurch in einen Zustand psychischer Bereitschaft, der ihn seinerseits in tiefe Hypnose versinken läßt, sobald an ihn die Reihe kommt.» Vgl. F 3,23. J 2,210 ff.

[5] In «Massenpsychologie und Ich-Analyse» (1921) entwickelt Freud die Ansätze der 80er Jahre weiter zu einer Theorie über das Phänomen Massensuggestion. Jetzt, wo er «nach etwa dreißigjähriger Fernhaltung wieder an das Rätsel der Suggestion» herantritt, scheint ihm die Existenz der behandelten Suggestionsverhältnisse ebenso sicher bewiesen wie seinerzeit während seines Besuchs bei Bernheim im Jahre 1889: «die gegenseitige Suggestion der Einzelnen» und die Tendenz, «wenn wir ein Zeichen eines Affektzustandes bei einem anderen gewahren, in denselben Affekt zu verfallen», … (F 7,IX, 83–84).

«Das Aufrechterhalten der Persönlichkeit»

In «Der historische Roman» (1955) liefert Georg Lukács eine scharfsinnige Analyse von Meyers Geschichtsauffassung, die seiner Meinung nach typisch ist für die spätbürgerliche Kapitulation vor der einer rationalen Durchleuchtung scheinbar nicht zugänglichen Undurchdringbarkeit der historischen Prozesse. Das Verständnis der wirklichen historischen Kräfte wird durch Psychologisierung ersetzt: «Die Geschichte ist für ihn etwas rein Irrationales geworden. Die großen Männer sind exzentrisch-einsame Gestalten innerhalb eines sinnlosen Geschehens, das auch an dem Zentrum ihrer Persönlichkeit vorübergeht»[1]. Noch deutlicher drückt sich Lukács in seiner frühen Arbeit «Zur Soziologie des modernen Dramas» (1909, erschienen 1914) aus, wo er in dem literarischen Ausdruck des bürgerlichen Wesens in dessen fehlender Fähigkeit, den Punkt zu finden, an dem sich die äußeren Tatsachen und die Persönlichkeit kreuzen, eine allgemeine Tendenz meinte sehen zu können: «Einerseits ist das zur Geltung bringen und Aufrechterhalten der Persönlichkeit als Lebensproblem bewußt und die Sehnsucht, sie durchzusetzen, stets heftiger und stärker geworden; andererseits wuchsen jene äußeren Umstände, welche dies von vornherein unmöglich machen, zu immer größerer Macht an. Daher wird die bloße Erhaltung des Individualdaseins, die Integrität der Individualität zum Zentrum des Dramas»[2]. Und in seinem Essay «Bürgerlichkeit und l'art pour l'art: Theodor Storm» in «Die Seele und die Formen» (1911) unterstreicht er diesen Grundzug des bürgerlichen Wesens, daß das äußere Leben als absolut unsicher aufgefaßt wird, während dafür das innere Leben, die Seele, unverbrüchlich fest steht[3]. Wenn der detaillierten Analyse der Psychologie der Fiktionsfiguren in der «Angela Borgia» so viel Platz eingeräumt wurde, dann weil gezeigt werden sollte, wie weit Meyer von diesem Grundbestandteil des bürgerlichen Realismus entfernt ist, der dagegen zweifellos sowohl bei Ludwig wie bei Storm, Hebbel und Keller zu finden ist. Er eignete sich nicht die biologische und milieubedingte Determination des Naturalismus an, sondern liquidierte den ‹bürgerlichen› Individualismus sozusagen von innen her, indem er die Ideen der neuen Psychologie, den Polypsychismus und die Suggestionslehre, verarbeitete, Gedanken, die im Ansatz bereits in seinen früheren Werken vorlagen und den Lebensnerv des Identitätsgefühls trafen. Denn was ist die Konsequenz der experimentellen Persönlichkeitspsychologie der 80er Jahre für den Kern des bürgerlichen Selbstverständnisses, die Ethik, um die Meyers Briefe beständig kreisen? «La morale est comme la science, elle demande des esprits complets, elle est inabordable pour ces intelligences apauvries dans lesquelles les éléments de la pensée sont plus vivants que l'ensemble» (Janet. J 2,218). Was bei Janet noch auf der Grenze zwischen Pathologie und Normalität liegt, wird in der «Angela Borgia» zur Norm, was dadurch deutlich wird, daß es für sechs, von einander deutlich getrennte Fiktionsfiguren Gültigkeit besitzt. Gemeinsam ist ihnen allen gerade, daß die *Ganzheit* ihrer Persönlichkeit so schwach ist. Diese Persönlichkeitspsychologie mag schwer zu entdecken sein, da Meyer sie innerhalb des Normensystems der historischen Novelle verwirklicht, aber dennoch: Es ist durchaus logisch, daß ausgerechnet der Erbe der Nancyer Schule, Sigmund Freud, zu Meyers größten Bewunderern gehörte[4]. Denn was unter der Oberfläche seiner Werke zum Ausdruck kam, war genau genommen die «dritte Kränkung der Menschheit», von der Freud in seinen «Vorlesungen zur Einführung in die Psychoanalyse» spricht: «Die dritte und empfindlichste Kränkung aber soll die menschliche Größensucht durch die heutige psychologische Forschung erfahren, welche dem Ich nachweisen will, daß es nicht einmal Herr ist im eigenen Hause, sondern auf kärgliche Nachrichten angewiesen bleibt von dem, was unbewußt in seinem Seelenleben vorgeht» (F 7,I, 284). Damit ist natürlich nicht gesagt, daß Meyer 1890–91 mit einer Menschenauffassung arbeitete, die die von der Psychoanalyse vertretene «vertikale» Schichtenteilung der Psyche enthält. Sein Polypsychismus neigt eher zu einer «horizontalen» Dimension, in der die Persönlichkeit als fortlaufende, provozierte oder – in geringerem Maße – spontane Aktualisierungen von latenten embryonischen Persönlichkeiten begriffen wird. Was jedoch andererseits Meyers psychologisches Selbstverständnis von der «impressionistischen» Psychologie eines Ribot oder eines Mach trennt, ist die Tatsache, daß hier nicht die Rede von kaleidoskopisch wechselnden, gleitenden Übergängen ist, sondern gerade von plötzlichen Wechseln zwischen deutlich profilierten Partialpersönlichkeiten.

Doch die «Angela Borgia» ist natürlich mit dieser These nicht erschöpfend interpretiert. Es wäre völlig unhaltbar, wollte man behaupten, die gegenseitige suggestive Abhängigkeit der Personen sei die Struktur des Werkes. Das würde ja u. a. voraussetzen, daß das Werk eine rein synchrone Größe darstellt. Die Novelle ist jedoch, selbst mit der Verarbeitung der modernen psychologischen Ideen, zugleich der Schlußpunkt unter zahlreichen Transformationen von Meyers persönlichem narrativen Mythos und damit Teil einer größeren textuellen Struktur, die durch sein Gesamtwerk gebildet wird; die *Bedeutung* des Werkes setzt eine Position im Verhältnis zu den vorhergehenden Bedeutungskonstituierungen voraus. Oder anders ausgedrückt: Es ist eine Antwort auf die vorausgegangenen Werke, ein neu formuliertes Problemlösungsmodell, neu formuliert, weil jeder frühere Versuch mit der bewußten künstlerischen Gestaltung zugleich eine Veränderung der psychischen Dynamik des Autors bewirkt[5].

Bevor die Suggestibilität der Fiktionsfiguren und ihre Fähigkeit der Suggestionsausübung in einen übergeordneten Handlungsablauf eingeordnet wird, sei abschließend eine notwendige Überlegung hinzugefügt. Wenn nämlich die These stimmt, daß Meyer spätestens im Herbst 1890 seine Aufmerksamkeit auf die besprochenen psychologischen Themen richtete, dann ist zu erwarten, daß sich dieses Interesse in seinen Plänen nach der Vollendung der «Angela Borgia» irgendwie zu erkennen gibt. Zehn Tage nachdem er die Novelle fertig geschrieben hat, bittet er den Vetter Fr. v. Wyß (22. 8. 91) um historisches Material für seinen neuen Plan, «die Pseudo-isidor-Geschichte»: «Zum Glück beschäftigt mich ein anderer Gegenstand: ein junger unschuldiger Mönch (circa 850, Diöcese Mainz) der auf dem Wege der Aktenfälschung den Glauben an Wahrheit überhaupt verliert. Sein erstes, noch halb unschuldiges Ψεῦδος ist, daß er, zur Ehre der Kirche, an den damals entstehenden pseudoisidorischen Dekretalen schreibt.» In Betsy Meyers Wiedergabe klingt der Pseudoisidorplan so: «Das ist ein begabter, in sich gekehrter Mönch, der Archivar des Klosters. Er hat unermüdlich die alten Pergamente seines Archivs untersucht und kopiert. Dabei hat er sein außerordentliches Talent entdeckt, alte Klosterschrift und Initialen nachzuahmen. Er entwickelt seine Kunst mit unermüdlicher Sorgfalt bis zur Vollkommenheit, bis es ihm selber schwer wird, seine Nachschrift vom Originale zu unterscheiden. «Welche wunderbare Macht», denkt er, «liegt nicht in diesen Zeichen und Zahlen. Mit einem kleinen Punkte, mit einem leisen Striche ändere ich diese Zahl, und damit ändere ich in weiten Bezirken die Verhältnisse des Besitzes und der Gewalt. Ein armer Mönch, fördere ich unbekannt und machtvoll das Gedeihen meines Klosters.» – Er wird immer verwegener. So verübt er durch seine stille Kunst unbemerkt oder doch ungestört manchen frommen Betrug im Interesse seines Ordens. Immer größer wird sein Ehrgeiz, immer weiter reicht sein Einfluß. Isidors Wert und Stellung steigen mit seinen Erfolgen. Zugleich aber beginnt er selbst in den Bann seines Betruges zu geraten. Allmählich glaubt er selbst daran. Zuerst bildet er sich ein, seine Fälschungen seien ein gutes Werk. Zuletzt aber weiß er nicht mehr, daß er gefälscht hat. Er ist der Gefangene seines eigenen Betruges. Er ist selber der Betrogene, der Wahrheit und Betrug nicht mehr unterscheiden kann. Er glaubt seiner eigenen Lüge und ist so von ihr umgeben und vergiftet, daß er darin unrettbar verloren gehen muß» (B. Erinn. 217).

Von dem Plan sind nur zwei Fragmente erhalten, das eine nur ein paar

Zeilen, das zweite besteht aus einer wenig erhellenden Novelleneinleitung von 2½ Seiten (UP 262–64; vgl. HKA XV, S. 95–99, 496–514). Frey datiert sie auf das Ende der 80er Jahre, was sicher richtig ist, da das längere Fragment von den letzten Regierungsjahren Kaiser Heinrichs V., d. h. also vom Anfang des *12.* Jahrhunderts, spricht. Es scheint sich also um einen anderen als den von Meyer im August 1891 erwähnten Plan zu handeln, der gut und gerne 300 Jahre früher spielt. Man ist also auf Meyers kurze Inhaltsangabe und Betsy Meyers Referat angewiesen; Adolf Frey hatte allem Anschein nach (vgl. UP 261–62) keinen direkten Einblick in die Pläne, sondern stützt sich auf Betsys Mitteilungen. Zweierlei läßt sich jedoch festhalten: Erstens ist die Handlung anscheinend von der äußeren auf die innere, rein psychologische Ebene verlagert worden. Frey spricht deshalb über «die völlig innerliche Art der Nemesis» und verhält sich skeptisch zu dieser Tendenz (vgl. oben S. 44): «Aber es fordert allzusehr nur den Psychologen heraus, den halbwissenschaftlichen Dichter, den Statistiker der Seelenvorgänge, wie die Moderne manchen aufweist. Der Epiker dagegen findet wenig zu tun» (UP 261–62). Deutlicher läßt sich Meyers Interessenrichtung bei der Beendigung der «Angela Borgia» kaum charakterisieren. Außerdem zeigen die Quellen den zweiten Punkt, daß er offensichtlich den psychologischen Prozeß darstellen wollte, in dessen Verlauf ein Mensch langsam die Fähigkeit verliert, zwischen Wahrheit und Einbildung unterscheiden zu können. Möglicherweise wollte er nach der «Angela Borgia» das Schwergewicht von der Heterosuggestion auf die Autosuggestion verlagern, ein Phänomen, für das sich die Nancyer Schule interessiert hatte (vgl. **F 3,15**; Hinweis auf Bernheim)[6], obgleich dessen eigentliche Erforschung erst mit Émile Coué begann (**B 2,103**, vgl. C. L. Hull, «Hypnosis and Suggestibility». 1933, S. 17 e. a.). Unter allen Umständen sieht es so aus, als hätte Isidor in eine Art Derealisationszustand übergehen sollen – Frey erwähnt, daß «der Mönch in Umnachtung enden sollte» –, eine negative Folge seiner souverän von ihm selbst geschaffenen Zeichenwelt, vielleicht eine Parallele zu Hofmannsthals Chandos' «tiefen, wahren, inneren Form, die jenseits des Geheges der rhetorischen Kunststücke erst geahnt werden kann, die, von welcher man nicht mehr sagen kann, daß sie das Stoffliche anordne, denn sie durchdringt es, sie hebt es auf und schafft Dichtung und Wahrheit zugleich, ein Widerspiel ewiger Kräfte, ein Ding, herrlich wie Musik und Algebra» (Prosa II,9)[7]. Das Erlebnis der Unwirklichkeit der äußeren Welt, die Derealisation, tritt jedoch nach der Literatur zum Thema[8] als Folge einer Depersonalisation auf, der inneren Leere, «einer fehlenden Verbindung mit sich selbst» (op. cit., S. 236), durch das Gefühl, nicht seine eigenen Gedanken zu denken (op. cit., S. 86–87), ja, zuweilen gezwungen zu sein, die Handlungen eines fremden

Willens auszuführen (op. cit. XI und 98). In Meyers Krankheitsbild aus der Zeit 1892–93 findet man ein breites Spektrum solcher Symptome (vgl. **K 2, P 1**), doch selbst ohne dieses biographische Wissen scheinen die Andeutungen in dem Pseudoisidorplan eine Konsequenz des Menschenbildes zu sein, auf das sich die «Angela Borgia» stützte, eine Welt unauthentischer Gefühle. Hier verliebt man sich nicht, man haßt nicht, man fürchtet nicht, man entsinnt sich oder vergißt auch nicht: Ein fremder Wille bringt einen dazu, zu *handeln als ob* man liebte, haßte usw. Auch vermag man nicht zu sehen, daß das, was man vor einem Augenblick gesagt, gedacht, gefühlt hat, keinen Zusammenhang hat mit dem, was man in diesem Augenblick tut. Die Persönlichkeit als Ganzheitsstruktur wird in Zweifel gestellt. Es scheint nur ein kleiner Schritt von dem Mönch, dem Betrogenen, «der Wahrheit und Betrug nicht mehr unterscheiden kann», bis zu Strozzi zu sein, der unter Cesares und Lucrezias suggestivem Einfluß nicht nur in seiner Schlußszene (102–108), sondern bereits das erstemal, als er unter die Herrschaft der Suggestion gerät, die Fähigkeit verliert, zwischen der äußeren Realität und seinem inneren Vorstellungsbild zu unterscheiden: «Er sah sie mit den Blicken seiner taumelnden Sinne, denn, die vor ihm stand, war eine andre» (95). In beiden Fällen wird ihr Selbsterlebnis und das Erlebnis ihrer Umwelt durch eine äußere Instanz gesteuert, im Fall des Richters durch Lucrezia/Cesares Verbalsuggestion, im Fall des Mönchs durch eine dissoziierte Vorstellung, die durch die Projektion in Gestalt der gefälschten Urkunden ein selbständiges Leben und damit rückwirkende Kraft erhält. «Das Aufrechterhalten der Persönlichkeit» ändert während der letzten drei Jahrzehnte des 19. Jahrhunderts allmählich seinen Charakter: Die Bedrohung erwächst nun nicht mehr nur direkt aus dem Druck der Umwelt, sondern in erster Linie aus den psychischen Dissoziationstendenzen, deren sich die Schriftsteller und Wissenschaftler der Epoche immer stärker bewußt werden.

Anmerkungen

[1] Georg Lukács, Werke (1965), Bd. 6, S. 274.
[2] Georg Lukács, «Werkauswahl» (1968[3]), Bd. I, S. 289.
[3] «Die absolute Unsicherheit des Lebens in allen Äußerlichkeiten und die unerschütterliche Festigkeit dort, wo es nur auf die Seele ankommt, ist der tief bürgerliche Wesenszug der Dichtung» (153).
[4] Beispielsweise schreibt Freud in einem Brief vom 5. 12. 98 an Wilh. Fließ: «Die Erlösung unseres lieben C. F. Meyer habe ich durch die Anschaffung der mir noch fehlenden Bände Hutten – Pescara – Der Heilige gefeiert. Ich glaube, jetzt tue ich es Dir an Begeisterung für ihn gleich. Vom Pescara konnte ich mich kaum losreißen» (F 9,232).
[5] Vgl. Anton Ehrenzweig, «The Psychoanalysis of Artistic Vision and Hearing» (1975[3]), 73–75.

Im Gegensatz dazu legt Brunet das Schwergewicht auf den statischen Charakter des Werks: «Meyer, certes, comme tous les écrivains, recommence sans cesse la même œuvre. Ce qu'il a achevé en un livre, il le refait ou le défait en un autre et tout gravite toujours chez lui autour du même problème» (B 11,229).

[6] Die Autosuggestion wird in der Enquete von Franzos einige Male als ein feststehendes Faktum erwähnt, beispielsweise von Krafft-Ebing (... «daß die Suggestion eine der gewöhnlichsten Erscheinungen des wachen Lebens ist und, sei es als Fremd- oder als Autosuggestion, jedenfalls existiert hat, seit Menschen miteinander in geistigem Verkehr standen.» F 6,90) und Eulenburg («Es giebt Suggestionen ohne eigentliche Hypnose; es giebt auch Suggestionen ohne Suggerenten, oder vielmehr der Beeinflußte ist in diesem Fall zugleich Subjekt und Objekt, er suggeriert sich selbst eine bestimmte Vorstellung», ... F 6,21).

[7] Vgl. Gotthart Wunberg («Depersonalisation» ...): «Da man nachweisen kann, wie Ich, Bewußtsein und Denken bei Hofmannsthal von Anfang an fragwürdig erscheinen (es nicht etwa erst im Zusammenhang mit dem Chandos-Erlebnis werden) und darüber hinaus gegenüber der Sprachproblematik geradezu dominieren, stellt die Chandoskrise sich schließlich nicht als Sprach-, sondern als Ich- und Bewußtseinskrise dar» (73). Im großen und ganzen teile ich diese Einschätzung, deren Gültigkeit auch für andere Dichter vor der Jahrhundertwende Wunberg zu Recht betont. Hinzugefügt werden sollte jedoch wohl, daß die abnorm hohe Wertschätzung der autonomen, ja, magischen Welt der Sprachkunst an sich Ausdruck einer Gewichtsverlagerung von dem problematischen Ich auf das idealisierte Objekt ist, ein Versuch, die ausgehöhlte Identität zu restituieren (vgl. Kohut, «Narzißmus». 1976, S. 57 et passim). Die Wiederaufrichtungsversuche der Allmachtsphantasie gehen bei diesen symbolistischen Dichtern somit dem Zusammenbruch voraus.

[8] Vgl. den Sammelband «Depersonalisation», hrsg. von Joachim-Ernst Meyer (1968). Die drei folgenden Hinweise beziehen sich auf Victor Emil von Gebsattel, «Zur Frage der Depersonalisation». 1937; Paul Schilder, «Deskriptiv-psychologische Analyse der Depersonalisation». 1914; und die Einleitung des Herausgebers.

Cesare Borgia und der persönliche Mythos

So wie Anna von Doß die Novelle referiert (vgl. oben S. 35–36), nämlich in der Form, in der Meyer sie bei ihrem Besuch am 30. 5. 1890 erzählt hatte, findet man in der Schilderung von Angelas Ankunft in Ferrara folgenden Abschnitt: «denn eben erzählt ihr Don Ferrante von einem seiner Brüder, von Don Giulio, und gerade an diesen Giulio hatte sie ein Oheim Kardinal empfohlen und gewiesen», ... Später heißt es: «Ihr Oheim Kardinal, der unterdessen selbst in Liebe zu ihr entbrannt ist, flammt auf in Eifersucht» ... (XIV, 145). Unter den übrigen «Kleinigkeiten» (Alfred Zächs Bezeichnung), in denen die Wiedergabe von dem endgültigen Text abweicht, führt der Herausgeber zu Recht an, «daß das Motiv der Liebe Strozzis zu Lucrezia noch nicht erfunden war» (XIV, 146–47). In diesem Frühstadium des Textes fehlt also einmal Angelas Begegnung mit Cesare in Rom, und zum anderen seine indirekte, aber absolute Herrschaft über den Richter. Ursprünglich nur ein episodischer Einschub in dem späteren Teil der Novelle und offensichtlich der Angela-Giulio-Handlung untergeordnet («der sich aber mit Angelas Geschichte aufs engste verknüpft» (XIV, 145), rückt Cesare bei der Umarbeitung während der zweiten Hälfte von 1890 in den Mittelpunkt des Werkes, obgleich er in keiner Szene als physisch Anwesender auftritt. Will man seine Bedeutung verstehen, muß man auf die Pläne zu der Novelle (dem Roman?) «Der Dynast» («Der Graf von Toggenburg»), den «Heiligen» und bis zu einem gewissen Grad «Die Hochzeit des Mönchs» zurückgreifen.

Unmittelbar nach der Veröffentlichung des «Heiligen» (*Deutsche Rundschau*, November 1879 – Januar 1880) taucht die Idee zu der «Toggenburger Novelle» auf (UP, 40)[1], und in einem Brief an François vom 10. 5. 1881 liefert Meyer eine Zusammenfassung seines «Roman-Motivs»: «1. Hälfte des XV. Jahrhunderts. Concil von Constanz. In der Ostschweiz gibt es einen Dynasten, einen genialen Menschen, Graf v. Tockenburg, der mitten in dem aufschießenden Freistaat, und *mit Hülfe desselben*, einen Staat gründet, immer höher strebt /.../, dann aber durch seine Kinderlosigkeit (ich lasse ihn im kritischen Augenblick seinen Sohn verlieren), die Beute der Schweizer wird und in einem solchen Hasse gegen dieselben entbrennt, daß er auf seinem Sterbelager Schwitz und Zürich mit dämonischem Truge beide zu seinem Erben einsetzt, wodurch der fürchterlichste Bürgerkrieg entsteht. Die Aufgabe ist, diesen Charakter (natürlich einen ursprünglich edeln und *immer* großartigen) durch alle Einflüsse dieses ruchlosen und geistvollen Jahrhunderts (Frührenaissance) zu diesem finalen Verbrechen zu führen.»

Frey fügt dem die Auskunft hinzu: «Ursprünglich handelte es sich, wie der Dichter im Frühling 1880 Georg v. Wyß meldete, nur um eine ganz kleine – und wegen dieses geringen Umfanges für das Zürcher Taschenbuch bestimmte – Novelle, die lediglich das Sterbebette und das Testament des letzten Toggenburgers, nicht auch die blutigen Folgen desselben darstellen sollte. Auch die genaue psychologische Begründung, wie er sie später beabsichtigte, scheint ihn anfänglich weniger beschäftigt zu haben, als die Frage nach der Beschaffenheit des Testamentes und nach den diesem vorangegangenen mündlichen Äußerungen des Dynasten» (F 10,352. Dieser Abschnitt erst in der 3. Auflage der Biographie!). Das entscheidende Moment im «Dynasten» liegt demnach in der Ironie des Titels: Der Begründer der Dynastie wird mit dem Verlust des Sohnes seiner Existenzberechtigung beraubt und verwandelt danach sein Ohnmachtsgefühl in die destruktive Absicht, nach seinem Tod seine «Erben» zu vernichten, indem er sie gegeneinander aufbringt. Im Laufe der 80er Jahre holt Meyer seinen Novellenplan immer wieder hervor, und als die «Angela Borgia» beendet und der Pseudoisidor nach einem Monat beiseite gelegt ist, richtet er ab Oktober 1891 seine volle Aufmerksamkeit auf den Toggenburger. Verschiedene briefliche Äußerungen (z. B. an Haessel vom 11. 12. 91; 25. 1. 92) lassen nun erkennen, daß ihm dieser Novellen- oder Romanplan fast im gleichen Licht erschien wie die Borgianovelle, was am deutlichsten vielleicht aus dem Brief an Haessel hervorgeht (Br. II,212, vermutlich Januar 1892, vgl. XIV,161): «Der Roman, an dem ich herumdenke, ist nicht der Dynast – denn dieser wäre *noch grausamer* als Angela u. würde nur episodisch verwendet, sondern ein ganz heller, quasi himmlischer Charakter, aus der Reformationszeit.» Der Umstand, daß etwas über die Hälfte der brieflichen Äußerungen über den Toggenburger unmittelbar nach dem «Heiligen» bzw. nach der «Angela Borgia» liegt, scheint anzudeuten, daß man es hier mit einer Thematik zu tun hat, die teils den beiden vollendeten Novellen gemeinsam, teils aber in ihnen nicht völlig verwirklicht ist. Der Brief vom 17. 5. 80 an Georg v. Wyß liefert einen Fingerzeig: «Die ganz kleine Novelle, die ich auf dem Webstuhl habe, entwickelt sich aus den Worten der Chronik Edlibachs: es gehe die gemeine Rede, der Graf von Tockenburg habe den Schweizern «die Haare zusammengebunden» und behandelt nur das Sterbebette des Dynasten.» Meyers Interesse gilt dem «Streitapfel», den der Sterbende den Lebenden hinterläßt. «Diese verräterische Absicht ist natürlich nicht geschichtlich, aber psychologisch und poetisch wahr» (ibid.).

Das Tertium comparationis zwischen dem Plan für den «Dynasten» und dem «Heiligen» läßt sich in Beckets Replik im 8. Kapitel der Novelle finden, nachdem der König seinen scheinbar so gerissenen Kniff, ihn zum Erzbischof von Canterbury zu machen, enthüllt hat: «‹Du kannst nicht glauben, o König›, antwortete Herr Thomas traurig und deutete auf seine Brust, ‹daß auf diesen abgestorbenen Baum noch ein Tau des Himmels fallen möge, – und du hast wohl recht! /.../ Und die Schätze, mit welchen du mich, Großmütiger, überhäufst – für wen sammle ich sie? – Für den Rost und die Motten!›» (XIII,86). Beckets Kampf gegen seinen früheren Herrn wird durch den Verlust der Tochter Grace, durch seine Kinderlosigkeit, ausgelöst (XIII,43, 48), genauso wie der Verlust des Sohnes in dem Toggenburger den Wunsch weckt, die schweizerischen Nachbarn aufeinander zu hetzen und damit von innen her die Sicherheit in diesem Teil des Reiches zu untergraben. In einem Brief vom 2. 5. 1880 an Lingg umreißt Meyer das Problem des «Heiligen» folgendermaßen: «Problem: Rächt sich Thomas Becket und wie? Er ist zu vorsichtig und vielleicht zu edel, um seinen König auf gewöhnliche Weise zu verraten. /.../ Da gibt ihm dieser eine furchtbare Waffe in die Hand, «den Primat».» Sieht man bis auf weiteres einmal von dem Problem des Motivs für Beckets Bekehrung ab, so läßt sich festhalten, daß das kirchliche Amt in seiner Hand eine ähnliche Waffe darstellt wie das doppelte Testament des Toggenburgers.

Vom «Heiligen» zum «Dynasten» verschiebt sich im Handlungsablauf jedoch das Gewicht von der ersten Phase (dem Aufbau der Machtposition der Hauptperson) und der Zwischenphase des Verlaufs (dem Verlust des Kindes, des Erben) auf dessen Endphase (die passive und indirekte Entfaltung der Rache). «Der Heilige» ist symmetrisch aufgebaut, so daß die beiden ersten Phasen (zusammen mit der Rahmensituation) die ersten sechs Kapitel der Novelle ausmachen, und die letzte Phase Kapitel 7–13 beansprucht. Dagegen scheint Meyer im «Dynasten» allmählich nahezu das gesamte Schwergewicht auf die Endphase zu verlagern, da er, wie erwähnt, zu Beginn der Arbeit beabsichtigt, sich auf «das Sterbebette des Dynasten» zu konzentrieren. In dem Überblick über den Aufbau der Novelle, den Kapitelüberschriften von 1885 (UP 72, vgl. HKA XV, 475), in denen das Werk 20 Kapitel umfaßt, fällt der Tod des Sohnes, d. h. die Zwischenphase, in das 4. Kapitel, während die Kapitel 15–20 (wie in den Kapitelgruppierungen vom Ende der 80er Jahre) die Ereignisse *nach* dem Tod des Toggenburgers, des Toten Vernichtung der Hinterbliebenen, enthalten. Auch im «Heiligen» trifft Beckets Rache den König erst mit voller Wucht nach dem Märtyrertod («Und daß er ihm noch unter dem Boden hervor einen Stich gab, das ist der Schlange würdig», XIII,140), doch das Schwergewicht liegt trotz allem auf der direkten Konfrontation zwischen Erzbischof und König, wobei die Rache des Toten nur einen kleineren Teil (6 Seiten) des Schlußkapitels beansprucht[2].

Vier Jahre später wird in der «Hochzeit des Mönchs» (*Deutsche Rundschau*, Dezember 1883 – Januar 1884) das Motiv, daß der Kinderlose nach seinem Tod die Lebenden vernichtet, erneut aufgegriffen, allerdings in variierter Form, da nun das Gewicht noch stärker von dem Rächenden auf das Opfer der Rache verlagert ist. Die Binnenhandlung beginnt mit Vicedominis Verlust seines ältesten Sohnes und dessen Kindern (XII,13–15). Mit einer Wiederholung der Becketschen Worte fragt der alte Mann, der alle seine Kräfte für «den Reichtum und das Gedeihen seines Stammes» (17) eingesetzt hat: «Für wen hätte ich gesammelt und gespeichert? für die Würmer? für dich?» (21. Die Worte sind an den Tyrannen Ezzelin gerichtet). Von dem Gedanken an die Weiterführung des Geschlechts besessen, verleitet der sterbende Vater darauf hin seinen jüngsten Sohn, den Mönch Astorre, dazu, seinen geistlichen Stand aufzugeben und durch die Heirat mit der Witwe seines verstorbenen Bruders das Geschlecht weiterzuführen: «Astorre stand allein in seinem verscherzten Mönchsgewande, welches eine von Reue erfüllte Brust bedeckte. /.../ Ihn beschlich, jetzt da er seines Willens wieder mächtig war, der Argwohn, was sage ich, ihn überkam die empörende Gewißheit, daß ein Sterbender seinen guten Glauben betrogen und seine Barmherzigkeit mißbraucht habe» (30). Astorres Lebenslauf ist danach ein sich beschleunigender Auflösungsprozeß, da seine Identität, und damit sein verantwortliches Handeln, ausschließlich in einer festen Loyalitätsbindung an ein übergeordnetes Wertesystem, in seinem Fall an das des Mönchsstandes, bestehen kann.

«Die Hochzeit des Mönchs» zeigt nicht nur eine Phasenverschiebung innerhalb des Motivs «die Rache des Toten», sondern auch eine Weiterentwicklung des persönlichen Mythos. Dadurch, daß die Zerstörung den Sohn des Toten trifft, indem ihm eine Verpflichtung auferlegt wird, die er nur durch den Verlust seiner Identität erfüllen kann, wird noch ein weiteres Element hinzugefügt. Während er an der Novelle arbeitet, deutet Meyer in einem Brief an François (16. 6. 1883) an, worin dieses Element besteht. Meyer bringt hier sein Unbehagen beim Durchlesen der 2. Ausgabe der Gedichte zum Ausdruck und sagt u. a.: «man sucht die unendliche Mannigfaltigkeit oder auch die Grundfiguren, kurz das Ganze, nicht eine armselige Individualität. Und – àpropos – sagt das nicht Hamlet: mir mangelt der Ehrgeiz? darf ich eine Bemerkung machen? Homer kann – nicht nur zuweilen schlummern, sondern auch Schlummer erregen. /.../ Faust kann mit seinen Ungleichheiten aus der Stimmung fallen lassen. Aber Hamlet packt jederzeit und stimmt mit dem ersten Wort: Diese tödliche Angst, diese gebrochenen Lichter, diese Lüge und Maske und dieser geniale Mensch, der darin herumwirtschaftete.» Auffällig an dieser Bemerkung ist, daß Meyer seiner eigenen aktuellen Novelle sozusagen voraus ist, in der der Mönch die Hamletproblematik wohl nur sehr indirekt verwirklicht, während Wulfrin in der folgenden Novelle «Die Richterin» (1885) eine ganz offensichtliche Hamletfigur darstellt. Wie Astorre, so ist auch Wulfrin zu Beginn der Novelle ein harmonisch mit seinem Stand verwachsener Mensch, der aus aller Kraft ein Verlassen dieses sicheren Bereichs zu vermeiden sucht (XII,170, 174). Gegen seinen Willen (XII,198) wird jedoch auch er zum Vollstrecker des väterlichen Willens, der Rache an der untreuen Gattin, doch ohne wie Astorre an dem sich daraus ergebenden Konflikt zugrunde zu gehen. Wie in den beiden folgenden Novellen wird die Hauptperson durch das Eingreifen eines deus ex machina gerettet.

Während Wulfrins Handlungen und Konflikte, insbesondere das Inzestmotiv, Schritt für Schritt durch den Geist des Vaters gesteuert werden, tritt diese steuernde Instanz in der «Versuchung des Pescara» (1887) noch weiter in den Hintergrund. Der gefährlichste Versucher für Pescara ist der Abgesandte des Kaisers, Moncada, weil er durch sein Erscheinen den Hamletkonflikt des Feldherrn an die Oberfläche dringen läßt: Auf Veranlassung von König Ferdinand hat Moncada Pescaras Vater ermordet, und die Pflicht, den Mord zu rächen, verfolgt den Sohn («Aber der Geist des gemordeten Vaters folgte mir überall» (XIII,233)). Dieser Verpflichtung kann er nachkommen, wenn er zu der italienischen Liga überläuft, Moncada tötet, von dem Kaiser, Ferdinands Erben, abfällt, doch der Preis dafür wäre die Selbstdestruktion seiner Persönlichkeit: «Wäre ich aber von meinem Kaiser abgefallen, so würde ich an mir selbst zugrunde gehen und sterben an meiner gebrochenen Treue, denn ich habe zwei Seelen in meiner Brust», ... (252).

In diesem wichtigen Meyerschen Handlungsverlauf rückt demnach «der Rache Fordernde» immer weiter an den Rand, wird immer unsichtbarer, physisch abwesend, so wie sich in dem einleitenden Bild in der «Versuchung des Pescara» «der göttliche Wirt» bei der Speisung in der Wüste «oben auf der Höhe, klein und kaum sichtbar» (XIII,151) befindet. Becket ist als Hauptperson der Novelle nahezu in ihrem gesamten Verlauf anwesend, der Dynast ist zwar die Hauptperson, ist aber in dem letzten Drittel des Plans physisch vom Schauplatz verschwunden, die Nebenperson Vicedomini stirbt zu Beginn der Novelle, der Tod von Wulfrins Vater liegt Jahre zurück, der Tod von Pescaras Vater ein halbes Menschenleben. Die Linie wird in Meyers letzter Novelle weitergeführt.

Besonders wichtig für das Verständnis dieses Aspekts der «Angela Borgia» ist die Episode im «Heiligen», wo sich Beckets Zerstörungswille zum erstenmal direkt gegen den König richtet. In der Mitte der Novelle, in Kapitel 7, legt Becket sein Amt als Erzieher der vier Königssöhne nieder

(XII,69–70), wobei er wohl weiß, daß die unter den Prinzen existierende Feindschaft (71) sowie ihre fehlende Loyalität gegenüber dem König (71–72) die englische Königsmacht von innen her zersetzen werden[3]. Indem er es einfach passiv unterläßt, einen Ausbruch dieses inneren Konflikts zu verhindern, kann er sein Ziel, die Rache für den Verlust von Grace, erreichen. So wird dieser Zug seines Spiels gegen den König zur deutlichsten Demonstration seiner Worte an den Armbrustmacher: «Ich liebe das Denken und die Kunst und mag es leiden, wenn der Verstand über die Faust den Sieg davonträgt und der Schwächere den Stärkeren aus der Ferne trifft und überwindet» (33). Nachdem ihm das Amt des Erzbischofs aufgezwungen worden ist, erstreckt sich diese innere Auflösung auch auf eine Spaltung zwischen Königsmacht und Kirche, zwischen Sachsen und Normannen, ja, diese Spaltungstendenz trifft auf dieser Entwicklungsstufe von Meyers persönlichem Mythos sogar Becket selbst, ein Punkt, auf den ich in anderem Zusammenhang zurückkommen werde.

In den brieflichen Äußerungen aus der Entstehungszeit der «Angela Borgia» läßt sich nun eine scheinbar kryptische, an Haessel gerichtete Bemerkung vom 10. 11. 1890 deuten: «Die Nov. geht langsam, aber sicher vorwärts. Sie ist ungefähr in der Art des *Heiligen*» (zit. XIV,148). Auffällig ist, daß der Vergleich mit der älteren Novelle ausgerechnet auf den Zeitpunkt fällt, an dem die Arbeit an der «Angela Borgia» steckenbleibt, nach meiner These, weil Meyer hier die Möglichkeiten entdeckte, die sich mit den Suggestionstheorien Forels und der Nancyer Schule für einen neuen psychologischen Erklärungsrahmen der Ereignisse in Ferrara eröffneten. Worin besteht also die Ähnlichkeit zum «Heiligen»? Die Erzähltechnik ist völlig anders, die postulierte thematische Grundstruktur «zu wenig und zu viel Gewissen» hat in der älteren Novelle keine wirkliche Parallele, die Personenkonstellation der beiden Antagonisten im Mittelpunkt findet sich anscheinend in der Borgianovelle nicht, die in der Behandlung der Becketfigur vielleicht zu spürende Tendenz zur Religionskritik (vgl. J 1,92 ff.) hat in der nach Auffassung der Kritiker viel zu frommen Geschichte von der Rettung Don Juans bestimmt kein Pendant. Dafür besteht eine weitgehende Ähnlichkeit der Handlungsstruktur: Auch in der «Angela Borgia» tritt die Figur auf, die «den Stärkeren aus der Ferne trifft».

Anmerkungen

[1] Aus dem Brief an Betsy Meyer vom 20. 4. 1880 und aus dem frühesten Fragment (UP 74–75) geht hervor, daß der ursprüngliche Titel «Zusammengebundene Haare» bzw. «Verstrickte Haare» lautete, eine Formulierung, die an den frühesten Titel der «Angela Borgia» erinnert: «Verlorene Augen» bzw. «Geraubte Augen» (XIV,206–07). (Die Entwürfe zu «Der letzte Toggenburger» sind in dem gerade erschienenen XV. Band von HKA, S. 80–94, 455–96 zu finden.)

[2] In dem ersten der drei Kapitelverzeichnisse zum «Dynasten» trägt Kapitel 12 die Überschrift «der Fälscher». Frey vermutet – sicher zu Recht –, daß die Idee eines gefälschten Testaments mit dem Pseudoisidorplan zusammenhängt, der wiederum einen abgetrennten Teil aus einer Novelle/ einem Roman über die deutschen Kaiser Heinrich IV. / Heinrich V. darstellt (vgl. oben S. 235). Der Plan zu einem Werk über die beiden Kaiser läßt sich bis 1882 zurückverfolgen. Die pseudoisidorischen Dekretale spielten während des Mittelalters im Kampf zwischen Kirche und weltlicher Macht bekanntlich eine wichtige Rolle.

[3] Vgl. Per Öhrgaard: «Als Thomas es ablehnt, weiterhin Erzieher der Prinzen zu sein, kommt der latente Streit unter ihnen sofort zum Ausbruch. Wie das Staatssiegel von England wird auch die Gemeinschaft der Knaben zerstört» (Ö 1,69). Auch Johannes Klein merkt an, daß Becket damit einen aktiven Schritt gegen seine Gegner unternimmt (K 3,352). Georges Brunet ist sich dieses Punktes bewußt, mißt ihm jedoch kein größeres Gewicht bei (B 11,220). W. A. Coupe dagegen sieht in diesem Schritt nichts Entscheidendes: «He undertakes no single action calculated to injure the man who has wronged him: his grief at the loss of his child makes it impossible for him to continue as tutor to Henry's sons, but otherwise he is as willing and loyal a servant of the king after Grace's death as he was before it» ... (C 1,XXXIII). Gegen die Aussagen der historischen Quellen (XIII,351: «Historisch war Becket nur der Erzieher des ältesten Sohnes») bezieht Meyer den Kampf der Söhne gegeneinander und gegen den Vater direkt in den Konflikt zwischen Kanzler und König ein. Den Quellen zufolge wurde Becket 1170 ermordet. Erst 1173 brach der Sohn Henry mit dem Vater, der Bürgerkrieg begann erst 1183. 1189 kommt dann der Abfall des Sohnes John. Zusammen mit der Grace-Handlung bildet deshalb die Rolle der Söhne die wichtigste Abweichung von den historischen Tatsachen.

«Der stehende Sturmlauf»

Zu Weihnachten 1891 hatte Anna v. Doß Meyer eine kleine Sammlung von Fotografien geschenkt, die zu seiner Dichtung in Beziehung standen. Nach Freys Kommentar handelte es sich um: «Cesare Borgia, Vittoria Colonna, Tizians himmlische und irdische Liebe, Die gegeißelte Psyche, Borghese-Brunnen, Sacchis Mönche usw.» (Br. II,252). Der Dankesbrief trägt das Datum 24. 1. 1892 und enthält u. a. die folgenden Worte: … «nun aber will ich Ihnen sagen, daß ich selten eine angenehmere Überraschung u. lebhaftere Rückerinnerung gehabt als beim Anblick der mir bescheerten Photographien. Besonders von Cesare, der am Ende doch authentisch ist, konnte ich gar nicht los kommen.» Die gleiche Faszination zieht sich wie ein roter Faden durch die Novelle, doch nur so gut verborgen, daß die Interpreten ihn übersehen haben.

Nach den Auskünften von Betsy Meyer hatte sich bereits der 25jährige mit dem Plan zu einem Drama über Cesare Borgia getragen, dessen einzige Reminiszenz das monologische Gedicht «Cäsar Borgia» in «Romanzen und Bilder» (1869) darstellt, das später in «Gedichte» (1882) zu «Cäsar Borjas Ohnmacht» umgearbeitet wurde[1]. Das Gedicht ist hier interessant, weil es Cesare in einer Situation zeigt, deren besonderes Profil der Kontrast zwischen der physischen Ohnmacht und der ruhelosen Aktivität der Gedanken und Pläne ist: «Ich träume nur und komme nicht vom Platz./ Sturmlaufend, bleib ich eingewurzelt stehn./ Gelähmte Sehnen! Meuchlerisches Gift!/Auf einem Krankenlager krümm ich mich» (I,345). Gerade durch diese fehlende Fähigkeit zu aktivem physischen Eingreifen rückt Cesare in der «Angela Borgia» als letztes Glied in eine Kette von mehr oder weniger handlungsgelähmten Helden ein: Becket, der Toggenburger, der alte Vicedomini, Wulf, Pescaras Vater und Isidor. In Stimmigkeit aber zu der von Werk zu Werk spürbaren Entwicklungstendenz der Grundfabel ist dieser letzte der «passiven Helden» so weit aus dem aktuellen Handlungsverlauf der Novelle herausgezogen, daß er der Ferne, fast Unsichtbare, dafür jedoch nahezu allmächtige Lenker der Handlungen der übrigen Novellenfiguren bleibt. «Es regen sich unter dem Tun eines jeglichen unsichtbare Arme», hatte Becket gesagt, wobei in dieser Formulierung ganz deutlich metaphysische Untertöne mitschwingen (XIII,79). In der «Angela Borgia» hat die Metaphysik der Psychologie Platz machen müssen – die «unsichtbaren Arme» gibt es hier auch, sie bestehen aber aus Cesares fast uneingeschränkt suggestiver Macht über die Menschen am Hof von Ferrara: «Auch der Herzog, der keine Dämonen kannte, sah sie aus unsichtbaren, sie umklammert haltenden Armen stürzen» (99)[2]. Gleichzeitig zeichnen sich zwei andere wichtige Transformationen der Grundfabel ab. Erstens wird der Destruktionsprozeß aufgehalten, der noch in der «Hochzeit des Mönchs» in dem grotesk-chaotischen Zusammenbruch zuende geführt wurde: Der Zufall (XII,233) rettet Wulfrin vor der Vernichtung, die tödliche Wunde beläßt Pescara intakt (XIII,252), und der fallende Felsbrocken (97) setzt einen endgültigen Schlußpunkt hinter die Rolle Cesares als «Zerstörer und Verderber Italiens» (88). Zweitens führt die «Angela Borgia» die Gewichtsverlagerung von der Psychologie des Zerstörers auf die der Opfer in einem solchen Maße durch, daß das Motiv der Rache nicht mehr explizit hervortritt, sondern durch eine mit der Beobachtung entsprechender Züge in den früheren Novellen kombinierte Analyse der Einzelheiten des Textes aufgedeckt werden muß.

Wie bereits erwähnt, ist die Einführung einer Begegnung zwischen Cesare und Angela das Ergebnis einer Textbearbeitung aus dem Herbst 1890 und muß demnach meiner These zufolge im engen Zusammenhang mit der Einpflanzung des Suggestionsmotivs in die Grundfabel gesehen werden: Der physisch Schwache bzw. der Tote kämpft gegen den Starken bzw. den/die Lebenden. Die Episode ist erzähltechnisch an die Peripherie verlagert, dennoch aber sind diese 10 Zeilen von entscheidender Bedeutung, da sich Angela von diesem Augenblick an dazu berufen fühlt, in Don Giulios Leben eine besondere Rolle zu spielen, und diese suggerierte Vorstellung die eigentliche Voraussetzung für die spätere blutige Auseinandersetzung zwischen den Brüdern darstellt. Doch dieser Episode in der inneren Chronologie der Novelle einen Platz zu verschaffen war nicht leicht für Meyer, was an sich schon ein Indiz für ihre Unentbehrlichkeit darstellt. Bei Lucrezias Einzug in Ferrara (der historisch gesehen am 2. 2. 1502 stattfand) läßt Meyer Cesare «in seinem spanischen Kerker» (7) gefangen liegen, und das trotz der Tatsache, daß der Vater Alexander VI. Borgia noch lebt. Historisch wurde Cesare natürlich erst nach Alexanders Tod gegen Ende 1503 von dessen Nachfolger Giulio della Rovere gefangengenommen, kam dann wieder auf freien Fuß und erst im Mai 1504 in spanische Gefangenschaft. Ungeachtet dieser historischen Daten wird die Chronologie der Novelle bis zum Zerreißen strapaziert, da sich Cesare ja, als Angela als Hofdame für Lucrezia in Rom ankommt, noch immer auf freiem Fuß befindet, was eine Voraussetzung für das Gespräch bildet, in dem die Suggestion stattfindet. Zwischen diesem Gespräch im Vatikan und dem Einzug in Ferrara können höchstens wenige Wochen vergangen sein, da sich Lucrezia bereits im Kloster Angela als «die Verlobte des Thronerben von Este» (12) vorstellt. In dieser kurzen

Zwischenzeit läßt Meyer also den Papstsohn in dem spanischen Gefängnis Ferdinand des Katholischen landen! Er muß schwerwiegende Gründe dafür gehabt haben, sowohl Cesares und Angelas Gespräch in Rom *als auch* Cesares Gefangenschaft zum Zeitpunkt des Einzugs in die Novelle einzuflechten. Die Notwendigkeit des Gesprächs ist offenkundig – doch weshalb muß Lucrezias Bruder gegen alle Logik und Chronologie in Spanien angebracht werden?

Obgleich der historische Cesare noch im Juli 1500 äußerst handfest in Lucrezias eheliche Verhältnisse eingegriffen hatte, indem er ihren zweiten Mann, den Herzog von Biseglia, ermordete, ein Ereignis, auf das die Novelle mit den Worten anspielt: «einen anderen (d. h. Gatten) von ihrer Brust weg in das Schwert des furchtbaren und geliebteren Bruders treibend» (6, vgl. 94), geht aus dem Wortlaut der Novelle hervor, daß er sich bei den Eheverhandlungen mit Herzog Ercole von Ferrara passiv verhalten hat. Ferrantes schadenfrohem Bericht zufolge hatten er und Ippolito nur mit Alexander VI. verhandelt, der trotz seines zähen Widerstands offensichtlich eine ungewöhnlich hohe Mitgift herausrücken mußte (9–10). Der eigentliche große Fang der Ferraresen bestand jedoch in der Überlistung des Papstes im Hinblick auf Lucrezias Wittum: «Wir schwatzten nämlich dem heiligen Vater unsere berühmten flavianischen Güter auf, die zwar von unserem ferraresischen Fiskus verwaltet, aber ihm von dem Grafen Contrario gerichtlich bestritten werden. Ihr wißt, von dem liebenswürdigen Grafen Contrario, dem zähesten Widersprecher und Rechthaber in ganz Italien!» (10). Die Existenz dieser Güter wie der Streit darum ist Meyers eigener dichterischer Zusatz (XIV,413). Lucrezias Leben in Ferrara beginnt demnach in der Novelle damit, daß ihr politisch alles andere als naiver Vater eine schmerzhafte Niederlage erleidet, ja, sogar das Opfer eines gemeinen Betruges wird.

Die flavianischen Güter und der unermüdlich darauf Anspruch erhebende Graf Contrario stellen eine Nebenhandlung dar, die für die Interpreten der Novelle anscheinend so unverdaulich ist, daß sie beschlossen haben, sie zu ignorieren. Und doch nimmt sie in der Ökonomie des Werkes einen recht hervortretenden Platz ein: Während andere Konflikte entstehen, sich entfalten, gelöst werden, begleitet sie dieses juristische Tauziehen als eine Art basso ostinato. Bereits im 2. Kapitel versucht Lucrezia ihr zweifelhaftes Wittum loszuwerden, indem sie es Angela als Mitgift mitgeben will, die sie nach ihrem schlauen Plan ausgerechnet mit dem Gläubiger Contrario verheiraten möchte (21–22). Damit kann sie sich nicht nur von einem ewigen Prozeß befreien, sondern, was weit wichtiger ist, gleichzeitig Angela aus Ferrara entfernen und damit die Ursache der Feindschaft zwischen Giulio und Ippolito eliminieren, die nur eines unbedeutenden Anlasses bedarf, um offen zum Ausbruch zu kommen und damit die Stabilität des Fürstenhauses zu gefährden. In ihre Berechnung fließt mit großem Gewicht die Habgier des Grafen ein, was Ippolito ohne Umschweife enthüllt: «Ohne innern Kampf wird der mäßig tapfere Graf sich nicht entschließen, zwischen diese lodernden Feuer zu greifen. Aber es ist möglich, daß seine Habsucht stärker ist als seine Feigheit» (22). Die Ereignisse entwickeln sich jedoch so schnell, daß der Plan nicht ausgeführt werden kann. Doch selbst nachdem die Katastrophen über Ferrara hereingebrochen sind, und Herzog Alfonso nach Ferrantes Tod, der Verstümmelung und lebenslänglichen Gefangenschaft Giulios und Ippolitos freiwilliger Verbannung allein zurückbleibt, sind die flavianischen Güter und die Pläne für eine Ehe zwischen Angela und Contrario auch weiterhin ein störender Fremdkörper, eine klebrige Masse, die man nicht loswerden kann. Der Herzog ist gezwungen, sich mit der Anwesenheit des kleinlich kritisierenden Grafen am Hofe abzufinden: «Nur der Wunsch, Donna Angela, dieses Hindernis der Rückkehr des Kardinals, zu verheiraten und damit wegzuräumen, verlieh ihm die Geduld, den unermüdlichen Tadler zu ertragen, so lange es sein mußte» (119). Der Leser muß sich hier natürlich fragen, weshalb ausgerechnet Contrario – entgegen den historischen Quellen (XIV, 173) – die einzig mögliche Partie für Angela sein sollte, zumal den Herrschenden von Anfang an so viel an ihrer Entfernung vom Hofe gelegen ist; und warum muß sich das ganze Gespräch zwischen dem Herzog und dem zurückgekehrten Strozzi, unmittelbar vor dem Meuchelmord an dem Richter, um diese juristischen Spitzfindigkeiten drehen (105–08)? Sekundäre Begründungen für den Contrario-Verlauf lassen sich natürlich finden: Die Kritik an der rechthaberischen Gier als eine Facette von Meyers zweifellos starkem Widerwillen gegen «die kaufmännisch-industrielle Großbourgeoisie der Gründerjahre» (David A. Jackson über «Gustav Adolfs Page», J 1,97). Doch dieses periphere Anliegen reicht zur Erklärung der Funktion des Motivs in der «Angela Borgia» nicht aus. Die Contrarioangelegenheit schlingt sich durch den Text, und dem habgierigen Grafen werden die letzten Worte der Novelle in den Mund gelegt: «Erlauchte Frau, ich willige in die von Euch vorgeschlagene Teilung der flavianischen Güter», womit Meyer darauf verweist, daß die Konflikte der Novellenhandlung bei der Überlistung von Alexander VI. und dessen Sohn durch die Gesandten ansetzen. In Strozzis letztem Gespräch mit dem Herzog ist dieses Vergangenheitselement noch immer quicklebendig: «Wer kann vergessen, wie Pabst Alexander von Herzog Herkules überlistet wurde, wie maßlos das alte Laster sich gebärdete und welche unaussprechlichen Worte es ausstieß, als es sich geprellt sah!» (108). Durch sein Bestehen auf dem scheinbar funktionslosen Nebenmotiv verweist Meyer auf das verborgene, aber noch immer lebendige

Motiv der Borgias, sich an dem Geschlecht der Este zu rächen. Gerade in dieser Sache wird Alexanders und Cesares fernes Einwirken auf die Angelegenheiten Ferraras *fixiert*, und zwar nicht als abgeschlossene Vergangenheit, sondern als eine nicht einlösbare Hypothek. Deshalb erwähnt der Herzog in seiner Warnung an Strozzi im 4. Kapitel zunächst den Contrarioprozeß und geht dann zu der Möglichkeit über, daß Cesare wieder in Italien auftauchen könnte (42). Aus dem gleichen Grund ist Angela so unlösbar mit diesen umstrittenen Gütern verbunden, da sie das Werkzeug ist, durch das Cesare in die Umstände der ferraresischen Brüder eingreift und den Staat unterminiert. Indem er durch seine Suggestion Angela an Giulio bindet, hindert er die ferraresischen Brüder daran, ihren gewonnenen Vorteil ausnutzen. Damit werden die flavianischen Güter im Wettstreit mit Giulios Augen zu dem wichtigsten Dingsymbol der Novelle, sie verweisen deutlich auf die Thematik der Auflösung, die Grundlage der spezifischen Psychologie der Novelle, die nicht zuletzt in Lucrezias Worten an Contrario deutlich zutage tritt: «Ist doch die Erde kein lebendes Kind mit einem unteilbaren Blut und Leben in den Adern, sondern bestimmt, in Stücke zerrissen, verteilt oder geraubt zu werden!» (119). Auf der psychologischen Ebene wird somit verständlich, weshalb Lucrezia bemüht ist, ihr Wittum loszuwerden – das ja trotz der umstrittenen Besitzverhältnisse logisch gesehen eine wirtschaftliche Absicherung für den Fall des herzoglichen Todes darstellen sollte –, und weshalb gerade Angela diese zweifelhafte Mitgift erhalten soll. Die Güter und die unschuldige Angela sind funktional miteinander identisch, beide sind potentielle Konfliktauslöser, und diese Funktion endet letztlich in Cesares Hand.

Bevor ich zur Frage der spanischen Gefangenschaft Cesares zurückkehre, sei sein vom Text in wenigen Zeilen umrissenes Porträt etwas näher untersucht. Im Rückblick des Erzählers wird er geschildert als «ein Jüngling von vornehmer Erscheinung und grün schillerndem Blick» (12). Bedenkt man, wie streng Meyer seine Chiffren ökonomisierte, dann darf man in diesen beiden Zügen wohl durchaus einen Fingerzeig auf eine typologische Verwandtschaft zwischen dem skrupellosen Borgia und dem heiligen Thomas Becket erblicken! «Vornehm» ist der erste Eindruck, den Hans von dem Kanzler bei seiner kurzen Begegnung mit ihm auf Schloß Windsor erhält (XIII, 32), und das erste Gespräch des Königs mit dem verwandelten Becket enthält folgenden Abschnitt: «Du bist doch keine *schillernde Schlange*, welche die Haut wechselt?» (XIII, 93. Meine Hervorhebung). Becket wird mehrere Male durch das Attribut «Schlange» charakterisiert (XIII, 36, 100, 140), und parallel dazu tritt Cesare als «Drache» auf (... «während Cäsar /.../ sich, wie der Drache seiner Helmzier, aus seinen eigenen Ringen langsam emporhob» (91); vgl. 19 sowie 5, wo Lucrezias Vergangenheit mit den Worten beschrieben wird: «auf dem unheimlichen, mit Schlangen gefüllten Hintergrund»). In der durch den Text gelieferten Charakteristik von Lucrezias Bruder findet sich überhaupt keine Spur der Gewalttätigkeit und Brutalität des historischen Cesare, beispielsweise auch nicht in den Worten, mit denen er Angela auf Don Giulio aufmerksam macht: «er ist ein bescheidener, aber hochbegabter Jüngling, nur daß er den Sinnen noch zu viel einräumt» (12). Hier könnte man selbstverständlich einwenden, daß man es mit einem subtilen suggestiven Befehl zu tun habe (vgl. oben S. 225), doch die gleiche untadelige, von dem traditionellen Bild des hemmungslosen Renaissancemenschen weit entfernte Oberfläche zeigt sich auch später im Text, wo der Wortlaut des Briefes an die Schwester («das feine Frauenschriftchen Cesare Borgias» (84)) als «ehrgeizig und unheimlich fromm» (86) beschrieben wird[3]. All das trotz der Tatsache, daß die direkte Charakteristik von seiten des Erzählers auf «furchtbar» (12), «schrecklich» (97), «Dämon» (103) lautet. Der Cesare des Textes ist wie Becket ein «stiller, langsam grabender Mann» (XIII, 111), was die psychologische Voraussetzung für seine weitreichende, indirekte Rache bildet.

Die Novellenhandlung hat ihren Ausgangspunkt in dem engen, ja vielleicht sogar inzestuösen[4] Verhältnis der beiden Borgiageschwister. Zweimal hat sich Lucrezia ihrer Männer entledigt: «den ersten Gatten durch Meineid abschüttelnd, einen anderen von ihrer Brust weg in das Schwert des furchtbaren und *geliebteren* Bruders treibend» (6. Meine Hervorhebung). Mit dieser Formulierung geht Meyer im übrigen gegen seine historischen Quellen, in denen Lucrezia in beiden Fällen eine völlig passive, ja, leidende Rolle spielte (XIV, 409–10). Danach tritt dann eine Auflösung ihrer Bindung an den Bruder auf, die in ihrer Sehnsucht zum Ausdruck kommt, «Rom wie einen bösen Traum hinter sich zu lassen» (7). Die Ehe mit dem Herzog ist ihr Befreiungsversuch, was sie ihren Verwandten klugerweise verbirgt («Ihr Begehren, dessen Heftigkeit sie verbarg» (7)); kein autonomer Befreiungsversuch, sondern – ganz in Übereinstimmung mit Meyers spezifischer psychologischer Matrix – ein Auswechseln der früheren Bezugsperson durch eine neue. In keiner der früheren Novellen gelang ein solcher Loyalitätswechsel ohne destruktive Folgen für den Handelnden: Jenatsch, Becket, Astorre, Bourbon und – potentiell – Pescara. Bei Lucrezia dagegen wird diese Losreißung erfolgreich durchgeführt, Voraussetzung dafür ist jedoch, daß Cesares Einfluß auf sie im entscheidenden Augenblick außer Kraft gesetzt wird. Deshalb also der logisch und chronologisch unmögliche Umstand, daß sich der Bruder plötzlich als Gefangener in Spanien befindet. Damit ist man bei der Rekonstruktion des Cesares actio a distante zugrunde liegenden Rachemotivs und kann belegen, weshalb die Berührung mit den Suggestionstheorien auf dieser letzten Stufe der Entwicklung seines persönlichen Mythos für Meyer so wichtig sein mußte. Lucrezia, bisher das «willenlose Werkzeug» (79, vgl. 94) des Bruders, bricht ihre Loyalität gegen ihn und versucht ihn gegen einen ihm an Stärke und Festigkeit ebenbürtigen Mann auszutauschen («Beim Anblick dieser ruhigen, geschlossenen Miene hatte sie sich gesagt: ‹Jetzt ist es erreicht. Mit diesem bin ich gerettet.›» (7)[5]. In der Erkenntnis, daß seine Herrschaft über die Schwester so geschwächt ist, daß er ihren neuen Gemahl nicht mehr so direkt beseitigen kann wie die früheren, beschließt Cesare, seinen physisch unverletzbaren Gegner indirekt zu treffen, indem er das Haus Este von innen her vernichtet. Sein Rachemotiv kann möglicherweise – doch das ist wegen der vagen chronologischen Angaben ein unklarer Punkt – noch durch den Umstand verstärkt worden sein, daß die beiden Brüder des Herzogs, Ippolito und Ferrante, persönlich seinem Vater eine unverschämt hohe Mitgift abgepreßt und ihn im Hinblick auf Lucrezias Wittum hinters Licht geführt haben[6]. Er benutzt nun genau die gleiche Waffe wie Thomas Becket gegenüber dem König: Wohlwissend, daß das Haus Este konstant durch innere Spannungen bedroht ist (9,13,32,47), greift er zu einem raffinierten Mittel, um diese innere Zwietracht zum Ausbruch zu bringen. Er suggeriert der unschuldigen Angela eine Verliebtheit in den ausschweifenden Don Giulio, eine Suggestion, die anscheinend zwei Vorstellungen enthält: zum einen, daß die Virago (11) Angela gemäß ihrem Charakter den lasterhaften Prinzen emporheben und veredeln soll («daß er sich durch eine edle Frau fesseln ließe» (12)), und zum anderen, daß sie ihn für die Lust seiner Sinne strafen soll («nur daß er den Sinnen noch zu viel einräumt» (12)). Das kleine Wort «noch» bietet Angela eine geschickte Hilfe zur Rationalisierung der posthypnotischen Zwangsvorstellung. Vor ihrem Bewußtsein legitimiert sich ihr unerklärliches Gefühl der Anziehung gegenüber dem Prinzen als eine moralische Aufgabe («Die Brandmarkung des ausschweifenden Jünglings, zu der – wunderbarerweise – nur sie ein Recht zu haben glaubte» (52)), doch die von dem Urheber der Suggestion beabsichtigte und auch realisierte Wirkung ist rein destruktiver Art. Denn gleichzeitig mit Angela war auch der rachsüchtige Ippolito («*Seine* Rache ist die grausamste, da er der größere Geist ist» (13)) in Rom und «hatte sich viel und herablassend mit Angela beschäftigt, sie ermutigend, Ferrara mit ihrer Gegenwart zu verschönern» (13). So wie Anna v. Doß die Novelle im Mai 1890 referiert, entsteht die Leidenschaft des Kardinals zu Angela erst später («Ihr Oheim Kardinal, der unterdessen selbst in Liebe zu ihr entbrannt ist» (XIV,145). Bei der Umarbeitung der Novelle scheint Meyer unter dem Eindruck der durch Forel demonstrierten Reichweite der Suggestion somit

Cesare die Beobachtung dieser Leidenschaft mit seinem vermuteten Wissen über die «seltenen, aber rasenden persönlichen Begierden» (74) des Kardinals kombinieren und von daher schließen zu lassen, daß das kleinste Zeichen der Liebe zwischen Angela und Giulio den schwelenden Konflikt zwischen den Brüdern zum Aufflammen bringen wird. Ob Meyer außerdem auch noch der Gedanke vorschwebte, daß auch Ippolito ein Opfer von Cesares suggestiver Macht über seine Mitmenschen sei, läßt sich schwer entscheiden, vieles könnte jedoch darauf hindeuten (vgl. oben S. 184 ff.). Auf alle Fälle wird Angela zu dem Zankapfel, den er in «diese lodernden Feuer» (22) wirft, eine deutliche Parallele zu Toggenburgs «dämonischem Trug» (vgl. oben S. 238 ff.). Das Ergebnis ist, wie vorauszusehen war, daß die Brüder einander vernichten.

Über die ferraresische Krise von 1505–06 hatte Gregorovius, Meyers Hauptquelle, geschrieben: «Unterdes brachte das gegen Giulio d'Este ausgeführte Attentat solche Folgen hervor, daß sich das fürstliche Haus Ferrara von einer schrecklichen Katastrophe bedroht fand» (G 1,321). Diese mit der Verschwörung gegen den Herzog und den Todesurteilen über Giulio und Ferrante endende Katastrophe gehört in der «Angela Borgia» zu dem Plan, den der weitblickende Cesare zur Vernichtung des Gemahls der Schwester geschmiedet hat. Das nächste Glied ist die Beseitigung der wichtigsten Stütze des Herzogs, des Kardinals Ippolito («einen dem Staate Ferrara unentbehrlicher Frevler» (37), «den unentbehrlichen Ratgeber» (75)). Nach dem Überfall auf den Bruder zwingt die öffentliche Meinung – entgegen den historischen Quellen – den unentbehrlichen «Diplomaten» (13) aus Ferrara fort: «Der Herzog erschrak: «Davon hoffe ich dich abzubringen», antwortete er. «Wie sollte ich dich entbehren! ... Oder ersetzen?»» (76). In diesem Augenblick, als er den Gegner isoliert und geschwächt glaubt, schlägt Cesare zu und entweicht aus seinem spanischen Gefängnis[7]. Die Wortwahl des Textes ist hier seltsam, da diese Flucht nicht als ein plötzliches Ereignis dargestellt, sondern als ein langsames sich Herauswinden aus den Ketten geschildert wird, was der Art und Weise entspricht, in der er sich später vorsichtig seiner Beute nähert («während Cäsar anfangs wenig von sich hören ließ und sich, wie der Drache seiner Helmzier, aus seinen eigenen Ringen langsam emporhob» (91). Das griechische Wort δράκων = Schlange). Bereits vor Cesares tatsächlichem Entweichen sagt der Kardinal von dieser Bedrohung: «Alle meine Schreiben sind voll von Don Cesare. Aus Neapel, aus Rom, aus Frankreich wird mir berichtet, Cäsar rüttle an den Gittern seines Kerkers und habe sie zerbrochen. Ich aber weiß aus Erfahrung, daß ein Gerücht, das Geister durch die Luft tragen und nicht müde werden auszustreuen, sich endlich verwirklicht» (77). Die Novelle erweckt damit den Eindruck, daß

Cesare den Augenblick abgewartet hat, in dem der Herzog allein steht, und daß seine Flucht aus dem Gefängnis einen wohlberechneten Übergang vom passiven Warten auf die volle Wirkungsentfaltung seiner ersten Suggestion zu direkteren Angriffen bezeichnet.

Sein nächster Schachzug besteht nun in der Ausnutzung der suggestiven Dominanz über die Schwester, die er sich erhalten hat. Mit seinem Brief, der Lucrezia im gleichen Moment erreicht, in dem die beiden Brüder das Schafott besteigen, zwingt er sie, das Verbot des Herzogs zu übertreten, eine Handlung, die der Text eindeutig als Verrat an ihrem Gatten bezeichnet («obgleich sie ihn verriet» (88), «ich verriet dich» (99)). Der Herzog selbst ist sich über Cesares Absichten nicht im Zweifel: «Dieser Mann ist ein Zerstörer und Verderber Italiens» (88). Das gleiche gilt für Strozzis Vorstellungen von den kommenden Ereignissen: «Er sah sich selbst als seinen Kanzler an seiner Seite. Der Herzog von Ferrara war verschwunden, wohl von Cesare Borgia ausgelöscht und aus der Mitte getan» (94). Zu allem Überfluß enthält der Brief an Lucrezia auch noch den Befehl, sie solle sich mit *ihrer* suggestiven Fähigkeit des obersten Beamten des Herzogs bemächtigen und damit dem verhaßten Gegner die letzte Stütze entziehen. Man braucht fast nicht hinzuzufügen, daß Meyers historische Quellen einen solchen Verlauf in keiner Weise andeuten.

Bis zu diesem Punkt konnten sich die Marionetten in Ferrara gegen die rein psychische Steuerung durch den verborgenen und allmächtigen Marionettenspieler noch nicht einmal zur Wehr setzen. Erst die lange, tödliche Krankheit des Kardinals schafft die Voraussetzungen dafür, daß ein einigermaßen ebenbürtiger Gegner diesen «Kampf der Gehirne» aufnehmen kann: «Verzehrt bis zur Entkörperung, leicht gebückt, mit durchdringenden Augen unter der kahl und hoch gewordenen Stirn, schien er lauter Geist zu sein, grausam und allwissend» (82). Die physische beinahe Nichtexistenz des Kardinals bewirkt, daß er den Kampf auf seiner wahren Ebene aufnehmen kann, nämlich der rein mentalen. Er vermag jedoch nicht zu verhindern, daß Strozzi Ferrara verläßt, um sich Cesare anzuschließen, wodurch anscheinend nur der zufällige Felsbrocken den Feind auf Abstand hält, «nur als drohende Erscheinung» auftreten läßt, wie Meyer am 29. 9. 1891 an Wille schrieb.

Meyer führt so zwar seine Tendenz aus der «Richterin» und der «Versuchung des Pescara» weiter, d. h. er hält ein, bevor die Destruktion unwiderruflich wird, und schließt mit einem idyllischen Tableau, doch das ändert nichts an der Tatsache, daß zehn der zwölf Kapitel der Novelle (genau genommen sogar noch mehr) zeigen, wie ein Mensch imstande ist, einer Reihe von anderen Bewußtseinen seine eigenen Gedanken einzupflanzen und sie dadurch zu Handlungen zu verleiten, die in mehreren Fällen sie selbst und andere vernichten: «Die Saat war ausgestreut und keimte» (55). Damit Meyers besonderer geistesgeschichtlicher Kontext deutlich wird, sei hier Strindbergs bildliche Beschreibung eines ähnlichen Verhältnisses in «Der Kampf der Gehirne» angeführt: «Wie bekannt, gibt es Insecten (Hautflügler), die ihre Eier in die Leiber der Kohlweißlingslarve legen. Die Eier brüten aus, verpuppen sich, und die Larven sehen so dickleibig aus, als ob sie in gesegneten Umständen wären. Eines Tages aber kommt es zur Geburt, und ein Schwarm Insecten entfliegt der Larve, die leer zurückbleibt. Ich fühlte mich Schilf gegenüber einem solchen Insect gleich. Meine Eier liegen in seinem Gehirn, und meine Ideen fliegen aus, während er immer leerer wird.» Diese Schilderung ist zwar weit von Meyers Formensprache und Stilidealen entfernt, ihr liegt jedoch das gleiche psychologische Muster zugrunde: die trostlose Erkenntnis der Tatsache, daß der Mensch in seinem psychischen «Allerheiligsten», seinem Persönlichkeitskern, dem Eingriff fremder Willen offensteht.

Nun könnte man vielleicht einwenden, daß diese Auffassung der Persönlichkeit als heterogen und manipulierbar in Meyers Werk keine stabile Größe ausmacht, sondern eine Vorwarnung der akuten Psychose darstellt, die im Sommer 1892 ausbrach und u. a. deutliche Verfolgungsvorstellungen beinhaltete (vgl. Bressler (**B** 10), Kielholz (**K** 2) und Petermand (**P** 1)). Daß dies nicht der Fall ist, soll später noch gezeigt werden, hier seien nur ein paar Sachverhalte angeführt. Trotz der vielen negativen Erzählereinschätzungen von Cesare («furchtbar», «entsetzlich», «verrucht», «teuflisch») läßt sich das Verhältnis zwischen ihm und den Menschen in Ferrara in keiner Weise als Minus und Plus auffassen. Teils macht er, wie erwähnt, auf Angela keinen schreckenerregenden Eindruck, teils besteht seine Persönlichkeit aus vielen Facetten, u. a., wie der Erzähler angibt, aus «seinen jugendlichen und liebenswürdigen Gestalten» (94). Schließlich bemerkt der Erzähler auch noch über sein Ansehen in Italien: «Der Instinkt des Volkes und die Begeisterung der Kriegsleute feierten ihn als den Begünstiger der heimischen Waffen und den grausamen, aber nützlichen Vertilger der kleinen Stadttyrannen» (91). Auf diese Weise erhält er einen Respekt heischenden Status als potentieller Vereiniger der italienischen Nation («Er sah Cesare siegreich nach der Krone Italiens greifen» (94))[8], eine Funktion, die er andeutungsweise bereits in der «Versuchung des Pescara» besaß (XIII, 193. Vgl. XIII, 204–05 sowie 170: «die Fabel- und Traumkrone von Italien»). Die tatsächlich geschilderten Verhältnisse im Staate Ferrara verleihen den Worten «grausamer, aber nützlicher Vertilger» ein besonderes Gewicht. Cesares psychischer Kampf gegen das Haus Este macht ihn nicht zu einem absolut bösen Verfolger in einer paranoiden Vorstellungswelt.

Wie im «Heiligen» entfaltet sich eher ein «verzweifelter Kampf des brutalen Königs mit dem überlegenen Kopf (Löwe und Schlange)» (Lingg, 2. 5. 80), bei dem Cesare ziemlich eindeutig die Rolle des überlegenen Geistes zufällt. Zur Beurteilung dieser Persönlichkeit mag es überhaupt ganz nützlich sein, sich klar zu machen, wie stark Meyer diese legendarische amoralische Gestalt mit dem englischen Märtyrer parallelisiert:

«Angela Borgia»	«Der Heilige»
1. Cesare: «ein Jüngling von vornehmer Erscheinung und grün schillerndem Blick» (12); «von den wohlbekannten bleichen Zügen» (89).	1. Becket: «ein vornehmer, bleicher Mann» (32); «schillernde Schlange» (93).
2. Lucrezia verbirgt vor Cesare, daß sie sich zu dem Herzog hingezogen fühlt: «Ihr Begehren, dessen Heftigkeit sie verbarg» (7).	2. Gnade verbirgt vor Becket ihre Liebe zum König: «daß Gnade das böse Geheimnis des Königs vor dem Vater bewahrt hatte» (54).
3. Lucrezia wird «eine helle Waldfee» (12) genannt.	3. Gnade wird «die Waldelfe» genannt (51).
4. Lucrezia heißt «die fürstliche Gnade» (15); «Vertritt sie nicht die Gnade?» (80).	4. Beckets Tochter heißt «Grace»/«Gnade»/«Grazia». («Gnade, zu jung, um des Kanzlers Schwester zu sein, war sein eigen Fleisch und Blut» (52)).
5. Cesare verliert Lucrezia an den Herzog, der sie aus dem Vatikan wegführt.	5. Becket verliert Grace an den König, der sie aus dem Waldschloß zu entführen versucht.
6. Dem Herzog hilft in dieser Angelegenheit Ippolito, «die hagere Gestalt» (13), dieser «Geier» (13).	6. Der Diener der eifersüchtigen Königin, Malherbe, der Gnades Entführung durch den König erzwingt, wird als «ein hagerer geharnischter Gesell» (50) und als «Geier» bezeichnet (50).
7. Cesare führt «unbefangen mit der Base tändelnd» (12) seinen Plan aus, die vier Söhne Ercoles gegen einander aufzubringen.	7. Becket teilt dem König «mit milder Ruhe» (69) mit, daß er sich von der Erziehung der vier Prinzen zurückziehe.
8. Die latente Spannung unter den Brüdern (9, 30, 32, 47 usw.).	8. Das gleiche (70, 71, 108).
9. Die Zusammenarbeit zwischen den beiden ältesten Brüdern (75, 76 usw.).	9. Das gleiche (70, 105).
10. Ferrantes Charakter: «ein wunderlicher Zwitter», «verkrüppelt» (60).	10. Hans' Charakter: «dem innerlich Mißschaffenen» (43).
11. Giulios Charakter: «eine innerlich	11. Der Charakter von Richard Löwen-

unverfälschte und wahrhafte Natur» (45), «kindlich» (33), «leutselig» (33).

12. Nach der Blendung wird die gegenseitige Vernichtung der Brüder so beschrieben: «Die Saat war ausgestreut und keimte» (55); die Kadmossage.

13. Nach Cesares Flucht nach Frankreich: «Die Höfe lauschten in atemloser Spannung über die Meeresalpen und die Pyrenäen» (91).

14. Über den verbannten Cesare: «es war eine Tatsache, daß Cesare Borgia in Italien beliebt war. Der Instinkt des Volkes und die Begeisterung der Kriegsleute feierten ihn» ... (91).

15. Die Machtlosigkeit des Herzogs, als Cesare seine Macht über Lucrezia wiedererlangt (42, 92–93, 99).

16. Der Herzog nennt Cesare «Zerstörer und Verderber» (88).

17. Cesares physisch passive Handlungsweise: «unsichtbaren, sie umklammert haltenden Armen» (99).

18. Der benutzte Vergleich, als Cesare stirbt und Lucrezia damit endgültig seiner Herrschaft entzogen wird: «Nicht anders als ein geraubtes Weib, welches ihr von einem Pfeile durchbohrter Entführer plötzlich fallen läßt» (99).

herz: «Das Spiel seiner Natur war ehrlich wie ein Stoß ins Hifthorn» (42); «kindlich» (107, 108), «leutselig» (107).

12. Beckets «Doppelgänger», Bertram de Born, über die Untergrabung des englischen Königshauses: «Gestreut ist die Saat, und Bluternten werden aufgehen» (110); die Kadmossage.

13. Nach Beckets Verbannung nach Frankreich: «begann das Ohr meines Herrn und Königs Tag und Nacht über Meer zu lauschen» (101).

14. Über den verbannten Becket: «Während so seine Leiblichkeit in Frankreich abnahm und verschwand, wuchs seine Macht und geistige Gegenwart in Engelland und stand über den trauernden Sachsen wie der Vollmond in der Nacht» (103).

15. Die Machtlosigkeit des Königs, als seine Königin, Ellenor, Beckets Partei ergreift (100–101).

16. Der König nennt Becket «Verderber» (121).

17. Beckets äußere Passivität (gegenüber Fauconbridge): «Es regen sich unter dem tun eines jeglichen unsichtbare Arme» (79).

18. Hans entführte «die zitternde Gnade, hob sie auf meinen Arm und lief mit ihr» ... «die hervordringende Spitze des Pfeiles, der dem Kinde des Kanzlers die Kehle durchbohrt hatte» ... «Ich ließ die junge Leiche der mir auf den Fersen folgenden Monna Lisa in die Arme gleiten» (61).

Punkt 18 benutzt zwar in beiden Novellen die Szene mit dem Entführer, der die entführte Frau losläßt, Funktion und Stellung im Handlungsverlauf sind jedoch, wie zu sehen ist, verändert worden. Im «Heiligen» trifft der Pfeil Gnade, womit Beckets langsame Vernichtung seines Gegners einsetzt. In der «Angela Borgia» dagegen bezeichnet die Szene das Eingreifen der gnädigen

Vorsehung[9] in einen sonst nahezu unabwendbaren Prozeß. Denn es darf nicht vergessen werden, daß eines der Paradoxe der Novelle in der Tatsache zu suchen ist, daß die sichtbar auftretenden Personen in fast machtloser Suggestibilität leben, während der unsichtbare Cesare andererseits übermenschliche Dimensionen annimmt, so als sei er Odysseus, «der gewaltige alte Bettler» (B. Erinn. D. R. 208), der sich den übermütigen Freiern nähert, und zwar sowohl Lucrezias: Alfonso, Bembo und Strozzi, wie Angelas: Giulio, Ippolito und Contrario («diesen unsträflichen Freier» (118); vgl. oben S. 230). Dieser Willensemanation vermag keine menschliche Macht standzuhalten. Cesare ist damit zwar deutlich eine Umformulierung und Weiterentwicklung von Becket, doch während der englische Kanzler («in der Schmach meiner Sanftmut», XIII,75) zu autonomem Handeln ebenso wenig imstande war wie Lucrezia Borgia in *ihrer* «Schmach ihrer Abhängigkeit» (7) und nur durch die Identifikation mit einem größeren Herrn, der Kirche, die Fähigkeit erhielt, sich gegen seinen früheren Herrn zu wenden, handelt der Italiener aus eigener Machtvollkommenheit und ohne jede Stütze in einer überindividuellen Legitimation[10].

Anmerkungen

[1] Betsys Bemerkungen über das Gedicht sind merkwürdig, weil sie eine Parallele zur «Versuchung des Pescara» ziehen, dagegen jedoch die naheliegende Verbindung zu der Novelle, in der Cesare auftritt, verschweigen!

[2] Bereits in der «Versuchung des Pescara» hat das Motiv seine metaphysischen Konnotationen verloren. Zu den Gesprächen von Victoria und Pescara hat der Erzähler folgenden Kommentar: «Von Politik sprach er ihr nur gar nicht, weder von Vergangenem noch von Schwebendem, obwohl ihm einmal das Wort entschlüpfte, Menschen und Dinge *mit unsichtbaren Händen* zu lenken, sei das Feinste des Lebens, und wer das einmal kenne, möge von nichts anderem mehr kosten» (XIII,185–86. Meine Hervorhebung).

[3] Vgl. Meyers eigene Analyse der Becketschen Psychologie in dem Brief an Lingg vom 19. 4. 80: «In dem Act seiner Bekehrung durchdringen sich Rachsucht und Frömmigkeit auf eine unheimliche Weise.»

[4] So auch Alfred Zäch: «Da drängt sich offenkundig das Inzest-Motiv ein, von dem der Dichter nicht loszukommen scheint» (Z 1,222). Vgl. Freuds Analyse der «Richterin» (F 9,220–21).

[5] Daß Lucrezias Ehe mit dem Herzog von Ferrara sich als «Verrat» an dem Bruder auffassen läßt, scheint die das neunte Kapitel einleitende Beschreibung der beiden Gemälde zu bestätigen; in diesem Kapitel macht Cesare mit seinem Brief erneut seine alten Ansprüche an die Schwester geltend. Es dürfte kaum ein Zufall sein, daß das eine Bild Tullia zeigt, die «unter den Rädern ihrer Biga die Leiche des eigenen gemordeten Vaters» zerquetscht. Auf dem zweiten Bild «streckte der von seinem Bruder Romulus erstochene Remus einen kolossalen Fuß heraus» (78). In beiden Fällen handelt es sich um Mord an einem nahen Verwandten. Hinzugefügt sei, daß der Text Alexander VI. und Cesare im Hinblick auf Lucrezia mehrmals als Einheit behandelt («mit Vater und Bruder zu einer höllischen Figur

verbunden» (7), «Eure Liebe zu Vater und Bruder» (18), «nannte Lucrezia den Dämon, der ihr Bruder gewesen war, nicht anders mehr als den Ärmsten, so wie sie ihr Ungeheuer von Vater längst den Guten nannte» (103). Für eine psychoanalytische Deutung ist es im übrigen durchaus sinnvoll, daß sich Tullia auf einer «Biga» stehend an ihrem Geschlecht verbricht; von Cesares Standpunkt aus muß die Ehe mit Alfonso Biga-mie sein!

[6] Den Quellen zufolge (XIV,413) gehörten die Brüder nicht zu der ferraresischen Gesandtschaft.

[7] Der zeitliche Zusammenfall dieser beiden Ereignisse ist Meyers Werk. Laut Quellen war die Hinrichtung der Brüder auf den 12. 8. 1506 beraumt, Cesares Flucht fand 3 Monate später statt.

[8] «Mein Erstling «Huttens letzte Tage»» (*Deutsche Dichtung*, Januar 1891) zeigt einen der vielfältigen Ausdrücke von Meyers Sympathie für die italienische Einigung: «Zwei Aufgaben des Jahrhunderts, die Einigung Italiens und Deutschlands, schritten ihrer Erfüllung entgegen» (Br. II,520). Seine persönliche Bekanntschaft mit Baron Ricasoli, einem der führenden italienischen Politiker und in dem Essay ebenfalls erwähnt, spielte außerdem eine große Rolle für das Interesse, mit dem er die italienischen Ereignisse verfolgte.

[9] Aus diesem Grund benutzt Giulio für seine Errettung aus der fleischlichen Lust das gleiche Bild, wobei er seine Blendung als notwendige Läuterung versteht: «Zwar auf eine schmerzliche und gewaltsame Weise, wie eine Mutter ihr schreiendes Kind einem Räuber aus den Armen reißt» (129).

[10] Den historischen Quellen zufolge wurde Cesare im offenen Kampf getötet, während Meyer schildert, «wie jetzt ein Block sich von der Burg herabwälzte, in gewaltigen Sätzen von Fels zu Fels sprang, den schrecklichen Sohn des Papstes traf und ihn zerschmettert in die Tiefe stürzte» (97). Das Verständnis dieses Elements setzt voraus, daß man es in den Kontext des Gesamtwerks einordnet. In der «Richterin» flieht Wulfrin, nachdem er sein inzestuöses Hingezogensein zur Schwester erkannt hat («Ich begehre die Schwester» (XII,215)) in die Bergschlucht: «Schweres Rollen erschütterte den Grund, als öffne er sich, ihn zu verschlingen. Von senkrechter Wand herab schlug ein mächtiger Block vor ihm nieder und sprang mit einem zweiten Satz in die aufspritzende Flut» (XII,233). Man braucht sich deshalb nicht auf die psychoanalytische Interpretationsebene zu begeben um zu verstehen, daß Cesare im Gegensatz zu dem unschuldigen Wulfrin von dem Felsblock getroffen werden muß, da sein Ziel die Rückeroberung der Schwester ist und keine menschlichen Maßnahmen ihn aufhalten können.

Die Chiffre «Felsblock» gilt danach – natürlich – auch für Lucrezia, nämlich in Pater Mamettes Gedanken über die Möglichkeit ihrer Rettung: «Ihr Ursprung schon, im Schoße der Kirche, mußte ihm ein Herzeleid sein. Doch nicht hierin, noch in ihrer schauerlichen Jugend, sah er den Felsblock, der ihr die niedrige Pforte der göttlichen Armut verschloß. Wohl aber in ihrer Schlangenklugheit, mit der sie sich selbsttätig durch alle Spalten emporwand» (121). Auch die Schlangen-Chiffre taucht hier als Andeutung ihrer unlösbaren Verbundenheit mit dem Bruder auf und zugleich als Indikator der Häutungsthematik.

Alfonso

In Meyers persönlichem Mythos steht Cesare, wie deutlich wurde, in paradigmatischer Beziehung zu Becket, dem Toggenburger und dem Pseudoisidor, völlig unabhängig von den ideologischen und moralischen Implikationen dieser Akteure. Das Paradigma umfaßt natürlich auch die Hauptpersonen der übrigen Novellen: Schadau/Karl IX. im «Amulett», Jenatsch, Gustel Leubelfing/den Lauenburger in «Gustav Adolfs Page», Astorre in der «Hochzeit des Mönchs», Julian Boufflers in den «Leiden eines Knaben», Wulfrin in der «Richterin» und Pescara/Bourbon; selbst in den beiden humoristischen Novellen «Der Schuß von der Kanzel» und «Plautus im Nonnenkloster» wird man bei näherem Hinsehen in Pfannenstiel und Gertrude diesen Aktanten wiedererkennen können. Als zweiter Aktant des Mythos, das verlorene/umstrittene/verbotene Objekt, fungieren nicht nur Lucrezia Borgia und Gnade, sondern auch die damit verbundenen paradigmatischen Frauengestalten: Lucretia Planta/Lucia in «Jürg Jenatsch», Gasparde im «Amulett», Corinna in «Gustav Adolfs Page» usw. Die dritte Größe der Aktantenstruktur, der Gegner, wird durch die paradigmatische Reihe repräsentiert, die im Gesamtwerk mit Pompejus Planta/Rohan und Coligny beginnt und mit Herzog Alfonso endet.

Diese Aktantenstruktur ist natürlich keine rein statische Größe. Mit jeder Realisation ergeben sich charakteristische Verschiebungen, nicht nur in den Eigenschaften der Aktanten, sondern auch in ihren Beziehungen zueinander. Besonders ausgeprägt ist diese Verschiebung in dem Verhältnis von Held und Widersacher: Nur in «Jürg Jenatsch», und hier auch nur in der Pompejus-Planta-Handlung, sieht man, wie der Held aus Rache für die Mitschuld seines Widersachers an der Ermordung Lucias seinen Gegner physisch und direkt vernichtet. Etwa zehn Jahre später, in «Gustav Adolfs Page», ist diese Aktion aus dem Helden ausgelagert und auf seine negative Doppelgängerfigur, die Nebenfigur des Lauenburgers, übertragen, während die Helden dieser ersten Phase (1873–82) im übrigen dadurch gekennzeichnet sind, daß sie ihre Gegner nur auf indirektem Wege vernichten. Ab «Das Leiden eines Knaben» (1883) ergibt sich daraufhin eine deutliche Verschiebung innerhalb des Aktantensystems, deren wichtigstes Ergebnis darin besteht, daß der Held durch die Betonung seiner passiv leidenden Rolle von seiner Schuld entlastet wird. Der Gegner spaltet sich in dieser zweiten Phase (1883–87) in zwei Personen: Auf der einen Seite stehen die Väter (und ihre Helfer), die mit ihren Ansprüchen die Existenz der Söhne zerstören, auf der anderen Seite die fernen, kalten und unverletzbaren Herrschergestalten (Ludwig XIV., Ezzelin/Friedrich II., Karl der Große, Karl V.). Den beiden Abspaltungen der Gegner gemeinsam ist die Tatsache, daß sie außerhalb der Reichweite des Helden liegen, so daß dessen Rache nicht verwirklicht werden kann. Julian Boufflers wird durch die ungerechte Bestrafung gebrochen und stirbt, der Mönch Astorre wird in eine groteske Destruktion herabgesogen, Wulfrin erreicht den Punkt, an dem sich das Chaos unter ihm öffnet (XII,215–18), und wird ausschließlich durch ein fast göttliches Eingreifen gerettet, und schließlich wird der sterbende Pescara in der Gestalt Morones mit dem Bild seiner eigenen psychischen Auflösung konfrontiert, die seine offenkundige Möglichkeit wäre, hätte ihn seine «Seitenwunde» nicht gerettet. Jeder dieser Helden kann sich somit die einleitenden Worte zu «Cäsar Borjas Ohnmacht» (I,344) zueigen machen: «Wer bin ich? Einer, welcher unterging.»

Bedenkt man diese Achse des Gesamtwerks, dann wird verständlich, weshalb Lucrezias Gatte, Herzog Alfonso, als einziger in Ferrara nicht von dieser durch die Suggestibilität verursachten Auflösung der Persönlichkeit betroffen wird, die alle übrigen zu Marionetten in Cesares Hand macht. Zwar ist er das eigentliche Ziel all dieser untergrabenden Transaktionen, ganz einfach weil *er* der Gegner ist, der Cesare den augenscheinlich entscheidenden Verlust zugefügt hat: Lucrezia. Doch aus der soeben skizzierten Transformation des persönlichen Mythos folgt, daß der Gegner für die Rache des Helden immer unerreichbarer wird. Diese Unerschütterlichkeit ist fest in Meyers internem Kode verankert, auf der realen Handlungsebene der Novelle dagegen nur schwach begründet, da der Text Cesare als «den grausamen, aber nützlichen Vertilger der kleinen Stadttyrannen» (91) schildert, der Herzog von Ferrara also innerhalb seiner Reichweite liegen sollte. Hier spielt nun das spanische Gefängnis eine Rolle. Den historischen Quellen zufolge verbrachte Cesare 2 Jahre im Gefängnis, Meyer aber verurteilt ihn zu völliger physischer Passivität, indem er ihn mehr als 4 Jahre in Spanien anbringt, und zwar bevor Lucrezia Rom verläßt bis zu dem Zeitpunkt, als in Ferrara die Krise ausbricht. Mit seiner Entdeckung der Suggestion als Waffe in einem psychischen Kampf zwischen Held und Gegner kehrt Meyer somit zu der älteren, im «Heiligen» verwirklichten Gestaltung der Aktantenstruktur zurück (vgl. oben S. 243), in der der Gegner erst der Schädiger und danach Objekt der vom Helden angestrebten Rache ist. Er behält jedoch das spätere Element der Struktur, die Unerreichbarkeit des Schädigers, bei. Cesare kann nur eines erreichen, er kann – um die Schachmetapher zu benutzen, deren sich Meyer in seinen letzten beiden Novellen so gern bedient – Stein auf Stein des Gegners entfernen, so daß der König zum Schluß allein dasteht, doch danach bricht das Spiel ab.

Diese intakte Position führt jedoch nicht zu einem idealisierten Porträt von Alfonso. Meyers historische Quellen weichen in der Beurteilung der Persönlichkeit des Herzogs zwar stark von einander ab[1], in der Schilderung seiner praktischen, erdverbundenen Interessen stimmen sie jedoch überein: Handel, Handwerk, Festungsanlagen und Waffenkonstruktion, und seine Lieblingsbeschäftigungen sind Kanonengießen, Drechslerarbeiten und Fayencemalerei. Diese Seite seines Lebens ist in die «Angela Borgia» aufgenommen und wird allgemein dazu benutzt, ihm einen lächerlichen Anstrich zu verleihen. Sein Willkommenssalut für Lucrezia wirft sie fast vom Pferd («Don Alfonso war ein leidenschaftlicher Liebhaber von Geschütz – ganz Kanone –» (8), vgl. «der rußige Vulkan» (13)), und als leidenschaftlicher Dilettant in der Fayencemalerei freut er sich naiv über Anerkennung (13) und ist äußerst empfindlich, wenn er kritisiert wird (127). Mit Ferrantes Worten handelt es sich kurz ausgedrückt um den «gewöhnlichsten aller Sterblichen» (13). Meyer unterstreicht diese Mittelmäßigkeit ganz gelungen: Trotz der Tatsache, daß der Herzog bei Lucrezias Ankunft «den glänzenden Zug anführte» (5), läßt der Erzähler ihn während der gesamten Zeremonie unsichtbar verbleiben, so als sei er ein nahezu überflüssiges Requisit. Außer durch Ferrantes abschätzige Bemerkungen (13) erhält der Leser jedoch auch durch Lucrezias Gedankenreferat einen Einblick in sein Wesen. Sie ist sich keinen Augenblick darüber im Zweifel, daß seine Ehe mit ihr eine Handelstransaktion «zur Wohlfahrt seines Staates» darstellt und «um mit vollen Händen aus dem Schatze des heiligen Petrus zu schöpfen» (7), so daß nur die beträchtlichen, mit dieser Ehe verbundenen Vorteile sein Unbehagen «bei seiner bürgerlichen Ehrsamkeit» (7) überwinden konnten. Nach den historischen Quellen (vgl. XIV,411) war in dieser Angelegenheit nicht Alfonso, sondern der noch regierende Herzog Ercole der Verhandlungspartner Alexanders VI.. Meyer schreibt also Lucrezias Ehemann die wenig schmeichelhafte Krämerrolle zu, wobei dieser Umstand durch die Worte *bürgerliche Ehrsamkeit»* – an sich schon seltsam für einen Thronfolger aus dem ältesten *Fürsten*geschlecht Italiens – ironisch unterstrichen wird.

Von der Entwicklung der Aktantenstruktur her gesehen birgt dieser Sprachgebrauch jedoch nichts Unerwartetes. Bereits in dem Übergangswerk «Gustav Adolfs Page» läßt sich beobachten, daß der «Gegner» des Helden in eine negative und eine positive Figur gespalten ist; die negative ist hier der Kaufmann Leubelfing, der in der einleitenden Szene stark mit seiner Buchführung beschäftigt ist (XI,167)[2]. Die unsympathische Vaterfigur hat in den «Leiden eines Knaben» ihre Fortsetzung in dem pedantischen, unbegabten und knauserigen Marschall Boufflers (XII,111–12), der den Sohn mit seiner Prinzipienreiterei in den Tod treibt, und in der «Hochzeit des Mönchs» in dem passionierten Geldraffer Vicedomini (XII, 17 ff.), der skrupellos seinen Sohn für «den Reichtum und das Gedeihen seines Stammes» (XII, 17) opfert. Selbst in der «Versuchung des Pescara» tritt dieses Element, wenngleich von der Vater-Sohn-Konstellation getrennt, in dem Herzog von Mailand auf, den man in der einleitenden Szene über die Staatsrechnungen gebeugt findet (XIII, 151); der Plan, Pescara zum Abfall vom Kaiser zu bewegen, entspringt demnach einer wirtschaftlichen Erwägung. In dem zentralen Konflikt dieser Novelle spielt das Hamletproblem, die zerstörerischen Ansprüche des Vaters an den Sohn (XIII, 232–33), dann eine ebenso wichtige Rolle wie in der «Richterin», wo Wulfrin von seiner Kindheit berichtet: «als Siebenjähriger bin ich daheim ausgerissen – der Vater hatte mir das sieche Mütterlein ins Kloster gestoßen – und über Stock und Stein zu König Karl gerannt» (XII, 166). Die Rächerrolle ist ihm aufgezwungen, keine freiwillige Wahl.

Mit dem ironischen Porträt des Mannes, der Alexander VI. und dessen Sohn überlistet, scheint Meyer also zu einer seiner Lieblingsaversionen zurückgekehrt zu sein, zu dem prinzipientreuen und geradlinigen Bürger, der heroisch an seinen Idealen festhält, bis das Angebot des anderen eine passende Höhe erreicht hat. Über edle Prinzipien verfügt auch Alfonso, beispielsweise in dem Gespräch mit Strozzi, das dieser wiedergibt: «Dabei erhitzte er sich, /.../ und sprach eifrig von dem Staate Ferrara, wie er ihn sich denke, als ein Staatswesen von unbedingter Gerechtigkeit, durchaus ohne Ansehen der Person, ohne Begünstigung, ohne Bestechung» (37). Die Ironie dieser Lobpreisung liegt darin, daß sich das gesamte Gespräch um «eine unverurteilte blutige Tat» dreht, die der Bruder des Herzogs, Don Giulio, begangen hat, und daß Alfonso bei der gleichen Gelegenheit seinen zweiten Bruder, den Kardinal, als «einen dem Staate Ferrara unentbehrlichen Frevler» charakterisiert (37). Die gleiche flexible pragmatische Haltung neben hochtrabenden Grundsatzproklamationen (80, 88) sind auch danach ein allgemeiner Zug der Novelle: in der Beziehung zu Ippolito (55, 75–76), Giulio (55, 71–72, 81), Lucrezia (92, 99–100) und Strozzi (101–02). Die Moral wird gebeugt und gestreckt, ohne daß sich der Herzog hier anscheinend eines Konflikts bewußt ist, wobei immer nur auf die Forderungen des Anstands Rücksicht genommen wird (47, 55, 72, 111). Es ist schwer verständlich, wie man in diesem «grausamen Pedanten» (40) «une humanité moyenne, un élément stable au milieu d'un monde qui s'effrite», hat sehen können (B 11, 358). Nicht der Herzog, sondern sein begabter Ratgeber Ippolito bewirkt ja die Begnadigung der zum Tode verurteilten Brüder und später die Freilassung des lebenslänglich gefangenen Giulio. Er ist zwar ein «Mann der Ordnung» (101, vgl. 39), was ihn aber nicht hindert, Strozzi erst willkürlich zu begnadigen und ihn danach ebenso willkürlich ermorden zu lassen, statt ihn vor Gericht zu bringen[3]. Wie Ludwig XIV. in den «Leiden eines Knaben», dem Fagon erfolglos die Augen zu öffnen versucht, besitzt auch der Herzog von Ferrara ein gewisses Maß an formvollendeter, untadeliger Engstirnigkeit und unter der respektablen Oberfläche eine erhebliche Brutalität.

Alfonsos Charakter scheint demnach durch die relative Festigkeit von Meyers persönlichem Mythos bestimmt zu sein, wonach ein mehr oder weniger labiler Held sich vergeblich gegen einen Gegner zu behaupten versucht, dessen Stärke darin begründet ist, daß er nie an der Gerechtigkeit seiner Sache zweifelt, gleichgültig ob diese Sache moralisch gut oder schlecht ist. Meyer verhält sich nicht nur skeptisch zur Einheit der Persönlichkeit, sondern zeigt in seiner Verteilung der Pro- und Antagonistenrollen auch einen Widerwillen gegen den Begriff Charakterfestigkeit, der sich mit Strindbergs Verachtung vor dem «Charakter», dem Individuum, das «zu wachsen aufgehört hat» (vgl. oben S. 97), vergleichen läßt[4].

Den Herzog kennzeichnet also in Intellekt, Moral und Handlungen ein Mangel an Format, er verläßt seine gemäßigte Zone weder im Guten noch im Bösen. Nur in der Beziehung zu Lucrezia tauchen Eigenschaften auf, die über diese Durchschnittspersönlichkeit hinausweisen, die sind dafür jedoch so ausgeprägt, daß man in ihnen den Umriß eines Cesare fast ebenbürtigen Gegners ahnt. Ungeachtet der handfesten Prämissen dieser Ehe, betont der Text eindeutig Alfonsos Liebe zu Lucrezia und im Zusammenhang damit seine Neigung zur Eifersucht (13, 17ff., 39, 100). Doch dieses zweifellose emotionale Engagement hindert ihn nicht daran, sie mit einer zwar wohlwollenden, gleichzeitig aber illusionslosen und ungeheuer präzisen Einschätzung ihrer psychologischen Möglichkeiten von ihren Voraussetzungen her zu betrachten. Bereits im 2. Kapitel liefert Bembo ein Beispiel für den klinisch kühlen Blick des Herzogs: «Jüngst an der Tafel nannte er den Namen Cäsars – nicht unabsichtlich – und sprach von einem dunkeln Gerüchte seiner Entweichung. Dabei beobachtete er Euch scharf ... Ihr bliebet ruhig, nur Eure Hand zitterte, die den Becher hielt, daraus Ihr schlürftet. Er betrachtete Euch lange, doch wohlwollend und wie mit der gerechten Erwägung, was Eurer Natur gemäß und welcher Widerstand Euch möglich sei. Gewiß, er wird Euch halten und retten, wenn Euch nicht das Verhängnis gewaltig fortreißt» (20). Die Kombination aus Gefühlswärme und eindringlicher Analyse behält er gegenüber Lucrezia in allen Lagen bei, nicht nur in den Situationen, in denen sie ihre positiven Züge zeigt, wie in ihrer Gemütsbewegung bei Ben Emins Legende («Alfonso sprach kein Wort, aber er betrachtete sein Weib ohne Groll, mit Liebe und Teilnahme» (51)), sondern auch, was weit auffälliger ist, in der Situation, in der sie ihn verrät und sein Verbot mißachtet. Als der Kardinal sein diplomatisches Meisterstück ablegt, indem er im Verborgenen dem Bund zwischen Cesare und Lucrezia entgegenarbeitet, geschieht das mit der größten Schonung: «So hatte es der Herzog angeordnet, der die Gemahlin mehr als je liebte und um jeden Preis schonen, in keiner Weise bloßstellen wollte; denn er wußte, daß die kluge und reizende Lucrezia bei der Annäherung Cäsars ihrer selbst nicht mehr mächtig war und, wieder in den Bann ihres alten Wesens, ihrer früheren Natur gezogen, schuldvoll und schuldlos sündigte» (92). Schließlich wird diese Kombination auch deutlich, als er ihr die Nachricht von Cesares Tod überbringt: «Während dieser Rede beobachtete er die Herzogin aufmerksam.» Auf das Geständnis ihrer Schuld reagiert er so: «Der Herzog aber beruhigte sie liebevoll. «Jetzt, Lucrezia», sagte er, «erst heute wirst du ganz und völlig die Meinige»» (99). «Er betrachtete sein Weib, das er nun als ein gesichertes Eigentum besaß, mit einer Art von Rührung. Noch nie hatte er sie schöner gesehen» (100).

Soll der Leser also Bembos offensichtliche Schmeichelei, der Herzog sei «ein weiser Erforscher der Menschennatur» (40), akzeptieren? In dem Fall gerät man mit den übrigen beschriebenen Zügen seines Charakters in Konflikt, nicht zuletzt mit dem Umstand, daß er politisch ohne seinen intelligenten Ratgeber, den Kardinal, hilflos ist (75, 76). Daß ihn auch die Liebe zu Lucrezia nicht verblendet hat, geht mit aller Deutlichkeit aus dem oben Angeführten hervor. Deutlich wird aus dem Text ebenfalls, daß er sich durchaus im klaren darüber ist, welche Bedrohung von Cesares erneutem Auftauchen in Italien ausgeht; denn seine Worte an den versammelten Hof lauten: «Dieser Mann ist ein Zerstörer und Verderber Italiens. Wer von euch mit ihm sich einläßt, auf welche Weise immer es sei, büßt dafür mit dem Leben. Ohne Unterschied! ohne Gnade!» (88). Diese Einschätzung der Situation teilt er mit dem Kardinal (76–77). Nicht weniger rätselhaft wird das Ganze dadurch, daß er am Schluß des Gesprächs, in dem er Bembo den verliebten Strozzi züchtigen läßt, mit unheimlich prophetischer Klarheit vorhersagt, was bei Cesares eventueller Rückkehr geschehen wird: «Aber es gibt einen Fall und eine Stunde, die sie (d. h. Lucrezia) ihres klaren Sinnes berauben werden. Ihr verderblicher Bruder wird Italien wiederum betreten und uns verwirren. Ich werde meinen Untertanen jede Verknüpfung mit ihm verbieten. Doch meine erste Untertanin, die Herzogin, wird nicht gehorchen; denn sie kann es nicht, es steht nicht in ihrer Macht. Mit den härtesten Strafen werde ich verhüten, daß sie kein Werkzeug finde, und doch wird sie eines finden … Euch wird sie ergreifen, Herkules Strozzi. Damit ist Euer Haupt verwirkt. Ich werde Euch richten. Nicht öffentlich, denn es ist eine Familiensache und eine Staatssache, die beide das Geheimnis fordern. Man wird Euch tot auf der Straße finden» (42). Angesichts dieser Einsicht, die sich an sich schon schwer mit dem Porträt des praktischen, erdverbundenen Kanonengießers und Fayencemalers in Einklang bringen läßt, wird seine Nachsicht gegenüber Lucrezia fast unverständlich, vor allem da ihr mit Sicherheit vorhergesagter Verrat nichts weniger als den ganzen Staat Ferrara in Gefahr bringen wird. Lucrezia war sich bereits bei ihrem Einzug darüber im klaren, daß ein gutes Verhältnis zu ihrem neuen Ehemann notwendigerweise die Vermeidung «neuer Schuld» (7) voraussetzte, und die bei der geringsten Gelegenheit durchscheinende Eifersucht des Herzogs (17, 38 ff.) gibt ihr recht. Weshalb findet sich dann nicht die kleinste Andeutung der Mißbilligung ihrer Bindung an ihre verbrecherische Vergangenheit?

Das Verständnis der Figur des Herzogs wird dadurch erschwert, daß er so widerspruchsvoll gleichzeitig Teil von zwei Referenzsystemen des Textes ist (Repertoireelemente im Sinne von Wolfgang Iser, vgl. I 1,132 ff.): Er gehört teils zu dem persönlichen Mythos, teils zu der zum Entstehungszeitpunkt der Novelle aktuellen extratextuellen Norm, die durch die Suggestionspsychologie in der Version der Nancyer Schule gebildet wird. Entscheidet man sich für die Perspektive des ersten Systems, so erscheint Alfonso, unbeschadet seiner weniger hervorragenden Eigenschaften im übrigen, als ein Cesare in psychologischer Einsicht ebenbürtiger Mann[5]. Danach sollte man beachten, daß Bembo in seiner formvollendeten und für den Herzog ausgesprochen schmeichelhaften Belehrung des zerquälten Strozzi Alfonso keinen *Kenner*, sondern einen «Erforscher der Menschennatur» (40) nennt. Diese Formulierung könnte ihn anachronistisch zu Bernheim und Forel, den Erforschern der menschlichen Empfänglichkeit für Suggestion, in Beziehung setzen[6]. Weil er diese Einsicht besitzt, weiß er, daß Lucrezia «schuldvoll und schuldlos sündigte» (92), betrachtet er sie ohne moralische Verurteilung, genauso wie der Jurist Lilienthal die suggerierte Vorstellung, die einen Menschen dazu trieb, eine kriminelle Handlung zu begehen, mit den «Zwangsvorstellungen Geisteskranker» verglich (L 4,385). Das würde außerdem seine leidenschaftslose Haltung zu der sinnlosen Verliebtheit des Kardinals in Angela («Es ist eine menschliche Plage – eine Krankheit – ein Unglück» (45)) und zu dessen Verstümmelung von Giulio (55, 75) erklären; darüber hinaus auch, was vielleicht auffälliger ist, weil es den Staatsinteressen zuwiderläuft, seinen fehlenden Affekt gegenüber Strozzis Hochverrat (100– 02) und seine Bereitschaft, über dessen grobe Provokation hinwegzusehen (102. Strozzis Verbindung zu Cesare Borgia ist im übrigen Meyers Erfindung).

In die gleiche Richtung deutet eine Einzelheit im 4. Kapitel. Statt den verliebten Bembo stillschweigend ziehen zu lassen, benutzt er ihn als Werkzeug, um Strozzis anstößige Leidenschaft für die Herzogin ans Licht zu bringen und ihn zu demütigen – wie Giulio sagt: «In der Tat, ein genialer Gedanke des Ehemannes, in seiner Gegenwart den einen Anbeter seiner Frau durch den andern abkanzeln zu lassen!» (40). Alfonso benutzt hier die gleiche Taktik wie Cesare, er läßt die Freier einander vernichten. So gelesen, erscheint er wie Cesare, durch seine Einsicht in das unfreie Handeln der übrigen Personen, so daß er zur zweiten Odysseusgestalt der Novelle wird (vgl. oben S. 230): Er ist im 11. Kapitel der Heimgekehrte, der zu der «unheimlichen Lustigkeit» der Freier in Penelopes Saal tritt (108); sein Eintreten in sein rechtmäßiges Eigentum aber führt zu dem «Todesschrei» des Usurpators.

Es besteht jedoch auch die Möglichkeit, die Perspektive von dem persönlichen Mythos, wonach der Herzog den unverletzbaren Gegner repräsentiert, abzuziehen. Angesichts der Tatsache, daß er gerade die Nachricht von Cesares Flucht aus dem Gefängnis erhalten hat (87), daß er sich über die dadurch für seinen Staat entstandene Gefahr durchaus im klaren ist und daß schließlich Lucrezia mit Sicherheit zu einem willenlosen Werkzeug in der Hand des Bruders werden wird, fällt auf, daß er seine Anweisungen an den versammelten Hof mit den Worten beschließt: «All dieses unbeschadet meiner Hochachtung und eurer Verehrung für Donna Lucrezia, eure erlauchte Fürstin, der ich traue wie mir selbst, und der ihr zu gehorchen habt wie mir selbst» (88). Damit nicht genug: In dieser Krisensituation verläßt er plötzlich Ferrara und überläßt «seiner Gemahlin die Regentschaft und zum Berater den Kardinal Ippolito» (90). Das *kann* man natürlich als die Einsicht interpretieren, daß in dieser Lage jede Maßnahme von seiner Seite vergeblich sein wird und nur Ippolitos versteckte Vereitelung von Lucrezias Plänen die schlimmsten Auswirkungen zu verhindern vermag, mit der gleichen Berechtigung kann man in dieser fluchtartigen Abreise aber auch eine Ohnmacht erblicken. Tatsächlich stürzt Lucrezia «in die Kammer Don Alfonsos» (90), um «durch das Bekenntnis ihrer Schwäche Schutz gegen sich selbst zu suchen» (89), findet jedoch: «Sein Lager war leer» (90). Weshalb läßt er sie in dieser kritischen Situation allein, noch dazu mit der «Regentschaft» betraut und damit imstande, zum Vorteil des Bruders zu arbeiten? Er hat, wie erwähnt, bereits vorhergesagt, daß Strozzi in ihrer Arbeit für Cesares Sache als Werkzeug benutzt werden wird («Euch wird sie ergreifen» (42)), und der Kardinal sieht ganz deutlich, was sich anbahnt, als sie den Brief des Bruders erhalten hat, so daß auch er den Richter an sein ihm bevorstehendes Schicksal erinnern kann: «aber sagt mir, Strozzi, wie stellt Ihr Euch das Gefühl einer Mücke vor, die sich die Flügel an einer brennenden Kerze versengt? /.../ Ich denke, sie stirbt in Rausch und Taumel! ... Nicht?» (88). Weshalb läßt dann der Herzog bei seiner Abreise den offensichtlich widerstandslosen Richter in Lucrezias Nähe zurück, ohne ihn zumindest durch den angeblich immer gut unterrichteten Kardinal überwachen zu lassen? Und weshalb hat ausgerechnet der Kardinal einige Tage zuvor dem Herzog empfohlen, in Zukunft Lucrezia als seine politische Stütze und seine Beraterin einzusetzen, während er *gleichzeitig* weiß, daß sich Cesare seiner Beute nähert (76–77)?

Die Tatsache, daß der Herzog Ferrara verläßt (was er den Quellen zufolge nicht tat), ist genauso mehrdeutig, wie nach Meyers sorgfältiger Verschleierung des psychologischen Musters der Novelle zu erwarten war: «Er war in noch früherer Stunde verreist, eine Zeile zurücklassend, er eile nach Bologna, um von der Gefahr dieser Zeit an der Seite seines Lehnsherrn, mit dem nicht zu scherzen sei, der Heiligkeit Julius des Zweiten, in Treue gefunden zu werden» (90). Alfred Zäch kommentiert diese Stelle: «Gesuchte Wendung. *Gefahr* ist personifiziert gedacht: die Gefahr soll ihn treu finden» (XIV,427). Wenn das die Lösung darstellt, weshalb hat Meyer dann eine so geschraubte Ausdrucksweise gewählt, da er ja einfach die normalsprachliche Wendung hätte beibehalten können, die er offensichtlich der Schwester zuerst diktiert (Manuskript B[1]), danach aber durchgestrichen hatte: ...«um in dieser gefährlichen Zeit an der Seite seines Lehnsherrn» ... (XIV,369)? Auch in Manuskript M, ein paar Monate früher, ist die Formulierung eindeutig: «Er beschwor den Bruder, wenigstens bis zur Überwindung und neuen Fesselung des Dämons Cesare in Ferrara zu beharren, um so mehr als er, der Herzog, von der neuen Heiligkeit, dem großen und kriegerischen Leo, dessen Lehensmann er war nach Bologna berufen sei, welchem Rufen mißzugehorchen gefährlich wäre» (XIV,261). Bei der Form, die der Satz in der «Angela Borgia» hat, scheint es sich um eine bewußte Kontamination aus zweien zu handeln: Der erste entspricht der durchgestrichenen Version oder vielleicht deutlicher: *von seinem Lehnsherrn ... in Treue gefunden zu werden. Das gibt in Übereinstimmung mit Manuskript M die von außen kommende politische Notwendigkeit an. Der zweite Satz könnte so lauten: *um von der Gefahr dieser Zeit an der Seite seines Lehnsherrn ... gefunden zu werden, was etwas ganz anderes ist. Damit sucht der Herzog nämlich in der ihn selbst bedrohenden Gefahr Zuflucht bei dem mächtigen Papst. Letztere Möglichkeit verleiht der Abreise den Charakter einer überstürzten Flucht: Der Herzog gibt den Kampf auf und flieht zu dem einzig möglichen Beschützer[7]. Ein Abschnitt etwa eine Seite weiter zeigt jedenfalls, daß seine Anwesenheit in Ferrara besonders notwendig ist, als es von Cesare heißt: «In der Romagna, ja selbst im Ferraresischen, dem Eigentum der Este, vergötterte ihn die Volksmasse und krönte sein Andenken» ...(91)[8].

Wie immer man den schwierigen Satz auch auslegen will, aus dem bereits

Angeführten geht deutlich hervor, daß die plötzliche Abreise des Herzogs Cesares erneuter Herrschaft über Lucrezia das schwerwiegendste Hindernis aus dem Weg räumt. Mit der auf diese Weise rational schwach begründeten Handlung scheint man es in Alfonsos Fall mit einem psychischen Fremdkörper zu tun zu haben, wie er auch lenkend in das Verhalten der übrigen Personen eingreift. Geht man davon aus, daß Alfonso hier unter dem Zwang einer Suggestion handelt, so beantworten sich eine Reihe von offenen Fragen über seine Person, obgleich unklar bleibt, ob Lucrezia oder Cesare direkt ihn dazu zwingt, völlig gegen seine naheliegenden Interessen und seine bessere Einsicht zu handeln[9]. Der scheinbar anakoluthische Satzbau der kurzen Nachricht an die zurückgelassene Lucrezia wird so zu einem deckenden Ausdruck seines Bewußtseinszustands: Der abrupte, zwanghafte Entschluß, das Herzogtum zu verlassen und die Herrschaft in Lucrezias Hände zu legen, wird vor seinem überrumpelten Bewußtsein a posteriori damit begründet, daß er dem Papst keinen Anlaß bieten möchte, an seiner Loyalität zu zweifeln, während das treibende Motiv seiner Handlungsweise in Wirklichkeit eine Angstvorstellung ist, die sich der Kontrolle der Vernunft entzieht, weil sie auf einer anderen psychischen Ebene abläuft als die intellektuellen Prozesse.

Auch Alfonsos generelle Haltung zu Lucrezia läßt sich nicht nur als die Einsicht des überlegenen Psychologen in die fehlende Willensfreiheit seiner Mitmenschen deuten. Diese Möglichkeit bleibt offen, weil sein unverändert positives affektives Verhältnis zu ihr, selbst nach ihrem Hochverrat, so ausgeprägte Ähnlichkeiten mit der Dissoziation von Affekt und Intellekt und Moral aufweist, wie sie bei Angela in der Beziehung zu Lucrezia zu finden ist (vgl. oben S. 217ff.), was in ihrem Fall nicht in einer allgemeinen moralischen Vorurteilslosigkeit oder kühler Intellektualität gründen kann. Hinzu kommt, daß zwischen den Formulierungen, mit denen Angela Don Giulio so unerklärlich züchtigt, und der plötzlichen, fast visionären Einsicht in die kommenden Ereignisse, die der Herzog zum Ausdruck bringt, eine auffällige Ähnlichkeit besteht. In Angelas Fall bricht etwas Fremdes durch die Oberfläche: «es bewegte sich etwas Undeutliches auf ihren ausdrucksvollen Lippen. /.../ Da brach es hervor» (16). Auch in Strozzis Wiedergabe seines Zusammenstoßes mit Alfonso findet man einen ähnlichen Zug: «Zuerst sagte er ruhig und finster: «Euer Bildnis der Herzogin, Bembo, ist treffend und nicht geschmeichelt.» Er fixierte uns beide. Mit meiner Miene schien er nicht zufrieden. Es erhob sich etwas Heißes in ihm, und er wandte sich drohend gegen mich» (41.–42. In Manuskript M ist diese Parallele nicht durchgeführt, dort heißt es nur: «Er sagte ruhig und finster» (XIV, 222)). Die Parallelisierung dieser beiden Personen ist im übrigen auch sonst deutlich, da auch Angela – in Giulios Traum (34–35) – eine ähnlich prophetische Qualität besitzt. Es ist deshalb nicht auszuschließen, daß man es in dem Abschnitt S. 41–42 mit einer Differenzierung von Alfonsos Aussage zu tun hat: «Ruhig und finster», d. h. im klaren Normalbewußtsein, erkennt er das von Bembo gezeichnete Bild von Lucrezia an («das menschlich natürliche Bild einer Dulderin»), das zwar mit der Auffassung von Gregorovius übereinstimmt, dafür aber in offenem Widerspruch zu dem Porträt einer kaleidoskopischen und «dämonisch» willenlosen Persönlichkeit steht, das der *Erzähler*, und damit die fiktionale Wirklichkeit, liefert. Wogegen er in dem Augenblick, als ihn diese Klarheit verläßt und «etwas Heißes» (in Manuskript B[1] «etwas Arges») an die Stelle der kühlen Überlegung tritt, eine traumartig sichere und genaue Einsicht in die Wirklichkeit unter der Oberfläche der Konvention erhält. Damit hat man also nicht nur eine Parallele zu Giulios Traumhellsichtigkeit, sondern auch zu Lucrezias hypnoider Vision von Cesare, in der sie mit einem Schlag sieht, was ihr sonst verborgen ist (89). Während sich seine Einsicht in Lucrezias psychischen Habitus als die unvoreingenommene Beobachtung des Seelenforschers auffassen läßt, wirkt sein prognostisches Vermögen an dieser Stelle so überwältigend, daß man dabei eher an die im alten animalischen Magnetismus (und damit auch bei Schopenhauer) zu findenden Vorstellungen von der «Luzidität» der Somnambulen, an ihre Fähigkeit zu genauem Vorauswissen, denkt (vgl. **B 2**,30, 39). Dennoch ist natürlich nicht auszuschließen, daß Alfonso diese weitblickende psychologische Einsicht zugeschrieben wird, um ihn als Cesares ebenbürtigen Gegenspieler zu kennzeichnen.

Die Analyse des Herzogs enthält also viele Unsicherheitsmomente, deutlich ist jedoch, daß er sich, selbst wenn man bei ihm ein gewisses Maß an Suggestibilität annimmt, durch die Art und das Ausmaß seiner Beeinflußbarkeit von den übrigen Personen in Ferrara unterscheidet. Die anderen werden in ihren Affekten und Beurteilungen zuweilen bis zur Unkenntlichkeit verwandelt und begehen dann Taten, die sie hinterher nur schwer als ihre eigenen erkennen können und deren Konsequenzen jenseits ihrer bewußten Absichten liegen. Alfonso dagegen wird zu keinem Zeitpunkt von einem mitreißenden Affekt ergriffen, der sein Selbsterlebnis als ganze und zusammenhängende Person bricht. Der einzige mögliche permanente Fremdkörper in seiner Psyche sind die fehlenden negativen Gefühlsschwankungen gegenüber Lucrezia und im Zusammenhang damit ein solches Einfühlungsvermögen in die Welt ihrer Voraussetzungen und Vorstellungen, daß dies sich nur schwer mit der Schilderung seiner äußerst erdverbundenen Interessen vereinen läßt. Doch wo liegt in einem solchen Fall die Grenze zwischen Verliebtheit und Suggestion? Offensichtlich dort, wo Affekt und Intellekt so getrennt bleiben, daß keine *Idealisierung* des Liebesobjekts stattfindet (vgl. F 7,IX, 105–06). Zwar sagt er bei Cesares Tod: «Siehe, bis dahin besaß dich der Geist deines Hauses, der mein Gefühl beleidigt und mein Urteil herausfordert» (99), doch im Text finden sich nirgendwo Anzeichen einer gekränkten oder verurteilenden Haltung. Darin unterscheidet er sich von dem weitaus radikaler gespaltenen Strozzi, über dessen Beziehung zu Lucrezia Bembo sagt: «Dein strenger Rechtssinn verdammt das, was dein Auge beglückt und das Feuer deines Herzens entzündet. Das ist dein Widerspruch und dein Irrsal. Der Richter wird entflammt für die von ihm Gerichtete» (40).

Alfonsos relative Charakterfestigkeit und seine psychologische Einsicht bilden, wie bereits erwähnt, die Voraussetzung dafür, daß sich der Grundkonflikt der Novelle zwischen Lucrezias Bruder und ihrem Mann nicht wie im «Heiligen» als psychische Überlegenheit gegen physische Stärke gestaltet, sondern als ein veritabler Kampf der Gehirne, bei dem der erstere nach seiner anfänglichen Niederlage seinen Gegner langsam und indirekt zu vernichten sucht. Mit Erfolg – denn in dem Augenblick, als Cesare die direkte Verbindung zu seiner Schwester aufnimmt, scheint der Herzog den Kampf aufzugeben und mit Ippolito als einzigem Stellvertreter und Vertreter seiner Interessen Lucrezia und darüber hinaus auch Strozzi dem Gutdünken des Gegners zu überlassen. Das scheint mir Alfonsos unerklärliche Abreise aus seinem Staat zu einem Zeitpunkt, als dessen Existenz mehr als je zuvor bedroht ist, am besten zu erklären. Das stärkere Gehirn zwingt das schwächere dazu, gegen seine vitalen Interessen zu handeln. Anscheinend weiß der Herzog über diese Dinge genau Bescheid, bezeichnend für Meyers Skepsis und Pessimismus ist jedoch, daß dieser fast allwissende Beobachter gerade in der Rolle des Beobachters bleibt und in Wirklichkeit den in seiner unmittelbaren Nähe ausbrechenden destruktiven Kräften machtlos gegenüber steht. Er kann Ippolito nicht daran hindern, den jüngeren Bruder zu verstümmeln, er kann nicht verhindern, daß sich Ferrante und Giulio gegen ihn verschwören, daß Lucrezia in ihre Abhängigkeit von Cesare zurückfällt, Strozzi seinen Verrat begeht und schließlich auch nicht, daß Angela heimlich den lebendig begrabenen Giulio heiratet (132)[10].

Die Schwäche des Herzogs, die Cesare dazu benutzt, ihn aus Ferrara zu vertreiben, ist natürlich seine starke Bindung an Lucrezia, die sich so isoliert von allen seinen übrigen mentalen Prozessen entfaltet, daß nicht einmal die bedrohliche Lage ihn dazu bringen kann, energisch gegen ihre Konspiration mit dem Bruder vorzugehen. Ippolito, der aufgrund seiner grausamen und reinen Intellektualität (82, vgl. oben S. 253, 266) als letztes Bollwerk gegen Cesare die Stelle des Herzogs einnimmt, ist somit in seinen Handlungen durch den Befehl der äußersten Rücksicht gebunden: «So hatte es der Herzog angeordnet, der die Gemahlin mehr als je liebte und um jeden Preis schonen, in keiner Weise bloßstellen wollte» (92). Selbst die Aussicht, von den beiden Borgiageschwistern aus dem Weg geräumt werden zu können, schwächt diesen positiven Affekt in keiner Weise. Ganz im Gegenteil, da er ja der motivierende Faktor dafür ist, daß er die Interessen des Staates aufgibt.

Die Ohnmacht des Intellekts gegenüber dem verborgenen Wirken der Suggestion ist in der Novelle so ausgeprägt, daß selbst der Kardinal vergeblich arbeitet. Zwar heißt es von ihm: «Vor seinem Zurücktritte aus dem ferraresischen Staatsdienst und der Entlassung seiner ausgesuchten und vorzüglich geschulten polizeilichen Werkzeuge reizte es ihn, sein diplomatisches Meisterstück zu liefern» (92). Zwar gelingt es ihm auch, störend in fast alle von Lucrezias Plänen einzugreifen, doch seine Überlegenheit ist nur eine scheinbare. Cesares zweiter Brief enthält nur einen einzigen Befehl: Lucrezia soll ihm Strozzi schicken, und in diesem Kardinalpunkt versagen sowohl Ippolitos Polizei wie sein eigenes Genie. Passiv muß er zusehen, wie sich der höchste Beamte des Staates entfernt. Der Staat wird letzten Endes nicht dadurch gerettet, daß der Diplomat überlegen die Ereignisse lenkt; ihn rettet nur der stürzende Felsblock, das göttliche Eingreifen.

Die Analyse der «Angela Borgia» begann mit der Lucreziagestalt und endete mit Cesare und Alfonso. Das erste szenische Moment der Novellenhandlung ist der Einzug in Ferrara, mit dem Lucrezia ihren Entschluß, Cesare zu verlassen, verwirklicht; das letzte Moment ist ihr Verzicht auf das Wittum, das materielle Zeichen des Betruges, der Teil ihres Loyalitätswechsels war. Zwischen diesen beiden Polen verläuft Cesares rein mentaler Kampf um die Rückeroberung der Schwester und die Rache an Alfonso. Alle übrigen Verläufe und Persönlichkeitsveränderungen sind durch diesen zentralen Konflikt determiniert. Selbst der moralische Akt, Angelas «Liebe, die aus Reue und Mitleid stammt» (128), entspringt letzten Endes dem Gedanken des Unsichtbaren: «doch möchte ich euch Don Giulio empfehlen /.../ und ich möchte es ihm gönnen, daß er sich durch eine edle Frau fesseln ließe» (12).

Die drei Jahre zuvor entstandene «Versuchung des Pescara» war so komponiert gewesen, daß verschiedene «Versucher» sich eifrig bemühten, die eine zentrale Gestalt zu beeinflussen. «Nur *eine* Situation: das Hervortreten der schon anfänglichen Todeswunde», das war Meyers Kompositionsprinzip gewesen (Brief an Frey vom 18. 11. 87). In der «Angela Borgia» kehrt er diese analytische Komposition um, tauscht unter dem Eindruck der neuen Psychologie das Objekt der Verführung gegen den Verführer aus und läßt die

Handlung aus dem sich in der realen Welt entfaltenden, allmächtigen sugge-
stionsgebenden Gedanken bestehen.

Anmerkungen

[1] Gregorovius betont seine Schlichtheit («nicht als ein genialer und fein gebildeter, aber als ein
praktischer und ruhiger Mann» (189)), die einen Kontrast zu dem Milieu bildet, das Lucrezia
in Rom hinter sich gelassen hatte. Burckhardt dagegen zeichnet in «Die Kultur der Renaissance in Italien» in Kapitel 5 eher das Porträt eines hervorragenden Staatsmannes.

[2] Diese Seite der Meyerschen Dichtung betont David A. Jackson zu Recht: «Die kaufmännisch-industrielle Großbourgeoisie der Gründerjahre bot Meyer keine erfreulicheren Aus-
sichten, und unter der Maske des Nürnberger Handelspatriziats des 17. Jahrhunderts rückte
er ihr in «Gustav Adolfs Page» (1882) zu Leibe. /.../ Meyer entlarvt das ganze Ethos von
Fleiß, Bildung und sittlicher Tüchtigkeit» (J 1,97).

[3] Seltsamerweise nimmt Williams des Herzogs «concern for justice above all things» (W 2,182)
so buchstäblich, daß er gegen Ende seiner Analyse meinen kann: «Angela's heavenly justice,
which is mercy and forgiveness of sin, is contrasted to that of Alfonso, the ruler, whose justice
must essay always to embrace both equity and stability and security, and is therefore often
hard, often murderous» (W 2,199).

[4] Dagegen betrachtet Jost Hermand (R. Hamann/J. Hermand, «Gründerzeit». 1965) Meyer
als eine Schlüsselfigur in der während dieser Zeit weit verbreiteten Anbetung der großen
Persönlichkeit: «Wenn er Helden schildert, will er sich erhoben fühlen. Auf diese Weise
entsteht eine abstrakte Machtideologie, die trotz aller historischer Verbrämung in einem
Niemandsland der genialen Einzelnen spielt» (69). «Auf diese Weise verwandelt sich das
Ganze zur Legende, zu einem Charakterbild, das sich aus dem psychologisch Menschlichen
immer stärker ins Übermenschliche erhebt» (70, über Becket). «Auch hier keine Deutung,
keine psychologische Zergliederung, keine Reflexion, sondern klare, nebeneinander gestellte
Kontraste» (111, über «Das Amulett»). Meiner Meinung nach verfällt Hermand hier in den
Fehler, Meyers monumentalisierenden *Stil* als eindeutiges Korrelat einer antipsychologi-
schen Tendenz aufzufassen, was ziemlich absurd ist. Liegen Hofmannsthals «Märchen der
672. Nacht» und «Die Frau ohne Schatten» mit ihrer zweifellos starken Stilisierung «dem
psychologisch Menschlichen» ferner als ein Roman von Fontane? Peter Szondi scheint mir
recht zu haben in seiner harten Kritik an Hermands Haltung und Methode, «daß die Kultur-
und Sozialgeschichte einen Blick begünstigt, der nicht am Kunstwerk verweilt, geschweige
denn, daß er darein einzudringen suchte, sondern der immer schon darüber hinaus ist um
eines Umfassenderen willen, dem das Kunstwerk nur als ein Beispiel unter unzähligen
anderen zu dienen hat. Ebenso wird der Wissenschaftler, der von normativen Vorstellungen
und Vorurteilen ausgeht, gar nicht in der Lage sein, sich in das einzelne Kunstwerk zu
versenken, die Bedingungen seiner Entstehung, die historischen Implikationen seines Gehal-
tes an ihm selber zu untersuchen, sondern er wird über eine ganze Epoche, über einen Stil
schreiben und dabei immer nur Beispiele anführen, ohne auf sie einzugehen» («Das lyrische
Drama des Fin de siècle». Studienausgabe der Vorlesungen, Band 4. 1975, S. 23).

[5] Alfonso nimmt danach die gleiche Aktantenfunktion ein wie der Kaiser in der «Versuchung
des Pescara». Dieser zeigt ja mit seiner kurzen Mitteilung an den Feldherrn (XIII,244), daß er
als einziger die wahre Einsicht in die allen anderen rätselhaften Verhältnisse besitzt. Das

gleiche läßt sich von Stemma in der «Richterin» und von Ezzelin in der «Hochzeit des Mönchs» sagen. Wie Alfonso ist Ezzelin imstande, den Lebenslauf des Helden vorherzusagen (XII,26; vgl. 82–83, 85, 91–92) und die Ergebnisse mit unveränderlicher nachsichtiger Ruhe zu betrachten. Wie sehr Meyer daran gelegen war, Alfonso als den ebenbürtigen Gegner Cesares darzustellen, geht übrigens schon aus seiner gelinde gesagt freien Behandlung der Chronologie hervor. Der Novellentext vermittelt den deutlichen Eindruck, daß Alfonso zur Zeit seiner Verheiratung mit Lucrezia ein reifer Mann ist. Die historischen Tatsachen zeigen dagegen, daß Cesare 1502 27 Jahre, Alfonso dagegen nur 16 Jahre alt war.

[6] Forel hatte in der Enquete von Franzos über den historischen Aspekt der Suggestion u. a. gesagt: «Thatsächlich glaube ich endlich, daß in der abergläubischen «guten alten» Zeit viel mehr Verbrechen durch (allerdings nicht als solche erkannte) Suggestionen verübt worden sind, als jetzt» (F 6,52–53).

[7] In seinem Gespräch mit Bembo im 4. Kapitel, d. h. wenige Monate vor seiner Abreise aus Ferrara, spricht der Herzog über Papst Julius: «Ein furchtbarer Mensch, dieser Julius. Er liebt mich nicht; empfehlt mich ihm. Und was werdet Ihr dem Schrecklichen sagen» ... (38). Durch die Benutzung der beiden in der Novelle im übrigen Cesare vorbehaltenen Adjektive (6,12,97) wird eine Ebenbürtigkeit dieser Figuren angedeutet.

In Manuskript M wird, wie oben, der Name des Papstes überall als Leo angegeben. Der Name wurde in den gedruckten Ausgaben der Novelle (bis er auf Betsys Veranlassung hin korrigiert wurde, vgl. XIV,329–30) in der Erwähnung des Papstes durch den Herzog beibehalten (38). Alfred Zäch weist mit gutem Grund Betsys Wegdeutung des «Verschreibers» zurück. Meyers solides historisches Wissen läßt es wenig wahrscheinlich erscheinen, daß er bei den Ereignissen des Jahres 1506 Julius II. (1503–13) mit Leo X. (1513–21) verwechselt haben sollte, so daß die Namensverwechslung eine andere Begründung haben muß. Die Annahme liegt sehr nahe, daß hier die Durchschlagskraft des persönlichen Mythos für den physisch übermächtigen Gegner des Protagonisten die Chiffre «Leo», «Löwe», einsetzt. So bezeichnet Meyer (Lingg, 2. 5. 80) z. B. den englischen König und Becket als «Löwe und Schlange». Noch in der Ausgabe in der Deutschen Rundschau wird das englische Königswappen als «drei Löwen» angegeben und erst später auf den Rat von Georg v. Wyß in das korrekte «drei Leoparden» umgeändert (XIII,329. Auch Gustav Adolf wird in seinem Verhältnis zu Gustel als «Löwe» bezeichnet (XI,181)).

[8] Diese bedrohte Position wird noch weiter durch die Schilderung unterstrichen, die Meyer (gegen die historischen Quellen) von der Wirkung der Blendung auf die Öffentlichkeit liefert: «Don Ferrante hatte nämlich die Wahrnehmung gemacht, daß die rechtlose und gerichtlose Blendung Don Giulios gewaltig auf das öffentliche Gefühl gewirkt hatte, nicht zu reden von dem schändlichen, die Einbildungskraft aufregenden Vorgange selbst. Ferrara, auf welchem ein Joch der Knechtschaft und der Befehl unbedingten Schweigens in Staats- und Hofsachen härter als sonst irgendwo in Italien lastete, Ferrara sogar, wo sich freilich dieses Unerhörte zugetragen hatte, geriet in Gärung» (61). Der Täter Ippolito ist deshalb während der Abwesenheit des Herzogs der denkbar schlechteste Garant für die Sicherheit des Staates.

[9] Nach Gregorovius war Alfonso während der Eheverhandlungen nicht in Rom; Lucrezia wurde dort mit Don Ferrante «als seinem Prokurator» (XIV,173) getraut. Aus dem Text der Novelle dagegen geht hervor, daß sich die künftigen Ehegatten in Rom begegneten (7). Ob diesem Detail im Hinblick auf den Suggestionskomplex die gleiche Bedeutung zukommt wie in Angelas Fall (vgl. oben S. 222ff.), ist natürlich eine offene Frage. Doch die Wortwahl, die Alfonsos Bindung an Lucrezia bezeichnet, ist die gleiche wie in dem Verhältnis Cesare-Lucrezia: «Zauber» (93), «bezaubern» (99); vgl. oben S. 152, 202, 223.

[10] Unmittelbar nach dem Erscheinen der «Angela Borgia» in der Deutschen Rundschau schrieb

Meyer an Louise von François (22. 11. 91): «ich sagte wol auch noch etwas von Angela, doch sie entfernt sich schon von mir und ich mag sie nicht zurückrufen. Sie haben recht, diese mir selbst fragwürdige Novelle ruft schon nach dem Gesetz des Contrasts, einem heimischen Stoff. Wir haben beide bei der Druskowitz das Ende vorhergesehen und die Dinge aufs deutlichste vorhergesehen und doch nicht vorbeugen können, wie oft schon habe ich diese Qual erlitten.» Dieser letzte Satz (zu Helene von Druskowitz siehe J 1,120) ist recht bezeichnend für Meyers Grundhaltung zu der Novelle.

Suggestionsthema und Sinnganzheit

Bis zu diesem Punkt sollte die Analyse der «Angela Borgia» die größtmögliche Anzahl der Aussagen des Textes zu einem bestimmten werktranszendenten, zeitgeschichtlichen System in Beziehung setzen: dem Versuch einer Umdefinierung des Persönlichkeitsbegriffs, den französische (und in geringerem Umfang englische) Psychologen in den Jahren um 1880 auf der empirischen Grundlage der klinischen Hypnoseforschung unternahmen. Ich habe mich also um die Aufdeckung einer weitgehenden Kongruenz von fiktionalen und pragmatischen Aussagen bemüht. Diese gemeinsame Menge erhält ihren poetologischen Stellenwert jedoch durch eine Auffassung des Fiktionswerkes, die der wirkungsästhetischen Theorie Wolfgang Isers sehr nahe kommt und deren Grundlage in meiner Arbeit «Die unvermeidliche Inkohärenz des Kunstwerks» (vgl. oben S. 147) skizziert wurde. Die Suggestionstheorie der Nancyer Schule im Zusammenhang mit dem Studium multipler Persönlichkeiten läßt sich danach als eines der «Sinnsysteme» der Epoche definieren, «in denen Kontingenz und Weltkomplexität reduziert und ein je spezifischer Sinnaufbau der Welt geleistet ist» (II,118), ein Wirklichkeitsmodell, das der Fiktionstext unter anderen, in der Zeit «vorhandenen Strukturen der Weltbemächtigung» (II,119) auswählt, um es daraufhin aus seiner pragmatischen Funktion herauszureißen, indem er es in einen aus anderen ausgewählten (darunter u. a. literarischen) Konventionen bestehenden fiktionalen Kontext einfügt. Die Menge dieser selektiv internalisierten Systeme bildet das «Repertoire» des Textes (vgl. II,115, 118, 120), wobei die Beziehung zwischen diesen entpragmatisierten Systemen die «Sinngestalt» des Textes hervorbringen, vgl. Isers Definition: «Sinn ist die in der Aspekthaftigkeit des Textes implizierte Verweisungsganzheit, die im Lesen konstituiert werden muß» (II,245).

Die interpretatorische *Relevanz* genau dieses Systems hängt dann von der Frage ab, ob sich die Existenz dieser extratextuellen Größe in dem kulturellen Ganzheitsfeld nachweisen läßt, in dem das Werk entstanden ist. Das war das Ziel der Kapitel 4–9. Die Frage ist natürlich, ob man ein solches Teilrepertoire in den Text hineingelesen hat, ob die Interpretation mehr war als reine *Rezeption*, definiert als «Textverarbeitung /.../, mit deren Hilfe literarische Texte in die Lebenswelt ihrer Rezipienten «eingeholt» werden» (Horst Steinmetz, «Suspensive Interpretation. Am Beispiel Franz Kafkas.» Göttingen 1977, S. 33). Ein solches Risiko ist wohl nie ganz auszuschließen, läßt sich jedoch in einem Fall wie dem vorliegenden erheblich verringern, wenn die «Lebenswelt» des Rezipienten zu der des Autors verhältnismäßig inkongruent ist, das behauptete Teilrepertoire also eine historisch abgegrenzte Einheit darstellt.

Aus prinzipiellen Gründen wurde die Identifizierung dieses einen Systems von den anderen im Repertoire des Textes realisierten Systemen getrennt gehalten, da die Interpretation notwendigerweise bei der *Bestimmung* eines Systems ansetzen muß. Erst durch den Versuch, zwischen diesem Teil des Repertoires und dessen pragmatischem Korrelat die größtmögliche Identität festzustellen, wird diese «Bestimmtheit»[1] zu dem Punkt gebracht, an dem das interpretatorische Defizit sichtbar, d. h. ihr Gültigkeitsanspruch für alle Elemente des Textes aufgehoben wird. Dieser Punkt ist in der Darstellung teils dort bezeichnet, wo Meyers Rezeption der psychologischen Literatur besonders selektiven Charakter trägt, teils dort, wo andere «Bestimmtheiten» des Textes als konkurrierende Gestalten angedeutet werden. Die Analyse orientierte sich immer stärker auf diese Grenze hin, so daß die Fiktionsfiguren mit der ausgeprägtesten Kongruenz mit dem extratextuellen Schema (Lucrezia, Ferrante, Ippolito, Strozzi) zuerst behandelt wurden. Im Zusammenhang mit den letzten vier Figuren der zentralen Personengalerie (Giulio, Angela, Cesare, Alfonso) traten andere Aspekte stärker hervor, in erster Linie der persönliche Mythos, eine sich auf das Gesamtwerk beziehende Struktur. Insbesondere in der Analyse von Cesare und Alfonso ist das Suggestionsthema mit dem Rachemotiv des persönlichen Mythos kombiniert, so daß z. B. Cesares actio a distante Teil des Suggestionssystems ist, gleichzeitig aber auch zu einem menschlichen Interaktionsschema gehört, das im Gesamtwerk unabhängig von der Begriffswelt der Suggestibilität und der multiplen Persönlichkeit existiert. Die Interferenz dieser beiden Systeme wurde bei der problematischen Gestalt des Herzogs angedeutet.

Man kann zwar zwischen den Theorien (vor allem) der Nancyer Schule und der psychologischen Struktur der «Angela Borgia» eine weitgehende Identität behaupten, in einem entscheidenden Punkt aber wird diese Vergleichbarkeit begrenzt: Die Persönlichkeitspsychologie der Novelle ist aus ihrem medizinischen, psychologischen, forensischen usw. Kontext losgerissen und in einen neuen eingesetzt worden, was natürlich entscheidende Modifikationen ihres Sinngehalts bewirkt. Das System «Suggestion» ist Teil eines Komplexes, der außerdem so disparate Systeme enthält wie die Schuld-Sühne-Struktur des Christentums (vgl. oben S. 200–03), das Rachemotiv des persönlichen Mythos (vgl. oben S. 167, 238–43), das Thema der Hinfälligkeit der moralischen Kategorien angesichts der Ewigkeit der Natur (vgl. oben S. 204–05); auf einer zweiten Ebene: die plastisch monumentalisierende Figurendarstellung (als stilgeschichtliches System) und die stellenweise eindeutige ethische Bewertung des Charakters und der Handlungen der Figuren durch den auktorialen Erzähler (als historisch bedingtes erzähltechnisches System); wiederum auf einer anderen Ebene: den Ödipalkonflikt mit drei (bei weitem nicht kongruenten) Dreieckkonstellationen (Ippolito-Angela-Giulio, Alfonso-Lucrezia-Strozzi, Cesare-Lucrezia-Alfonso) sowie die passiv-orale Angst vor der destruktiven Seite der Mutterimago (die oben S. 206 angedeutet wurde). Damit sind nur einige der internalisierten Systeme des Textes genannt. Das Suggestionssystem der «Angela Borgia» bestimmt sich Schritt für Schritt durch das Äquivalenz- oder Oppositionsverhältnis zu den an der betreffenden Stelle aktualisierten anderen Systemen. Die Bruchflächen zwischen diesen Systemen, die Harmonien, die Disharmonien, die Polyphonie, machen die Individualität des Werkes aus.

Es leuchtet ein, daß eine Gesamtinterpretation nach diesem Modell ein äußerst umfassendes Unterfangen darstellt. Die Bestimmung des Suggestionssystems gehört dabei auf die Stufe der untergeordneten Analyse; will man die synthetisierende – wenn auch nicht notwendigerweise harmonisierende – Ebene erreichen, so sind dazu mehrere ebenso detaillierte Analysen der übrigen Repertoireelemente des Werkes notwendig. Das würde jedoch über den Rahmen einer Monographie hinausgehen. Deshalb möchte ich mich damit begnügen, in einem abschließenden Kapitel einige Bruchflächen zu behandeln, bei denen das Suggestionssystem eine Rolle spielt.

Zuvor sei jedoch eine andere Dimension der Persönlichkeitspsychologie der «Angela Borgia» untersucht. Unter den Schematisierungen der perzipierten Umwelt, denen Meyer in seiner historischen Situation gegenüber stand, nimmt eine Textgruppe sowohl im kreativen Prozeß wie in der Realisierung des Sinnpotentials der Novelle durch den Leser eine Sonderstellung ein, nämlich die eigenen früheren Fiktionswerke des Autors. Auch sie enthalten, zu den besonderen Bedingungen des Fiktionstextes, Formulierungen der Persönlichkeitsproblematik. Das durch den Suggestionskomplex der «Angela Borgia» gebildete Teilrepertoire stellt somit nicht nur eine «Antwort» auf Forel und dessen Lehrmeinungen dar, sondern ist mindestens ebenso sehr eine «Antwort» auf die in den früheren Novellen nur unvollkommen durchgeführte Realisierung der Meyerschen Vorstellung vom Wesen des Menschen. Das Unvollkommene ergibt sich aus dem notwendigerweise selektiv arbeitenden schematischen Modell der Wirklichkeit, das von einer Reihe nicht integrierter Daten absehen muß. Auch von einer psychoanalytischen Betrachtungsweise her kann die durch das Wortkunstwerk dargebotene, verbalisierte Gestalt nicht das gesamte Spektrum des menschlichen Erlebens abdecken, da das ganze, durch den Primärprozeß strukturierte Material nur begrenzt in die Kategorien des Sekundärprozesses übertragbar ist[2]. Das Gesamtwerk ist demnach als ein fortlaufender Prozeß zu betrachten, in dem jedes neue Werk zumindest teilweise bei vorausgegangenen Werken ansetzt. Oder anders ausgedrückt: Jedes Werk streckt vorgreifend seine Tentakel nach dem kommenden Werk aus.

In der «Angela Borgia» findet man jedoch andere Strukturierungen, als eine Betrachtung von Meyers Novellen der 8oer Jahre unmittelbar erwarten lassen würde. Das Überraschende dieser Novelle liegt nicht zuletzt in dem Umstand, daß die Werke von den «Leiden eines Knaben» (1883) bis zur «Versuchung des Pescara» (1887) eine immer stärkere Faszination durch den kaleidoskopisch veränderlichen Menschen zeigen, was am deutlichsten in der «Hochzeit des Mönchs» und der «Richterin» zutage tritt, wo in beiden Fällen der Anspruch des Vaters das die sozialen Rollen der Hauptpersonen ausmachende Spalier *entfernt*. Die Folge davon ist ein Zusammenbruch der Einheit der Persönlichkeit, die den elementaren Kräften des Erotischen überlassen wird, die in keinem sozialen Hierarchiesystem neutralisiert werden, sondern ganz im Gegenteil, wie in der «Richterin», genau die von der Gesellschaft tabuisierte Form des Inzests annehmen. Morone, der proteische Kanzler in der «Versuchung des Pescara», stellt insofern die äußerste Konsequenz der Meyerschen Skepsis (und seiner moralischen Neutralität) gegenüber der Einheit der Persönlichkeit dar, als er ein unaufhörliches Gleiten zwischen widersprüchlichen Affekten, Haltungen und Verkleidungen und damit die Alternative zu Pescaras erstarrter Ruhe zeigt, die verhindert, daß der Kampf zwischen seinen unvereinbaren Subpersönlichkeiten zum Ausbruch kommt. Danach hätte man erwarten sollen, daß die Persönlichkeit in der «Angela Borgia» als eine völlig illusionäre Größe, «das unrettbare Ich», eine ziemlich lockere Organisation, auftreten würde. Genau das scheint in den Frühstadien des Plans, in dem Bericht von Anna v. Doß und den Dramenfragmenten H[3]–H[6], denn auch der Fall zu sein: «Wie ein leichtsinniges Weib. Ein Schlummer vernichtet mir das Gestern u. ich bin eine Neue und die gestern fehl ging, war eine andere» (XIV, 200).

Durch die Berührung mit der Forelschen Gedankenwelt scheint jedoch ein anderes Potential der früheren Werke zum Leben erweckt zu werden: nicht allein die spontane Wechselhaftigkeit des Menschen, sondern auch seine radikale Beeinflußbarkeit durch einen fremden Willen, die Persönlichkeit als Funktion aktueller Interaktionsverhältnisse, die aktive Zersetzung der Autonomie. Meyer war sich dieser Rückkehr zu einer älteren Problematik offensichtlich bewußt, da er seine neue Novelle mit den Worten charakterisiert: «Sie ist ungefähr in der Art des Heiligen» (Haessel, 10. 11. 90; vgl. oben S. 243). Dagegen zieht er keine Vergleiche zu den dazwischen liegenden Novellen. Durch die Parallelisierung des syntagmatischen Verlaufs von

Becket und Cesare (oben S. 255–56) wurde angedeutet, daß die «Angela Borgia» in der Tat eine deutliche Referenzbeziehung zum «Heiligen» aufweist. Beckets Persönlichkeitsstruktur als das allen seinen Handlungen zugrunde liegende Organisationsprinzip stellt im «Heiligen» ein Repertoireelement dar, hat im Hinblick auf die «Angela Borgia» aber die Funktion als textexternes System, da es als schematisiertes Wirklichkeitsmodell vor und unabhängig von dem kontextuellen Zusammenhang dieses letzten Fiktionswerkes existiert. In der folgenden Analyse soll deshalb versucht werden, das für die «Angela Borgia» relevante Element herauszuarbeiten.

Anmerkungen

[1] «Der Bestimmtheitsgrad des Repertoires bildet eine elementare Voraussetzung für eine mögliche Gemeinsamkeit zwischen Text und Leser» (I 1,116). «Die mit Hilfe historischer Kontexte zu erreichende Eingrenzung der Unbestimmtheit zu einer jeweils akuten soll sie nicht als Unbestimmtheit aufheben. Der Sinn einer so verstandenen Interpretation ist es ja gerade, sie zu erhalten. Doch wird die Unbestimmtheit auf diese Weise in ihrer exzessiven Tendenz /.../ beschränkt» (Steinmetz, op. cit., S. 47).

[2] Vgl. Uffe Hansen, «Die unvermeidliche Inkohärenz des Kunstwerks», passim.

«Der Heilige»

Nachdem Meyer nach vierjähriger Arbeit und mehreren Unterbrechungen sein Manuskript zum «Heiligen» beendet hatte, schrieb er an Rodenberg, in dessen Zeitschrift die Novelle von November 1879 bis Januar 1880 erschien: «Ich gebe die Novelle ungern aus den Händen, weil sie mir durch die mehr psychische als geistige Anstrengung, die sie mir gekostet hat, und die möglicherweise zu dem erlangten Resultate in keinem Verhältnisse steht, lieb geworden ist» (6. 5. 79). Die auffällige Formulierung («psychische Anstrengung») scheint teils ein besonderes emotionales Verhältnis zu dem Werk anzudeuten (auf diesen Aspekt soll hier nicht weiter eingegangen werden), teils ein fehlendes Interesse für die geistesgeschichtliche, religiöse, moralische und politische Dimension des Kampfes zwischen Erzbischof und Königsmacht. Dieser Haltung entsprechend hatte bereits ein Brief an Haessel vom 12. 1. 1877 durch die Gegenüberstellung mit der thematischen Struktur eines gleichzeitigen Romanplans die rein psychologische Problematik des Novellenplans hervorgehoben: «Ich habe zwei Entwürfe. Der eine, eine Novelle: «Der Heilige», versucht, in gefälliger Einkleidg, einen mittelalterlichen Heiligen, Thomas Beket, zu enträthseln u., in weiterer Auffassung den Unterschied zwischen der Legende, der conventionellen Auffassung eines Menschenlebens mit seiner grausamen Wirklichkeit herauszuheben. Der zweite, ein Roman, packt, in lebendigen Gestalten, das Wesen des 15–16 Jahrh: den Kampf u. Gegensatz des humanistisch-ästhetischen u. des reform. ethischen Princips. Renaissance u. Reformation, die Entstehg des modernen Menschen.» Die Intention der Novelle, die psychologische Charakter- und Konfliktstudie, geht ebenfalls aus dem an Rodenberg gerichteten Begleitschreiben zum Manuskript vom 10. 5. 1879 hervor: «Jetzt scheint es mir – au style près – eine Novelle wie andere – ich glaubte so viel hineingelegt, das Mittelalter so fein und gründlich verspottet und in Becket einen *neuen* Character gezeichnet zu haben!» An Haessel schreibt er im Dezember 1879: «Der Verfasser hat sich die Aufgabe gestellt, den Streit der geistlichen mit der weltlichen Macht in die menschlichen Charactere des Königs u. des Bischofs zu verlegen» ... Hinzu kommt, daß Meyer immer wieder das bewußt Anachronistische in der Zeichnung der Hauptpersonen unterstreicht, («einen ganz eigentümlichen modernen Character» (Haessel, 2. 5. 80), «des rein aus meinem Gemüte gehobenen u. in der Wirklichkeit schwer ein Analogon findenden Characters des Heiligen» (Paoli, 19. 4. 80).

Meyer sagt selbst (Th. Zolling, 7. 9. 81 (XIII, 300)), Beckets Charakter sei für ihn «aus einem einzigen Chronikzuge» entsprungen («Beket zeigt sein Hofkleid und fragt den König, ob dieses das Kleid eines Heiligen sei?»). Wie gestaltet nun der Fiktionstext diese exemplarische Bekehrungsgeschichte? Die auffälligste Abweichung von den historischen Quellen besteht in der Hinzudichtung des Gnade-Verlaufs, Beckets durch den Übergriff des Königs verursachter Verlust der Tochter. Meist setzen die Interpretationen der Novelle bei diesem Punkt an und versuchen von daher die Frage zu beantworten, die Meyer mit der Formulierung: «In dem Act seiner Bekehrung durchdringen sich *Rachsucht u. Frömmigkeit auf eine unheimliche Weise*» (Lingg, 2.5.80)[1], selbst aufgeworfen hatte. Das dürfte jedoch kaum fruchtbar sein, da die Undurchschaubarkeit der Motive thematisch so eng mit der erzähltechnischen Optik des Werkes, der begrenzten Einsicht des Ich-Erzählers und der Skepsis gegenüber der Heiligkeit des neuen Heiligen, auf der die Rahmensituation beruht, verbunden ist. Bedenklich an den vorliegenden Interpretationen der Gnadeepisode ist jedoch vor allem, daß hier die feste Chiffre in Meyers Motivsyntax, «das blutige Haupt», übersehen wird, ein semantisches Element, das sich nur vom Kontext des Gesamtwerks her bestimmen läßt. Gnades durchbohrter Hals (61) gehört zur selben Äquivalenzreihe wie Lucias «schöne(s) sterbende(s) Haupt» («Jürg Jenatsch», X,61), Corinnas durchschnittene Kehle («Gustav Adolfs Page», XI,192), Astorres Vision von Antiopes «Hälschen» auf dem Block neben dem zum Tode verurteilten Vater («Die Hochzeit des Mönchs», XII,49), «das blutige Haupt» bei Don Giulios Blendung (XIV,54), Angelas blutrote, gezeichnete Stirn (XIV,130) – um nur einige Beispiele zu nennen. Zumindest muß eine Interpretation dieses Elements einen Zusammenhang zu «der blutigen Gabe» herstellen können, der früher in der Novelle Prinz Mondschein gegenübersteht, den «abgeschnittenen Köpfen seiner hundert Feinde» (XIII, 23). W. A. Coupe meint mit einer gewissen Berechtigung: «Meyer could have omitted the Grace episode completely, and his story would still have made complete sense» (C I,XXXI); das hat seine Begründung in der Tatsache, daß die Chiffre primär zu einer Thematik des «persönlichen Mythos» gehört, die keine notwendige Voraussetzung des in Beckets Verhältnis zum König realisierten Themas darstellt. Womit natürlich nicht gesagt sein soll, daß sie unwichtig ist, nur daß sie in Beckets Entwicklung bei weitem keine eindeutige Funktion als *Motivations*faktor besitzt.

Zunächst die ganz grundlegende Frage, ob in dem Fiktionstext überhaupt eine Bekehrung stattfindet? Meyer hatte sie in seinem Brief vom 17. 1. 1881 an Betty Paoli selbst gestellt: «Bekehrt sich Beket?» und fuhr fort: «Je nachdem man es nimmt». Eine Bekehrungsgeschichte ohne Bekehrung?

Augustin Thierry, dessen «Histoire de la conquête de l'Angleterre» (1866[11]) Meyers wichtigste Quelle darstellte (vgl. XIII, 301–02), betont der Tradition gemäß ganz eindeutig die Verwandlung des ehemaligen Kanzlers, was aus der Schilderung seiner bisherigen Lebensweise hervorgeht: «Thomas était le compagnon le plus assidu et le plus intime du roi Henri; il partageait ses amusements les plus mondains et les plus frivoles. Élevé en dignité de tous les Normands d'Angleterre, il affectait de les surpasser en luxe et en pompe seigneuriale.» Als erstes ist festzustellen, daß Meyer eine Ausarbeitung der dramatischen Gegenüberstellung des weltlichen Kanzlers mit dem aufopfernden Erzbischof unterlassen hat, und das trotz der Einführung des erschwerenden Umstands, daß er seine Tochter verliert. Becket ist in seinen *Eigenschaften* eine stabile Persönlichkeit, wobei ein bestimmter Aspekt dieser Stabilität, wie noch zu zeigen ist, zum eigentlichen Kern des Destruktionsprozesses wird. Im Gegensatz zu Thierrys Darstellung ist der Kanzler Becket gekennzeichnet durch seinen Abscheu vor Blut und körperlicher Gewalt (23, 38), durch seinen Anstand («er liebte an Frauen das Zarte und Anständige» (41)), durch sein Mitleid mit den Leiden der Menschen («Grauen ... vor der gequälten Menschheit» (38)), durch seine Lust, seinen Willen durchzusetzen und damit den Vorrang des Geistes vor dem Körperlichen zu behaupten (22, 33, 36, 37). Meyer läßt seinen Erzähler, Hans der Armbruster, nicht bei dem Porträt des stilvollen, vornehm distanzierten, ja leicht asketischen Höflings stehenbleiben, sondern betont die dieser exemplarischen Haltung zugrunde liegende Substanz: «Der edle Zug seiner Brauen, seine dunkeln, schwermütigen Augen, das ernste Lächeln seines Mundes, die Sanftmut seiner Gebärde» (52), eine Formulierung, die für Meyers konkretisierenden, plastischen Stil typisch ist. Als Hans den Kanzler auf dem Weg zur Tochter sieht, erscheint er ihm als «ein andächtiger Ritter und Pilger nach dem heiligen Grale. /.../ In den blassen, träumenden Zügen lag eine selige Güte, und das Antlitz schimmerte wie Mond und Sterne. Sein langes Gewand von violetter Seide floß in priesterlichen Falten über den Bug des silberfarbenen Zelters, /.../» (49). Die positiven Eigenschaften des Kanzlers knüpfen sich nicht, wie man behauptet hat, ausschließlich an die Privatsphäre, sondern äußern sich auch in seiner übrigen Tätigkeit im Dienste der Königsmacht. Nicht nur «in den Bezirken seiner weiten Besitztümer spielte und weidete das Wild in den Waldlichtungen wie im Paradiese» (38), auch im Königreich ist er, so weit seine Macht reicht, der sanfte Beschützer der Menschen.

Auf diese Weise wird der Abstand zwischen Kanzler und Erzbischof durch die Erhöhung des ersteren verkleinert und verringert sich noch stärker durch die dem Mann der Kirche beigelegten Eigenschaften. Läßt man zunächst Beckets Christusimitation in äußerer Haltung und Handlung beiseite, so rücken einige Umstände sein Wirken für die Sache der Kirche in ein etwas zweifelhaftes Licht. Erstens hat Meyer den historischen Gegensatz zwischen Königsmacht und Erzbischofsitz im wesentlichen auf einen Streit um die rechtliche Stellung der unterdrückten Sachsen reduziert (89, 97, 100–01, 103, 119, 121, 124–25, 128), d. h. den ethnischen Gegensatz in England ausgenutzt, auf den Thierry, Comtes Mitarbeiter, einiges Gewicht gelegt hatte. An diesem Punkt aber unterliegt Beckets Haltung einem markanten Wandel. Als Kanzler des normannischen Königs, dessen Machtgrundlage von der privilegierten Stellung und Loyalität des normannischen Adels gebildet wurde, war er «der Haß und geheime Schrecken der Sachsen» (27). In keinem Fall enthält der Text auch nur die Andeutung einer humanen Haltung zu dem unterdrückten Volk, im Gegenteil, am Ende seiner Kanzler-schaft steht er dazu, daß er mit allen Mitteln nur für eine Sache gearbeitet habe: die königliche Macht (86). Erst nach Gnades Tod versucht er allmäh-lich eine vorsichtige Entlastung der schwer Unterdrückten, wobei jedoch im Ungewissen bleibt, ob das nicht eher Teil eines langfristigen Stabilisierungs-plans ist, der eine Verminderung der Spannungen in der englischen Gesell-schaft, und also letzten Endes eine Stärkung der Zentralgewalt, anstrebt: «Es wurde ihm nicht schwer dem Könige zu zeigen, daß es klug sei, nicht über Maß seine Sachsen zu belasten und sie nicht zur Verzweiflung zu treiben, und daß es vorteilhaft sei, als ein gütiges Wesen über ihnen zu stehen» ... (78). Eine solche Absicht paßt dazu, daß der Erzähler betont, wie der kinderlose Becket bis zum äußersten alle seine Kraft im Dienste des Königs einsetzt: «Und seinerseits nahm Herr Thomas nie williger jede Bürde der Arbeit und Feindschaft auf sich, die ihm aus seinem Eifer für die Größe des Königs entsprang» (66). Beckets politisches Genie läßt ihn nie vergessen, daß eine Verbesserung der Lebensbedingungen der Sachsen nur «umsichtig und verborgen» geschehen kann, «um die Normannen nicht zu reizen» (78). Dennoch erhebt der Erzbischof als erstes die Forderung, daß der König den Schutz der Kirche in vollem Umfang auf «die in meine Klöster geflüchteten Sachsen» ausdehnen solle, damit sie vor «ihren Peinigern, den Baronen» (97), sicher seien – und das in einer Situation, wo die Lage zwischen den beiden Völkern äußerst gespannt ist (89). Der König reagiert – was der ihn kennende Becket hätte voraussehen müssen –, indem er die Forderung als eine Bedro-hung seiner *politischen* Macht auffaßt: «Du wiegelst mir die Sachsen auf. Rebell! Verräter!» (97). Selbst auf dieser Stufe des Konflikts ist nach Über-zeugung des Erzählers «eine vermittelnde Formel» zwischen Königsgewalt und den «Rechten der barmherzigen Kirche» (100) möglich, doch Becket nutzt diese Möglichkeit nicht zu einer tatsächlichen Erleichterung der hart belasteten Unterdrückten[2]. Da Becket die Verhältnisse und die Denkweise der normannischen Machthaber kennt, läßt sich seine Handlungsweise nur als eine offene Herausforderung an diese verstehen (100-01). Die Prämissen des Textes, seine übermenschliche Klugheit und Weitsichtigkeit («der /.../ nach allen Seiten Umblickende und das Keimen der Dinge Belauschende» (54)), lassen seine kompromißlose Haltung auf diesem Gebiet als ein zielbewußtes Heraufbeschwören des gewalttätigen Ausgangs des Konflikts, und damit des Martyriums, erscheinen, mit dem der Prozeß tatsächlich schließt. Die paradigmatische Funktion der Fauconbridgeepisode deutet in die gleiche Richtung (79): «Dergestalt verlor Herr Fauconbridge, dessen Ahnen mit dem Eroberer gekommen waren, sein Erbe und sein Haupt durch die langmütige Barmherzigkeit des Kanzlers.» Für eine solche Lesart spricht auch Meyers Veränderung der historischen Tatsachen bei dem Versöhnungstreffen zwischen König und Erzbischof. Die Quellen geben an (XIII, 363), daß sich der *König* bei einer ähnlichen Gelegenheit weigerte, den Friedenskuß anzubieten, während die Novelle die Rollen vertauscht und Becket die unmögliche Bedingung stellen läßt: «Ich vergebe dir den Tod Gnades und deine Lästerung, wenn du meine Brüder, die Sachsen, freigibst und fortan göttliche und menschliche Wege wandelst!» (121). Mit seiner Härte erreicht Becket überhaupt nichts für die Sachsen, deren Wohl ihm angeblich so am Herzen liegt[3]. Als ihn die vier Mörder in Canterbury aufsuchen und ihm die Frage stellen: «Woher kommt dir die erhabene Macht dieses Stuhls? /.../ aus wessen Händen hast du sie empfangen?» (132), antwortet er nicht wie bei einer früheren Gelegenheit, indem er gen Himmel weist (95), sondern mit den Worten: «Aus den Händen meines Königs zu seinem Gericht!» (132). Ohne daß man dazu Stellung zu nehmen braucht, welche Rolle «l'honneur de Dieu» in Beckets Leben spielt, kann man zunächst einmal feststellen, daß es sich mit seinem *Handeln* verhält wie mit Fagons Erzählung in den «Leiden eines Knaben», «deren Wege wie die eines Gartens in einen und denselben Mittelpunkt zusammenliefen: der König, immer wieder der König!» (XII, 153). Seine wichtigste Waffe gegen den König ist demnach die Tatsache, daß er es durch seine reine evangelische Amtsführung *unterläßt*, die im Reich herrschende und bisher unterdrückte Zwietracht zwischen Herrschern und Beherrschten zu dämpfen («Ob er mir aber die in meine Klöster geflüchteten Sachsen ihren Peinigern, deinen Baronen, auszuliefern gebietet, das frag ich mich und zweifle» (97)). In dieser Hinsicht entspricht das Verhältnis des Erzbischofs zu den Sachsen außer der genannten Fauconbridgeepisode auch noch dem Umstand, daß er sein Amt als Prinzenerzieher niederlegt (69–70), was nach Gnades Tod, aber noch vor der Einsetzung in das geistliche Amt geschieht: «Von dieser Stunde an brach Hader aus zwischen den vier

Königskindern, und die Liebe des Kanzlers versöhnte sie nicht; denn sie waren ihm gleichgültig geworden, und er überließ sie ihren Trieben» (70). Hier trifft er nicht den König selbst, sondern ausschließlich die Stellung seiner Nachkommen. Nebenbei bemerkt zeigt sich bereits hier der Abstand zwischen dem psychologischen Muster im «Heiligen» und in der «Angela Borgia»: Cesare greift aktiv ein, um die Auflösung des Hauses Este herbeizuführen, während in der älteren Novelle die zentrifugale Tendenz in Staat und Königshaus an sich schon so stark ist, daß ein Wille eingreifen muß, damit die Spaltung nicht manifest wird. Wie noch deutlich werden wird, hat man es hier mit einem Zug zu tun, der nicht nur für die politischen Verhältnisse Gültigkeit besitzt.

In dem bereits erwähnten Brief an Betty Paoli (17. 1. 81) kommt folgender Abschnitt über Beckets Bekehrung vor: «Der Kirche gegenüber, welche er als Waffe benützt, bleibt er vollständig frei bis zum letzten Athemzug, das ist *drei u. vierfach* betont, wie ich es nicht stärker betonen konnte, ohne aufdringlich zu werden.» Auch der Brief an Lingg (2. 5. 80) gibt eine solche Interpretation an: «Aber er schwebt über dem König wie ein Geier. Da gibt ihm dieser eine furchtbare Waffe in die Hand, *«den Primat»*. Becket erschrickt, er braucht nur ein *«wahrer* Bischof» zu werden, so identificirt er seine Sache mit der göttl. Gerechtigkeit (die damals = Kirche war).» Ungeachtet des Themas der Zweideutigkeit, dessen leitmotivische Funktion u. a. Robert Faesi mit Recht betont hat (F 1,130), scheint die Gesamtmenge der Textaussagen zu der «unchristlichen» Auslegung von Beckets Haltung zu neigen. Ein paar Beispiele: Zu dem Zeitpunkt, wo sich der verbannte Erzbischof zu seinem Gegner rein leidend verhält, wundert sich der Papst darüber, daß er in dem Konflikt nicht seine staatsmännische Klugheit einsetzt, «sondern sich verfolgen lasse wie ein großer Apostel der ersten Kirche oder ein schwärmerischer Ketzer der jüngsten Zeit» (102). Vom Kontext her können mit diesen Ketzern nur die Manichäer gemeint sein, deren Lehre im Text auf einen einzigen Kardinalpunkt reduziert wird: «Hier aber wird die Gnade verworfen,» ... (112). Damit wird die Parallele zu Beckets maurischer Vergangenheit betont, wie sie in Hans' Wiedergabe seines Gesprächs mit dem arabischen Philosophen durchscheint, der behauptete, daß «kein Raum bleibe weder für die menschliche Wahl noch für den Zorn und die Gnade Gottes» (22). Der Fatalismus verbleibt bei ihm ein konstanter Zug (z. B. 77–78, 115).

Die von Meyer erwähnte vollständige Freiheit gegenüber der Kirche zeigt sich in einem wichtigen Detail: Der Erzbischof vermeidet es sorgfältig, die Wörter Jesus, Christus, Erlöser usw. in den Mund zu nehmen; näher als mit «Meister» (96), «Fürst der Schmerzen» (133) und der Umschreibung «ihm,

an dem keine Ungerechtigkeit erfunden wurde» (96), kann er dem Sprachgebrauch der Tradition nicht kommen. Das paßt zu der Bemerkung des
Erzählers, «daß es seinem heidnischen Blute widerstrebte, den heiligen
Namen auszusprechen» (82), so daß er statt dessen sagt: «jener Andere /.../,
den sie gekreuzigt haben» (82). Wie man sieht: Keine Bezeichnung eines
veränderten Sprachgebrauchs nach der Bekehrung. Dagegen benutzt der
Erzbischof bei dem Gespräch mit dem König in Kapitel XI zweimal das
Wort «Nazarener» (118, 120). Diese Bezeichnung hat in Meyers Werken
deutlich negative Konnotationen. Außer dem heiligen Thomas benutzen es
nur der niederträchtige Jesuit Père Tellier in den «Leiden eines Knaben»
(XII,150), der gallenbittere Skeptiker Guicciardin in der «Versuchung des
Pescara» (XIII, 163) und der Kardinal Ippolito in der «Angela Borgia»
(XIV,82). Sieht man außerdem einmal von der rein kunsthistorischen Bedeu-
tung ab, so stellt die Bezeichnung im 19. Jahrhundert im Hinblick auf das
Christentum ein deutlich negatives Signalwort dar. Goethe benutzt das Wort
seit 1805 im Zusammenhang mit seinem und Heinrich Meyers Angriff auf
«Die neu-deutsche religiös-patriotische Kunst» (Sophien-Ausg., Bd. 49) als
Synonym für «alle falsche Frömmelei»[4]. Auch bei Heine findet man den
negativen Gebrauch des Wortes, vor allem in «Ludwig Börne» (1840)[5]; auch
Nietzsche benutzt es im «Antichristen» (N 1,II, 1168).

Beckets «Bekehrung» ist, wie man sieht, eine ziemlich zweifelhafte Größe,
was nicht weiter verwunderlich ist, da die gesamte Rahmensituation um den
Ich-Erzähler und seinen Zweifel an dem Erlebten organisiert ist (15). Außerdem hängt dieses Problem unlösbar mit einem in der Chronologie der
Novelle früher aufgeworfenen zusammen. Dadurch daß der Gegensatz
zwischen seinem weltlichen und seinem geistlichen Lebensabschnitt herun-
tergespielt wird, verschiebt sich der psychologische Schwerpunkt des Werkes auf das Paradox im Dasein des *Kanzlers*: Wie kann ein Mensch mit einem
so ausgeprägten Widerwillen gegen die Gewaltanwendung, die als notwendig zur Erwerbung und Erhaltung der Macht dargestellt wird, nicht allein als
der vollendete Diener der Macht fungieren, sondern sich sogar eine radikale
persönliche Loyalität gegenüber einem König erhalten, der als sein typenmä-
ßiger Gegensatz beschrieben wird? «Wie hielte der feine Berberhengst mit
dem borstigen Eber Freundschaft?», wie einer der Königssöhne fragt (72).
Williams spricht mit Recht von «Becket's fundamental distaste for the job he
does, the men he does it for, and the human comedy generally» (W 2,52),
aber was läßt ihn dann eine so unmögliche Situation *aufsuchen*?

Bereits in seiner Vorgeschichte tritt ein konstanter Persönlichkeitszug
zutage: Statt in die Fußtapfen seines Vaters zu treten und ein unabhängiger
Kaufmann zu werden, trat er erst «in den Dienst eines schwelgerischen

normannischen Bischofs» (28), um darauf eine neue Dienerrolle als Berater
des Kalifen von Cordova auf sich zu nehmen (22–23, 28). Laut dem Märchen
von Prinz Mondschein (das in den historischen Quellen keine Parallelen hat)
verließ Becket diese Stellung als Fürstendiener nicht eigentlich aus freien
Stücken, sondern wurde daraus vertrieben, weil der Kalif als Gunstbeweis
gegenüber seinem Liebling dessen Feinde köpfen ließ (23). Auffällig an seiner
dritten Dienerrolle beim König von England ist die Tatsache, daß der
eigentliche Kern dieser Beziehung, seine «Treue» (66, 75) zum Herrscher,
nun seine ganze Persönlichkeit so sehr beherrscht, daß nicht einmal der
Umstand, daß der König an Gnades Tod eine starke Mitschuld trägt (das
Köpfungsmotiv ist hier intensiviert, indem es sich gegen Beckets vitales
Interesse richtet), diese Bindung zu lösen vermag. Unmittelbar reagiert er
ganz im Gegenteil durch eine noch stärkere Bindung an die Königsmacht:
«Und seinerseits nahm Herr Thomas nie williger jede Bürde der Arbeit und
Feindschaft auf sich, die ihm aus seinem Eifer für die Größe des Königs
entsprang» (66). Trotz seines erklärten Mitleids mit der «gequälten Menschheit» (38) und seinen starken persönlichen Gründen, die für eine Distanzierung von den brutalen Machtinteressen des Königs sprechen, tritt nun ein
Zustand ein, der beinahe einer Identifikation mit dem Aggressor gleich-
kommt: «in Person und Kraft des Königs stritt der Kanzler mit dem Papste»
(68). Seinen vorläufigen Höhepunkt erreicht diese extrem anaklitische Haltung (vgl. oben S. 143, 164–65, 167, 184) in dem Gespräch unter der Eiche,
bei dem es u. a. um den Versuch des französischen Königs geht, Becket an
sich zu ziehen. Heinrichs «freche Sicherheit» (74) in bezug auf die Loyalität
seines Kanzlers, ungeachtet der Tatsache, daß die leitmotivische Technik der
Novelle auf Gnades Tod als einem ständig gegenwärtigen Motiv für Becket
besteht, ruht auf einem soliden Fundament, das der Erzähler durch die
Worte «die Angeborenheit seines (d. h. Beckets) schmiegsamen und unter-
würfigen Wesens» (74) bezeichnet.

Hier liegt der psychologische Schwerpunkt der Novelle, den Becket selbst
als «die Schmach meiner Sanftmut» (75) erkennt: «du kennst meine unvollkommene Natur und mein zur Erniedrigung der Dienstbarkeit geschaffenes
Wesen. Sei es frühe Gewohnheit des Herrendienstes, sei es die Eigenschaft
meines Stammes und Blutes, ich kann dem gesalbten Haupte und den hohen
Brauen der Könige keinen Widerstand leisten» (75). Diese absolute Bindung
an eine Bezugsperson existiert als irrationaler Faktor isoliert von den übrigen
Eigenschaften des Kanzlers, seinem Angewidertsein von der Person des
Königs (‹Dieser König!› sagte er mit verächtlichen Lippen, als erblickte er
ihn leibhaftig vor sich» (57)), der illusionslosen Analyse seiner selbst und
anderer und – trotz der Formulierung über das «gesalbte Haupt» – dem

allgemeinen Fehlen einer religiösen Dimension in der Auffassung der Königsherrschaft.

Wie umfassend im übrigen die Loyalitätskomponente bei Becket ist und wie isoliert von den moralischen und intellektuellen Beurteilungen sie existiert, geht nicht zuletzt aus seinem Verhältnis zu den Königssöhnen hervor: «In Wahrheit, der Reichskanzler liebte die Königskinder wie seine eigenen» (43). Diese von dem Ich-Erzähler ausdrücklich betonte *emotionale* Bindung wird durch Beckets berichtetes Verhalten zu den jungen Prinzen bestätigt, das sogar noch in seinem geistlichen Lebensabschnitt als «mütterlich» (115) bezeichnet wird, und das trotz der Tatsache, daß der Älteste, Heinrich, «ein Geck und ein Schauspieler» und Gottfried ein Mensch «von unstäter Art» (42) ist. Selbst von Richard, dem unmittelbar für sich Einnehmenden, heißt es: «aber Klugheit war nicht in ihm, nicht eines Pfennigs wert», und von Hans: «einen nichtsnutzigern, bösern Buben trug die Erde nicht» (42). Der Text beschreibt den Kanzler – wohlgemerkt nur in dieser Beziehung – als so liebevoll, nachsichtig und besorgt («mit traurigen Augen betrachtete» … «seufzen /.../ was sonst nicht seine Art war» (43)), daß dies nicht zu dem Ganzheitsbild der vornehm distanzierten, kühl kalkulierenden Geistesperson paßt und völlig unerklärlich wird, wenn man wie Brunet Becket als den Idealisten betrachtet, der für seine Vision einer kommenden humanen Gesellschaft lebt.

Louise von François, vielleicht Meyers verständnisvollste Kritikerin, bemerkt denn auch im «Heiligen» die «Sucht der Unterordnung unter einem Höheren» (1. 5. 81) als ihr etwas völlig Unerklärliches. Genau auf diesen Punkt verweist Meyer selbst in dem für seine Verhältnisse ungewöhnlich informativen Brief an Betty Paoli (17. 1. 81. XIII, 297): «zart, wie er ist, kann er, in dieser bestialischen Zeit, nur als das Organ eines Stärkern existiren, zuerst des Königs dann der Kirche.» Die Macht des Königs (nicht seine Person und nicht die Institution von Gottes Gnaden) paralysiert seinen moralischen Abscheu (57) in einem solchen Ausmaß, daß er unter keinen Umständen *selbständig zu handeln* vermag, da die Loyalität gegenüber dem jeweiligen Herrn den unbedingt höchsten Platz in seiner Wertehierarchie behauptet[6]. Wenn er nach Gnades Tod das Amt des Prinzenerziehers niederlegt und damit die destruktiven Kräfte des Königsgeschlechts freisetzt, dann ist das zwar ein Ausdruck einer zögernden Abstandnahme von seinem anaklitischen Objekt, doch es handelt sich dabei nicht um eine eigentliche Handlung, sondern eher um einen Übergang von der Aktivität zur Passivität, und die Niederlegung seines Amtes, die vom König sanktioniert wird (70), richtet sich ausschließlich gegen periphere Teile des Bezugsobjekts, nicht gegen den «Herrn» selbst.

Von der wichtigen Rolle dieses Persönlichkeitsbezugs her ist verständlich, daß die Voraussetzung für einen direkten Konflikt zwischen König und Kanzler nur dann gegeben sein kann, wenn der König seinen Diener einem anderen Herrn *überträgt*. Doch Beckets Reaktion auf den Befehl zeigt, wie psychologisch kompliziert diese aufgezwungene Losreißung verläuft. Wäre das Handeln des Erzbischofs von «seinem neuen Machtwillen», «seinem nihilistischen Willen zur Macht» bestimmt gewesen, wie Jackson deutlich auf Nietzsches «Zur Genealogie der Moral»[7] gemünzt annimmt (J 1,94), wäre sein Streben vom Rachemotiv oder von dem Wunsch bestimmt gewesen, für das Reich Gottes zu wirken, weshalb dann der verzweifelte Kampf gegen diese Möglichkeit zur Erreichung seiner eventuellen Ziele? Der Text betont ganz eindeutig seine Angst vor dem Beschluß des Königs (84–87). Ist das der übermenschlich Kluge, der die Konsequenzen überschaut, die menschlich verständliche Furcht vor dem Martyrium? Auf alle Fälle erkennt der einmal an diesem Punkt angelangte Becket seine Machtlosigkeit gegenüber dem Kommenden: «Wohin werde ich geführt? In welche Zweifel? In welchen Dienst und Gehorsam? In welchen Tod?» (87). Wie auch für den Mönch Astorre, der die Verwandlung vom Geistlichen zum Weltlichen durchläuft, gilt für Becket: «Wer mit freiem Anlaufe springt, springt gut; wer gestoßen wird, springt schlecht» (XII, 10). In dem Gespräch unter der Eiche in Kapitel VII hatte er den König gewarnt: «Gib mich nie aus deiner Hand in die Hand eines Herrn, der mächtiger wäre als du! – Denn in der Schmach meiner Sanftmut müßte ich ihm allerwege Gehorsam leisten und seine Befehle ausführen auch gegen dich, o König von Engelland» (75). In den bisherigen Interpretationen wird angenommen, daß nun genau diese Situation eintritt, «a shift of allegiance» (C 1,XXX), die Annahme des Amtes, dessen Aufgabe es ist, die absolute Forderung des Christentums zu verwirklichen, «de restaurer un christianisme authentique» (B 11,212). So einfach ist das nicht.

Becket *wechselt* bei dieser entscheidenden Gelegenheit nicht den Herrn, er erhält zwei Herrn, zwei Loyalitäten, die einander vernichten. Deshalb seine Wortwahl: «Zweifel» – «Dienst und Gehorsam» – «Tod», und deshalb seine Worte: «Nimm mir ab das alte Joch», bat der Kanzler, «statt mir ein neues aufzubürden, *das mich zum Doppelsinnigen und Zweideutigen macht*» (86; meine Hervorhebung)[8]. Noch deutlicher ist seine darauf folgende Replik: «‹Dein Kanzler muß ich bleiben, denn ich glaube, unsere Sterne und unsere Geburtsstunden stehen zueinander in Beziehung›, erwiderte Herr Thomas; ‹aber zwinge mich nicht dein Primas zu werden!›» (87). Die Pointe der Sache ist, daß Beckets Bindung an den König, ungeachtet der zwischen ihnen vorgefallenen Dinge, so fest verwurzelt, ein so integrierter Teil seiner

Persönlichkeit ist (das astrologische Bild!), daß er niemals ein reiner Diener Gottes sein kann. Vergeblich versucht er, aus seinem seltsamen – im Guten oder im Bösen – symbiotischen Verhältnis zum König herauszukommen. Im ersten Gespräch des Erzbischofs mit seinem ehemaligen Alleinherrscher will er das Kanzlersiegel, und damit sein königliches Amt mit der Begründung abgeben, «daß diese Hand zu schwach ist, um zugleich den Bischofsstab und dein Siegel zu führen» (94), was jedoch mit den Worten: «Mein Kanzler bist und bleibst du!» (95) abgelehnt wird[9]. Das wird Beckets «Verderben» (95). Da die Beziehung zu einem festen Referenzobjekt seine *Existenzbedingung* darstellt, verlangt seine neue Bindung an den «mächtigeren» Herrn (75), «der keinen zweiten neben sich duldet» (95), nicht nur einen inneren Loyalitätsaustausch, sondern eine direkte Vernichtung seines alten Herrn, der es abgelehnt hat, ihn aus der Loyalität zu entlassen. Deshalb ist das gesamte Handeln des Erzbischofs konstant von diesem notwendigen negativen Element mitbestimmt. Da die Beziehung zum Referenzobjekt für das Identitätsgefühl substantiell ist, bedeutet das darüber hinaus, daß ein Persönlichkeitsteil von Becket, das introjizierte Objekt, von der Destruktion getroffen und die Persönlichkeit als Ganzes in diesen Auflösungsprozeß mit hineingerissen wird.

Normalerweise hat man gemeint, Becket verfolge als Kanzler autonom gesetzte Ziele. Doch der Text zeigt, daß er keineswegs eine selbständig handelnde graue Eminenz ist: Er beugt sich unfehlbar dem ausgesprochenen oder unausgesprochenen Willen des Königs. In seiner Kanzlerexistenz gibt es jedoch einen Bereich, der der loyalen Identifikation mit dem König unzugänglich ist: die *maurische* Loyalität. Der Ich-Erzähler betont die ganze Zeit über, daß Beckets maurische Vergangenheit nicht nur eine Entwicklungsstufe darstelle, sondern mindestens ebenso sehr einen noch immer aktuellen Teil seiner Persönlichkeit. Selbst von dem verbannten Erzbischof benutzt er die Wendung: Er «stand über den trauernden Sachsen wie der Vollmond in der Nacht. Oder, wenn Ihr lieber wollt, Herr Thomas wohnte wie das Christkind im Stalle, niedrig und prächtig, in allen englischen Hütten und Herzen» (103). Diese Identifikation mit dem «maurischen Wesen» erzeugt die Illusion, Becket besitze gegenüber dem König eine *persönliche* Integrität; der Text gibt jedoch ausschließlich den Abstand zwischen den beiden Identifikationsobjekten an. Genau hier liegt die einzige Möglichkeit des Konflikts zwischen König und Kanzler. Wie das alte und das neue Blatt in dem Gedicht «Eppich» (I, 56) leben diese beiden Partialpersönlichkeiten in Becket ohne Kontakt miteinander, was räumlich durch das verborgene Schloß im Wald und die unbekannte Tochter, Gnade, ausgedrückt wird (Nebenbei bemerkt besteht der gröbste Anachronismus der Novelle vielleicht in der religiösen Toleranz des Königs gegenüber seinem ungläubigen Kanzler – und das zur Zeit der Kreuzzüge!). Die einzigen negativen Äußerungen, die der Kanzler über den König und den englischen Hof macht, fallen bezeichnenderweise während eines seiner kurzen Aufenthalte in dieser arabischen Enklave (57–58). Mit Hilfe der – physischen und psychischen – Isolation gelingt es, einen Konflikt zwischen diesen beiden Loyalitäten zu vermeiden, doch nur bis zu dem Augenblick, in dem eine von außen kommende Kraft, Gnades Verführung durch den König (ein Äquivalent zu dem aufgezwungenen Erzbischofsamt), die beiden in Becket existierenden Identitäten gegeneinander aufbringt. Dies ist sein erster Tod (64, 72, 86), doch da Gnade als die physische Manifestation der alten Identität verschwindet und der König als Bezugsperson noch immer anwesend ist, bewirkt er nur eine Lösung der Identifikation mit den *Kindern* des Königs.

Identität als Identifikation, dieser grundlegende Zug der Persönlichkeitspsychologie im «Heiligen», bestimmt auch die neue Bindung an das Christentum. Nicht als eine neu gewonnene Einsicht, ein Gesinnungswechsel, eine innere Verwandlung, sondern als Imitation der Person des Gekreuzigten. Den Ausgangspunkt bildet Beckets arabische «Zwiesprach» «mit dem gebräunten Crucifixus» (76). Seine Verwandlung zum Diener der Kirche äußert sich auch in einer äußeren Annäherung an das Holzkruzifix, auf das sich sein Identifikationsversuch ursprünglich gerichtet hatte, «ein grobes, mageres Werk» (76); um den Erzbischof gruppieren sich Wendungen wie «ein grobes, härenes Gewand» (91), «den hageren Arm» (95), «die widernatürliche Schmalheit seines Antlitzes» (114), «schmal von Gestalt» (117). Als der Erzähler ihn zum erstenmal nach der Bekehrung wiedersieht, geht er «hinter einem hochgetragenen Kreuze an der Spitze seines armen Zuges» (91), als er den Märtyrertod erleidet, geschieht das «die Arme öffnend, wie der Gekreuzigte über ihm, *als hätte sich dieser verdoppelt*» (135, meine Hervorhebung). So jedenfalls wird Hans' unmittelbarer Eindruck erklärt, als er die Worte des Kanzlers an das alte, magere Kruzifix vernimmt: «Innig und schmerzvoll sprach er zu dem stillen Gekreuzigten, aber lästerlich und wie zu seinesgleichen, so schien mir» (77). Selbst während des Martyriums sind seine Worte nicht «Dein Wille geschehe», sondern: «Fürst der Schmerzen, nimm Wohnung in diesem Leibe!» (133). «Dann sprach Herr Thomas zum andern Male und streckte seine schmalen Hände aus: ‹Durchstich sie und gewähre mir deine Passion!›» (133). Ohne den Kontext könnte man darin den Gedanken von der Leere der Seele, dem Absterben des Eigenwillens als Voraussetzung für Gottes Anwesenheit im Menschen erblicken, mit dem Meyer durch Pascal und Mme. Guyon vertraut war (vgl. oben S. 169, Anm.) Das ist zweifellos ein Teilrepertoire des Textes, das Element gehört jedoch darüber hinaus auch zu dem persönlichkeitspsychologischen Komplex, der den Gegenstand der Untersuchung bildet.

Das Problematische an Meyers Becket ist nicht so sehr, daß er eine «schillernde Schlange, welche die Haut wechselt» (93), ist, wie der König fürchtet, sondern ganz im Gegenteil, daß er die alte und die neue Haut trägt. Seine Lebensgeschichte ist gekennzeichnet durch die vielen radikalen Brüche mit der Vergangenheit: mit seinem sächsischen Vater, dem Kaufmann Gilbert Becket, mit dem ausschweifenden normannischen Bischof, mit dem Kalifen von Cordova, mit dem englischen König. Diese Häutungen unterscheiden sich von dem Wechsel zum Erzbischof jedoch dadurch, daß ihm diese letzte Haut aufgezwungen wird, während die alte Haut noch festsitzt, um bei dem Bild zu bleiben («Dein Kanzler muß ich bleiben /.../aber zwinge mich nicht, dein Primas zu werden» (87)). «Die Schmach der Sanftmut» besteht darin, daß die Identität kein Komplex von *Eigenschaften* ist, sondern eine sich durch die Handlungen der Umgebung, der Bezugspersonen, definierende Größe. Als sich der König an Gnade vergreift, definiert er den Vater als «den Leidenden», wodurch sich Beckets Selbstverständnis von Grund auf ändert («ich gehöre dir zu und kann nicht von dir lassen, du geduldiger König der verhöhnten und gekreuzigten Menschheit» (77)): Er wird im Goffmanschen Sinne stigmatisiert[10]. Die Persönlichkeit ist nicht mehr die Entfaltung einer dynamischen Veranlagung, auch nicht das Gesamtprodukt aus Erbmasse und Milieu, sondern ein Potential, bei dem ein anderer Mensch, in dessen Gravitationsfeld sie sich befindet, entscheidet, welche Subpersönlichkeit aktualisiert wird. Der französische Psychologe Durand de Gros (vgl. oben S. 71, 72) benutzte für den Zustand des Hypnotisierten die Bezeichnung «allonomie». Obgleich man im «Heiligen» von dieser spezifischen Vorstellungswelt noch weit entfernt ist, erscheint mir die Bezeichnung ganz treffend für diese Eigentümlichkeit Beckets, seine Abhängigkeit von identitätsstabilisierenden «Selbst-Objekten» (im Sinne von Heinz Kohut). Der springende Punkt im Zusammenhang mit Beckets fehlender «Ego-Zentrizität» ist natürlich, daß der König mit seinem double-bind-ähnlichen Befehl zwischen zwei Identitäten in ein und derselben Person eine unerträgliche Spannung erzwingt, eine Handlungsstruktur, die sich in Meyers Werk von Novelle zu Novelle aufspüren läßt, am dramatischsten in der drei Jahre nach dem «Heiligen» liegenden Doppelgängernovelle «Gustav Adolfs Page». In diesem thematischen Zusammenhang stellt das Martyrium einen Selbstdestruktionsprozeß dar. Mit Meyers charakteristischer dichter Motivsyntax wird der Bekehrte nicht zum Saatkorn, zur «Frucht der Ähre» (85), sondern zum Karikaturbild: «Aus einem mageren Halme, dessen herabhängende Blätter die Ärmel einer Kutte bildeten, wuchs am schwanken

Stielchen eines dünnen Halses als Ähre ein mir wohlbekanntes Marterange-sicht» (90–91), und in der Endphase «ein in Sonne und Wind verschmachte-tes Schilf» (117).

Es mag stimmen, daß die Novelle eine Thematik enthält, wonach der Verlauf nach der Einsetzung zum Erzbischof «ein ununterbrochener Kampf Beckets mit sich selbst» ist (Z 1,151), nämlich der Kampf zwischen dem christlichen Gebot, daß man seinen Schuldnern vergeben soll, und der Rachsucht, oder zutiefst vielleicht: der Unmöglichkeit, das Verhältnis von Gottes Barmherzigkeit und seiner Gerechtigkeit zu begreifen (118). Doch dieses allgemein formulierte Problem ist durch das spezifisch psychologische zu ergänzen. Gleichgültig nämlich, ob man als Motiv für Beckets unversöhn-liche Haltung zum König «Rachsucht», «Frömmigkeit» oder eine Kombina-tion aus beiden vermutet, bleibt unverständlich, weshalb der Erzbischof Auflehnung gegen die Königsmacht so negativ bewertet: «‹... und das Abscheulichste ...› hier hielt er inne und schloß dann mit sinkender, verän-derter Stimme ... ‹Aufruhr und Empörung gegen deine Ahnen und dich – christliche Könige. – Hier erkenne ich den Willen Gottes›» (97). Die Formulierung der Regieanmerkung beseitigt die Möglichkeit, sie anders denn als aufrichtige Angst vor jeder Bewegung *gegen* die Person des Königs zu deuten. Wenn sein Anliegen eine subtile Rache für Gnades Tod oder eine aufrichtige Frömmigkeit oder Mitleid mit dem irdischen Los der Elenden wäre, weshalb dann diese moralisch gefärbte Distanzierung von jeglichem Konflikt mit der weltlichen Gewalt? Wenn seine «fundamental characteristic in both stages of his career is servility of temperament, a constitutional need to serve his master unreservedly» (C 1,XXX, vgl. J 1,94), dann hätte er mit der ihm durch das Christentum verliehenen Legitimation die Machtpolitik des Königs mit der gleichen ungeteilten Energie bekämpfen können müssen, mit der er zuvor die Feinde des Königs bekämpft hatte. Doch Becket ist eben kein Saulus, aus dem ein Paulus wird, seine Bezugspersonen sind nicht frei austauschbar.

Bei seiner erzwungenen Erhöhung zum Oberhaupt der englischen Kirche erreicht seine Persönlichkeit, die schwache Synthese aus seinen maurischen und seinen normannischen Identifikationen, endlich einen Punkt, an dem sie fragmentiert. Es handelt sich nicht darum, daß lediglich zwei verschiedene widersprüchliche *Haltungen* in ihm in Widerstreit miteinander geraten, es ist kein «Zwei Seelen wohnen, ach! in meiner Brust/, die eine will sich von der andern trennen» (Faust, Vers 1112–13), denn sein «Gefühlshintergrund»[11] bleibt sich in allen Situationen gleich. In dieser Hinsicht hat er recht, als er zum König sagt: «Ich bin kein anderer als ich scheine und mich trage! Dein Diener, den du kennst» (94). Mit einem intakten, sich in einer ausgeprägten

Fähigkeit zur «Selbstbeobachtung» (Schilder, op. cit., S. 103) äußernden Teil seiner Persönlichkeit registriert er, wie zwanghafte Persönlichkeitsteile, die bei der Identifikation mit einem Objekt aktualisiert werden, ihr selbständiges, von authentischen Zielvorstellungen losgelöstes Eigenleben führen: «Wohin werde ich geführt?» (87). Die Spaltung der Loyalität und die daraus entspringende Spaltung der Persönlichkeit mit der sich daraus als Folge ergebenden Selbstdestruktion ist in Meyers Novellen bis zur «Angela Borgia» wirklich die Krankheit zum Tode; sie kann nicht geheilt, sondern nur durch die physische Vernichtung des Kranken zum Aufhören gebracht werden: «Wäre ich aber von meinem Kaiser abgefallen, so würde ich an mir selbst zugrunde gehen und sterben an meiner gebrochenen Treue, denn ich habe zwei Seelen in meiner Brust, eine italienische und eine spanische, und sie hätten sich getötet» (XIII,252–53). So klingt das in dem letzten Werk vor der «Suggestionsnovelle».

Wie dichterisch produktiv die Fragmentierungsangst für Meyer war, läßt sich aus der Realisierung in den auf den «Heiligen» folgenden Werken ablesen. In «Gustav Adolfs Page» (*Deutsche Rundschau*, Oktober 1882) taucht der negative Doppelgänger des Pagen, der Lauenburger, auf, unmittelbar nachdem sich Corinna die Kehle durchgeschnitten hat (XI,192–93); in der «Hochzeit des Mönchs» (*Deutsche Rundschau*, Dezember 1883 – Januar 1884) erscheint, nachdem der Mönch seine geistliche gegen die weltliche Tracht eingetauscht hat, der Narr Gocciola (XII,31). Gleichzeitig erhöht sich die Frequenz der Wörter «Spiegel(bild)» und «Schatten» nicht nur in den Prosawerken, sondern auch in der Lyrik. Beispielsweise ist in «Möwenflug» (1881) das untergeordnete Spiegelmotiv der älteren Gedichte «Der tote Achill» und «Der Gesang des Meeres» (vgl. III,278–93, 345–46) zum die Reflexion des Betrachters auslösenden Hauptmotiv geworden:

> Allgemach beschlich es mich wie Grauen,
> Schein und Wesen so verwandt zu schauen,
> Und ich fragte mich, am Strand verharrend,
> Ins gespenstische Geflatter starrend:
> Und du selber? Bis du echt beflügelt?
> Oder nur gemalt und abgespiegelt?
> Gaukelst du im Kreis mit Fabeldingen?
> Oder hast du Blut in deinen Schwingen? (I,190).

Von dem vorliegenden thematischen Zusammenhang her gelesen gestaltet das Gedicht die Angst, das «Grauen» vor der Auslöschung der Identität, dem eigenständigen Leben des Spiegelbildes[12]

Zweideutigkeit, Doppelbödigkeit, Spaltung und Auflösung treten im «Heiligen» natürlich auch in zahlreichen anderen Zusammenhängen auf, in der Beschreibung von Dingen (die byzantinischen «Marmorweiber» (41), der tote «Salvator» (72)) und Verhältnissen – der inneren Auflösung des Königshauses, um nur ein Beispiel zu nennen. Die Universalität dieser Tendenz geht aus dem an sich überraschenden Umstand hervor, daß nicht nur Becket in der Schwäche seiner Persönlichkeit von seiner Bezugsperson extrem abhängig ist. Diese Interaktionsbeziehung gilt paradoxerweise bis zu einem gewissen Grad auch für den vitalen und unreflektierten König, seinen postulierten Gegensatz, dessen Abhängigkeit von seinem Kanzler weit über das mit dem politischen Nutzwert Begründbare hinausreicht. Nach der ersten Begegnung mit dem neuen Erzbischof setzt für den energischen und extravertierten Herrscher ein psychischer Auflösungsprozeß ein: «Keines Menschen Mund schildert, was mein König litt. Anwesend und abwesend verfolgte ihn Herr Thomas gleicherweise» (99). Für den König verwandelt sich nun der ehemalige Diener in «seinen Verfolger» (101, vgl. 118, 143), was eine entscheidende Abweichung von den historischen Quellen darstellt. Diese Verfolgerrolle spielt Becket in der Phantasie des Königs bereits, bevor er durch äußere Handlungen Anlaß zu einer so negativen Bezeichnung gegeben hat. So wie Meyer den Verlauf des historischen Konflikts ändert, tritt an die Stelle objektiver Interessengegensätze ein psychologisches Muster. Der König, der noch in seinem ersten Gespräch mit dem neuen Erzbischof Thomas «mein Liebling» (94) nennt, sieht sein «ganzes Wesen untergraben und sein Königsleben zerstört» (99), einzig und allein durch den *emotionalen Rückzug* seines «undankbaren Lieblings» (99). Und als der verbannte Becket seinen ersten, doch indirekten Schritt gegen die Politik des Königs, den Bann gegen den Bischof von York, unternimmt, reagiert der König «wie ein wahnsinniger Mann»: «‹Löset mir den verruchten Vampir vom Herzen!› heulte er, den Schaum vor dem Munde, und meinte Herrn Thomas, ‹er zernagt mir Leib und Seele!›» (105). Natürlich ist es nicht der Haß auf den Abtrünnigen, der die Reaktionen des Königs zu einem quälenden psychischen Verfallsprozeß macht, sondern die Ambivalenz: Beispielsweise spricht er in seinen Phantasien mit dem Abwesenden «bald beleidigt und drohend, bald aber auch liebreich mit kosenden Worten» (99). So wird er auch geschildert, als er zum Friedenskuß mit seinem Gegner geht: «Herr Heinrich konnte sich jetzt nicht länger halten; mit gespitzten Lippen näherte er sein zerfallenes, aufgedunsenes Angesicht dem kasteiten, heiligen Haupte des Kanzlers. Es war häßlich und abstoßend, das Antlitz meines Königs, aber so rührend und sehnsüchtig, als begehre es nach dem Genusse des göttlichen Leibes» (117). Sowohl hier wie im Zusammenhang mit der aufrichtig reuigen Selbstkasteiung des Königs am Grab des Heiligen (137–38) ist zu sehen, daß seine physische und psychische Ganzheit und zudem die

Einheit des Reiches (vgl. 107–08) in einem rational schwer verständlichen Grad von der einenden Kraft abhängen, die von Beckets emotionalem Wohlwollen ausgeht[13]. Aus diesem Grund erhält der König letztlich die gleiche Bezeichnung, die den Kern der Persönlichkeit des identitätslabilen Kanzlers ausdrückte: «Schmach» (108), womit der Erzähler seine ohnmächtige und demütigende infantile Wutreaktion zusammenfaßt (105). Vermutlich hat der Leser nicht vergessen, daß «die Schmach ihrer Abhängigkeit» (XIV,7) die Grundlage des Persönlichkeitsproblems von Lucrezia Borgia bildete!

Trotz der ausgeprägten Interferenz mit einer anderen thematischen Struktur, wonach König und Kanzler als Gegensätze aufgestellt werden und der König deshalb die Fähigkeit besitzt, «mit seiner natürlichen Tapferkeit vergangene Dinge hinter sich zu werfen» (68), ergibt sich somit ein Interaktions- und damit ein Identitätsmuster, bei dem eine ausschließliche Bindung an eine Bezugsperson für *beide* Antagonisten zum eigentlichen Existenzrahmen wird. Eine solche Gegenseitigkeit hat der Erzähler bereits frühzeitig im Handlungsverlauf erkannt: «König Heinrich betrachtete den von ihm aus dem Nichts Gehobenen mit Wohlgefallen als sein Geschöpf; aber das Geschöpf, ehrwürdiger Herr, war dem Schöpfer unentbehrlich geworden und unterjochte ihn mit seinem sanften Eigensinne» (36)[14]. Die Ohnmacht bildet überhaupt den Grundtenor des Verhältnisses; eine Versöhnung, ein Kompromiß ist nicht möglich, nicht aus rationalen Gründen, sondern weil in der Beziehung zwischen den beiden ein Faktor entstanden ist, der sich von seinen Trägern losgerissen, sich als der Doppelgänger, das Spiegelbild, der Schatten verselbständigt hat: «wann sie den letzten Schritt zueinander tun wollten, trat das Gespenst ihrer gestorbenen Liebe als blasse Feindschaft zwischen sie» (100)[15]. Selbst in der Konfrontation auf der Heide scheint der König so handlungsgelähmt zu sein, daß erst der Zuruf seiner Begleiter es ihm ermöglicht, Beckets Forderungen zurückzuweisen (natürlich im Widerspruch zu den historischen Quellen (121)). Auch bei der Teilhaftigkeit des Königs an dem Mord im Dom tritt diese Ohnmacht auf: Als er nach seinem Wutanfall wieder zu sich kommt (oder genauer gesagt, von Hans zur Besinnung gebracht wird (127)), hat sich sein mörderischer Impuls gegen Becket sozusagen in der Gestalt der vier Verschworenen materialisiert, die nun unabhängig von seinem Willen und unbeeinflußbar durch seine nun veränderte Gemütsstimmung handeln (127, vgl. 131: «Ihr, die ihr um ihn seid, verstehet seine Winke und erfüllet seinen Willen.»).

Von diesem psychologischen Porträt bis zu der üblichen Rezeption der Figur des Königs ist ein ziemlich weiter Schritt: «an egoistic powerseeker, like Jenatsch, shrewd and unscrupulous, but blind to the real secret of his

chancellor» (W 2,64) – «robuste, brutale Vitalität» (S 1,271) – «Heinrich ist
der Mann leidenschaftlichen Handelns: impulsiv, geradezu, eigenwillig im
Guten und im Bösen, von naiver Immoralität, eine «Herrennatur» und
«blonde Bestie», leicht in blinden Zorn und Haß geratend,» … (S 1,272) –
«Certes Henri n'est pas foncièrement mauvais. /…/ Derrière ses brutalités se
cache une âme humaine, capable de bons sentiments. Nature naïve et simple,
grossière et avide de jouissance» (B 11,219). Der Abstand zwischen diesen
beiden unterschiedlichen Interpretationen der Figur darf nicht so verstanden
werden, daß die eine richtig und die andere verkehrt ist. In der perspektivi-
schen Auffassung des Ich-Erzählers sind beide Porträts angelegt, so daß die
unzulängliche Interpretation allein darin besteht, daß man die meiner Auffassung nach grundlegende fiktionale Eigentümlichkeit übersieht, daß auch
diese Figur als zwei jeweils kohärente, doch nach den Gesetzen der Logik
nicht miteinander zu vereinbarende Gestalten konzipiert ist. Es hieße die
Fiktion als menschliche Vorstellungsform mißverstehen, wollte man diese
Inkohärenz auf ein textgenetisches Problem reduzieren, so als sei Meyer
nicht imstande gewesen, verschiedene Entwürfe zu dieser Fiktionsfigur
zusammenzuarbeiten. Offensichtlich war er sich in diesem Fall darüber im
klaren, daß sich hier eine gewisse Interferenz geltend machte; denn er
schreibt am 15. 5. 80 an Wille: «Ich erlaube mir nur eine einzige Bemerkung
(d. h. zu Willes Rezension der Novelle). Allerdings liegt hinter meinem im
Gegensatz zum Heiligen *naiv* gefaßten Heinrich II die Möglichkeit u. der
leise Umriß eines *anderen* Kopfes, d. h. ein *Beket geistig ebenbürtiger
Heinrich II*. Dieser würde sich natürlich nicht so täuschen u. mit sich spielen
lassen. In diesem Falle wäre nur eine Fabel möglich: «––– (danach folgt die
Darlegung eines «Hamlet-Motivs»). Meyers Äußerung deutet darauf hin,
daß diese alternative Gestaltung als Ansatz in dem fertigen Text enthalten ist.
Wenn hier im übrigen nicht weiter auf die statuarische, naive Königsgestalt
eingegangen wird, dann weil diese in den vorliegenden Analysen der Novelle
gut beschrieben ist und außerdem für die persönlichkeitspsychologische
Struktur, deren Systemfunktion im Verhältnis zur «Angela Borgia» den
Gegenstand dieses Kapitels darstellt, nur wenig relevant ist.

Doch zurück zu der Titelperson der Novelle als der deutlichsten Manifestation des Problems. Es ist klar, daß sich die kurzgefaßte Analyse der
Struktur hinter der Fiktionsfigur Thomas Becket auf einer Ebene bewegt, die
mit einem holistischen Persönlichkeitsbegriff arbeitet, d. h. daß aus rein
operationellen Gründen von der Konfliktpsychologie der klassischen Psychoanalyse abgesehen werden mußte. Untersucht werden also nicht die
endopsychischen Strukturen, sondern das «Selbst», das Erlebnis der eigenen
Person als Ganzheit, «zur Selbstrepräsentanz agglomerierte und organisierte

Erinnerungsspuren der eigenen Person»[16]. Teils erscheint mir der Selbst-oder Identitätsbegriff im Hinblick auf die Strukturierung der im Text dargebotenen Fiktionsfigur Becket am angemessensten zu sein, teils ist die durch die Konstituierung des Selbst repräsentierte Schematisierung unmittelbar mit dem Interpretationsrahmen vereinbar, der mit Wolfgang Isers Relation System-Repertoire gegeben ist, da Isers kleinste Einheiten gerade die Gestaltbildungen sind (z. B. I 1, 118, 208).

Im Verhältnis zu dem Kontinuitäts- und Authentizitätserlebnis des Selbst-Begriffs wird Beckets beschädigte, von der Dissoziation bedrohte Identität sichtbar[17]. Man hat es zwar (vgl. oben S. 281–86) mit einer ausgesprochenen Stabilität und Kontinuität seiner «Eigenschaften», seines «Gefühlshintergrunds», zu tun: Gleichgültig, in welcher Lebenssituation er sich befindet, er bleibt immer der Kluge, Verfeinerte, Nicht-Gewalttätige – «edel», «schwermütig», «ernst», «sanft», wie ihn der Erzähler Hans sieht (52). Anscheinend ist seine Persönlichkeit um einen aus Ziel-, Wert- und Idealvorstellungen organisierten Kernbereich organisiert und bildet somit eine ganze psychische Struktur, die ihn eigentlich nach autonom gesetzten Zielen müßte handeln lassen können. Danach sollte man erwarten, daß seine Tätigkeit als unbedingt loyaler Diener der Königsmacht zu einer Reihe von mit seinen Idealvorstellungen unvereinbaren Handlungen führen (38, 86), daß zwischen seinem Selbst und seiner sozialen Rolle ein Konflikt entstehen müßte. Doch einen solchen Konflikt formuliert der Text nicht, die beiden Pole seiner Identität sind voneinander isoliert, die Dimension «Gewissensangst» (vgl. F 7, VI, 270, 279, IX, 252 ff.), das Schuldgefühl, das sie miteinander verbinden könnte, fehlt bei Becket völlig[18], was u. a. daraus hervorgeht, daß die Fähigkeit zur Reue im Gegensatz dazu bei drei nicht-maurischen Personen der Novelle betont ist, nämlich bei dem Erzähler Hans (22, 54), dem untreuen Diener Äscher (53) und, was in dem Zusammenhang am wichtigsten ist, beim König (73, 138). Selbst das Gespräch mit dem Kruzifix, dessen verborgener Zeuge der Erzähler wird, der einzige direkte Einblick in die Vorstellungswelt der Hauptperson, bei dem Becket die Macht des Bösen in der Welt erkennt («diese Erde dampft und stinkt noch von Blut und Greuel ... und Schuld und Unschuld wird gemordet wie *vor* deiner Zeit!» (77)), deutet in keiner Weise an, daß er seine eigene eventuelle Schuld, seine Mitschuld an dem irdischen Elend, erkennt. Seine Selbstcharakteristik enthält nur ein Element: Er hat einen unwiderruflichen Verlust erlitten: «Ich bin der Ärmste und Elendeste der Sterblichen» (77). Diese Charakteristik wird durch den Eindruck des Erzählers unterstrichen, daß der Kanzler «ein Gestorbener» sei (72, vgl. 64, 86). Der nach Gnades Tod eintretende Zustand ist weder Trauer noch Melancholie, weder das Gefühl von der Wertlosigkeit der Umwelt noch die «peinliche Selbstherabsetzung» (F 7,III, 201) des Melancholikers, sondern die Leere, die «existentielle Leere» der Depersonalisation[19].

Aus dem fehlenden Konflikt – in einer Bekehrungsgeschichte! – läßt sich ablesen, daß die Hauptperson zwar als stabile Bildungen Über-Ichnormen in sich birgt, daß deren affektive Besetzung jedoch offensichtlich schwach und ihre identitätsstabilisierende Funktion dementsprechend unvollkommen ist. Die Treue[20] zu einem mehr oder weniger idealisierten Selbst-Objekt, an dessen Macht man durch die Identifikation Anteil erhält, fungiert deshalb auf der einen Seite als Sicherung der Kohärenz des Selbst, während auf der anderen Seite die Möglichkeit der Bezugsperson, die Idealisierung/Machtvollkommenheit zu dementieren oder sich aggressiv gegen das allonome Selbst zu richten, bedeutet, daß die Persönlichkeit ständig von der Fragmentierung bedroht ist. Die Persönlichkeitspsychologie der «Angela Borgia» muß im Zusammenhang mit diesem Potential gesehen werden; in der frühen Novelle findet sich sowohl die Idee der multiplen Persönlichkeit wie die Abhängigkeit von einem fremden Willen (als Suggestibilität) in embryonischer Form. Die Spannung zwischen dem älteren und dem jüngeren System besteht in erster Linie darin, *daß im «Heiligen» die Abhängigkeit von der Bezugsperson trotz der zu dem destruktiven Ausgang führenden Komplikationen als eine mögliche Existenzform betrachtet wird*, während diese Positivität in der «Angela Borgia» weitgehend gegen den negativen Aspekt ausgetauscht ist, die, so ist man versucht zu sagen, paranoide Vorstellung von dem «allmächtigen Verfolger und Manipulator», von dem «Beeinflussungsapparat, dessen Allmacht und Allwissenheit kalt, nicht einfühlend und unmenschlich böse geworden ist»[21]. Doch sieht man sich den «Heiligen» genauer an, so wird man feststellen, daß der Text auch diesen Aspekt gestaltet, nur nicht von Beckets Perspektive aus, sondern von der des Königs her. Wie oben (S. 295) erwähnt, verwandelt sich der Erzbischof ab Kapitel X in seinen «Verfolger» (101), der «anwesend und abwesend» (99) das immer gegenwärtige Ziel seiner Gedanken und Pläne bleibt. Vergleicht man nun Beckets Einflußnahme auf seinen ehemaligen Herrn mit Cesares Lenkung des ferraresischen Hofes (vgl. oben S. 254–57), so besteht die Modifikation des älteren Systems darin, daß «Der Heilige» eine psychologische Begründung für die Abhängigkeit des Königs liefert, da die ganze Vorgeschichte auf den Punkt zuläuft, an dem die Enttäuschung über den undankbaren, unentbehrlichen Helfer (vgl. Kohut, op. cit., S. 65–66) seine gesamte Vorstellungswelt ausfüllt, während Cesares fernes Einwirken diffuser (keine explizite Motivation, keine davor liegende Gefühlsbindung an die Personen, die er mit seinen Gedanken beherrscht, wenn man einmal von Lucrezia absieht) und als Folge davon universeller ist.

Alfred Zäch bemerkt zur «Angela Borgia»: «Ironie ist in «Angela Borgia» nicht mehr als Grundhaltung wie im «Heiligen» oder im «Pescara» zu treffen. Das überlegene Lächeln ist nicht die Gebärde des Frommen. Büßende, zum Himmel sich Kehrende lächeln nicht» (Z 1,227). Ob die Novelle tatsächlich jeder Ironie entbehrt, sei dahingestellt, sicher ist, daß das komische Element nur eine geringe Rolle spielt (fast nur bei Ferrante). Doch das mag seine besondere Ursache haben. In Meyers Motivsyntax erhält nämlich der Untergang der Identität, die Fragmentierung, einen spezifischen Ausdruck in einer Größe, die als «Gelächter», «Lächeln», als die Karikatur, die Groteske oder der Narr auftreten kann (vgl. oben S. 173). Bereits im «Jenatsch» und im «Amulett» taucht dieses Motiv auf, obgleich es erst in den späteren Novellen zur vollen Entfaltung gelangt: Das Maskenfest, bei dem Jenatsch ermordet wird, «schien sich in eine wilde Lustbarkeit verwandeln zu wollen» (X,263), Wasers Traum vor dem Ereignis, das Jenatsch in die Reihe der Identitätswechsel hineintreibt, endet mit grotesken Figuren in «einem aus allen Ecken schallenden teuflischen Gelächter» (X,28), und Schaudas Eingesperrtsein im Louvre während der Bartholomäusnacht, sein Erlebnis der Ohnmacht und die bis zur Unkenntlichkeit verzerrte Wirklichkeit werden mit den Worten geschildert: «Kein Fiebertraum kann schrecklicher sein als diese Wirklichkeit» (XI,61). In den späteren Novellen erhält das Motiv wie gesagt seine prägnante Gestaltung in den Narrengestalten. Im «Heiligen», wo die Einführung einer solchen Figur, eines grotesken Festes, eines absurden Traums, bereits durch den Einfallswinkel des Erzählers zum Erzählten ausgeschlossen ist, findet sich das Motiv trotz allem deutlich angegeben. Als der Chorherr, sein Zuhörer, ihm den Bericht abzwingen will, reagiert er unmittelbar mit der visuellen Vorstellung: «Und sein (d. h. Beckets) Lächeln sehe ich noch, das – Gott genade mir – heilige Hohnlächeln, mit dem er verschied, als erwiesen ihm seine Henker gerade einen Liebesdienst» (14). In der Keimzelle der Novelle (laut Brief an Zolling vom 7. 9. 81), wo der König seinen schlauen Plan entwickelt, Becket auf den Erzbischofsstuhl setzen zu wollen, antwortet dieser mit einer Geste, die das Groteske der Situation deutlich zeigt: «Mit zwei Fingern seiner lässig herabhängenden Rechten hob er eine Falte seines Purpurgewandes langsam in die Höhe, so daß die zurückgebogenen Schnäbel seiner köstlichen Schuhe sichtbar wurden» (84). Worauf der König «ein grelles Gelächter» ausstößt. Als der Erzbischof zum erstenmal an den Hof kommt, beginnt die Szene damit, daß Tracy eine Karikatur des frommen Mannes unter den Versammelten die Runde machen läßt, die sich «vor Lachen» winden (90). Vor dem mißglückten Versöhnungsversuch in Frankreich ist der Erzähler einer Ansammlung von Provenzalen begegnet, die von Beckets Zerrbild eines Doppelgängers, Bertram de Born, angeführt werden, und diese Szene endet mit «dem Gellen eines scharfen welschen Gelächters» (112). Das Gelächter als absolute Negation tritt außerdem in der Schilderung des Schlimmsten der vier Königssöhne, des Junker Hans, hervor: «Wie er lachte! Ich habe Tag meines Lebens, auch in Schenken und auf Märkten, nicht gemeiner lachen hören» (42). Wenn deshalb Becket auf seinem Steinsarkophag «still lächelnd» (138) abgebildet ist[22], so läßt sich das nicht unmittelbar frei, z. B. als befriedigte Rache, interpretieren, sondern ist analog zu der Valenz des Motivs in diesem und im Gesamtwerk zu verstehen. Auch im Rahmen der Novelle ist das Motiv vorhanden, nämlich an den Stellen, wo sich der Armbruster mit *seinen* Häutungen durch Lächerlichkeit zweimal fast ins Unglück stürzt. Als betrunkener Mönch wird er «unter Spott und Gelächter mit nackten Armen und Beinen im Narrentriumphe herumgetragen» (19), und später verführt man ihn dazu, seine inbrünstigen Gebete an das Haus der Dirnen zu richten, weil er glaubt, daß dort eine fromme Frau «im Geruche der Heiligkeit» gestorben sei (20), ein Irrtum, aus dem er durch «ein toll ausbrechendes Gelächter» (20) herausgerissen wird[23]. Der Zusammenbruch der Meyerschen Helden hat keine eigentlich tragische, sondern dagegen eine chaotische, groteske Dimension, was vielleicht in der «Hochzeit des Mönchs» am deutlichsten wird, wo Ezzelin den Mönch bereits vor dem Auflösungsprozeß gewarnt hatte: «Würdest du in die Welt treten, die ihre eigenen Gesetze befolgt, welche zu lernen es für dich zu spät ist, so würde dein klarer Stern zum lächerlichen Irrwisch und zerplatzte zischend nach ein paar albernen Sprüngen unter dem Hohne der Himmlischen!» (XII, 25–26). Da das Motiv des Gelächters mit dem Verfall der Identität zusammenhängt, leuchtet es unmittelbar ein, daß es als Kontrastmotiv als Hintergrund für den Versuch der Protagonisten fungiert, durch die Bindung an positive Identifikationsfiguren oder Ideologien eine kohärente Persönlichkeit zu behaupten. In der «Angela Borgia» dagegen, wo der Gedanke von der suggestiven Unfreiheit des Menschen universelles Ausmaß angenommen hat, wo die Möglichkeit einer Stabilisierung durch die Stütze auf idealisierte Selbst-Objekte weggefallen ist, tritt der Gegensatz zwischen Chaos und Form in den Hintergrund.

Dafür teilt die späte Novelle ein kleines, aber charakteristisches Motiv mit ihren Vorgängern. In der «Hochzeit des Mönchs» hält der Erzähler, der landflüchtige Dante, in seinem Bericht inne, worauf Cangrande die Gelegenheit ergreift und ihm seine Bitterkeit und Rachsüchtigkeit gegen die Stadt vorwirft, die ihn in das unsichere Leben des Verbannten hinausgetrieben hat:

«Dante lauschte. Der Wind pfiff um die Ecken der Burg und stieß einen schlecht verwahrten Laden auf. Monte Baldo hatte seine ersten Schauer gesendet. Man sah die Flocken stäuben und wirbeln, von der Flamme des Herdes beleuchtet. Der Dichter betrachtete den Schneesturm und seine Tage, welche er sich entschlüpfen fühlte, erschienen ihm unter der Gestalt dieser bleichen Jagd und Flucht durch eine unstete Röte. Er bebte vor Frost» (XII,57). Unter den Motiven dieses Abschnitts erkennt man das Schneetreiben, das als Kulisse genau in der Szene auftritt, als Lucrezia aus *ihrer* illusionären Geborgenheit herausgerissen wird, d. h. bei der Hinrichtung der beiden Brüder, als Cesares Brief sie erreicht: «Sie blinkten seltsam in dem frühen Halbdunkel, denn es war heute der kürzeste Tag des Jahres, und den Hof verschleierte ein frühes Schneegestöber» (XIV,78). Von der Funktion dieser Chiffre her, die das Erlebnis einer Welt ausdrückt, in der sich alle Konturen – auch die der eigenen Persönlichkeit – in chaotischer Beweglichkeit verwischen[24], begreift man, weshalb «Der Heilige» mit den Worten beginnt: «Langsam fallend deckte der Schnee das blache Feld und die Dächer vereinzelter Höfe rechts und links von der Heerstraße, die aus den warmen Heilbädern an der Limmat nach der Reichsstadt Zürich führt. Dichter und dichter schwebten die Flocken, als wollten sie das bleiche Morgenlicht auslöschen und die Welt stille machen, Weg und Steg verhüllend und das wenige, was sich darauf bewegte» (XIII,7). Und weshalb die Rahmensituation nach dem Bericht über das Martyrium dieses Motiv wieder aufgreift: «Unterdessen war das kärgliche Licht des Wintertages zur Neige gegangen, und da gerade ein dichter Tanz von Schneeflocken vor dem Fenster wirbelte, ward es plötzlich so dunkel in dem schmalen Gemache, daß die zwei Alten kaum mehr die Züge der eine des andern unterscheiden konnten» (137).

Anmerkungen

[1] So Silz: «der Angelpunkt in der Motivierung» (S1,272); Brunet: «L'oeuvre, telle que Meyer nous l'a lignée, n'a pas deux centres de gravité, mais un seul, la mort de Gnade» (B11,228); Öhrgaard: «Ihre Gestalt ist so notwendig wie sonst kaum eine andere in der Novelle» (Ö1,69).

[2] Der Text bietet keinen sicheren Beleg für Brunets These, wonach Becket als Erzbischof «semble les considérer maintenant comme des êtres dignes d'une attention particulière parce qu'ils sont opprimés» (B11,212). Auf alle Fälle ist es nicht haltbar, wenn er meint, daß Becket als Kanzler seine Tätigkeit im Dienste der Macht als «moyen de construire un royaume où il y aurait place pour l'humain» (B11,212), betrachtete. Der Becket des Textes ist Realpolitiker, kein Idealist, wie Brunet meint (B11,218).

[3] J. D. Williams betrachtet dagegen Beckets Forderung nach Befreiung der Sachsen als eindeutiges Zeichen der «grandeur of his soul» und mißt der Verweigerung des Friedenskus-

ses keine entscheidende Bedeutung bei: «But what he does perform later, in his forgiving of Henry and his appeal to him, is not ultimately a personal thing at all, he is appealing on behalf of the down-trodden Saxon subjects of the King of England, in the name of a general mercy and charity,» ... (W 2,68). Brunet ist der gleichen Auffassung: «Il s'agit de travailler à la réalisation de ce monde idéal où la volonté de Dieu et les aspirations des hommes coïncideront, de ce monde idéal dont Meyer a toujours rêvé et où auraient été satisfaits harmonieusement et sans ambiguïté, les besoins terrestres et religieux de l'homme chrétien» (B 11,216).

[4] Kurt Karl Eberlein, «Goethe und die bildende Kunst der Romantik» (*Jahrb. d. Goethe-Gesellschaft* 14, 1928), S. 1–77; hier S. 58. Vgl. außerdem S. 3, 4, 8, 16, 19. Meyer erwähnt Goethes Verhältnis zu «Kunschtmeyer» in «Mathilde Escher» (1883. Br. II,485) und in «Eine Goethe Anekdote» (in einem Brief an Haessel vom 26. 10. 97).

[5] Heinrich Heines Sämtliche Werke, Lpz. (Insel) 1913, Bd. 8: «der kleine Nazarener haßte den großen Griechen» (359, über Börne und Goethe), ... «verriet Börne seine nazarenische Beschränktheit. Ich sage nazarenisch, um mich weder des Ausdrucks «jüdisch» noch «christlich» zu bedienen, obgleich beide Ausdrücke für mich synonym sind und von mir nicht gebraucht werden, um einen Glauben, sondern um ein Naturell zu bezeichnen» (360). Meyers Verhältnis zu Heine ist nicht näher untersucht worden, obgleich zahlreiche Briefstellen eine große Vertrautheit mit seinen Schriften zeigen. Im «Heiligen» meinte er (an Rodenberg, 10. 5. 79. XIII,288) «das Mittelalter so fein u. gründlich verspottet /.../ zu haben» (vgl. Kinkel, 16. 3. 79 und 11. 4. 79), und es ist nicht auszuschließen, daß sich viele Formulierungen der Novelle auf «Zur Geschichte der Religion und Philosophie in Deutschland» beziehen. Wenn Becket die Kirche als «ein Doppelwesen /.../, das aus Leib und Seele besteht», bezeichnet (82), so hat Heine über Voltaire die Bemerkung, er habe nur «den sterblichen Leib des Christentums, nicht dessen tieferen Geist, nicht dessen ewige Seele» getroffen (zitiert nach Sämtl. Werke, Mnch. 1964, Bd. 9, 164). Die Nennung des seligen Lanfranc, «der die Frucht der Ähre und des Weinstocks als den Leib und das Blut Gottes erkannte» (XIII,85), könnte ein fast wörtliches Echo von Heine sein: «die Frucht des Weinstocks und der Ähre wird Blut und Fleisch; der Mensch wird Gott» (op. cit., S. 169), usw., usw. Wenn diese Annahme stimmt, dann wird dadurch Beckets zweideutiges Verhältnis zum Christentum noch stärker unterstrichen.
Erwähnt sei, daß David A. Jackson im «Heiligen» die Möglichkeit eines Heineeinflusses (gemeint ist «Die romantische Schule») annimmt: «Die Reflexionen über das Wesen des Christentums, die Meyer im «Heiligen» anstellte, werden hier weitergeführt. Novalis und Heine boten Ansatzpunkte» (J 1,106–107).

[6] Brunet meint dagegen: «cette servilité n'est qu'apparente» (211). «Bien qu'il n'ait jamais été attaché au roi» (212).

[7] Meyer dürfte damals Nietzsches Werk kaum gekannt haben, vgl. Patrick Bridgwater, «Conrad Ferdinand Meyer und Nietzsche». In: *Modern Language Review* 60, 1965, S. 568–83. Eine Darstellung der Parallelen zwischen den beiden Werken liefert Heinz Wetzel («Der allzumenschliche Heilige. C. F. Meyers Novelle im Lichte von Nietzsches Gedanken zur Genealogie der Moral». In: *Études Germaniques*, 1975, S. 204–19.

[8] Das Motiv der Zweideutigkeit, das im Verhältnis des Armbrusters zu seiner Erzählung angelegt ist («wo sein Empfinden zwiespältig wurde» (15), «der Maler soll nicht zweideutig, sondern klar seine Striche ziehen» (72)), funktioniert somit auch in dem durch die Psychologie von Beckets Persönlichkeit gebildeten thematischen Zusammenhang, hier jedoch nicht nur als optisches Phänomen. Wörter aus dem Bedeutungsfeld «zwei», «doppelt», «spalten» besitzen im Text eine hohe Frequenz.

[9] In diesem wichtigen Punkt weicht Meyer von seiner Hauptquelle Thierry ab (XIII,359); der englische König bestand nicht darauf, Becket als Kanzler zu behalten.

[10] Erving Goffman, «Stigma. Notes on the Management of Spoiled Identity» (N.Y. 1963).

[11] Paul Schilder, S. 55 in: «Depersonalisation» (vgl. oben S. 237).

[12] Gerta Westerath, «Die Funktionen des Spiegelsymbols in der neueren deutschen Dichtung seit Goethe» (1953), erkennt diese Bedeutung des Spiegelmotivs in «Möwenflug», doch ohne es zu dem gleichzeitig auftauchenden Doppelgängermotiv in Beziehung zu setzen: «Das, was er früher als getreues Abbild, aber doch immer als totes Bild zu betrachten pflegte, verselbständigt sich plötzlich, verläßt seine Bestimmung und erhebt Anspruch auf Wirklichkeit und Leben» (op. cit., S. 125). Heinrich Henel dagegen interpretiert das Motiv enger und harmloser: «Möwenflug, on the other hand, raises the problem of Meyer's mature poetry. It moves in ever the same circles, revolves around his motifs, his inner life, and takes reality merely as an image. Is such poetry valid? Is it really winged, or is it mere idle fancy?» (H 3,143). Dieses Thema liegt ganz sicher im Text («Bist du echt beflügelt?»), doch kombiniert mit dem starken Affekt des Identitätszweifels («Grauen», «gespenstisch», «Schein und Wesen so verwandt zu schauen»). Das «Flügel»-Motiv verbindet sich bei Meyer im übrigen auch mit dem Gefühlskonfliktthema, beispielsweise in dem «Richterin»-Fragment von 1881 (UP, 275). Friedrich A. Kittler interpretiert das Gedicht dagegen im Rahmen eines sozialisationshistorischen Konflikts zwischen der von der Elterninstanz anerkannten Kommunikation («wahr») und der unkommunizierten Sprache des Individuums (op. cit., S. 302 u. a.).

«Spiegel» (+ Ableitungen und Zusammensetzungen) kommt in Meyers Texten nach 1880 nicht allein häufiger vor, sondern das Motiv tendiert auch zu negativeren Kontexten. Beispielsweise erscheinen in dem Gedicht «Sonntags» in der Version von 1869 die Zeilen: «Die Dirne spiegelt ihren üpp'gen Kranz/ In deiner Seele stillem Glanz» (II,314). Danach verschwindet das Motiv aus dem Gedicht, wird dann aber 1882 erneut eingeführt, diesmal jedoch als Spiegelung des Unglücks: «Nie hat sich eine Dirn im Flatterhaar,/ Von rohen Buhlen durch den Wald gehetzt,/ Vor deinem Spiegel keuchend hingesetzt.» Eine ähnliche Wende zum Negativen zeigt die Fassung von 1882 des Gedichts «Die wunderbare Rede».

[13] Das gleiche Phänomen zeigte sich bereits früher im Text (vgl. oben S. 288), und zwar in Beckets Verhältnis zu den Königssöhnen («Historisch war Becket nur der Erzieher des ältesten Sohnes» (XIII,351, Anm. zu S. 42)). Nur durch seine Liebe zu ihnen («der Reichskanzler liebte die Königskinder» (43)) werden die zentrifugalen Kräfte neutralisiert, die das Königshaus jeden Augenblick zu sprengen drohen («und sich losreiße mit ihren Ländern und Söhnen» (42)). Im gleichen Augenblick, in dem ihr externes Zentrum, sein väterliches Wohlwollen, verschwindet, wird die latente Tendenz zur Auflösung («Hader» (70)), das «Hauserbe» der Söhne, freigesetzt: «Uns zu Hassen!» (71). Auf der äußeren Handlungsebene verbleibt diese Reaktion recht rätselhaft, da die Ursache des ersten Streits der Söhne in Richards Bemerkung über ihren Erzieher enthalten ist: «Er hat mich heute nur nicht angeschaut!» (71). Hätte Meyer mit einer normalen «realistischen» Psychologie gearbeitet, dann hätte man nach der Vorgeschichte (42–43) wohl erwarten können, daß sich der Streit der Prinzen so heftig entwickelte, weil der Kanzler nun nicht schlichtend eingriff. Der Text gibt an der Stelle jedoch praktisch an, daß der interne Kampf ausschließlich durch Beckets affektiven Rückzug veranlaßt wird.

[14] In dem endgültigen Text betont Meyer diesen Zug stärker als in dem ursprünglichen Manuskript. In Ms. H¹: «Ich kann Euch nicht sagen, wie es geschah, daß er, der Einzige seines Volks so rasch in der Gunst des Königs emporstieg, der ihn unbegreiflich liebte und mehr als alle seine Normannen» (319–20). Demgegenüber steht im Text: «Dort (d. h. in Cordova) habe er mit Weisen aus dem Morgenlande Sterndeutung und geheime Wissen-

schaft getrieben, worin er seine Meister bald übertroffen, so daß es ihm nach seiner Heimkehr habe glücken können, König Heinrich durch höllische Sympathie unvergänglich an sich zu ketten» (28). Während H[1] (von 1875) Beckets Streben nach «weltlichem Ruhm» (319) unterstreicht, führt Meyer vier Jahre später das psychologisch Rätselhafte als Ursache seiner politischen Karriere ein, was aus der Sicht des Erzählers natürlich als Zauberei betrachtet wird.

[15] In dem Gedicht «Die tote Liebe» (N° 149), das über die Wanderung nach Emmaus aufgebaut ist, wird erst in Ms. B[4] (1874) in einer nachgetragenen und darauf verworfenen Strophe das Motiv dahin abgeändert, daß die beiden Wanderer «die alte Liebe» *getötet* haben, die nun wieder auferstanden zwischen ihnen wandert (und folglich nun mit dem Motiv «Abendrot im Walde» (Vers 9) kombiniert wird). In den Manuskripten von 1878/79, B[5]–D[10], verlagert sich dann das Gewicht auf die direkte *Schuld* der Wanderer: «Wir haben sie gemartert und gebunden,/ Mit scharfen Dornenspitzen sie umwunden/ Mit Dornen sie gekrönt in finstern Stunden,/» ... (IV,116).

[16] Heinz Kohut, «Die Heilung des Selbst». Frankfurt a. M. 1977. Einen instruktiven Überblick über die die psychoanalytische Diskussion dieses Problemfeldes während der letzten Jahrzehnte gibt Rolf Fetscher, «Selbst und Identität». In: *Psyche*, XXXVII, 1983, S. 385–411.

[17] Hier wird wie bei Heinz Hartmann und Heinz Kohut nicht zwischen «Selbst» und «Identität» unterschieden. Vgl. dagegen Rolf Fetscher, op. cit., S. 396ff.

[18] Eine überraschende Tatsache, wenn man bedenkt, daß die Meyerforschung so starkes Gewicht auf den ethischen Impetus der Novellen legt, z. B. Brunet: ... «tous les problèmes qui formeront la matière de ses oeuvres: Réforme et Contre-Réforme, protestantisme et catholicisme, dynamisme et statisme, évolutionnisme et conservatisme, liberté et prédestination, avec au centre, sans qu'on n'arrive toujours à le cerner nettement, le problème de la conscience» (B 11,165).

[19] V. E. v. Gebsattel, «Zur Frage der Depersonalisation». In: J.-E. Meyer, «Depersonalisation», S. 217. Vgl. Gebsattels scharfsinnige Bemerkung über die Melancholie als «noch spürbares Moment der Abwehr»: «In der Verzweiflung über die eigene Schlechtigkeit, Bosheit, Untauglichkeit usw. sitzt sozusagen das enteignete, ausgeschaltete, zur Ohnmacht verurteilte, gesunde Ich über das Ich der Melancholie zu Gericht und verurteilt dieses» (253).

[20] Becket in dem Gespräch unter der Eiche: «Was ich gegen dich auf dem Herzen habe, ob wenig oder viel, du hast Grund, mein Gebieter, an meiner Treue nicht zu zweifeln. So böse bin ich nicht und auch nicht so kurzsichtig und abenteuerlich, daß ich an dir zum Verräter würde» (75). Die Begriffe «Treue» und «Verrat» nehmen in Meyers Werk einen wichtigen Platz ein (vgl. oben S. 167). Während die Begriffe im «Jürg Jenatsch» noch eine deutlich ethische Dimension enthielten, verschiebt sich der semantische Inhalt allmählich immer stärker, so daß er zum Schluß überwiegend die stabile Identität gegenüber der destabilisierten bezeichnet. In der «Versuchung des Pescara» ist die gesamte Komposition um den Gegensatz aufgebaut, den «ein bacchantisch ausspringender Reigen» von Versuchern zum Verrat (Meyers Pentheus-Motiv; XIII,173) zu dem Feldherrn bildet, dessen «Treue» durch die Nähe des Todes gesichert ist. In der Radikalisierung des Identitätsproblems, die in der «Angela Borgia» stattfindet, kommen die Bezeichnungen dagegen nur spärlich vor, da die positive Funktion des Selbst-Objekts verschwunden ist.

[21] Heinz Kohut, «Narzißmus», S. 25. Vgl. Harold F. Searles, «Abhängigkeitsprozesse bei der Psychotherapie von Schizophrenie». In: Searles, «Der psychoanalytische Beitrag zur Schizophrenieforschung». Mnch. 1974, S. 9–47.

²² Vgl. Meyer an Lingg (2. 5. 80): «Das Lächeln Bekets auf seinem Grabmal ist *reine Phantasie. Beket ist ja todt!*» Ohne den breiteren Verständnisrahmen ist das eine seltsam naive Bemerkung. Was sollte den Bildhauer daran haben hindern können, den selig Entschlafenen lächelnd darzustellen? Jedenfalls sieht man, welche Bedeutung Meyer diesem Detail beimaß.

²³ Meyer differenziert in seinem Motivgebrauch offensichtlich nicht zwischen «lachen» und «lächeln», wie beispielsweise aus dem Gedicht «Vor einer Büste» (1882, aus dem Gedicht «Pentheus» (1878) herausgenommen) hervorgeht: «Bist du die träumende Bacche? Der Sterblichen lieblichste bist du!/ Still in den Winkeln des Munds lächelt ein grausamer Zug.» Den Kern des Pentheusgedichtes bildet die Besetzung der Persönlichkeit durch die fremde Macht («Verzehre, Lyäus, was menschlich in mir!»).

²⁴ In der Lyrik erscheint das Motiv seltener, vielleicht weil diese Problematik des Identitätszweifels Meyer erst im Laufe der 70er Jahre bewußt wurde und die Mehrheit der Gedichte erheblich früher konzipiert worden war. Im Rahmen des größeren Motivs «Vermischung der Jahreszeiten» (Hans Zeller in IV,93) kommt «Flocke» in «Liebesjahr» (früheste Fassung 1874–75) und in «Weihnacht in Ajaccio» (früheste Fassung 1876) vor. In der Fassung von 1882 der «Rose von Newport» konkretisieren «Gestöber» und «wirbelnde Flocken» die Unbeständigkeit des Lebens von Karl I. (in Vers 38 mit dem Spiegelmotiv kombiniert), so wie es kaum ein Zufall sein dürfte, daß das lyrische Ich in «Begegnung» (früheste Fassung 1877–78) seinen Doppelgänger mit «Lust und Grauen» (vgl. «Möwenflug») «hinterm Schneegeflock» verschwinden sieht. In der Jahreszeit, als «an einem frostigen Morgen die ersten dünnen Flocken über der Heerstraße wirbelten» (XI,206), begegnet der Page Leubelfing zum letztenmal *seinem* negativen Doppelgänger. Die wirbelnden Flocken besaßen in Meyers Vorstellungswelt offensichtlich eine feste Bedeutung. Während seines Aufenthalts auf Königsfelden konnte sich der Kranke nur schwer als Urheber seiner eigenen Gedichte erkennen, die Frey ihm vorlas. Als ihm die Beziehung zu diesen Reminiszenzen seines früheren Lebens endlich klar wurde, drückte er das mit den folgenden Worten aus: «Ja es ist wahr. Das habe ich geschrieben. Es ist wahr, ganz wahr. Aber das ist schon sehr lange her. Ein Wirbelsturm ist vorbeigefahren, Jahrhunderte sind vorbeigesaust» (F 10,359).

Perspektiven

Wenn sich also die Persönlichkeitsstruktur des «Heiligen» in der gezeigten Weise als relativ konsistenter Teil des Repertoires des Werkes, seines schematisierten Wirklichkeitsbildes, bestimmen läßt, dann erhebt sich natürlich die Frage: Gibt es zu Meyers Zeit ein pragmatisches Korrelat zu dieser intratextuellen Größe, und wenn ja, wo und in welcher Form? In der «Angela Borgia» ließ sich ein solches System identifizieren, in der älteren Novelle dagegen ist das kaum möglich. Aus chronologischen Gründen kann die neue dynamische Psychiatrie (vgl. oben S. 53 ff.) für ein Werk, das in seiner Konzeption im wesentlichen bereits 1878 fertig vorlag, nicht in Betracht kommen, was auch für die Möglichkeit eines Nietzscheschen Einflusses gilt, zumal die Persönlichkeitsproblematik in dessen Werken der 70er Jahre noch kaum formuliert ist (vgl. oben S. 70, 303).

Das Fehlen einer begrifflichen Formulierung des Problems der Persönlichkeit bedeutet jedoch nicht, daß es als psychische Realität nicht existierte. Mit der dichterischen «Ungeduld des Gedankens» – um einen Ausdruck von Szondi zu gebrauchen – gestaltet Meyer durch seine Hellhörigkeit, die positive Seite seiner wunden Empfindlichkeit und nervenaufreibenden Selbstbeobachtung, in seinem erzählerischen Werk die Signatur des Zeitalters, die zeittypische Neurose, die ja die affektive Voraussetzung des sich in den 80er Jahren manifestierenden *theoretischen* Interesses an der Persönlichkeitspsychologie darstellte. Mit überraschender Offenherzigkeit verweist Betsy Meyer genau auf diesen Mangel seiner Interessenrichtung, der in psychologischer Hinsicht gleichzeitig seine Stärke ausmacht: «Ich erinnere mich nicht, daß irgendein Vortrag politischer oder religiöser Natur ihn hingerissen oder fühlbar beeinflußt hätte. Er hörte dabei im Geiste leise Nebengeräusche, die ihn zerstreuten. Es entstanden dabei in seinem Innern unwillkürliche Regungen der Abwehr und des kritischen Einwandes, die den Gesamteindruck störten. Beabsichtigte starke Wirkungen machten ihm leicht den Eindruck des Gewalttätigen und Rohen, wenn nicht gar des Unwahren» (B. Erinn. S. 9). Da Betsys eigenes Interesse weitgehend religiösen Fragen gilt und ihr Porträt des Bruders ihn zum Nationaldichter mit den großen allgemeingültigen Visionen hochstilisiert, erhält diese Bemerkung durch ihren Status als Fremdkörper in der Darstellung einen besonderen quellenkritischen Wert. Meyers imaginäre Persönlichkeitspsychologie verhält sich demnach nicht zu den *formulierten* «Sinnsystemen» der Epoche (vgl. I 1,118), sondern zu einer Größe auf einer niedrigeren Ordnungsebene, «die psychologischen Kernprobleme seiner Epoche», «die entscheidend wichtigen psychologischen Dinge, denen der Mensch zu einer gegebenen Zeit gegenübersteht»[1].

Man hat oft geschrieben, daß jede Epoche ihre charakteristischen Neurosen habe: die Hysterien und die anderen Formen der «Übertragungsneurosen» seien typisch für die Zeit um 1900, die Über-Ichneurosen für die nachfolgende Zeit und die narzißtischen Störungen für die Zeit nach dem II. Weltkrieg[2]. In dieser psychohistorischen Dimension widerspiegeln diese pathologischen Zustände generelle Konflikte der betreffenden Generation, nicht zuletzt sozialisationsgeschichtlicher Art, wobei sich das Bild notwendigerweise recht bunt gestalten muß[3]. Über das übergeordnete psychologische Problem der zweiten Hälfte des 19. Jahrhunderts sagt beispielsweise Heinz Kohut: «Im Gegensatz zu der zentralen künstlerischen Aufgabe unserer Tage behandelte die Kunst von gestern – ich denke hier besonders an die großen europäischen Romanciers der zweiten Hälfte des neunzehnten und des beginnenden zwanzigsten Jahrhunderts – die Probleme des Schuldigen Menschen – des Menschen des Ödipuskomplexes, des Menschen des strukturellen Konflikts –, der, von Kindheit an stark in seine menschliche Umgebung einbezogen, durch seine Wünsche und Begierden schwer geprüft wird» (op. cit., S. 279–80). Doch Meyers Problem ist – obgleich das ständig behauptet wird – nicht dieses Schuldproblem (deshalb seine Relativierung der Gewissensfrage!), sondern «das zerbröckelnde, sich auflösende, fragmentierende, geschwächte Selbst dieses Kindes und später das zerbrechliche, verwundbare, leere Selbst des Erwachsenen» (op. cit., S. 280), nach Kohut das typische Problem des 20. Jahrhunderts. Ist Meyer demnach eine der Persönlichkeiten, die nicht im «Hauptstrom ihrer Zeit» (op. cit., S. 282) stehen? Diese Frage wurde im Grunde bereits im ersten Teil der vorliegenden Arbeit beantwortet. Das sich in den 80er Jahren spezifisch auf die Phänomene multiple Persönlichkeit und Suggestion richtende psychiatrische und psychologische Interesse setzt bei dieser Forschergeneration das Grunderlebnis der potentiellen Fragmentierung des Selbst, des Verfalls der Persönlichkeit voraus, damit sich überhaupt ein notwendiger Motivationsfaktor ergeben konnte, durch den diese Phänomene in den Mittelpunkt des Interesses rückten. In der fachlichen Diskussion konzentriert sich die Aufmerksamkeit nicht auf die Konfliktpsychologie, nicht auf Trieb- gegen Über-Ichforderungen, nicht auf miteinander konkurrierende Wertsysteme, sondern auf die Frage der Realität der Persönlichkeit an sich[4]. Von daher betrachtet greift Meyer der «Ich- und Bewußtseinskrise», dem «Depersonalisations-Syndrom» vor, das Wunberg (op. cit., S. 73–74) mit Recht als einen den Wiener Dichtern vor der Jahrhundertwende gemeinsamen Zug erkennt.

Becket, der sich in allen seinen Handlungen und Vorstellungen positiv oder negativ an der ihm selbst unerklärlichen Autorität des Königs orientiert, die Ferrara-Menschen, die wissentlich oder unwissentlich in angespanntem Warten auf die Entscheidungen des verborgenen Gegenspielers harren, verweisen in ihrer psychologischen Problematik nicht so sehr auf die großen epischen Werke des 19., sondern eher auf die des 20. Jahrhunderts, auf Musils «Mann ohne Eigenschaften» und vor allem auf Kafkas «leere» Helden. Wenn sich eine solche Verwandtschaft so schwer ausmachen läßt, dann weil Meyers Prosastil, Erzähltechnik und Komposition, die ja ebenfalls einen Teil seines Repertoires, und zwar den unmittelbar augenfälligsten, darstellen, in eine völlig andere Richtung weisen. Maeterlincks, Hofmannsthals, Rilkes und Musils Generation zog aus ihrem Erleben der Unabgegrenztheit des Ichs, aus den unendlich gleitenden Übergängen der Wahrnehmungen und Vorstellungen den Schluß, daß das vorliegende fixierte System der Sprache außerstande sei, die individuelle Erfahrung deckend zu erfassen, daß die tradierten Formen aufgebrochen werden müßten, wenn man das neue Bewußtsein beschreiben wollte. Die Spannung zwischen der präverbalen und der verbalisierten Erlebniswelt ist diesen Dichtern als Problem immer gegenwärtig: «Sobald wir etwas aussprechen, entwerten wir es seltsam. Wir glauben in die Tiefe der Abgründe hinabgetaucht zu sein, und wenn wir wieder an die Oberfläche kommen, gleicht der Wassertropfen an unseren bleichen Fingerspitzen nicht mehr dem Meere, dem er entstammt. Wir wähnen eine Schatzgrube wunderbarer Schätze entdeckt zu haben, und wenn wir wieder ans Tageslicht kommen, haben wir nur falsche Steine und Glasscherben mitgebracht; und trotzdem schimmert der Schatz im Finstern unverändert.» Zwischen diesem Zitat aus Maeterlincks «Le trésor des humbles», das Musil für «Die Verwirrungen des Zöglings Törleß» (1906) als Motto benutzte, und dem Begriff des Unbewußten der neuen dynamischen Psychologie, der seinen prägnantesten Ausdruck in Freuds «Traumdeutung» (1900) fand, besteht ein einleuchtender Zusammenhang, und zwar ein Zusammenhang, der nicht als Ursache und Wirkung betrachtet werden darf, sondern als das gemeinsame Erlebnis einer Generation zu sehen ist.

Meyers Weg ist ein anderer. Die Persönlichkeit reagiert auf das Erlebnis des Selbst als leer, desintegrativ und wertlos mit der Verlegung des Schwerpunktes des Selbst in eine Bezugsperson oder -idee; analog dazu ist sein Erzählstil und seine Kompositionsweise immer stärker durch die Vorliebe für die markant profilierte Szenerie (oft als paradigmatische Kunstwerkschilderungen) geprägt, den statuarischen, den plastischen Gestus, die kunstvoll konzentrierte Phrase (vom Typus «der verwildernde Strozzi», XIV, 87), für Symmetrie, Antithese und Paradoxon im einzelnen Satz wie in der größeren kompositorischen Einheit. In der «Angela Borgia» findet diese Tendenz in Ariosts Figur ihren programmatischen Ausdruck: «Ihm aber schauderte vor dem Verharren in solcher gestaltlosen Tiefe. Alles, was er dachte und fühlte, was ihn erschreckte und ergriff, verwandelte sich durch das bildende Vermögen seines Geistes in Körper und Schauspiel und verlor dadurch die Härte und Kraft der Wirkung auf seine Seele» (XIV,59–60). Daß dieses Kunstfertige dann oft in das Gezwungene, in die pathetische Bildlichkeit umschlägt, ist häufig angemerkt worden und wurde am deutlichsten vielleicht von Hofmannsthal in dem Essay «C. F. Meyers Gedichte» (1925) zum Ausdruck gebracht: «heroische Landschaften mit und ohne Staffage; Anekdoten aus der Chronik zum lebenden Bild gestellt, – Wämser und Harnische, aus denen Stimmen reden, – welch eine beschwerende, fast peinliche Begegnung: das halbgestorbene Jahrhundert haucht uns an; die Welt des gebildeten, alles an sich raffenden Bürgers entfaltet ihre Schrecknisse; ein etwas, dem wir nicht völlig entflohen sind, nicht unversehrt entfliehen werden, umgibt uns mit gespenstischer Halblebendigkeit; wir sind eingeklemmt zwischen Tod und Leben, wie in einen üblen Traum, und möchten aufwachen» (Prosa IV, S. 279).

Die «feste Gestalt» des Reiters (XIII,7) in dem fallenden Schnee, Dantes selbstherrliche Kunstwelt inmitten des Schneegestöbers, der zum Tode verurteilte Giulio in dem schneebedeckten Hof; diese drei prägnanten Szenen bezeichnen die Pole von Meyers Kunstauffassung. Nur vor dem Hintergrund des im Grunde trostlosen psychologischen Porträts des heiligen Thomas erhält Meyers zwei Monate nach Beendigung der Novelle an Haessel gerichtete Bemerkung ihre wirkliche Bedeutung: «Großer Styl, große Kunst – all mein Denken u. Träumen liegt darin» (Haessel, 16. 6. 79). Durch den Willensakt wird der Rückfall ins Amorphe aufgehalten, oder mit den Worten von Meyers Zeitgenossen Nietzsche: «Über das Chaos Herr werden, das man ist; sein Chaos zwingen, Form zu werden: logisch, einfach, unzweideutig, Mathematik, *Gesetz* werden – das ist hier die große Ambition» (N 1,III,782). Die Meyer und Nietzsche gemeinsame Einsicht, der psychologische Umbruch, der sich an der gleichzeitigen französischen Psychiatrie ablesen läßt, ist das Chaotische als «Gesamtcharakter der Welt» (N 1,II,115) oder – weniger radikal – als Grundzug der Persönlichkeit. Ihre Wege trennen sich jedoch in den aus dieser Einsicht gezogenen Konsequenzen. Während Nietzsche versucht, das Chaotische mit seinem «imperativischen» Verhältnis zur Welt (N 1,III,538), in dem souveränen Kunstcharakter der Persönlichkeit zu überwinden, hält Meyer in der Fabel und der Personenkonstellation seines letzten Werkes an der Machtlosigkeit gegenüber den persönlichkeitszersetzenden Kräften fest, während sein Stilwille *gleichzeitig* den festen Umriß der Dinge und Persönlichkeiten behauptet.

Diese Kombination «paßt» nicht in die damaligen Systematisierungen. Das Jahr 1890 prägt in der deutschsprachigen Literaturdiskussion nämlich in erster Linie die Verkündigung des neuen Individualismus und Aristokratismus. In jenem Jahr erscheint Brandes' «Aristokratisk Radikalisme» in der *Deutschen Rundschau* (April 1890) in deutscher Übersetzung und wird sofort als das neue Evangelium aufgegriffen[5]. Der feste Mittelpunkt um den der Traum von einer neuen Literatur kreist, «ist die souveräne Persönlichkeit, die alle äußere Wirklichkeit bloß als ein Instrument gebraucht, auf dem sie alle die stolzen Melodien spielen kann, die schlummernd in ihrer eigenen Seele liegen»[6], ist der Gedanke der «Züchtigung eines vornehmen, selbstbewußten, thatkräftigen Menschengeschlechts»[7]. Unabhängig vom ideologischen Standort wird das neue Menschenbild verkündet, in Julius Langbehns polterndem Gründerzeitmanifest «Rembrandt als Erzieher» (1890)[8] wie in dem Essay «Vom modernen Individualismus» des Sozialisten Eduard Michael Kafka, der den neuliberalistischen Persönlichkeitskult völlig ablehnt, doch nur, um von dem Individuum zu verlangen: «Es muß zum Bewußtsein seiner Wehrpflicht und Wehrhaftigkeit hingeführt werden, es muß für seine geistige Freiheit eintreten, seine Würde zu wahren wissen»[9]. Wenn für Nietzsches Festhalten an der autokratischen Persönlichkeit «die formlos-unformulierbare Welt des Sensationen-Chaos» (N 1,III,534) den Hintergrund abgibt, so scheint diese Einsicht bei der anfänglichen Rezeption seiner Werke eine untergeordnete Rolle zu spielen, so daß nur noch eine Mischung aus Genieanbetung und Sozialdarwinismus übrig bleibt, jedenfalls als Haupttendenz. In diesem Sinne ließen sich Zarathustra wie Ecce Homo lesen[10].

Die üblichen Erklärungen für die Entstehung dieses Ideologems sollen hier nicht angefochten werden. Es läßt sich als Gegenbewegung zu einem entkräfteten Naturalismus verstehen oder sozialgeschichtlich als die Selbstlegitimation einer herrschenden Klasse betrachten. Die Optik der vorliegenden Arbeit macht jedoch die Hervorhebung eines anderen Sachverhalts notwendig. Die in Meyers *Stil* so deutlich profilierte grandiose Persönlichkeit besitzt in der psychohistorischen oder, wenn man so will, sozialisationsgeschichtlichen Dimension eine bemerkenswerte Affinität zu der bei den Fiktionsfiguren zu verzeichnenden enormen Bindung an mächtige Bezugspersonen. Je nachdem, ob man diese idealisierten Personen als Selbstrepräsentationen oder als idealisierte Objekte betrachtet, lassen sie sich persönlichkeitspsychologisch gesehen als zwei genetisch miteinander verwandte Ausdrücke einer Identität verstehen, die auf die Drohung der Auflösung mit einer Regression auf eine narzißtische Vorstellungswelt reagiert, die von dem Allmachtgefühl in einem «Größen-Selbst» und/oder der Idealisierung eines vital wichtigen Selbst-Objekts beherrscht wird[11]. Die Bildung der ganzen, intakten Persönlichkeitsstruktur setzt einen schrittweisen Abbau dieser archaischen Vorstellungen voraus, oder wie Heinz Kohut sagt: «Das allmähliche Erkennen der realistischen Unvollkommenheiten und Begrenzungen des Selbst, d. h. die allmähliche Verringerung des Bereichs und der Macht der Größenphantasie, ist im allgemeinen eine Voraussetzung für die psychische Gesundheit im narzißtischen Sektor der Persönlichkeit»[12]. «Unter optimalen Bedingungen erfährt das Kind eine schrittweise Enttäuschung durch das idealisierte Objekt – oder, anders ausgedrückt: die Beurteilung des idealisierten Objektes durch das Kind wird zunehmend realistisch,» ...[13]. Doch in dieser Übergangsphase zum 20. Jahrhundert geschieht psychohistorisch etwas, was in gewisser Weise mit der individualpsychologischen traumatischen Entwicklung verwandt ist: Einerseits zeigt sich in den 8oer Jahren des 19. Jahrhunderts ein verschärftes Bewußtsein des fragmentarischen, instabilen Charakters der Persönlichkeit, des Selbst, und seiner Offenheit für tiefgehende psychische Einflüsse von anderen Individuen, so wie das in der Psychiatrie, der Psychologie und der Parapsychologie des Jahrzehnts zum Ausdruck kommt, andererseits reagiert das Kulturkollektiv auf diese «Kränkung»[14], die etwas sehr Wichtiges in dem bürgerlich-individualistischen Selbstverständnis, die Idee von dem autonomen Individuum, trifft, nicht indem es die Menschenauffassung gemäß dieser neu errungenen psychologischen Einsicht revidiert, sondern indem es analog zur individualpsychologischen Reaktion auf das traumatische Erlebnis[15] die Psyche vertikal spaltet, so daß sich neben der wirklichkeitsorientierten Einsicht ein mehr oder weniger unmodifiziertes «Größen-Selbst» von archaischem Charakter etabliert. Diese reaktive, isolierte Vorstellung von der Stärke des Selbst manifestiert sich während dieses Zeitraums teils als die bewußte hyperbolische Haltung zur «Persönlichkeit», teils als eine Verherrlichung des vollendeten, in sich geschlossenen Kunstwerkes, wobei dieser Fetischismus die gleiche psychische Funktion hat wie das Bild des grandiosen Selbst bzw. des idealisierten Objektes[16]. So trifft man in der Schönen Literatur auf die Verherrlichung des Wortkunstwerkes, la poésie pure, die ihre unmittelbaren Wurzeln im französischen Symbolismus hat, *gleichzeitig* aber auch auf die Sprach*skepsis*, die zwar erst um die Jahrhundertwende offen zutage tritt[17], in Nietzsches Gedanken jedoch bereits Ende der 7oer Jahre voll gestaltet vorliegt. Die Sprachkrise dürfte sich kaum in der von Ziolkowski versuchten Weise von äußeren Ursachen her erklären lassen: «die Welt der wissenschaftlichen Erkenntnis ist zu einem unübersehbaren Chaos geworden, die Zivilisation hat sich als ein über alle Maßen komplizierter Organismus entpuppt» (op. cit., S. 599). Jede politische, soziale und technische Umbruchperiode hat die neue Welt vermutlich als chaotisch erlebt, doch nicht jede solche Übergangszeit führt zur Skepsis gegenüber dem zwischenmenschlichen Mitteilungssystem. Kennzeichnend für die Situation um 1890 ist dagegen, daß das psychische Leben des Individuums im Gegensatz zur fixierten «philosophischen Mythologie» (N 1,I,879) des Sprachfilters als ein primär alogischer, averbaler, kontinuierlich gleitender Prozeß erkannt wird, daß das Gebundensein des bewußten Denkens an die Wörter als *Mitteilungs*zeichen dazu führt, daß das Individuum verstummen muß: «daß das Bewußtsein nicht eigentlich zur Individual-Existenz des Menschen gehört, vielmehr zu dem, was an ihm Gemeinschafts- und Herden-Natur ist: daß es, wie daraus folgt, auch nur in bezug auf Gemeinschafts- und Herden-Nützlichkeit fein entwickelt ist, und daß folglich jeder von uns, beim besten Willen, sich selbst so individuell wie möglich zu *verstehen*, «sich selbst zu kennen», doch immer nur gerade das Nicht-Individuelle an sich zum Bewußtsein bringen wird, sein «Durchschnittliches»,» ... (N 1,II,221). Die in den 80er Jahren stark ausgeprägte Beschäftigung mit dem Phänomen der multiplen Persönlichkeit, mit der posthypnotischen Suggestion, bei der unerkannt ein fremder Wille durch einen selbst handelt, mit der hypnotischen Hypermnesie, in der Erinnerungen hervortreten, von denen das Individuum in seinem normalen Selbstverständnis, seiner Lebensgeschichte, nicht sagen kann: Das sind meine, mit der Telepathie, bei der Mitteilungen das sprachliche Medium überspringen, mit der Phänomenologie des Traumes und der Vision, all das bildet den positiven Hintergrund dafür, daß diese Generation die Sprache als defektiv erlebt. Die Unauthentizität der Sprache wird im Verhältnis zu einem authentischen Erlebnis[19] gesehen, aber zu einem Erlebnis, das gleichzeitig den Weg frei macht für einen Zusammenbruch, eine Entwicklung von der Depersonalisation zur Derealisation. Angesichts einer solchen Bedrohung reagieren Teile der literarischen Generation, zu der trotz seines hohen Alters auch Meyer gehört, indem sie das Kunstwerk als identitätsstabilisierendes Objekt idealisieren und isolieren und sich trotz des Sprachkrisenbewußtseins auf das artifizielle Paradies der Sprache zurückziehen. Hier zeigt sich der Januskopf: Fragmentierung und Allmachtgefühl.

Dieser Doppelaspekt tritt bei Meyer nicht nur im Verhältnis zwischen dem psychologischen Habitus der Fiktionsfiguren und dem monumentalisierenden Stil und der Komposition hervor, sondern findet sich auch direkt in den Rollen ausgedrückt, die den Figuren in der Handlung zugeteilt werden. Beckets Identität ist zwar so zerbrechlich, daß ihre Existenz seine unlösbare Verbundenheit mit einem mächtigen Herrn, seine identifikatorische Teilhaberschaft an dieser zusammenhaltenden Kraft voraussetzt, doch «durch eine List der Zeichnung und Verteilung der Schatten» (XIII,72) ist er gleichzeitig Träger einer Machtvollkommenheit, von der aus er eine regelrechte «Gedankenkontrolle» über den König ausübt (vgl. oben S. 295–96), die so radikal ist, daß selbst der Märtyrertod in dieser Perspektive als Ergebnis der von seinem Willen ausgehenden, uneingeschränkten Beherrschung des ehemaligen Herrn erscheint. Hier sind die beiden typischen Abwehrreaktionen auf den Identitätsverlust in ein und derselben Person vereint, während sich diese Reaktionsweisen in der «Angela Borgia» auf verschiedene Personen verteilen. Auf der einen Seite hat man die überwiegend objektabhängigen, suggestiblen Personen in Ferrara, auf der anderen Seite den allmächtigen «Hypnotiseur», der diese Personen mit seinen Suggestionen aus der Ferne steuert und nur einen Meister kennt: Gott. Die Loyalität gegenüber dem Herrscher, die in den früheren Novellen eine reale identitätsstabilisierende Funktion besaß und in der «Versuchung des Pescara» den Mittelpunkt bildet, um den sich alles dreht, ist in Meyers letzter Novelle als psychologisches Thema verschwunden. Nur im Zusammenhang mit Lucrezias Person taucht der ehemals so dominierende Begriff «Verrat» (88, 99) auf, doch nun nicht mehr als Wahl, sondern als ein der Herrschaft des Willens entzogener Zwang. Unter dem Eindruck der Suggestionsauffassung Forels und der Nancyer Schule und als Konsequenz der schrittweisen Umgestaltung des Rachemotivs in seinem persönlichen Mythos (vgl. oben S. 241, 245) wird die Handlung von dem allmächtigen Verfolger beherrscht[20], eine Vorstellung, in der man zwar eine narzißtische Größenphantasie von der magischen Beherrschung der Umwelt erblicken kann, die sich aber gleichzeitig als die paranoide Idee einer feindlich gesonnenen Macht von uneingeschränkter Reichweite, die psychotische, negative Entwicklung des allmächtigen Selbst-Objektes, auffassen läßt.

Wo immer man solche Vorstellungen auf der Skala zwischen Normalität und Pathologie auch ansiedeln will, gemeinsam ist ihnen, daß die Persönlichkeit durch ihr Interaktionsverhältnis zu ihren Bezugspersonen, zu ihrem *psychischen* Milieu, definiert wird. Bis zur «Angela Borgia» ist diese Auffassung in Meyers Novellen als präreflektive Erfahrung vorhanden, so daß die Fiktionswerke nicht als Illustrationen eines im voraus erkannten kulturhistorischen Phänomens fungieren, sondern als Primärquellen für den psychohistorischen Verwandlungsprozeß, ja, ursächlich zu der Formalisierung und Systematisierung beitragen, die die Hypnose- und Suggestionsforschung in den 8oer Jahren des 19. Jahrhunderts versucht. Auch Fiktionstexte gehören zu der Diskursmenge, aus denen wissenschaftliche Theoriebildungen entstehen[21].

Anmerkungen

[1] Heinz Kohut, «Die Heilung des Selbst». Frankfurt a. M. 1979, S. 279.

[2] Vgl. J. A. C. Brown, «Freud and the Post-Freudians». 1963 (Penguin). J. Cremerius, «Über-Ich Störungen und ihre Therapie». In: *Psyche* 1977, S. 593 ff. Joffe/Sandler, «Über einige begriffliche Probleme im Zusammenhang mit dem Studium narzißtischer Störungen». In: *Psyche* 1967, S. 152–65.

[3] Christian Sands wichtige sozialpsychologische Arbeit («Anomie und Identität. Zur Wirklichkeitsproblematik in der Prosa von C. F. Meyer». Stg. 1980) findet in den Novellen ein masochistisches Verhaltensmuster, «das die aufbrechenden Freiheitsimpulse aus engen Traditionsbanden auffängt» (210), und gelangt auf dieser Grundlage zu einem Schluß, der meiner eigenen Konklusion in gewissen Punkten recht nahe kommt: «Der existentielle Masochismus, der die Verbundenheit des Individuums mit seinem Nomos aufrechterhält, sichert es mit paradoxer Dialektik vor einem Absinken in Anomie, die schlimmer wäre als die Beschädigungen, die es durch diesen Nomos und die ihn stützenden gesellschaftlichen Mächte erfährt» (210). Wenn Sands Ansichten dennoch nicht in die vorliegende Arbeit integriert wurden, dann deshalb, weil sein soziologischer Begriffsapparat (Nomos – Anomie) teils das Individuum Meyer, teils die spezifische Situation um die 8oer Jahre in einer von Erich Fromm inspirierten Analyse einer ganzen Kulturform, dem calvinistischen und pietistischen Bürgertum des 19. Jahrhunderts, verschwinden läßt. Eine Formulierung wie: «Meyers Prosa zeigt, was in der realen Wirklichkeit an Einengungen vorherrscht und zur Maske zwingt» (209), verdeutlicht, daß das Problem als klassische Konfliktsituation zwischen einer Individualität und einem normativen Zwang betrachtet wird, was nach meiner Einschätzung für Meyer gerade nicht zutrifft.

[4] Renate Böschenstein («Der Schatz unter den Schlangen. Ein Gespräch mit Gerhard Kaisers Buch: «Gottfried Keller. Das gedichtete Leben. Frankfurt a. M. 1981». In: *Euphorion* 77/2, 1983, S. 176–99) findet das gleiche Problem in Kellers «Martin Salander»: «Keller registriert in seiner Umwelt offenbar bereits eine Veränderung der Persönlichkeitsstruktur von der Individualität weg, wie sie sich in den letzten Jahrzehnten unseres Jahrhunderts in bestimmten Zonen der westlichen Welt in großem Umfang herausgebildet hat. Als neue Spielart ist sie psychoanalytisch noch unter dem Namen des Narzißmus subsumiert worden» (185). Die Beobachtung ist zweifellos richtig, doch das Problem verkompliziert sich dadurch, daß Kellers letzter Roman 1886 erschien, d. h. zu einem Zeitpunkt, als – wie nachgewiesen wurde – das Persönlichkeitsproblem bereits systematisiert worden war, was bei Meyer nicht der Fall war, als er den «Heiligen» schrieb. Bei Keller kann es sich deshalb um eine bewußte Rezeption handeln, ähnlich wie bei Bahr und Hofmannsthal. Womit natürlich nicht gesagt sein soll, daß das Problem nicht durchlebt wurde.

[5] Vgl. Klaus Bohnen, ««Persönlichkeit» bei Georg Brandes. Zu einer Kategorie der Kritik und ihrer Rezeption in Deutschland». In: H. Hertel/Sv. Möller Kristensen (Hrsg.), «The Activist Critic. A Symposium on the Political Attitudes, the Litterary Methods and the International Use of Georg Brandes». Kopenhagen 1981.

[6] Ola Hansson, «Skandinavische Litteratur». In: *Das Magazin für die Litteratur des In- und Auslandes*. 17. 5. 1890, S. 306.

[7] Kurt Grottewitz, «Wie kann sich die moderne Litteraturrichtung weiter entwickeln?». In: *Das Magazin für die Litteratur des In- und Auslandes*. 20. 9. 1890, S. 587.

[8] Vgl. Meyers äußerst negatives Urteil in den Briefen an Wille vom 27. 2. 91 und 18. 3. 91.

[9] *Moderne Dichtung* 1. 9. 1890, S. 573.

[10] Typisch für die Rezeption ist, daß z. B. ins Dänische als erstes Werk von Nietzsche «Saalunde talte Zarathustra» übersetzt wurde, dabei handelte es sich um Sophus Michaelis' Auszug in der Zeitschrift *Ny Jord* im März 1889.

[11] Heinz Kohut, «Narzißmus», S. 131: ...«daß die Erschaffung des idealisierten Selbst-Objektes und des Größen-Selbst zwei Aspekte der gleichen Entwicklung sind» ... Vgl. ibid. S. 19.

[12] Ibid. S. 133.

[13] Ibid. S. 65.

[14] Freuds «dritte und empfindlichste Kränkung» des menschlichen Selbstbewußtseins (vgl. oben S. 233) ist demnach zwar ein wesentliches Element der Psychologie des 20. Jahrhunderts, in erster Linie aber eine Systematisierung von Beobachtungen, Erlebnissen und Haltungsänderungen, die in die letzten Jahrzehnte des 19. Jahrhunderts gehören.

[15] Vgl. Kohut, op. cit., S. 205 ff.

[16] Vgl. ibid. S. 205, Anm. 8. In seinem Aufsatz «Zur Bedeutung philosophischer Konzepte für einen Autor und für die Beschaffenheit seiner Texte». In: *Text & Kontext*, Sonderreihe Bd. 16, «Literatur und Philosophie». Kopenhagen 1983, S. 9–39 schlägt Manfred Dierks vor, in Thomas Mann «den seltenen Fall von kreativem Narzißmus» zu sehen (12), bei dem «durch das literarische Werk» ein «Größenselbst» etabliert wird (16). Ohne den Wert der überzeugenden Analyse von Dierks verkleinern zu wollen, würde ich doch hinzufügen, daß es sich meines Erachtens nicht nur um eine individualpsychologische Konstitution von Mann handelt, sondern außerdem auch um einen mentalitätshistorischen Umbruch.

[17] Vgl. Theodore Ziolkowski, «James Joyces Epiphanie und die Überwindung der empirischen Welt in der modernen deutschen Prosa». In: *DVjS* 35, 1961, S. 594–616. C. A. M. Noble, «Sprachskepsis». *Edition Text + Kritik*. 1978.

[18] Die «ungeheuerliche Krankheit» der Sprache wurde bereits in «Richard Wagner in Bayreuth» (1876) formuliert (N 1,I,387–88) und in der «Geburt der Tragödie» vorweggenommen (N 1,I,44). Der Umschlag zur positiven Bewertung läßt sich dagegen in «Zur Genealogie der Moral» (1887) beobachten, wo die Schematisierung der Wirklichkeit durch die Sprache als eine legitime «Machtäußerung der Herrschenden» aufgefaßt wird (N 1,II,773).

[19] Dieses Erlebnis muß meiner Auffassung nach als eine Voraussetzung der im Vitalismus zu findenden «Sehnsucht nach Ausfüllung des Vakuums, den die geistesgeschichtliche Entwicklung des endenden 19. Jahrhunderts hinterlassen hat», verstanden werden (G. Martens, «Vitalismus und Expressionismus. Ein Beitrag zur Genese und Deutung expressionistischer Stilstrukturen und Motive». Stuttgart 1971, S. 75) – aber auch als Gegensatz dazu!

[20] Wie aus Meyers Biographie hervorgeht, trat eine solche Vorstellung massiv während der Psychose auf, die sich etwa ein halbes Jahr nach dem Erscheinen der «Angela Borgia» einstellte. Vgl. B 10 und K 2.

[21] Vgl. Gunnar Brandell, «Freud och Sekelslutet», In: «Vid Seklets Källor». Stockholm 1961.

Die fragmentierte Struktur

Wenn man sich ein paar hundert Seiten lang mit dem persönlichkeitspsychologischen Profil der «Angela Borgia» beschäftigt hat, entsteht leicht der Eindruck, diese Struktur mache den thematischen Kernbereich des Werkes aus und andere, im Verlauf der Darstellung angedeutete Themen seien diesem unterzuordnen. Eine solche Auffassung ist weder wirkungsästhetisch gesehen (im Sinne von Wolfgang Iser) noch von einer Literaturbetrachtung aus haltbar, die sich in den Rahmen einer psychoanalytischen Anthropologie einordnet. Das Suggestions-/Dissoziationssystem stellt ein Thema dar, das während des Leseprozesses in den Aufmerksamkeitsbereich des Lesers rückt, wobei andere gleichwertige virtuelle Themen den Horizont abgeben, um danach in einem neuen Beobachtungsschritt seinerseits an den Horizont zurückzuweichen, während ein neues Thema in den Vordergrund rückt und das frühere modifiziert oder eventuell negiert. Wäre der Text dagegen in einem zusammenhängenden hierarchischen System organisiert, so würde das ideale Lesen bewirken, daß sich der Fiktionstext auflöste, sich überflüssig machte, indem er sich pragmatisieren, d. h. reduzieren ließe auf ein vom Text unabhängig bestehendes Sinnsystem, eine philosophische, psychologische oder politische Abhandlung in irgendeiner stilgeschichtlichen Einkleidung. Auch eine konsequent psychoanalytische Interpretation macht eine solche Pragmatisierung unmöglich, da das imaginäre Wesen des Werkes u. a. in einer Überdetermination des einzelnen Textelements besteht, was einen grundlegenden Zug in der primärprozeßnahen Vorstellungsform der Kreativität darstellt. Das psychologische Thema konkurriert als Repertoireteil mit anderen Gestalten des Textes. Die einzelnen Textelemente wechseln die Bedeutung je nach ihrer Zugehörigkeit zu dem einen oder dem anderen thematischen Zusammenhang.

Um das Suggestions-/Dissoziationsthema auf ein vernünftiges Maß zurückzubringen, seien deshalb zum Abschluß durch eine einzelne Textstelle Berührungsflächen mit anderen Themen angedeutet. Bisher wurde die Fiktionalisierung eines verhältnismäßig konsistenten psychologischen Systems auf einem vermutlich recht hohen Bewußtseinsniveau behandelt; am einfachsten läßt es sich deshalb Themen der gleichen Bewußtseinsstufe und mit dem gleichen erzählperspektivischen Status gegenüberstellen (d. h. Aussagen, die nicht nur die Perspektive *einer* Fiktionsfigur ausmachen).

Don Giulios Blendung (XIV, 54) entbehrt im Rahmen des *Suggestionsthemas* jeglichen positiven Elements, ist nur Teil der von Cesare angestrebten

Vernichtung seiner Gegner, eine Station auf dem Weg zu seiner Rückeroberung von Lucrezia, und wird deshalb vom Opfer Giulio wie vom Henker Ippolito als eine Handlung ohne Zusammenhang mit ihrer individuellen Schuld und ihren individuellen Absichten betrachtet (am deutlichsten in Ms. M, XIV, 231). Angela ist hier auf das blinde Werkzeug reduziert. In dieser Thematik erhält die Lokalität mit der Statue des gefesselten Amor eine wichtige Funktion, nicht nur weil das Wort «fesseln» auf Cesares Aufforderung an Angela zurückweist (12), sondern auch, weil der Zustand der Unfreiheit in diesem Kunstgegenstand seinen plastischen Ausdruck erfährt (27). Der physischen Blendung des Prinzen entspricht Strozzis psychische Verblendung (39, 89) und diese Blindheit ist Teil der den ganzen Hof von Ferrara beherrschenden Blindheit gegenüber den Kräften, die alle Handlungen und Affekte dieser Welt lenken. Die Anspielung auf Brueghels Bild («Wie sich Blinde Blinden als Führer anboten und mit ihnen in den Abgrund stürzten» (65)) zeigt die Negativität des Themas.

Eine ganz andere Bedeutung besitzt die Blendung im *Regenerationsthema*. Als Don Giulio im Text zum erstenmal auftritt, steigt er aus dem Dunkel des Gefängnisses zum Licht und zum Leben empor: «Ans Tageslicht tretend, erhob er die Hände, als ob er die Sonne begrüße; dann beschirmte er mit ihnen die Augen, als blende ihn der scharfe Strahl oder die Schönheit der oben stehenden beiden Frauen» (15). Die gleiche Richtung aus der Tiefe nach oben findet sich nach dem Abstieg des Traumes in «die schwärzeste sternlose Nacht» (35): «Don Giulio erstieg langsam die Treppen und suchte, den Blick aufwärts wendend, sehnsüchtig das süße Blau, welches er im Traume für immer verloren hatte» (37). Als dieses Fall-Aufstiegsmotiv zum drittenmal auftaucht, ist es jedoch anscheinend mit einer zweiten Dimension verbunden; denn der Begnadigte erklärt auf dem Schafott: «Ich bin von den Reichen zu den Armen gegangen. Ich bin gestürzt und an der andern Seite der Kluft emporgeklommen, welche die Genießenden und Satten der Erde von den Hungrigen und Durstenden trennt» (85). Auf dieser Stufe sind die Anspielungen auf die evangelische Armut wichtig, wogegen das religiöse Thema im letzten Kapitel zurücktritt, in dem Giulio als Gefangener im Turm sitzt, von dem es heißt, er sei «in das unbeachtete Weben der Natur zurückgekehrt» (112). Trotz Pater Mamette führt der Weg des Gefangenen in diesem Kapitel nicht zum himmlischen Licht, sondern zu dem irdischen «Stern» (125) Angela, und obgleich er seine «geistigen Augen» (129) preist, gilt seine Sehnsucht «der Waldluft und dem Erdgeruch meines Pratello» (129). Angela führt den Blinden deshalb nicht zur Entsagung, sondern zu dem natürlichen Leben, zu den kommenden, höchst irdischen Kindern (134). Zieht man in Betracht, daß Giulios Ausgangspunkt, wie der Kardinal, sein älterer Bruder, ihn beschreibt, das glückliche Naturell, das «kindliche Aufglänzen» (44) war, dann wird deutlich, daß die Novelle einen Verlauf zeigt, der von der harmonischen Natur über den Verlust der Unschuld und eine von außen kommende Katastrophe zur Wiederherstellung der ursprünglichen Harmonie führt. Wie bei Lucrezia Borgia, so gibt es auch hier einen Rhythmus aus «Ebbe und Flut», bei dem «Natur leise verjüngend über ihrem Lieblinge waltete» (110). Dieser zyklische Naturrhythmus stellt, wie Henel nachweist (H 3,151 ff.), eines von Meyers wichtigsten Motiven dar. In dem Gedicht «Der verwundete Baum» (I,67) von 1881/82 findet man es in einer Form, die als Matrix für Giulios Lebenslauf gelten kann:

Sie haben mit dem Beile dich zerschnitten,
Die Frevler – hast du viel dabei gelitten?
Ich selber habe sorglich dich verbunden
Und traue: Junger Baum, du wirst gesunden!
Auch ich erlitt zu schier derselben Stunde
Von schärferm Messer eine tiefre Wunde.
Zu untersuchen komm ich deine täglich
Und meine fühl ich brennen unerträglich.
Du saugest gierig ein die Kraft der Erde,
Mir ist als ob auch ich durchriesel werde!
Der frische Saft quillt aus zerschnittner Rinde
Heilsam. Mir ist, als ob auch ich's empfinde!
Indem ich *deine* sich erfrischen fühle,
Ist mir, als ob sich *meine* Wunde kühle!
Natur beginnt zu wirken und zu weben,
Ich traue: Beiden geht es nicht ans Leben!
Wie viele, *so* verwundet, welkten, starben!
Wir beide prahlen noch mit unsern Narben![1]

Nach dieser thematischen Linie gelesen, bezeichnet die Blendung den Mord der Umwelt an dem Kind im Menschen (vgl. oben S. 213). Das Motiv des «blutigen Hauptes» entbehrt im Gesamtwerk (vgl. oben S. 281) einer eigentlich moralischen Dimension, da die «Wunde» nicht aus der Schuld der Hauptperson folgt, sondern nur zeigt, wie verwundbar die Unschuld in einer Welt der Bosheit ist. Diese Thematik trägt ganz sicher dazu bei, daß Meyer von seinen historischen Quellen abweicht und in der Beziehung des Prinzen zu Angela nicht die leiseste erotische Leidenschaft andeutet[2].

Danach wird die Blendung zur Vertreibung aus dem Paradies, charakteristischerweise jedoch nicht durch die Schuld Giulios, sondern durch die des Kardinals. Ippolito ist es, der (fast) die Worte des Alten Testaments benutzt: «Nicht ich! ... Das Weib verführte mich!» (54, vgl. 1. Buch Mose 3, 12), und sich damit selbst als den Schuldigen angibt, während Giulio in seinen Worten an den Bruder der rein Leidende, «ein in der Sonne Atmender» ist (54). Im Regenerationsthema bezeichnen Giulios Augen somit den «Wunderquell» (45), der seinen Unschuldszustand birgt, seine «Sanftmut», um das Wort aus dem Gedicht «Mit einem Jugendbildnis» zu gebrauchen (I, 226. 1883):

Hier – doch keinem darfst du's zeigen,
Solche Sanftmut war mir eigen,
Durfte sie nicht lang behalten,
Sie verschwand in harten Falten,
Sichtbar ist sie nur geblieben
Dir und denen, die mich lieben.

Wie zu sehen ist, entfaltet sich das Thema im gesamten Verlauf der Novelle und ist somit umfassender als das Suggestionsthema, wenngleich unspezifischer. Da es mit paradigmatischen Nebenmotiven verbunden ist, reicht es über die bloße labile Persönlichkeit (das unschuldige, mit dem lasterhaften Jüngling wechselnde Kind) hinaus. Ein solches Nebenmotiv ist beispielsweise Pater Mamettes Vorgeschichte: «Aus einer Bauernfamilie Pratellos gebürtig, wurde er als ein verwaistes, ganz junges Blut von seinen älteren Brüdern, die nicht gesonnen waren, ihr Erbe mit ihm zu teilen, ins nahe Kloster geliefert, wo das unschuldige Kind unbeachtet, aber von den Mönchen wohlgelitten, aufwuchs. Dem Kleinen geriet, wie dem verkauften Joseph, alles zum besten, und sein von freudigen Augen beleuchtetes Angesicht war das Wohlgefallen und der Trost aller, die ihn kannten» (116). Das Regenerationsthema enthält Elemente, die sich nicht sinnvoll in das konkurrierende Suggestionsthema integrieren lassen – und umgekehrt.

Das *Don Juan-Thema*. Als Ferrante Angela den Hof zu Ferrara vorstellt, kommen auch «die unvergleichlichen und verbrecherischen Augen meines Bruders Don Giulio» (14) vor sowie die lakonische Mitteilung: «Er hat mit seinen Augen ein Weib bezaubert und ihrem Manne den Degen durch die Brust gerannt» (14). Diese Beurteilung wiederholt sich sowohl in Strozzis Worten («Dein ruchloser Leichtsinn», «du schönes Laster» (28)) wie auch in Giulios eigener Bemerkung, er vergieße das Blut anderer Menschen bedenkenlos, «wenn ein Lästiger mein Vergnügen stört» (30). Bevor Angela die Bühne von Ferrara betritt, und völlig unabhängig davon, ist Giulio der klassische Don Juan, der sich bis zu seiner Blendung eifrig als Verführer betätigt und dessen letztes Objekt «die Tochter des neuen Gärtners» (51) ist. Der prophetische Straftraum, der innerhalb des Regenerationsthemas keine sichtbare Funktion besitzt, erhält hier eine ausgeprägt moralische Dimension als Aufforderung, der sündigen, sinnlichen Lebensführung zu entsagen, so daß die Traum-Angela sagen kann: «Gerade deine viele Sünde, die ich strafen muß, ist es, die mich an dich kettet. Die Schuld liegt in deinen zauberischen Augen, mit denen du frevelst. Reiße sie aus und wirf sie von dir!» (34). Zu allem Überfluß kommt in dem Traum auch noch Da Pontes und Mozarts von «dröhnenden Posaunen» (34) begleiteter steinerner Gast in Gestalt von Carolus Magnus vor, «grau und streng, wie aus Stein gehauen»: «Jetzt ertönte die mächtige Stimme Kaiser Karls, ohne daß er die Lippen bewegte» (34). Und wie im Don Giovanni reagiert der Unverbesserliche auf diese Warnung aus dem Jenseits mit leichtsinnigem Übermut. In der Blendungsszene erfüllt sich die Prophezeiung, selbst die Posaunen des Jüngsten Gerichts sind als Ausbruch des Unwetters dabei: «Bald war der Himmel lauter Lohe und die Luft voller Donnergetöse» (54). Der Verlust der Augen wird in dieser Thematik zur Strafe für ein gottloses Leben und Angela zum Werkzeug der himmlischen Gerechtigkeit. Die Linie wird dort zuende geführt, wo der Geblendete in Pratello sein «seltsames Geistesspiel» pflegt, in seiner Phantasie «den trichterförmigen Höllenabgrund zu bevölkern»: «Mit grausamem Genusse malte er, vor sich hin singend, diesen Ort aus» (65). Hier schließt dieser thematische Verlauf, da er sich, durch Angelas Bekenntnis angespornt, dazu entschließt, seine Verstümmelung zu rächen. Also, wie es im Text heißt, keine Anklage an das Schicksal oder Gott, keine Beschuldigungen gegen die Brüder, keine Reue über seine Verirrungen (65), sondern nur der Wille, die «unterste, dunkelste Kluft» der Hölle (65) festzuhalten. Diese Konsequenz läßt sich nur schwer mit seinen neu errungenen brüderlichen Gefühlen für die «Benachteiligten und Enterbten» (59), die Bauern auf seinem Gut, vereinen und mit dem Leichtsinn, der ihn in seinem früheren sorglosen Leben kennzeichnete. Meyer schrieb, wie bereits angeführt wurde (oben S. 21) in dem langen Manuskript M von Anfang 1891 mehrmals Don Juan statt Don Giulio, und die Figur enthält mindestens Ansätze zu einer Gestalt, die sich am besten mit der Reflexion des Erzählers in Mörikes «Mozart auf der Reise nach Prag» angesichts von Don Giovannis Untergang charakterisieren läßt: «Es ist ein Gefühl, ähnlich dem, womit man das prächtige Schauspiel einer unbändigen Naturkraft, den Brand eines herrlichen Schiffes anstaunt. Wir nehmen wider Willen gleichsam Partei für diese blinde Größe und teilen knirschend ihren Schmerz im reißenden Verlauf ihrer Selbstvernichtung»[3]. Im Gegensatz zu der Funktion der Figur in den anderen Themen ist hier der Umriß einer «Sondergestalt» gezeichnet, «welche jeden menschlichen Maßstab verspottet» (28), wie es aus Strozzis Sicht erscheint, also eine Figur, die der Stil- und Kompositionstendenz des Werkes entspricht. Die im Traum gemachte genaue Vorhersage von der Art des

Unglücks impliziert das Eingreifen und den Plan einer höheren Gewalt, was als Zug im Suggestionsthema und im Regenerationsthema nicht enthalten ist.

In dem christlichen *Wiedergeburtsthema*, das normalerweise als das eigentliche Anliegen der Novelle betrachtet wird, ist die Blendung dagegen Teil eines Heilsplans, der Tod des Saatkorns als Voraussetzung für das geistige Leben. Aus den an den Kardinal gerichteten Worten des Geblendeten geht deutlich hervor, daß es sich eher um eine Prüfung als um eine eigentliche Bestrafung handelt, die Wortwahl paßt besser zu Hiobs Situation als zu der konkreten in der Novelle dargestellten: «Was nimmst du mir das All und Einzige weg, das ich war ... ein in der Sonne Atmender! ... Du, der du alles bist und hast! Dem ich nichts nahm und nichts neidete! ... Ich winde mich vor dir wie ein blinder Wurm!» (54). Mit seinen neuen «geistigen Augen» kann Giulio die Wege der Vorsehung erkennen und Angela bekennen, «daß, wenn mich dein zufälliges Wort geblendet hat, es zu meinem Heile geschah; zwar auf eine schmerzliche und gewaltsame Weise, wie eine Mutter ihr schreiendes Kind einem Räuber aus den Armen reißt! Denn ich wäre in dumpfer Lust zu Grunde gegangen, während ich jetzt mit hellen Sinnen lebe,» ... (129). Die gleiche Auslegung findet man in Pater Mamettes Worten: «Ihr kennt noch nicht den unerschöpflichen Born des Glücks: es ist das Geheimnis der Armut. Mein heiliger Franziskus, der mit ihr aufs innigste vermählt war, offenbarte es mir einst zur Rettung aus den Abgründen der Seele. Erst wenn Ihr nichts mehr zu eigen habt, könnt Ihr die Liebe Gottes empfangen» (116–117). Die Blendung als reines Leiden, und das Leiden als «Pforte zum Glück und zur Freiheit» (117). Die Behauptung, wonach die Novelle «le triomphe de l'éthique, d'une éthique fondée sur la loi d'amour enseignée par le Christ» (**B** 11,356) ausdrückt, dürfte kaum stimmen. Nur vor dem weltlichen Gericht bekennt Giulio seine «Schuld»: «Er habe, sagte er, sich den Haß des Kardinals zugezogen durch seine unabhängige Art und seinen wilden Wandel, nicht aber durch Beleidigung der brüderlichen Person» (70), was eher nach einer Erklärung als nach einem Schuldbekenntnis aussieht. In allen anderen Äußerungen fehlen Wörter wie Buße, Reue, Schuld, Sühne; selbst nach Mamettes oben zitierten Worten bezeichnet sich der Blinde als «einen Beraubten und aus dem Lichte Gestoßenen» (117). Nur Angela ist die Reuige (130), so wie auch nur sie das Kreuzzeichen auf der Stirn trägt (ibid.), obgleich sie im Rahmen des Wiedergeburtsthemas das Werkzeug der Erlösung ist.

Damit ist man bei dem eigentlichen *Gewissensthema* der Novelle, das sich im Zusammenhang mit dem zweiten Opfer der Blendung, mit Angela, entfaltet. Hält man sich an das nackte Handlungsskelett, so ist sie zwar die unmittelbare Ursache des Verbrechens, nicht aber im moralischen Sinne

322

schuldig daran, so wie sie es subjektiv auffaßt («Wo ist meine Sühne? Wie soll ich büßen?» (66). «Die ganze Schuld an der Blendung des Este und nicht minder die Schuld seines Hochverrats lag auf ihrem Gewissen.» (130)). Selbst Don Giulio, das physische Opfer der Handlung, muß deshalb ihrer Reaktion verständnislos gegenüberstehen: «Aber wo war die Schuld, die das Mädchen erdrückte? Mit teuflischer Bosheit hatte er (d. h. der Kardinal) ihr das verderbliche Wort aus dem Munde gezwungen, und hätte sie feige geschwiegen und ihn beschimpfen lassen, der Arge hätte bald eine andre Gelegenheit gefunden, die spröde Kälte des Mädchens an ihm, dem völlig Unbeteiligten, den der Zurückgewiesene bevorzugt glaubte, satanisch zu rächen» (67). Welche Funktion hat dann die Tatsache, daß die an den verstümmelten Bruder gerichteten Worte des Kardinals: «Das Weib verführte mich! ... Sie lobte deine Augen! ...», «vernichtend in das Herz der entsetzen Angela» (54) eindringen?

Im Suggestionsthema stellt die Blendung den Knotenpunkt dar, in dem sich drei zwanghafte Verläufe sammeln: Angelas unerklärlicher Hang zur Bestrafung des leichtlebigen Prinzen (15, 52), sein noch unerklärlicheres zwanghaftes Aufsuchen dieser Bestrafung (30, 31) und schließlich der leidenschaftliche Haß des Kardinals auf seinen jüngeren Bruder. Bis zu diesem Punkt ist Angela der gleichen Willensohnmacht unterworfen wie die übrigen Personen. Doch von dem Augenblick an, an dem sie die Folge ihrer Handlungen sich unabhängig von ihrer bewußten Absicht entfalten sieht, hebt sie sich von ihrer Umgebung ab, nicht indem sie das Gesetz der Notwendigkeit bricht, dem sie alle unterworfen sind, sondern durch eine bewußte moralische *Wahl* dieser Notwendigkeit. Das Zweideutige dieser Haltung liegt natürlich in dem Umstand, daß das, was sie als Verantwortlichkeit und Freiheit versteht, an die suggestive zwanghafte Bindung an Don Giulio anschließt, daß in Meyers Vorstellungswelt die Trennung zwischen der Notwendigkeit der physischen Welt und der Freiheit der geistigen Welt, die einen Grundbestandteil des deutschen Idealismus ausmachte, nicht mehr existiert. Schillers Wallenstein kann sagen: «In meiner Brust war meine Tat noch mein:/Einmal entlassen aus dem sichern Winkel/ Des Herzens, ihrem mütterlichen Boden,/ Hinausgegeben in des Lebens Fremde,/ Gehört sie jenen tückschen Mächten an,/ Die keines Menschen Kunst vertraulich macht»[4]. Für Meyer steht auch die menschliche Psyche den «tückischen Mächten» offen, so daß Angela, trotz ihrer guten Vorsätze, ihrer Rolle als Giulios «Unglück» (86, 129) nicht entrinnen kann. Selbst als sie den Geblendeten aufsucht, um ihren Teil an der Last seines Unglücks zu tragen, beschwört diese Demonstration ihrer Verantwortlichkeit eine neue Katastrophe für ihn herauf, da sie damit den Anstoß dazu gibt, daß er der

Verschwörung gegen die älteren Brüder beitritt (67). Auch ihr letzter Sühneakt, die heimliche Ehe mit dem Gefangenen auf Lebenszeit (130), hätte eine erneute Verschlechterung seiner Lage bewirkt, wenn nicht die beiden Amoralischen, Lucrezia und Ippolito, Fürbitte für sie geleistet hätten (132). Somit kommt der gute Wille also zu kurz, dem steht aber trotz allem die Tatsache gegenüber, daß Angela an ihrem Streben, an ihrem «Bedürfnis verzweifelter Gegenwehr» (11), festhält. Sie besitzt zwar «zu viel Gewissen», was den impliziten Autor jedoch nicht daran hindert, von der Blendung zu dem märchenhaften Happy-End eine aufwärts steigende Linie zu zeichnen.

Das Gewissensthema läßt sich ebenso wenig wie die übrigen angeführten Themen als die Mitte des Sinnganzen betrachten. Dafür steht es in einem zu chronischen Spannungsverhältnis zu den damit konkurrierenden Repertoireteilen, wobei diese Spannung meiner Auffassung nach durch ihren Ursprung in der Phantasietätigkeit zwar einen notwendigen Bestandteil eines jeden wertvollen Fiktionswerkes darstellt und, durch keine Realitätsprüfung gehemmt, in ihrer Funktionsweise dicht an die undifferenzierte Matrix des Primärprozesses heranreicht[5], in dieser Novelle jedoch ein solches Ausmaß annimmt, daß die Einheit des Werkes immer wieder zusammenzubrechen droht.

Die im ersten Kapitel der Arbeit angeführte Kritik an der «Angela Borgia» ist, soweit sie sich auf die unzusammenhängende Komposition bezieht, ja ästhetisch berechtigt. Der Handlungszusammenhang ist zwar nicht so schwach, wie man ihn hat darstellen wollen; von Meyers persönlichem Mythos und seinem Einsatz der Forelschen Suggestionspsychologie her gesehen ist er sogar recht konsequent, doch wie die Rezeptionsgeschichte zeigt, ist es dem Autor nicht gelungen, seinen Lesern diesen Zusammenhang durchsichtig zu machen. Eine der Ursachen dafür ist ganz sicher in der hermeneutischen Inkongruenz zwischen dem Verständnishorizont des Werkes und der Leser zu suchen. Die dynamische Psychologie der 8oer Jahre stellt mit all ihrer Faszination innerhalb der modernen Wissenschaftsgeschichte eine so isolierte Richtung dar, daß man versucht sein könnte, sie mit Toynbees Begriff als eine «abortive» Kultur zu bezeichnen[6]. Dazu kommt jedoch die Frage, ob sich Meyers Menschenbild in seiner durch die Begegnung mit der Nancyer Schule bewirkten radikalen Gestaltung überhaupt in den existierenden literarischen Konventionen ausdrücken läßt. Mit dem inneren Monolog konnte man die Fluktuation von Vorstellungen und Affekten in einer einzelnen Psyche darstellen, doch wie sollte man eine annehmbare Form finden, mit der sich das flüchtige Wesen der Persönlichkeit *und* ihre Empfänglichkeit für den Einfluß anderer Bewußtseine und außerdem noch ihre Fähigkeit, anderen ihren Willen aufzuzwingen, schildern ließ? Meyer war so an die historische Novelle gebunden, daß der Versuch im Rahmen dieser Gattung unternommen werden mußte, was zu einer Fragmentierung der an sich so straffen historischen Form führte.

Diese Tendenz äußert sich nicht nur in der Interferenz der angeführten Themen. Meyers Kritikern fällt nicht zuletzt auf, daß die Gefühle der Fiktionsfiguren nicht in ihrem «Keimen und Wachsen» dargestellt werden (Z 1,225; vgl. H 4,321), d. h. nach normalen Begriffen unmotiviert sind. Diese Eigentümlichkeit hängt natürlich mit der spezifischen Persönlichkeitspsychologie des Werkes zusammen, wird jedoch durch einen besonderen kompositorischen Kniff akzentuiert. Die «Angela Borgia» ist nämlich mehr als irgendeines der früheren Werke episiertes Drama, das als lockere Reihenfolge regulärer Schauspielszenen aufgebaut ist, die überwiegend aus Repliken und Regieanweisungen bestehen. Das 2. Kapitel beispielsweise beginnt folgendermaßen: «Da, wo der weite Park von Belriguardo in die ferraresische Ebene ohne Grenzmauer verläuft, saßen auf einer letzten verlorenen Bank im Schatten einer immergrünen Eiche zwei, die, aus Haltung und Miene zu schließen, voneinander Abschied nahmen» (17). Und das Kapitel schließt so: «Mitten in dieser erhitzen Szene betrat ein Page den verlorenen Schattenplatz und bat die Herrschaften, in den Park zurückzukehren» ... (24). Der gleiche Typus regelrechter Regieeinrahmung von dialogisierten Teilen findet sich überall in der Novelle wieder. Nur im 7., 8. und 12. Kapitel ist der rein szenische Aufbau nicht so vorherrschend. Mit ihrer sprunghaften Gestaltung des Verlaufs enthält die Novelle dann zahlreiche «Leerstellen», die dem Leser über die inneren Prozesse der Figuren keine Aufklärung gewähren und gleichzeitig die Kontinuität der psychischen Verläufe brechen, was der Machtlosigkeit entspricht, die die Auftretenden gegenüber plötzlich auftauchenden oder verschwindenden Affekten an den Tag legen. Damit hat das Suggestions- und Dissoziationsthema sein kompositorisches Korrelat erhalten. Entsprechend der Interferenz z. B. mit dem Erlösungs- und Wiedergeburtsthema wird die «objektive» Darstellungsform jedoch durch ein für Meyer ungewöhnlich demonstratives Hervortreten des auktorialen Erzählers gebrochen, das selbst mitten in rein dramatischen Szenen stattfindet (z. B. S. 6 und S. 16). Mit den durch den auktorialen Erzähler gelieferten Beurteilungen, direkten Charakteristiken und Reflexionen wird als Gegenpol zu der kaleidoskopischen psychischen Innenwelt ein geordnetes Universum aufgebaut, in dem nicht nur die Objekte der Außenwelt, sondern auch die *statischen* Eigenschaften der Menschen abgegrenzte, identifizierbare Größen bilden (z. B. die Charakteristik von Ferrante, S. 60, und die des Kardinals, S. 82). Die beiden Tendenzen stehen einander nicht integriert gegenüber und bewirken eine Reihe erzähltechnische und stilistische Dissonanzen, die auf die vom Leser eingebrachten ästhetischen Kategorien äußerst störend wirken können.

Noch störender wirken sich die Konsequenzen der Idee von der multiplen und suggestiblen Persönlichkeit auf die Charakterzeichnung der Novelle aus. Meyer bewunderte Shakespeare wegen dessen «ganz lebendigen vollständigen Menschen, wo die Handlung mit Nothwendigkeit aus den Charakteren hervorgeht» (Lingg, 12. 9. 75)[7], doch in der «Angela Borgia» hängt keine der Hauptpersonen auch nur einigermaßen zusammen, und ihre Handlungen sind oft reine Fremdkörper in ihrem Selbstverständnis. Was soll der Leser mit einer Fiktionsfigur anfangen, die sich durch ihre Replik erst als ausgeglichen, verantwortungsbewußt, als Bewunderer von Begabung und Geist charakterisiert – Ippolito auf Seite 44 –, um dann einen Augenblick später als egozentrischer, amoralischer, erotisch besessener Wahnsinniger aufzutreten (45 ff.)? Ist einem erst einmal das die Novelle strukturierende Menschenbild klar geworden, dann wird begreiflich, daß die Partialpersönlichkeiten ein und derselben physischen Individualität unterschiedlicher sein können als zwei verschiedene Individuen[8], ohne diesen Hintergrund sieht man jedoch nur, «daß die gestalterische Kraft des müde gewordenen Dichters nicht mehr ausreichte, völlig Herr über den Stoff zu werden» (Z 1,225). Unsere ästhetischen Konventionen verlangen, daß Fiktionsfiguren wiedererkennbar sind oder, wenn eine Verwandlung stattfindet, der Zusammenhang zwischen einem früheren und einem späteren Entwicklungsstadium einsichtig gemacht wird. Was aber, wenn die in der Konvention *enthaltene* Idee von der relativen Stabilität der Persönlichkeit mit einer anderen Persönlichkeitspsychologie in Konflikt gerät? Robert Musil beschäftigte sich vielleicht mehr als irgendein anderer der Dichter der Jahrhundertwende mit dem Problem, wobei er jedoch von dem positivistisch-instrumentalistischen Mach (und von Ribot) und dessen Auffassung der Begriffe Ich, Charakter, Persönlichkeit usw. als reine Fiktion ausging und mit seiner raffinierten Erzähltechnik die Trennung zwischen Erzähler und Figuren verwischen konnte[9], den Figuren, die selbst eine Reihenfolge von Zuständen mit gleitenden Übergängen darstellen und seltsam anonym sind, wie Homo in «Grigia» oder Aeins und Azwei in «Die Amsel». Dadurch wurden die einzelnen Persönlichkeitsstadien genau wie in den stream-of-consciousness-Darstellungen nahezu profillos. Meyers Bezugsrahmen ist ein völlig anderer als der positivistische. Sein dichterisch produktives Erlebnis der Identitätslosigkeit umschloß plötzliche und durchgreifende Wechsel von einer markant profilierten «Persönlichkeit» zu einer anderen, so wie Eugène Azam und dessen Nachfolger es geschildert hatten. Da er seine Persönlichkeiten gleichzeitig in Abhängigkeit von Interaktionsbedingungen definierte, mußte er sein Fiktionsuniversum mit konkreten, der übergeordneten Erzählerperspektive gleichwertigen Figuren bevölkern, so daß der psychische Kampf sichtbar hervortreten konnte. Da er aber in seinen Formidealen gleichzeitig konservativ war und der psychologischen Problematik, so sehr sie sich auch aufdrängte, offensichtlich nicht das letzte Wort überlassen wollte, mußte der Versuch letztlich scheitern – im Verhältnis zur Literatur, nicht notwendigerweise aber im Verhältnis zu einer anderen Wirklichkeit.

Anmerkungen

[1] Vgl. die umgebenden Gedichte «Der Lieblingsbaum», «Das bittere Trünklein» und «Abendrot im Walde» (I, 66–69), die ebenfalls eine Verschmelzungsphantasie enthalten, bei der die Erlösung vom Schmerz darin besteht, daß das leidende Individuum in der Kreislaufbewegung der Natur verschwindet.

[2] Wenn Meyer Angela «in lobendem Sinne eine Virago» (11) nennt, «mit einem zarten Flaum auf den Wangen» (11), wenn Giulio erklärt: «Wuchs und Gebärde dieser Virago sind nicht mein Stil» (45) und schließlich der Erzähler sie bei ihrem ersten Besuch bei dem Geblendeten in Pratello als «eine Amazone, schlank von Wuchs und untadelig im Sattel» (63) schildert, so läßt sich das in diesem thematischen Zusammenhang als eine Betonung der fehlenden erotischen Schuld verstehen. Gleichzeitig aber gehört die androgyne Angela damit zu dem Erlösungsprozeß der Natur; denn am Ende der Novelle wird sie selbst verwandelt: «Ihre Härte und Herbigkeit verschwand wie die einer schwellenden Frucht, die an der Sonne reift, und welche andere Sonne konnte sie gezeitigt haben als die Sonne der Liebe?» (119). Meyers Schilderung zeigt in der Wortwahl im übrigen eine auffällige Ähnlichkeit mit Goethes Rezension, «Bekenntnisse einer schönen Seele, von ihr selbst geschrieben» (1806. Goethes Werke. Sophienausgabe, Bd. 40, S. 367–84): «Wir hätten aber doch dieses Werk lieber «Bekenntnisse einer Amazone» überschrieben, /.../. Und wie jene aus dem Haupte des Zeus entsprungene Athene eine strenge Erzjungfrau war und blieb, so zeigt sich auch in dieser Hirngeburt eines verständigen Mannes ein strenges, obgleich nicht ungefälliges Wesen, eine Jungfrau, eine Virago im besten Sinne, die wir schätzen und ehren, ohne eben von ihr angezogen zu werden» (368). Noch einen weiteren Zug hat Meyers Angela mit der Schönen Seele gemeinsam, nämlich die Elternlosigkeit (XIV, 10): «Der Verfasser, um seine Amazone selbständig zu erhalten, muß sie ohne Vater und Mutter entspringen lassen» (375). Dieser Satz formuliert außerdem das Problem, das Goethe als das wichtigste des Romans betrachtet: «Die Hauptfrage, die das Buch behandelt, ist: wie kann ein Frauenzimmer seinen Charakter, seine Individualität gegen die Umstände, gegen die Umgebung retten?» (375). Gleichgültig, ob Meyer Goethes Rezension gekannt hat oder nicht oder ob er die Bezeichnung Virago allgemeiner im Sinne von «ein widerstandsfähiges und selbstbewußtes Mädchen» verwendet, so besteht (vgl. oben S. 215 ff.) zwischen dem Postulat der selbständigen Individualität und der nahezu unmerkbaren, aber effektiven Unterminierung dieser Autonomie eine deutliche ironische Distanz – wohlgemerkt im Rahmen des Suggestionsthemas.

[3] Eduard Mörike, Werke Bd. 3, Zürich 1947, S. 306. Meyer beschäftigte sich in der Zeit vor der Entstehung der «Angela Borgia» mit Mörike, was u. a. aus dem Gedicht «Wanderfüße» (1889)

hervorgeht, das, wie Hans Zeller bemerkt, «eine Reminiszenz an Mörikes «Erbauliche Betrachtung» über seiner «eigenen Füße Paar»» darstellt (II, 365). Mörike sei ihrem Bruder «immer besonders lieb» gewesen, sagt Betsy Meyer (B. Erinn., S. 98).

[4] Schillers Werke. Nationalausgabe. Bd. 8, S. 184 (Vers 186 ff.).

[5] Vgl. Anton Ehrenzweig, «The Undifferentiated Matrix of Artistic Imagination». In: The Psychoanalytic Study of Society, III. New York, 1964.

[6] Barrucand weist beispielsweise darauf hin, daß Pierre Janet, der sich zur Nancyer Schule sogar skeptisch verhielt, ab 1918 «est seul à poursuivre des travaux scientifiques sur le sujet; en effet, ce n'est qu'après 1950 que renaîtra en France l'intérêt pour l'hypnose, dont témoignera le Premier Congrès international d'hypnose et de Médecine psychosomatique, tenu à Paris en 1965» (B 2,204). Bereits auf dem ersten Hypnosekongreß im Jahre 1889 hatte sich gezeigt, wie wenig sich die neue Psychologie mit den herrschenden Paradigmen vereinen ließ: «Pierre Janet declared Bernheim's assertions dangerous because they entailed the elimination of any kind of determinism, and antipsychological because psychology, like physiology, also has its laws. Bernheim replied that there is one basic law: that any brain cell activated by an idea tends to bring the idea into being» (E 1,760).

[7] Bei Fr. Th. Vischer, den Meyer seit seinen dichterischen Anfängen sehr schätzte, ist «die bewegte und doch stetige Einheit des Charakters, ein Werk der Freiheit» ein wichtiger Begriff der Ästhetik («Aesthetik oder Wissenschaft des Schönen», Paragr. 233).

[8] Der Text enthält mehrere typische Formulierungen dieser Tatsache: Giulios: «Seit jenem Tage bin ich nicht mehr derselbe» (30), Ippolitos: «Nicht ich!» (54), Angelas: «Wie bin ich eine andere!» (110) und die Doppelperspektive des Erzählers: «und war wiederum eine andere» (63), «die vor ihm stand, war eine andre» (95). Am auffälligsten ist hier wohl das Manuskript zu dem Gedicht «Der sterbende Julian» vom Sommer 1891, das nach der Schilderung von Sokrates die Schlußstrophe enthält: «Aber nein, nicht dieser, doch ein Andrer,/ Bin ich immer noch der leichte Wandrer,» ... (III,371). Diese Negationsgeste kommt in den Gedichten nach 1882 verhältnismäßig häufig vor (d. h. nach der Doppelgängernovelle!).

[9] Vgl. Brigitte Röttger, «Erzählexperimente. Studien zu Robert Musils ‹Drei Frauen› und ‹Vereinigungen›». Bonn 1973.

Siglen

Römische + arabische Ziffern (z. B. XIV,7 oder vereinzelt zur Verdeutlichung: HKA XIV,7) = «Conrad Ferdinand Meyer. Sämtliche Werke». Historisch-kritische Ausgabe. Besorgt von Hans Zeller und Alfred Zäch. Bern 1958. Von den 15 geplanten Bänden der Ausgabe fehlen noch Bd. V, VI und VII. Bd. XV erschien nach Abschluß meines Manuskripts und konnte deshalb nicht berücksichtigt werden.

UP = «Conrad Ferdinand Meyers unvollendete Prosadichtungen». Eingeleitet und herausgegeben von Adolf Frey. Leipzig 1916.

François + Datum und Jahreszahl = Brief von Meyer an Louise von François, abgedruckt in «Louise von François und Conrad Ferdinand Meyer. Ein Briefwechsel». Herausgegeben von Anton Bettelheim. Berlin 1905 (1920[2]).

Rodenberg + Datum und Jahreszahl = Brief von Meyer an Julius Rodenberg, abgedruckt in «Conrad Ferdinand Meyer und Julius Rodenberg. Ein Briefwechsel». Herausgegeben von August Langmesser. Berlin 1918.

Hardmeyer-Jenny = Brief von Meyer an J. Hardmeyer-Jenny, abgedruckt in «Briefe von Conrad Ferdinand Meyer, Betsy Meyer und J. Hardmeyer-Jenny». Herausgegeben von O. Schulthess. Bern 1927.

Br. I/II = «Briefe Conrad Ferdinand Meyers nebst seinen Rezensionen und Aufsätzen, herausgegeben von Adolf Frey». Leipzig 1908. Meyers Briefe in dieser Ausgabe werden mit dem Adressaten und dem Datum angeführt (z. B. Haessel, 12. 8. 91).

ZZ CFM + Zahl = Sammlung der Handschriften Conrad Ferdinand Meyers in der Zentralbibliothek Zürich.

B. Erinn. = «Conrad Ferdinand Meyer in der Erinnerung seiner Schwester». Berlin 1903.

Soweit die Sekundärliteratur nicht mit den vollen bibliographischen Angaben angeführt wird, gelten folgende Abkürzungen:

A 1   Azam, Eugène: Hypnotisme, double conscience et les altérations de la personnalité. Paris 1887.

B 1   Bahr, Hermann: Die Krisis des französischen Naturalismus. In: *Das Magazin für die Litteratur des In- und Auslandes*, 6. 9. 1890.

B 2   Barrucand, D.: Histoire de l'hypnose en France. Paris 1967.
B 3   Baumgarten, F. F.: Das Werk C. F. Meyers. Renaissanceempfinden und Stil-
      kunst. München 1917 (1948³).
B 4   Baumgartner, W.: Triumph des Irrationalismus. Rezeption skandinavischer
      Literatur im ästhetischen Kontext Deutschlands 1860–1910. Neumünster 1979.
B 5   Beaunis, H.: Le somnambulisme provoqué. Études physiologiques et psycho-
      logiques. Paris 1887² (1886).
B 6   Bernheim, H.: De la suggestion dans l'état hypnotique et dans l'état de veille.
      Paris 1884.
B 7   Ders.: De la suggestion et de ses applications à la thérapeutique. Paris 1886.
B 8   Ders.: Die Suggestion und ihre Heilwirkung. Übersetzt von Sigmund Freud.
      Wien 1888.
B 9   Blum, H.: Lebenserinnerungen. II. Berlin 1908.
B 10 Breßler, H.-G.: Gedichte aus C. F. Meyers Spätkrankheit. In: *Monatsschrift
      für Psychiatrie und Neurologie*. Bd. 125, 1953.
B 11 Brunet, G.: C. F. Meyer et la nouvelle. Paris 1967.
B 12 Burckhardt, J.: Die Kultur der Renaissance in Italien. Köln o. J. (1860).

C 1   Coupe, W. A.: Conrad Ferdinand Meyer: Der Heilige. Ed. by W. A. Coupe.
      Oxford 1965.
C 2   Cullerre, A.: Magnétisme et hypnotisme. Paris 1887² (1886).

D 1   Despine, P.: Étude scientifique sur le somnambulisme. Paris 1881.
D 2   Doß, Anna von. Briefe über Conrad Ferdinand Meyer, herausgegeben von
      H. Zeller. Bern 1960.

E 1   Ellenberger, H. F.: The Discovery of the Unconscious. The History and
      Evolution of Dynamic Psychiatry. New York 1970.

F 1   Faesi, R.: Conrad Ferdinand Meyer. Frauenfeld 1948² (1925).
F 2   Fehr, K.: Conrad Ferdinand Meyer. Stuttgart (Metzler) 1971 (1980²).
F 3   Forel, A.: Der Hypnotismus, seine Bedeutung und seine Handhabung. Stutt-
      gart 1888.
F 4   Ders.: Der Hypnotismus oder die Suggestion und die Psychotherapie. Stutt-
      gart 1911⁶.
F 5   Ders.: Rückblick auf mein Leben. Zürich 1935.
F 6   Franzos, K. E. (Hrsg.): Die Suggestion und die Dichtung. Gutachten über
      Hypnose und Suggestion. Berlin 1892.
F 7   Freud, S.: Studienausgabe Bd. 1–10 + Erg.Bd. Frankfurt a. M. 1969–75.
F 8   Ders.: Gesammelte Werke. Bd. 1–18. London 1940–52 + Frankfurt a. M.
      1968.
F 9   Ders.: Aus den Anfängen der Psychoanalyse. Briefe an Wilhelm Fließ.
      Abhandlungen und Notizen aus den Jahren 1887–1902. Frankfurt a. M. 1962.

F 10 Frey, A.: Conrad Ferdinand Meyer. Sein Leben und seine Werke. Stuttgart/ Berlin 1919³ (1899, 1909²).

G 1 Gregorovius, F.: Lucrezia Borgia. Nach Urkunden und Correspondenzen zu ihrer eigenen Zeit. 1875³.

H 1 Harcourt, R. d': C. F. Meyer – Sa vie, son oeuvre. Paris 1913.
H 2 Hehlmann, W.: Geschichte der Psychologie. Stuttgart 1967.
H 3 Henel, H.: The Poetry of Conrad Ferdinand Meyer. Madison (Wisc.) 1954.
H 4 Hohenstein, L.: Conrad Ferdinand Meyer. Bonn 1957.

I 1 Iser, W.: Der Akt des Lesens. Theorie ästhetischer Wirkung. München 1976.

J 1 Jackson, D. A.: Conrad Ferdinand Meyer in Selbstzeugnissen und Bildern. Hamburg (Rowohlt) 1975.
J 2 Janet, Pierre: L'Automatisme psychologique. Paris 1930¹⁰ (1889).
J 3 Ders.: Les actes inconscients et le dédoublement de la personnalité pendant le somnambulisme provoqué. In: *Revue philosophique.* 11, 1886. S. 577ff.

K 1 Kalischer, E.: Conrad Ferdinand Meyer in seinem Verhältnis zur italienischen Renaissance. In: *Palaestra* LXIV, 1907.
K 2 Kielholz, A.: Conrad Ferdinand Meyer und seine Beziehungen zu Königsfelden. In: *Monatsschrift für Psychiatrie und Neurologie.* Bd. 109, 1944.
K 3 Klein, J.: Geschichte der deutschen Novelle. Wiesbaden 1954.
K 4 Kögel, F.: Bei Conrad Ferdinand Meyer. Ein Gespräch. In: *Die Rheinlande,* 1, 1900. S. 27–33.

L 1 Langewiesche, W.: Ein Besuch bei Conrad Ferdinand Meyer. In *Die Gegenwart,* Bd. XLII. 17. 9. 1892.
L 2 Liébeault, A.-A.: Du sommeil et des états analogues considérés surtout au point de vue de l'action du moral sur le physique. Paris 1866.
L 3 Liégeois, J.: De la suggestion et du somnambulisme dans ses rapports avec la jurisprudence et la médecine légale. Paris 1889.
L 4 Lilienthal, K. v.: Der Hypnotismus und das Strafrecht. In: *Zeitschrift für die gesamte Strafrechtswissenschaft.* Berlin 1887.
L 5 Lindström, H.: Hjärnornas Kamp. Psykologiska Ideer och Motiv i Strindbergs Åttiotalsdiktning. Uppsala 1952.

M 1 Mach, E.: Beiträge zur Analyse der Empfindungen. Jena 1886.
M 2 Martini, F.: Deutsche Literatur im bürgerlichen Realismus 1848–1898. Stuttgart 1964².
M 3 Maupassant, G. de: Romans. Contes et Nouvelles I–II. Paris 1959.

N 1 Nietzsche, F.: Werke in drei Bänden, Herausgegeben von Karl Schlechta. München 1966.

Ö 1 Öhrgaard, P.: C. F. Meyer. Zur Entwicklung seiner Thematik. Kopenhagen 1969.

P 1 Petermand, A. C.: Aus schweren Alterstagen von C. F. Meyer. In: *Sonntagsblatt der Basler Nachrichten*. 44, 1937.

R 1 Richet, C.: L'Homme et l'intelligence. Paris 1884.
R 2 Ribot, T.: Les Maladies de la personnalité. Paris 1884.

S 1 Silz, W.: Meyer: «Der Heilige». In: Deutsche Erzählungen von Wieland bis Kafka. Herausgegeben von Jost Schillemeit. Frankfurt a. M. 1966 (Original: Silz, W.: Realism and Reality. Studies in the German Novelle of Poetic Realism. Chapel Hill, N. C. 1954).
S 2 Stanzel, F. K.: Theorie des Erzählens. Göttingen 1979.
S 3 Szondi, P.: Theorie des modernen Dramas. Frankfurt a. M. (Suhrkamp) 1979.

T 1 Taine, H.: De l'intelligence. Paris 1870[2].

W 1 Wettley, A.: August Forel. Ein Arztleben im Zwiespalt seiner Zeit. Salzburg 1953.
W 2 Williams, J. D.: The Stories of C. F. Meyer. Oxford 1962.
W 3 Wyzewa, T.: Un romancier suisse. In: *Revue des deux mondes*, Tôme 152, 1899.

Z 1 Zäch, A.: C. F. Meyer. Dichtkunst als Befreiung aus Lebenshemmnissen. Frauenfeld 1973.

Namenregister

(ohne Briefadressaten und Fiktionspersonen in Meyers Werken)

Ahlström, S., 107
Alewyn, R., 81
Antoine, A., 107
Auerbach, E., 77, 81
Avenarius, R., 80
Azam, E., 63, 68, 72, 74, 79, 81, 131–38,
    140, 154, 326

Bahr, H., 12, 13, 80, 96, 99–103, 105–107,
    110, 315
Barrès, M., 107
Barrucand, D., 58, 63, 65, 71, 72, 75, 230,
    269, 328
Baudelaire, Ch., 107
Baumgarten, F. F., 24, 88
Baumgartner, W., 77, 81, 99, 106
Beaunis, H.-E., 64, 74, 75, 149, 160, 170
Beckers, G., 179
Benz, E., 74
Berger, 57
Bernheim, H., 47, 48, 51, 55–58, 63–67, 71–
    75, 78, 79, 96, 97, 108, 110, 111, 123,
    138, 142, 149, 150–153, 165, 170, 191,
    218, 226, 229, 235, 265
Bettelheim, A., 90
Beuchat, C., 20
Binet, A./Féré, C., 75
Binswanger, O., 78, 84
Björnson, B., 76, 77, 81, 99
Bleuler, E., 47, 51, 65
Blum, H., 213
Bohnen, K., 106, 107, 315
Böschenstein, R., 315
Bourget, P., 12, 78, 79, 104, 110
Bovet, F., 92
Brahm, O., 20, 86, 90–92, 101, 103, 105,
    107
Braid, J., 49, 51, 56, 57, 59, 71–73
Brandell, G., 316
Brandes, G., 99, 108, 311
Brausewetter, E., 105, 107
Bredsdorff, E., 102
Brennecke, D., 107
Brentano, F., 80
Breßler, H. G., 254
Breuer, J., 231
Bridgwater, P., 303

Brown, J. A. C., 315
Brunet, G., 11, 18, 19, 24–26, 28, 31, 120,
    154, 171, 172, 181, 194, 206, 208, 222,
    237, 244, 262, 288, 289, 297, 302, 303,
    305, 322
Brunetière, F., 81
Burckhardt, J., 25, 95, 181, 188, 272

Carlsson, A., 106
Carus, C. G., 70, 75
Charcot, J.-M., 49, 56–58, 63, 64, 73, 74,
    76, 77, 79, 84, 98, 111, 112, 133, 138, 231
Claretie, J., 76, 78
Comte, A., 47, 54
Conradi, H., 12
Coué, E., 235
Coupe, W. A., 244, 281, 289, 293
Cremerius, J., 140, 315
Cullerre, A., 71

Darwin, C., 47, 49
Daudet, A., 76, 79, 81
David, J. J., 107
De Faria, 63
Despine, P., 53, 54, 110, 143, 160, 169
Dessoir, M., 68, 72
Dierks, M., 316
Doß, A. v., 23, 35, 36, 37, 40, 45, 74, 215,
    238, 251, 278
Dostojewskij, F., 13, 15, 94, 182
Druskowitz, H. v. 26, 92, 171, 274
Dubois-Reymond, E., 56, 72, 83, 84, 91
Du Prel, C., 79, 117, 161, 171
Durand de Gros, J. P. (Pseudonym: Philips,
    A. J. P.), 63, 71, 72, 292

Eberlein, K. K., 303
Ehrenzweig, A., 236, 328
Eklund, T., 105, 107
Ellenberger, H. F., 51, 54, 58, 59, 63, 64,
    67, 72, 75, 76, 78, 79, 110, 117, 127, 128,
    130, 160, 214, 328
Erich, O., 101
Escher, A., 86
Eulenburg, A., 83, 84, 85, 142, 237
Exner, S., 84